La invención de España

HENRY KAMEN

LA INVENCIÓN DE ESPAÑA

Leyendas e ilusiones que han construido
la realidad española

ESPASA

Primera edición: febrero de 2020
Segunda edición: febrero de 2020
Tercera edición: marzo de 2020

© Henry Kamen, 2020
© Alejandra Devoto por la traducción, 2020
© Editorial Planeta, S. A., 2020
Espasa es un sello editorial de Editorial Planeta, S. A.
Avda. Diagonal, 662-664
08034 Barcelona

Preimpresión: Safekat, S. L.

© Imágenes de interior: Joseph Martin; Granger NYC; Oronoz y Akg-Images/
Album
Iconografía: Grupo Planeta

Depósito legal: B. 959-2020
ISBN: 978-84-670-5816-1

Espasa, en su deseo de mejorar sus publicaciones, agradecerá cualquier sugerencia que los
lectores hagan al departamento editorial por correo electrónico: sugerencias@espasa.es.

www.espasa.com
www.planetadelibros.com

Impreso en España/*Printed in Spain*
Impresión: Huertas, S. A.

El papel utilizado para la impresión de este libro está calificado como **papel
ecológico** y procede de bosques gestionados de **manera sostenible**

ÍNDICE

PREFACIO

Cuando haya argumentos eficaces contra las opiniones recibidas, considero indispensablemente obligados los Escritores á batallar por la verdad. [...] ¿Para qué se escribe la Historia, o cómo se puede escribir bien, sin apartar las fábulas de las realidades?

BENITO JERÓNIMO FEIJOO, *Teatro crítico universal,*
discurso 13, 1.ª parte, xx

Quienes no estén dispuestos a enfrentar el pasado no podrán entender el presente y no serán capaces de encarar el futuro.

BERNARD LEWIS, *Notes on a Century*

En cada siglo hubo nuevas llegadas, nuevas invasiones, nuevas formas de creencia y de práctica. Las regiones cambiaron de carácter y también lo hicieron las personas al mando. Los nativos de la Península —los griegos la llamaron «Iberia»— se adaptaron a la intrusión de los cartagineses, los romanos, los vándalos, los suevos, los godos, los bereberes, los árabes y todos los demás que vinieron a explorar y a establecerse. Con el tiempo, todos tuvieron que compartir el territorio y trabajar con un propósito común. Fue necesario moldear identidades, esperanzas y aspiraciones para llegar a la posibilidad de la convivencia.

Los múltiples orígenes de los pueblos dieron lugar, inevitablemente, a numerosas y diferentes explicaciones del papel que habían desempeñado. Las formas en que veían el pasado no siempre coincidían. ¿Se podía confiar en las diferentes narrativas? «La historia —explicó Tolstói una vez a un amigo— sería algo excelente si solo fuera cierta». En *Guerra y paz* presentó el fascinante proceso mediante el cual la realidad y el mito se entrelazan en la experiencia de los pueblos. La realidad es lo que aparentemente sucedió, mientras que el mito es lo que debería haber sucedido (el pasado) o lo que esperamos que suceda (el futuro). Ambos mantienen un vínculo inextricable y se modifican mutuamente en el tiempo y en el espacio, pero las diferentes visiones del pasado pueden dificultar la llegada a una perspectiva acordada, un problema que ha afectado a la forma en la que vemos la experiencia histórica de España[1]. Explicar el pasado de España con frecuencia termina en una serie de escaramuzas entre puntos de vista conflictivos.

La narración actual prefiere evitar las escaramuzas. Parte de la premisa de que el mito y la realidad son aceptables por igual, porque cada uno tiene un papel reconocible en la forma en la que elegimos construir, es decir, inventar, el pasado. Abarca un período que llega hasta el siglo XIX. Comenzando con el simbolismo del asedio de Numancia, prestamos atención a una gama de contextos en los que leyendas y esperanzas han ayudado a constituir puntos de vista de la nación histórica. Las leyendas incluyen no solo narraciones clásicas, como la de Pelayo, la de Santiago y la del Cid, sino también desafíos complejos, como la unificación de España, el sueño de un paraíso islámico, el reto del Nuevo Mundo, el dominio del poder militar hispánico y las narrativas de la leyenda negra. ¿Hasta qué punto podemos aceptar las variadas interpretaciones de estos temas? Se supone que las leyendas, los objetos, las reliquias y el arte han hecho una contribución importante y relevante a nuestra forma de ver el pasado.

Este no es un estudio sobre la idea de España, un tema al que muchos han prestado atención[2], sino que, más bien, abor-

---

[1] Para enseñar historia en las escuelas se siguen aceptando leyendas clásicas pasadas de moda. Véase Jorge Sáiz Serrano, «Pervivencias escolares de narrativa nacional española: Reconquista, Reyes Católicos e Imperio en libros de texto de historia», *Historia y Memoria de la Educación,* 6 (2017).

[2] Por ejemplo, Fernando Wulff, *Las esencias patrias. Historiografía e historia antigua en la construcción de la identidad española (siglos XVI-XX),* Barcelona, 2003. «Una reflexión —dice el autor— sobre cómo se ha ido definiendo la idea de España en la historiografía española». Véase también

da aspiraciones e interpretaciones. Ofrece una introducción a algunos de los mitos históricos más comunes y al papel que han jugado en la invención de España. A ningún pueblo le ha resultado fácil llegar a un acuerdo sobre su identidad. Casi todos han enfrentado problemas, no solo al definir sus orígenes, sino también al hablar de sus aspiraciones. En el caso específico de España, a lo largo del tiempo todos los intentos de llegar a un consenso sobre lo que habían logrado o lo que esperaban en el futuro parecen haber naufragado[3]. En parte, esto se debe a que ha habido divisiones entre los españoles sobre su manera de concebir su nación. Algunos tienen una visión primordial de su pasado y piensan en la nación como si fuera una entidad atemporal; otros son modernistas y la consideran fruto de factores políticos y étnicos, en cierta medida inventados. En la práctica, nuestra forma de concebir una nación puede ser de lo más compleja.

A esto se debe el título de este libro. La invención de una nación no implica falsedad ni imaginación, sino, simplemente, que la nación se hace realidad a través de una serie de factores que evolucionan con el tiempo[4]. La mayoría de esos factores dependen de nuestra lectura del pasado histórico. La idea de la invención en su contexto hispánico apareció primero en el título de un libro de Hernán Pérez de Oliva, *Historia de la invención de las Yndias* (1528), en el que el término «inven-

---

José Álvarez Junco, *Mater dolorosa. La idea de España en el siglo XIX,* Madrid, 2017.

[3] Véase José Álvarez Junco y Gregorio de la Fuente, *El relato nacional: Historia de la Historia de España,* Madrid, 2017.

[4] Hay muchísima bibliografía sobre este tema y no la citaremos aquí. Acerca de los puntos de vista sobre las tradiciones de la invención, véase Anthony D. Smith, *Nationalism and Modernism. A critical survey of recent theories of nations and nationalism,* Routledge, Londres, 1998, cap. 6, y también M. Antonsich, «Nations and nationalism», en J. A. Agnew *et al.* (dirs.), *The Wiley Blackwell Companion to Political Geography,* Oxford, 2015, págs. 297-310.

ción» refleja el *inuenire* latino: «descubrir». En nuestros tiempos, el historiador mexicano Edmundo O'Gorman publicó un libro que lleva, precisamente, ese título, *La invención de América* (1958, 1977), en el que argumenta que América no fue descubierta, sino inventada. Para O'Gorman, la idea de un descubrimiento de América es en sí misma parte del proceso de invención. Siguiendo una línea de pensamiento similar, en 1997 el filólogo Edward Inman Fox publicó un pequeño libro titulado *La invención de España,* en el que se discutían los orígenes del nacionalismo liberal.

Como la realidad política no siempre ofrece pistas sobre la identidad, también ha habido intentos de definir las características de una nación a través de la ficción literaria. En España, el género de la ficción histórica despegó durante el siglo XIX, cuando las obras de *sir* Walter Scott sirvieron de inspiración para los escritores y alcanzaron su apogeo con Pérez Galdós. Desde entonces, el público español ha tendido a preferir la imagen del pasado del país a través de las novelas. La ficción es bastante más emocionante que el hecho documentado, e incluso se puede decir que ha desempeñado un papel a la hora de inventar la realidad del pasado de España.

Sin embargo, las novelas de ficción —en Inglaterra hay muchos ejemplos de la época del Imperio británico— no solo pueden distorsionar, sino incluso falsificar intencionalmente el pasado. Esto es lo que ha sucedido, en el caso de España, con las narraciones populares sobre el papel del Imperio español, las actividades de la Inquisición, las guerras en Flandes y los acontecimientos de la Guerra de la Independencia. Además, en España ha habido una tendencia a promover una actitud en la que la ficción histórica se considera superior a la historia investigada. En agosto del 2018, la Universidad Menéndez Pelayo de Santander acogió un congreso con el título «La novela al rescate de la historia», cuyo hilo conductor fue la defensa del papel de la novela histórica como remedio contra la leyenda negra española. «Todos los participantes —informaba un periódico— tuvieron una tesis unívoca: reivindicar la novela histórica como la mejor vía para despertar interés por los grandes hechos del pasado».

¿La mejor vía? Las obras de ficción también tienen ideologías y, por tanto, también sirven para tergiversar el pasado. Por supuesto, los diferentes puntos de vista, incluidos los mitos y las distorsiones, pueden aceptarse como parte relevante del debate sobre la invención de la nación. El libro que se presenta ahora al lector pretende, simplemente, ofrecer algunas perspectivas sobre este debate.

1
NUMANCIA Y LA NACIÓN ROMANA

Qué envidia, qué temor, España amada,
Te tendrán mil naciones extranjeras,
En quien tú teñirás tu aguda espada
Y tenderás triunfando tus banderas.

MIGUEL DE CERVANTES,
El cerco de Numancia

Entre los siglos III a. C. y I d. C., el poderoso Imperio romano, establecido por una combinación asombrosa de aventura, ambición, violencia y orgullo, dominó Europa occidental y el Mediterráneo e impuso su voluntad mediante una red de plazas fuertes y asentamientos que le permitieron controlar los desórdenes, las rebeliones y los desafíos a su autoridad, que eran constantes. Al menos algunos de los pueblos conquistados tuvieron ventajas indudables, pero las consecuencias negativas se sintetizaron de forma óptima en un discurso imaginario que el historiador romano Tácito pone en boca de un jefe escocés que se enfrentaba al poderío del ejército romano. «Ladrones del mundo —el jefe acusa a los invasores—, cuando su rapiña generalizada ha agotado la tierra, saquean los mares. Ni el este ni el oeste han bastado para complacerlos y son los únicos hombres que roban por igual a pobres y a ricos. Dan al robo, la matanza y el saqueo el nombre engañoso de "imperio". Crean un desierto y lo llaman "paz"»[1].

---

[1] Tácito, *Agricola,* capítulo XXX.

La violencia no era, desde luego, la única cara de Roma. A los pueblos sometidos, el imperio les aportó una administración, una tecnología y la lengua; creó nociones de riqueza, comercio y cultura, y construyó poblaciones y carreteras, pero también les proporcionó una determinación cada vez mayor de librarse del mandato romano y de reivindicar un modo de vida propio. La resistencia se convirtió en el núcleo de su identidad, una de las características fundamentales de todos los imperios. En el siglo II a. C. se produjeron graves enfrentamientos en las fronteras suroccidentales del Imperio, con la consiguiente determinación, por parte de Roma, de aplastar a sus rivales sin piedad. El más serio fue el que presentó el puerto de Cartago, en el norte de África, que había extendido su poder a la Hispania romana, haciendo frente a la oposición que encontró allí con particular brutalidad. Durante la segunda Guerra Púnica contra Roma, el jefe militar cartaginés Aníbal suprimió la resistencia de Sagunto, una pequeña población aliada de Roma situada a apenas 25 kilómetros al norte de la actual Valencia, sobre la que se dice que la población civil prefirió suicidarse en masa antes que caer en manos de sus enemigos (218 a. C.).

Los romanos restauraron las ruinas de la población derrotada, pero el recuerdo de aquel sitio legendario se mantuvo durante siglos. Se volvió a poblar bajo el dominio árabe con el nombre de Murviedro, que conservó durante todo el período medieval y el moderno, y solo recuperó el nombre histórico de Sagunto en diciembre de 1868. El cambio de nombre fue un acto de patriotismo político por parte de la población, que, curiosamente, se había mostrado indiferente a su considerable Historia medieval, aunque decidió reivindicar —con muy pocas evidencias que lo sustentaran— una supuesta continuidad con un asentamiento desaparecido seis siglos antes. La propuesta fue objeto de críticas —se decía que una humilde ciudad de provincias no tenía derecho a identificarse arbitrariamente con una gran leyenda de resistencia heroica—, pero al final fue aceptada. Una y otra vez, los mitos fortalecían la evolución de las identidades en la prolongada y diversa historia de Hispania.

Con el tiempo, Cartago recibió su propio castigo, porque Roma ordenó a un general destacado, Publio Cornelio Escipión Emiliano, que pusiera fin al problema. En el año 146 a. C., la armada romana y sus tropas aplastaron toda resistencia y arrasaron la población para que sirviera de ejemplo. Los romanos llevaron a cabo una política similar de destrucción brutal en otras zonas del Mediterráneo —donde les pareció necesaria— y, sobre todo, en la ciudad de Corinto. En la Hispania romana, el caso más memorable de violencia imperial tuvo lugar en Numancia. El historiador romano Tito Livio comenta lo siguiente: «Así como el destino de Corinto siguió al de Cartago, el destino de Numancia siguió al de Corinto y desde entonces ni un solo lugar en el mundo quedó a salvo de las armas romanas». Nuestra historia comienza —no podía ser de otra manera— con el Imperio romano, porque nos brinda un punto de encuentro para todos los acontecimientos que condujeron a la construcción de Hispania. El nombre «Iberia», que al principio utilizaron los griegos en sus expediciones comerciales, no fue usado por los romanos para referirse a la Península, que ellos siempre denominaron «Hispania».

EL ASEDIO DE NUMANCIA

Numancia estaba situada algunos kilómetros a las afueras de la actual ciudad de Soria. Después de más de diez años de resistencia y rebelión por parte de la población celtíbera de la zona y de sufrir durante un año —las cifras son inciertas— el asedio del ejército romano, el conflicto acabó de forma sangrienta en el año 133 a. C. Podría haber caído en el olvido como un episodio más en la historia del Imperio, pero el destino de la ciudad fue mencionado por varios historiadores romanos y documentado en detalle por el historiador griego Apiano de Alejandría, quien, al parecer, obtuvo la información de unas fuentes que sostenían haber conocido los pormenores a través de un testigo presencial del asedio. En Numancia, el comandante Escipión Emiliano, que se había hecho famoso por haber destruido Cartago, exigió la rendición de todas las personas y las armas, eligió a cincuenta prisioneros para llevarlos en su procesión triunfal de regreso a Roma y vendió al resto como esclavos. Arrasó el asentamiento y repartió el territorio entre las poblaciones vecinas, con lo que no fue necesario tomar rehenes ni establecer una plaza fuerte. Esta es, al menos, una de las numerosas versiones de lo que pudo pasar.

Los detalles que nos brinda Apiano son tan vívidos como dramáticos. Durante el largo asedio —dice—, debido a la falta de alimentos, los sitiados «hirvieron y consumieron los cuerpos de seres humanos; en primer lugar, los que habían muerto de muerte natural, a quienes cortaron en trozos pequeños para poder cocinarlos. Esta alimentación hizo que su mente se volviera violenta, y el hambre, la peste, los cabellos largos y la negligencia dieron a su cuerpo el aspecto de animales salvajes». «Justo después de la rendición —prosigue—, el amor a la libertad y al valor que existía en esta pequeña población bárbara» les impulsó a cometer suicidios masivos, «y muchos se mataron de la forma que prefirieron, algunos de una manera y otros de otra». El historiador romano Tito Livio afirma que, «asqueados por la cólera y por la ira, pusieron fin a sí mismos, a sus familias y a su ciudad natal con la espada, con veneno y con una conflagración general. ¡Bendita sea aquella ciudad valiente, bienaventurada —al menos así me lo parece— incluso en su desventura!».

Los brutales acontecimientos de Sagunto y de Numancia —recordemos que de ninguno de los dos tenemos evidencias fiables— no fueron en absoluto excepcionales en la historia del poder imperial, que siguió perpetrando atrocidades similares contra las poblaciones rebeldes en todo el mundo habitado. País tras país, a lo largo de los siglos, la leyenda de la resistencia, seguida al final por los casos de suicidios masivos, han fascinado a los cronistas. Los acontecimientos de esta naturaleza han llegado a ocupar un lugar especial en las páginas de quienes después escribieron la historia de Hispania, porque demostraban que las poblaciones de la Península eran capaces de imponer su voluntad, incluso en las circunstancias más atroces, frente a los invasores externos, y eso, en la mente de los cronistas posteriores, contribuyó a crear una impresión de valor y de heroísmo, unas palabras que, con el paso del tiempo, se considerarían componentes fundamentales del carácter de un pueblo. Asimismo, en otra parte del Mediterráneo, el acto legendario del suicidio en masa de los judíos rebeldes que se defendían del ejército romano, que tuvo lugar en el año 73 en la montaña de Masada (Palestina), se incorporó siglos después a la mitología del Estado de Israel. Con posterioridad, los arqueólogos han cuestionado la veracidad de toda la historia de Masada, del mismo modo que se ha cuestionado la historia de Numancia, pero, por el momento, esto no nos incumbe.

La brutalidad no era, desde luego, monopolio de los romanos. Además de las ciudades enteras que se resistían, hubo muchos otros rebeldes míticos contra Roma, como el famoso caudillo Viriato, que se identificaba con la parte portuguesa (Lusitania) de Hispania. Durante casi nueve años, desde el año 147 hasta 139 a. C., Viriato, al frente de un movimiento de resistencia de tribus lusitanas y celtíberas, alcanzó una fama legendaria de general victorioso[2]. Algunos escritores romanos posteriores, como Livio y Cicerón, encontraron motivos para admirarlo por su valor, mientras que otros criticaron abiertamente los acontecimientos previos a su asesinato a traición —mientras dormía—, cometido por soldados romanos. Cuando estos pidieron una recompensa, dicen que su comandante les respondió: «¡Roma no paga a los traidores!». Esta actitud

---

[2] Para saber más sobre Viriato, véase Thomas Grünewald, *Bandits in the Roman Empire. Myth and Reality,* Routledge, Nueva York, 2004.

romana favorable resulta curiosa, porque no hay duda de que, según las evidencias arqueológicas, Viriato y sus hombres fueron responsables de masacrar a sus adversarios, tanto si eran romanos como si no. Ni Numancia ni Sagunto tenían, desde luego, nada en común, en cuanto a raza, cultura o lengua, con los pueblos que ocuparon aquella zona geográfica en siglos posteriores —es decir, con los españoles de España—, aunque eso no impidió que su historia se aprovechara como elemento inspirador en las generaciones posteriores. Se adornaron con toda libertad los hechos relevantes y Numancia se convirtió en una leyenda poderosa —ahora lo llamaríamos un «mito fundacional»— que contribuyó a la creación de lo que se daría en llamar «España».

¿Cuánto había de cierto en la historia original sobre Numancia? Disponemos de poca información, y en las versiones de los historiadores romanos aparecen diferencias importantes. Además, hay dudas acerca de la localización exacta de la famosa población. En el siglo XIX, cuando —ya lo hemos visto en el ejemplo de Sagunto— distintas regiones de España empezaron a interesarse por ese pasado legendario a fin de ensalzar su propio papel histórico, se intentaron encontrar pruebas arqueológicas para crear el mito, si bien por aquel entonces la arqueología no estaba demasiado desarrollada en España. En 1803 se emprendieron excavaciones para identificar el emplazamiento de Numancia, pero los resultados obtenidos se perdieron. En 1842, una asociación cultural comenzó a levantar un monumento —fue el primero de muchos— en el lugar, con el fin de estimular el interés del público, pero se quedaron sin financiación. Se hicieron más excavaciones en 1853 y en 1867, pero no se dio demasiada importancia a los resultados, que no se recogieron. Finalmente, en 1882, el yacimiento de Numancia —actualmente se reconoce que está situado en las cercanías de Soria— fue declarado monumento nacional, y ese período pasó a ser el de la construcción del mito. Así lo demuestra una famosa pintura romántica de Alejo Vera, *Numancia,* que se menciona más adelante. El tema del heroico suicidio masivo aparece en otros cuadros similares sobre la época romana, como *La muerte de Séneca,* de Manuel Domínguez (1871).

Evidentemente, los detalles históricos del mito no se pudieron investigar por falta de documentación, pero los trabajos arqueológicos continuaron. Así, en 1905, el alemán Adolf Schulten, que se encontraba en Gotinga analizando la versión del asedio que daba Apiano, decidió esclarecer los hechos y se dedicó a explorar el yacimiento de Numancia. Su trabajo en el yacimiento soriano, llevado a cabo entre 1905 y 1912 y financiado por el Gobierno alemán, fue recuperado y adaptado por otros investigadores posteriores, entre ellos el arqueólogo José Ramón Mélida, quien proclamó que el objetivo del trabajo era «cumplir la obligación nacional de explicitar el acontecimiento histórico del cual se enorgullece nuestra patria», es decir, que el mito de Numancia se identificaba específicamente con la patria. Un diputado de Soria pidió que se erigiera un monumento que expresara «el respeto de un pueblo por aquellos héroes de la independencia nacional».

Se recurrió entonces al mecenazgo real. En 1905, el rey Alfonso XIII inauguró allí un monumento y, en 1919, el primer Museo Numantino. Las excavaciones confirmaron la importancia del emplazamiento, pero, desde luego, no aclararon los detalles truculentos sobre la estrategia romana que brindaron Apiano y otros cronistas. No obstante, Schulten encontró bastante resistencia por parte de los eruditos y burócratas locales por ser un extranjero que pretendía inmiscuirse en su herencia y, de hecho, una comisión decidió que la investigación de la historia española solo debería estar permitida a los españoles.

Mientras tanto, Numancia ya ocupaba un puesto clave en la mitología española. En reiteradas ocasiones a lo largo de los siglos, en los momentos de crisis, cuando parecía oportuno pedir esfuerzos y sacrificios personales, los dirigentes políticos españoles recurrían al ejemplo de Numancia. La descendencia de los antiguos celtíberos se consideraba inmediata y directa.

Aparecen referencias erráticas a la experiencia de Numancia en escritos e historias a partir del año 1500. El mejor ejemplo del uso que se dio a la leyenda se encuentra en la obra de teatro de Miguel de Cervantes titulada *El cerco de Numancia,* escrita catorce siglos después de los supuestos hechos y representada por primera vez en Madrid en 1586. Era, sin duda, un momento de crisis en aquellos meses difíciles, antes de que zarpara la Armada Invencible, aunque no hay ninguna razón para relacionar el motivo de la obra con ningún acontecimiento negativo de aquella época. Los españoles no estaban en una situación tan desesperada como la que se presenta en el drama, que, al parecer, no tuvo demasiado éxito y prácticamente cayó en el olvido, aunque el tema no desapareció del todo. Entre las obras de teatro que se representaron en Madrid un siglo después, durante la Ilustración, encontramos *Numancia destruida,* de Ignacio López de Ayala, escrita en 1775 y representada en 1778, que fue recibida con entusiasmo, porque glorifica el valor militar español. Debido a este éxito, el drama de Cervantes volvió a imprimirse en 1784.

La obra de Ayala fue la versión que se representó en Zaragoza en 1808, durante la Guerra de la Independencia contra Francia, cuando varios grupos de la resistencia adoptaron el nombre de «numantinos», de modo que se identificaba a los franceses con los invasores romanos. La idea de la resistencia al invasor fue fundamental para el éxito del tema a partir de entonces. La obra, en diversas versiones europeas, se hizo muy conocida como símbolo del espíritu de resistencia español y, al final, no fueron los datos arqueológicos, sino la leyenda, presentada por los dramaturgos de forma convincente, lo que estableció a la población celtíbera como el lugar de nacimiento de lo que los comentaristas posteriores prefirieron ver como el espíritu español, invencible incluso en la derrota[3]. Según una

---

[3] José Ignacio de la Torre Echávarri, «Numancia: usos y abusos de la tradición historiográfica», *Complutum,* 9, 1998, págs. 193-211.

publicación española que expresaba una opinión que se consideraba incuestionable, Numancia era «el cementerio de Roma». En Roma —decían otros—, el simple nombre de la población soriana producía tanto terror que nadie se atrevía a pronunciarlo.

Durante las guerras carlistas de la década de 1830, el sentimiento público en la región produjo una mayor identificación con los héroes de Numancia, de modo que el nombre se aplicó con frecuencia a asociaciones públicas, calles, tiendas, bares y periódicos locales. El intenso localismo llegó al extremo de pedir, en 1922, que se cambiara el nombre de la provincia de Soria por el de Numancia. En los diversos enfrentamientos locales de mediados del siglo XIX, hubo ensayos y obras artísticas patrióticas que también evocaban el tema. En 1871, un diputado carlista en las Cortes de Madrid afirmaba con orgullo lo siguiente:

> Vana empresa la de tratar de imponer cosa ninguna a esta nacion que registra en su historia nombres como Sagunto y Numancia, y en sus recientes anales glorias como las de Bailén, Gerona y Zaragoza. El pueblo que perseveró denodado en rechazar toda extraña dominacion, desde la cartaginesa, en remotos siglos, hasta la francesa en el presente, tiene ejecutoriada su independencia.

Desde luego, las distintas ideologías adoptaron puntos de vista diferentes sobre Numancia. Durante la Guerra Civil, en la década de 1930, las dos tendencias en conflicto consideraban que Numancia les pertenecía y hubo regimientos de infantería de «numantinos» en ambos bandos. Los nacionales incluso llegaron a rebautizar un municipio con el nombre de Numancia de la Sagra. Rafael Alberti representó en Madrid en 1937 una adaptación de la obra de teatro de López de Ayala para inspirar al pueblo a luchar contra Franco. En la obra de Alberti, los romanos aparecían vestidos con uniformes fascistas, para que se entendiera mejor la moraleja—. Alberti proclamó que «en el ejemplo de resistencia, moral y espíritu de los madrileños de hoy domina la misma grandeza y orgullo de alma numantinos». Durante el régimen de Franco, a falta de otro símbolo mejor, los vencedores en la Guerra Civil se apropiaron del caso de Numancia, que se presentó como el momento de gloria más importante de la historia de España. Según decía un texto escolar, «el germen de heroísmo empleado por nuestros soldados en Oviedo, Belchite, el Alcázar de Toledo, etcétera, hay que buscarlo en Numancia. Entonces, como ahora, el español no se asustó por el número y armamento de sus enemigos». El fervor alcanzó su apogeo con una publicación de 1968 titulada *Numancia, espíritu de una raza,* que afirmaba lo siguiente: «Esto, en resumen, fue Numancia: la plasmación de lo que somos: espíritu inmortal. Y a Numancia, por tanto, debe España su ser».

Como ya hemos mencionado, la inspiración de Numancia no arraigó verdaderamente en España hasta el siglo XIX, cuando la ocupación francesa se convirtió en el contexto ideal para ello. La obra de Cervantes era —ya lo hemos visto— poco conocida y, por tanto, no parece que contribuyera demasiado a difundir el tema. Es posible que el autor se basara en Apiano, e incluso en la edición que hizo Floro de Tito Livio, pero no cabe duda de que su obra no aportó ninguna sustancia al mito de Numancia y los comentaristas siempre han tenido problemas para interpretar el mensaje que Cervantes habría querido transmitir con su obra. Algunos han tratado de presentarlo como un nacionalista y otros han tratado, de forma menos convincente, de sugerir que estaba condenando el imperialismo español. ¿Qué pensaba el propio Cervantes sobre esta cuestión? Es evidente que su obra no refleja ninguno de los acontecimientos de su época; todos los detalles están ambientados en la época romana, aunque reivindican la España del futuro y también su futuro Imperio, que —así lo describió con orgullo un contemporáneo de Cervantes— tenía una extensión veinte veces mayor que el de los romanos. Es evidente que la caída de Numancia se presenta como un estímulo para el surgimiento de la España futura, pero el resto es una cuestión de análisis textual.

Numancia representaba, sin duda, una imagen patriótica de España, la tierra natal por la que era un honor morir. Los escritores del siglo XVI no dudaban en identificar la nacionalidad de los numantinos. En su *Crónica general de España* (1574), el historiador Ambrosio de Morales afirmaba lo siguiente: «Llega ya aquí la historia de España a lo más alto de gloria y fama que en estos tiempos pudo subir: pues se ha de comenzar a escribir la guerra de los Romanos con nuestros Numantinos». Una y otra vez, los personajes de la obra de Cervantes identifican Numancia con España; encontramos referencias al «valor de la española mano» y al «valor hispano», un valor que se aprecia mejor en el reconocimiento del sacrificio personal por la patria o, como lo expresó el poeta romano Horacio, *«dulce et decorum est pro patria mori»*. En la obra de Cervantes, el dirigente numantino Teógenes manifiesta:

> El camino, mas llano que la palma,
> de nuestra libertad el cielo pío
> nos ofrece y nos muestra, y nos advierte
> que solo está en las manos de la muerte.

Numancia aparece en la obra de Cervantes como un sólido mito fundacional, válido tanto para España como para su Imperio:

> Indicio ha dado esta no vista hazaña
> del valor que los siglos venideros
> tendrán los hijos de la fuerte España,
> hijos de tales padres herederos.
> No de la muerte la feroz guadaña,
> ni los cursos de tiempos tan ligeros

harán que de Numancia yo no cante
el fuerte brazo y ánimo constante.

Hallo solo en Numancia todo cuanto
debe con justo título cantarse,
y lo que puede dar materia al llanto
para poder mil siglos ocuparse.
La fuerza no vencida, el valor tanto,
digno de prosa y verso celebrarse;
mas, pues de esto se encarga la memoria,
demos feliz remate a nuestra historia.

El personaje de la obra que representa la Guerra declara lo
siguiente:

Sé bien que en todo el orbe de la tierra
seré llevada del valor hispano,
en la dulce sazón que estén reinando
un Carlos y un Filipo y un Fernando.

Según algunos escritores, fue el valor lo que dio lugar a
España. Por consiguiente, Numancia era España. Cuando en
1752 se creó en Madrid la Real Academia de Bellas Artes de
San Fernando, se hizo con el objetivo de definir los temas más
adecuados para promover el patriotismo[4]. En aquel siglo, como
ocurrió en el XIX (capítulo 17), el arte definía las características
de la nación y el valor era una virtud fundamental. En la lista de
temas patrióticos para los ejercicios de pintura, la Academia
incluyó Sagunto, Viriato y, desde luego, Numancia. Por aquellos años, la comisión elegida para decidir la decoración del
Palacio Real de Madrid escogió Numancia como uno de los
temas, junto con otras batallas míticas de la Antigüedad. Nu-

---

[4] Alfredo Jimeno Martínez y José Ignacio de la Torre Echávarri, *Numancia, Símbolo e Historia,* Akal, Madrid, 2005, págs. 111-113.

mancia entró así en la corriente dominante de asuntos propuestos para intelectuales y artistas. En 1802, y por primera vez, la Academia propuso a sus alumnos «el final de Numancia» como tema recomendado para sus pinturas. Cabe destacar que esto ocurrió varios años antes de los acontecimientos revolucionarios del siglo XIX que derrocaron la monarquía y que llevaron al campo invasiones, guerra y muerte.

Después de décadas de alabar las glorias imaginarias de los celtíberos, no nos sorprende que Numancia se convirtiera, para muchos, en un símbolo de España y de su amor por la libertad. En el contexto de la Guerra de la Independencia, los dirigentes liberales españoles asumieron el mito de Numancia para mostrar la lucha de los españoles para liberarse del opresor extranjero; en este caso, los franceses. Una de las numerosas pinturas que se hicieron con esta temática fue *El último día de Numancia,* de Ramón Martí Alsina, que obtuvo un premio cuando se presentó en las Exposiciones Nacionales de Madrid en 1858. Más renombre aún alcanzó Alejo Vera con la que, tal vez, sea la obra más conocida sobre este asunto, *Numancia,* que obtuvo el primer premio en la Exposición Nacional de 1881.

Evidentemente, el entusiasmo por el espíritu de Numancia no ha desaparecido, ni siquiera en nuestro tiempo. Se ha dado respaldo constante a las autoridades civiles encargadas de promover la leyenda de Numancia mediante la creación, en octubre de 2017, de la Comisión Nacional de Numancia, con el apoyo del Gobierno de Madrid. El que fuera ministro de Cultura entre 2015 y 2018, Íñigo Méndez de Vigo, afirmó lo siguiente: «Numancia se nos presenta como metáfora de lo que España sigue siendo hoy: alma de libertad y trono del viento».

Los romanos: ¿los primeros españoles?

La idealización de Numancia no fue, curiosamente, la única consecuencia de la dramática reinterpretación de la Historia.

Aunque resultaba aceptable identificar al futuro pueblo español con los héroes de Numancia, esto causaba ciertos problemas, porque surgió una tradición que insistía en identificar a los españoles con los grandes conquistadores, esto es, con los romanos, pues parecía haber numerosas razones para admirarlos. Los romanos fueron los primeros en ponerle un nombre común —«Hispania», antecesora de la forma «España»— a una península que contenía una diversidad de entidades políticas, y el Imperio romano proporcionó un modelo que muchos consideraban con orgullo el predecesor de su propio Imperio en el siglo XVI. A partir del siglo II a. C., la Hispania romana constituía una región administrativa reconocible que logró sobrevivir alrededor de seis siglos, hasta que los visigodos se adueñaron del noreste de la península, aproximadamente en el año 475. A pesar de la presencia romana, el territorio nunca fue conquistado del todo. Podemos comparar los diez años que tardó César en apoderarse de la Galia con los dos siglos que le costó a Roma dominar Hispania. Durante la mayor parte del período comprendido entre los años 218 y 16 a. C., a pesar de que hubo una asimilación considerable, Hispania siguió siendo una zona de guerra en la que los lugareños luchaban contra los romanos.

Para quienes hicieron una identificación positiva con Roma, el mito fundamental fue tanto geográfico como espiritual. Desde el punto de vista geográfico, «España» (Hispania) se consideraba una realidad peninsular más allá del tiempo, un entorno en el cual tanto los numantinos como los romanos podían considerarse por igual «españoles», aunque no tuvieran absolutamente nada en común con las generaciones posteriores. Desde el punto de vista espiritual, las virtudes del pasado —el heroísmo y la abnegación de los numantinos, el poder y los logros de los romanos— se consideraban características fundamentales de una España emergente, que —se estimaba— ya se estaba empezando a construir y que, por tanto, había comenzado a existir.

La atracción del mito era poderosa y perduró hasta bien entrado el siglo XX.

Ya en el siglo XVI, era natural que los españoles quisieran identificar su nación con los logros de los pueblos que los habían precedido. La clave estaba en que, en 1520, Carlos I de España fue elegido emperador del Sacro Imperio Romano Germánico, con lo que, al parecer, se podía establecer una continuidad entre el antiguo Imperio romano y el nuevo Imperio, en el que los españoles desempeñarían un papel fundamental. Los escritores proimperialistas de la época, como Juan Ginés de Sepúlveda, cronista de Carlos I, insistían en la continuidad entre el Imperio romano y el de Carlos, si bien es cierto que criticaban los errores de Roma y elogiaban a los nativos de Hispania, como Viriato, que se habían rebelado contra las fechorías de Roma. «¿Fechorías?», preguntaba Sepúlveda. Tal vez, pero, «si cometieron algún pecado, es de creer que lo repararon con sus grandes servicios». Otros comentaban que la expansión de España en el continente americano fue una continuación de la tradición imperial romana. En su *Historia verdadera de la conquista de la Nueva España,* Bernal Díaz del Castillo alabó con estas palabras a los primeros españoles que fueron a América: «Jamás capitanes romanos de los muy nombrados han cometido tan grandes hechos como nosotros», con lo que dejaba clara la continuidad directa del Imperio romano en el Imperio español. Bernal Díaz pedía para Hernán Cortés honores «como los romanos daban triunfos a Pompeyo y a Julio César y a los Escipiones». En la segunda carta de relación que dirigió al emperador, Cortés comparaba la destrucción de Tenochtitlán con la destrucción de Jerusalén por los romanos.

Por su parte, algunos escritores aceptaban esa continuidad —el humanista Antonio de Guevara usaba la expresión «nuestra madre Roma»—, aunque reconocían que los romanos no eran cristianos y habían cometido numerosas atrocidades. El poderío español, como insistía Bartolomé de las Casas, era cristiano y, por tanto, los españoles no debían seguir el mal ejemplo de los antiguos romanos. Afirmaba que los romanos, «presentándose como tiranos ante el género humano, sometieron a sus imperios extranjeros mediante grandes derrotas que hicieron sufrir a sus enemigos y no dejaron de cometer tan horribles crímenes ni abandonaron tan odiosos vicios, sino como de todos es sabido».

A finales del siglo XVII, Benito Feijoo coincidía con Las Casas: «Es verdad que conquistaron los Romanos el mundo. Pero ¿cómo? Del mismo modo que conquistaron a España. Usando de la perfidia, del dolo, de la alevosía, siempre que no podían lograr con mejores artes la ventaja. Si algún caudillo valeroso de la parte contraria los llevaba de vencida, con promesas magníficas disponían que algún infiel doméstico le matase, como hicieron con Viriato». El factor esencial del que carecía la Roma antigua y pagana era el Evangelio. Cuando este se añadió, como ocurrió con la donación papal del Nuevo Mundo a Carlos V, el poder imperial quedaba justificado y España sustituyó moralmente a Roma. A Roma le había faltado esa autoridad espiritual y moral, mientras que la España cristiana sí la tenía. Por consiguiente, el Imperio español no sería un mero sucesor del romano, sino que lo superaría.

A pesar de la diversidad de interpretaciones sobre el papel de Roma en la formación de la cultura y la sociedad tradicionales, había una coincidencia general en que los romanos, mediante su disciplina y su legislación, habían civilizado a los habitantes de la Península y habían sentado las bases de la España futura. Esto se incorporó al mito fundacional, sobre todo en el siglo XIX, cuando diversos eruditos convirtieron prácticamente en ideología el deseo de plantar las raíces de España en una cultura antigua. Se trató de hacer lo mismo en otros países europeos, para proporcionar sustancia mítica a un pasado que no estaba documentado. Según José Álvarez Junco, entre 1830 y 1880, el medio siglo en el que los liberales impusieron su política y su cultura, un objetivo fundamental de los escritos históricos fue «dejar sentada la existencia de "españoles" en "España" desde el principio de los tiempos con conciencia de identidad y decididos a combatir ferozmente frente a los intentos de dominación extranjera».

La simpatía por la imagen de España como heredera directa de Roma procedió especialmente de una tendencia académica, cuyo mayor exponente fue Ramón Menéndez Pidal, quien en 1910 creó el Centro de Estudios Históricos de Madrid. Menéndez Pidal destaca en la historia de la España contemporánea como el gran investigador de la lengua nacional. El latín había sido el principal elemento integrador de la España romana; en los pueblos de Hispania había ido sustituyendo poco a poco a las lenguas autóctonas y, lógicamente, él lo consideraba un vínculo destacado entre la cultura de Roma y la de la España histórica. Un contemporáneo de Menéndez Pidal dice lo siguiente respecto al Centro de Estudios Históricos:

> [...] llegó a ser en poco tiempo algo así como el hogar del más sereno y reflexivo patriotismo. Allí se buscaba con paciente afán, silenciosa y tenazmente, el auténtico ser histórico de la patria en su lenguaje, en su literatura, en sus viejos cantos y romances, en su arte y arqueología, en sus instituciones y su derecho, en sus costumbres, en su música popular. Y el alma de este afán era don Ramón, el gran maestro y el fervoroso y recatado patriota. Se tenía la sensación de que allí estaba encerrado, para mejor conocerlo, el espíritu mismo de España.

Estos investigadores se dedicaban al estudio de un «espíritu de España» metafísico, trataban de definir sus características y defendían lo sagrado de su unidad, una unidad que se consideraba eterna, expresada en un «espíritu nacional» que se remontaba a mucho tiempo atrás y que definía los grandes acontecimientos del pasado como algo esencialmente español[5]. Era el espíritu que encontramos en la resistencia numantina, la rebelión de Viriato, la lucha contra los musulmanes, las campañas del Cid y las hazañas de los conquistadores.

---

[5] Grégory Reimond, «L'Hispania aeterna de Ramón Menéndez Pidal. Histoire et Antiquité dans la pensée pidalienne», *Anabases*, 9, 2009.

Menéndez Pidal decía lo siguiente:

> Los hechos de la historia no se repiten, pero el hombre que realiza la historia es siempre el mismo. De ahí la eterna verdad: *quid est quod fuit ipsum quod futurum est;* lo que sucedió no es sino lo mismo que sucederá: lo de hoy ya precedió en los siglos. Y el consiguiente afán por saber cómo es cada pueblo actor de la historia, cómo, dada su permanente identidad, se comporta en sus actos, fué sentido por los hombres de todos los tiempos.

Y así se establece la continuidad del espíritu de España. Desde su punto de vista, los numantinos eran españoles, al igual que los emperadores romanos que habían nacido en la Península y también el Cid. Sin embargo, la nación española no era solo estos protagonistas, sino algo mucho más amplio: una nación que surgió durante el período posterior de los visigodos —su invasión de la Península fue «el hecho capital constitutivo de nuestro pueblo»— y que se convirtió en una entidad moral como consecuencia de la conversión al catolicismo del rey godo Recaredo en el año 587. Si sumamos la presencia de los romanos y los visigodos —decía—, llegamos a alrededor de novecientos años, el tiempo suficiente para formar una nación.

Según Menéndez Pidal, la España romana desempeñó un papel fundamental en este plan: «El sentimiento provincial hispánico [...] surge en el seno del Imperio romano, representando el comienzo de una conciencia nacional». Así, en su opinión, la relación fue beneficiosa para ambas partes: «Si Roma romanizó a España, España misma llegó, en cierto modo, a hispanizar a Roma». Todos los grandes nombres de la literatura latina del siglo I d. C. eran españoles: Séneca, Lucano, Marcial... Y en este contexto aparecía también el espíritu español: «El antiguo hispano pierde la vida con entusiasmo patriótico, como los cántabros en la cruz y los numantinos en suicidio colectivo; la pierde por cumplir los altos deberes de fidelidad, no solo individual, sino también ciudadana e internacional, como en el sacrificio de Sagunto». Todas estas luchas fueron «guerras nacionales por la independencia». Si el pueblo de Hispania a menudo fracasó en su defensa contra los invasores no fue por falta de patriotismo: «No les faltó un común sentimiento patrio», sino porque eran «una nación con imperfecto sentido de nacionalidad».

Un historiador de nuestro tiempo, Mario Hernández Sánchez-Barba, quien, al parecer, comparte la misma opinión, explica lo siguiente: «Los españoles de entonces sí que fueron plenamente conscientes de su esfuerzo para conseguir la España-territorio, sobre la cual improntar la España-cultura como identidad, presididas ambas por el hombre español, el de las diversidades regionales, capaz de proyectar y persistir en un proyecto eficaz de integración nacional». Y añade que «Hispania fue puesta en valor por Roma. [...] El sistema romano dio un decisivo impulso al genio hispánico».

La impresionante estructura histórica que levantaron Menéndez Pidal y quienes compartían su punto de vista no era del todo original y tomaba buena parte de sus argumentos de escritores del siglo XVI. Se basaba en pruebas históricas inexistentes y constituía, en general, una ficción, aunque apelaba con intensidad a una tendencia de opinión que en el siglo XX trataba de encontrar un fundamento histórico para el papel imperial de España en el mundo. Como manifestó el intelectual conservador Ernesto Giménez Caballero (1899-1988), el logro de España tenía una base sólida —así lo escribió en 1934— en el logro de Roma: «El primer sentido unitario, coherente y participador del mundo civilizado sabemos que España lo recibe de Roma. La historia auténtica de España comienza en su contacto con lo romano. Hasta la llegada de la cultura de Roma a España, nuestro país, más que historia, tuvo prehistoria». ¿Y qué pasó con España una vez que hizo su primera aparición en la Historia? A Giménez Caballero no le cabe ninguna duda:

El nombre de España se lo debemos a Roma: *Hispania* (España). El nombre y el primer sentido nacional. Si puede llamarse así ese instinto de independencia «nativa», frente al invasor que ya se había iniciado contra el cartaginés en Sagunto y que se desarrollaría enérgicamente en las primeras etapas de la colonización romana entre nosotros. Sabido es lo que el término *Numancia* significa en la historia de España el primer grito de personalidad colectiva, la primera efeméride nacionalista. Así como *Viriato:* el primer insurgente o guerrillero nacional.

En estas afirmaciones, que no eran más que mera fantasía poética, se basaba una identificación romántica que no pudo deshacerse y que constituyó una parte fundamental del mito fundacional. Giménez Caballero escribió: «España se puebla de fecundidad romana. España se matroniza y alcanza unidad, sentido, alma, nombre, sucesión». Y fueron muchos los que repitieron la mitología de una España creada por Roma, incluido el historiador medievalista Claudio Sánchez-Albornoz (1893-1984), según el cual Roma unificó Hispania, creando así la España futura: «Las diversas Españas que hubo de conquistar Roma se trocaron, por su esfuerzo, en una Hispania única». Al finalizar la conquista romana, los visigodos emprendieron la restauración de la unidad de España, una unidad que, en principio, ya había existido con los romanos. En el libro *España: un enigma histórico* (1957), Sánchez-Albornoz sostenía lo siguiente:

> Lo que llamamos España consiste en un constructo romano, pues de Roma se tiene la lengua, el derecho, las ciudades, las vías de comunicación que estructuran su territorio. El aporte germánico y la cristianización se insertan en esta entidad histórica, que define a España como parte de Europa.

En todo este relato no hay ninguna evidencia histórica convincente, aunque la evolución de los métodos arqueológicos sí desempeñó algún papel. Ya hemos mencionado que se trataba de hallar una base arqueológica para la localización y la historia de Numancia. Asimismo, las ruinas romanas despertaron el interés no solo de los españoles, sino de viajeros, escritores y artistas. Además, las ruinas otorgaban dignidad a los lugares históricos y aumentaban su importancia cultural. El siglo XIX fue la época de los museos, en los que se coleccionaban y se admiraban objetos históricos que no podían conservarse en ningún otro lugar, hasta que en 1867 se creó el Museo Arqueológico Nacional. Para hacer frente a la importante demanda de antigüedades, se llevaron a cabo excavaciones en lugares clave, como el yacimiento de la ciudad romana de Itálica, próxima a Sevilla, donde se había empezado a excavar a finales del siglo XVIII, aunque con escaso apoyo público. El yacimiento sufrió pillajes y no se tomaron medidas para protegerlo hasta la ocupación francesa. En realidad, en Itálica no se hicieron excavaciones de importancia hasta mediados del siglo XIX y solo en 1912 una orden real lo declaró monumento nacional. La lentitud de este proceso demuestra la notable falta de interés del Estado en una supuesta herencia nacional, es decir, en la conciencia del pasado histórico.

El ejemplo más notable de este escaso respaldo público es lo que ocurrió en La Alcudia (Alicante) en 1897, donde unos jornaleros descubrieron en un muro un busto policromado de tamaño natural que posteriormente recibió el nombre de *Dama de Elche*. Un hispanista francés que por casualidad se encontraba en la zona compró la figura al dueño del terreno, la envió a París y, apenas un mes después de su descubrimiento, descansaba tranquilamente en el Louvre. Para algunos españoles, la ausencia de la figura fue un escándalo histórico, puesto que la *Dama* —originariamente se la llamó «la reina mora»— se consideraba un testimonio único de la cultura de los íberos, distante y casi desconocida en la Península. La pieza no regresó a España hasta 1941, como parte de una campaña patrocinada por Franco. Más tarde surgieron dudas sobre la autenticidad de la fecha propuesta para la figura, pero todas fueron rechazadas y la *Dama de Elche* sigue disfrutando de su condición de símbolo de la España prehistórica. El único problema técnico de su historia ha sido el descubrimiento de hormigas en el revestimiento que la protege de las inclemencias climáticas.

A principios del siglo XX, había un sentimiento considerable con respecto a las experiencias militares más recientes de España, pero, por algún motivo, los romanos no formaban una parte importante de aquel panorama, razón por la cual Menéndez Pidal y otros se esforzaron por alimentar una imagen mítica de la participación romana en la formación de la nación española. Durante el régimen de Franco se prestó más atención a las ruinas arqueológicas, en particular las visigodas y las romanas, a fin de hacer hincapié en el patrimonio cultural. La época romana despertaba un interés especial, sobre todo por la imagen de una nación unificada. Curiosamente, una región de España, el País Vasco, tendía a minimizar el papel de los romanos para así destacar la capacidad de supervivencia de su lengua tradicional durante el largo período de la ocupación romana.

No hay que olvidar la costa mediterránea en este entusiasmo político por la arqueología. Las ruinas de Ampurias, por ejemplo, dieron impulso al interés catalán por la España clásica[6]. Durante el siglo XIX hubo un gran interés por los ricos restos de la zona de Ampurias; finalmente, en 1907, las autoridades aprobaron planes para emprender una excavación seria del yacimiento, con la dirección de Josep Puig i Cadafalch.

AMÉRICO CASTRO Y LOS «ABISMOS DE IRREALIDAD»

El establecimiento de una línea directa desde Roma hasta España y la identificación de la lengua y el Imperio españoles

---

[6] Véanse, por ejemplo, los comentarios de Jordi Cortadella Morral, «L'Empúries imaginada: músics, erudits i lletraferits», en *Faventia,* vol. 31, núms. 1 y 2, 2009, págs. 253-262.

con la lengua y el Imperio romanos no contaban con la aprobación de todos los académicos. Si Roma ya había creado España,
algunos se preguntaban cuál fue la aportación de quienes la
gobernaron después, como los visigodos y los árabes. En su
conocidísimo estudio *España en su historia. Cristianos, moros y
judíos* (1948), reeditado posteriormente con diversos títulos,
como *La realidad histórica de España,* el historiador Américo
Castro rechazaba rotundamente la idea de que España como
tal ya existiera en la época romana.

Castro, nacido en Brasil de padres españoles, regresó con
ellos a España a los cinco años, terminó sus estudios en la Universidad de Granada en 1904 y se fue a estudiar a París tres
años. Se doctoró en 1911 por la Universidad de Madrid, donde, cuatro años más tarde, consiguió la cátedra de Historia de
la Lengua Española. En 1925 publicó *El pensamiento de Cervantes,* un estudio innovador sobre el autor del *Quijote.* Al estallar la Guerra Civil, dejó España y se fue a vivir a Buenos
Aires. Tras pasar algunas temporadas en la Universidad de
Wisconsin-Madison (1937) y en la de Texas, en 1940 aceptó
una invitación de Princeton (New Jersey), donde se instaló y
dio clases durante veintidós años.

Américo Castro está considerado uno de los hispanistas
más famosos del mundo. Su ámbito de estudio era la lingüística, pero poco a poco se fue dejando atrapar por el desafío de
interpretar el carácter histórico español a través de su pasado
cultural. Su gran obra, *España en su historia,* fue escrita en la
Universidad de Princeton, aunque se publicó en Buenos Aires.
Los investigadores anteriores habían representado a España
como poseedora de una existencia ininterrumpida desde mucho antes de la época romana, y en su afán por encontrar pruebas de una cultura española continuada en la Península, se habían dado el gusto de sostener que los habitantes previos a los
romanos, como los famosos defensores de Numancia, eran españoles. El ensayista José Ortega y Gasset presentó al emperador Trajano como un español de Sevilla, y el medievalista Me-

néndez Pidal presentó al filósofo Séneca como un español de Córdoba. A pesar de no hablar español ni de tener ninguna identidad política, «España» se incorporó así a las filas de la cultura occidental. Los judíos apenas tenían cabida en aquel ámbito y los árabes eran invasores que no tardaron en ser absorbidos y españolizados. De este modo, los «elementos más característicos» de España dejaron de existir.

Para Castro, por el contrario, la relación entre árabes, judíos y cristianos —para él eran tres castas, ya que la palabra «raza» no le parecía adecuada— dio lugar a una sociedad que creó los elementos básicos de la lengua y la cultura de los pueblos hipánicos[7]. La idea de que los orígenes de España estuvieran en los romanos y los visigodos «se debía —según él— a motivos sentimentales, al afán de dotar a su pueblo de una grata genealogía colectiva, sin preocuparse de si para ello había que salvar abismos de irrealidad»[8]. En su opinión, los hispanorromanos y los visigodos poseían su propio carácter y no tenían nada de españoles, un pueblo que —según él— se desarrolló mucho después como consecuencia del papel posterior tanto de los musulmanes como de los judíos en la historia de la Península. Sin duda, los caminos por los cuales los expertos llegaron a dar una idea general sobre la invención de España fueron a la vez complejos y fascinantes.

---

[7] El panorama completo del punto de vista de Castro aparece en la obra de Guillermo Araya *El pensamiento de Américo Castro,* Alianza, Madrid, 1983. Un ameno ataque a las opiniones de Castro aparece en la obra de Eugenio Asensio *La España imaginada de Américo Castro,* El Albir, Barcelona, 1976.

[8] Américo Castro, *La realidad histórica de España,* Porrúa, México, D. F., 1971, cap. V.

2
LA PÉRDIDA DE ESPAÑA

De la pérdida de España
fue aquí funesto principio
una mujer sin ventura
y un hombre de amor rendido.

ROMANCERO ESPAÑOL

La belleza de un rostro puede cambiar el destino de un país: así como Helena cambió el destino de Troya, Florinda la Cava cambió el de Hispania. Cuenta la leyenda que Florinda era la hija del conde don Julián, el gobernador cristiano de Ceuta durante el reinado del último rey visigodo de Toledo, Rodrigo. Ella vivía en Toledo, donde un día, mientras se bañaba en el río, la vio el rey Rodrigo y se enamoró de ella. No se sabe si por la fuerza o con su consentimiento —hay muchas versiones de la leyenda—, la cuestión es que el rey se acostó con ella. Como veremos, las consecuencias de la relación fueron duraderas.

Es posible que el mito más fundamental para la invención de la España cristiana medieval sea la idea de su pérdida y su posterior recuperación. La Edad Media es un período muy poco documentado, durante el cual no eran muchas las personas que sabían leer o escribir, y los cronistas del pasado debían basarse no solo en la escasa información disponible, sino en lo que sus mecenas —la Iglesia o la Corona— querían oír, de modo que era frecuente que una versión del pasado se compusiera gracias a la imaginación o, simplemente, a la invención. Todos los pueblos europeos, incluidos los españoles, aceptaban esta forma de utilizar el mito y la leyenda para dar fundamento a su pasado remoto.

En el siglo V de la era cristiana, la autoridad del Imperio romano estaba en decadencia y diversas tribus centroeuropeas, como los vándalos, los suevos y los alanos, atravesaron la Galia y llegaron a Hispania. Los más poderosos entre los recién llegados fueron los visigodos, que, en el siglo VI, habían derrotado a las demás tribus, y se habían convertido en la autoridad dominante en buena parte de la Península. Leovigildo (519-586), que estableció Toledo como capital, fue el rey visigodo a quien más se atribuye haber dado a la Península cierto grado de unidad. También era cristiano, aunque pertenecía a un sector de la Iglesia que aceptaba el arrianismo y, por consiguiente, los católicos lo consideraban un hereje. Los arrianos se diferenciaban de los católicos en su concepción de la doctrina de la Santísima Trinidad.

En épocas posteriores y con particular intensidad en el siglo XIX, nació una leyenda según la cual se consideraba a los visigodos los fundadores de la nación. El cronista más conocido del comienzo de la época medieval, Isidoro de Sevilla (560-636), alababa el período visigodo en su *Laus Hispaniae*. Según la versión que acabó por prevalecer, los visigodos hicieron tres aportaciones fundamentales para el nacimiento de una nueva nación: sustituyeron a los romanos, unificaron la Península e introdujeron el cristianismo. Desde todo punto de vista, estos logros fueron impresionantes, dejando de lado que los visigodos apenas influyeron en la cultura y en la economía de la Península.

Entre los españoles de los siglos posteriores, la admiración por los logros de los romanos fue superada por la admiración por los visigodos, el grupo de pueblos antes desconocidos que los suplantaron. Sin embargo, eso no fue todo, porque aquellos pueblos brindaron a sus asentamientos una identidad compartida que podría considerarse el primer paso importante hacia la unificación de la Península. La compleja variedad de unidades políticas de Hispania fue sustituida por la primera aparición de lo que sería un país unido, conocido en general con el nombre de Hispania, un territorio con monarcas estables, un gobierno pacífico, una capital central (Toledo) y los primeros indicios de una legislación escrita.

Se dice que la tercera gran contribución de los visigodos fue la religión. El elemento del cristianismo quedó fortalecido definitivamente cuando, en el año 587, el hijo y sucesor del rey Leovigildo, Recaredo, renunció al arrianismo y se convirtió al catolicismo. Cuenta la leyenda en torno a la conversión que, en el concilio que se celebró en Toledo en el año 589, el portavoz de las dos variantes del cristianismo decidió someter a los misales respectivos literalmente a una prueba de fuego. El misal arriano permaneció entre las llamas sin consumirse, pero el católico saltó de la hoguera, de modo que el rey lo declaró vencedor. La mayor parte del clero arriano siguió el ejemplo del rey y se convirtió, aunque hubo rebeliones en las provincias. Sin embargo, la conversión de Recaredo produjo la unión entre los visigodos y los hispanorromanos y en principio garantizó los elementos esenciales de una sociedad unida bajo el dominio visigodo. Una y otra vez, los escritores han tomado la fecha de la conversión de Recaredo como símbolo del nacimiento de la España moderna. En el siglo XX, Ramiro de Maeztu no tenía ninguna duda de que «España comienza a ser al convertirse Recaredo a la religión católica». Es evidente que esta visión de una monarquía visigoda grande y triunfal como base de una España futura se concibió en una época muy posterior, sobre todo en el siglo XIX, y que no se percibió en el período en el que se supone que existía. Así es, no obstante, la naturaleza de los mitos fundacionales, y la historia visigoda fue uno de los mitos más poderosos y duraderos de todos los relacionados con el nacimiento de España.

Desde luego, no fue fácil plantear un análisis convincente del régimen visigodo. Los críticos de los siglos posteriores estaban muy preocupados por su tipo de cultura, ya que eran inmigrantes originarios de tierras germanas. Cuando llegaron a Hispania, tuvieron que gobernar a una población hispanorromana y autóctona, y convivir con ella. En esta mezcla de razas, ¿quiénes eran los españoles auténticos: los de origen romano o los de origen germano? Si había debilidades visibles en la sociedad, ¿serían culpa de las raíces germanas o de las romanas? La información disponible no ayuda a resolver estas cuestiones. Al parecer, si tenemos en cuenta lo que se dijo en el concilio celebrado en Toledo en el año 646, hubo una aceptación general de que los residentes de los reinos constituían una sola *gens et patria Gothorum* y que la lengua que hablaban los godos acabó por convertirse en la de los hispanorromanos. Sin embargo, la evidencia que sugiere una fusión de las razas es frágil. Hispania siguió siendo compleja y estando desunida durante muchos siglos.

La zona en la que se ha centrado en particular la atención histórica es Asturias, donde unos acontecimientos importantes dieron a sus dirigentes un papel bastante único. La versión aceptada de la historia regional es que Asturias alcanzó estabilidad como reino y fue gobernada durante alrededor de doscientos años, de 718 a 925, por varios reyes, cuya autoridad sucedió a la de los entonces desaparecidos visigodos. Se solía pensar que la región de Asturias ocupó un lugar destacado precisamente porque había resistido el impacto de la influencia romana y así había servido de modelo alternativo para las futuras instituciones hispánicas. Sin embargo, la investigación arqueológica llevada a cabo desde la década de 1980[1] sugiere que, en realidad, Asturias se integró de forma significativa en los planes romanos, cultivó el comercio y desarrolló municipios y favoreció el nacimiento de

---

[1] Véase Luis Ramón Menéndez Bueyes, *Reflexiones críticas sobre el origen del Reino de Asturias,* Ediciones Universidad de Salamanca, Salamanca, 2001, pág. 44: «Pensamos que la influencia de Roma fue fundamental en la conformación de la realidad de estas sociedades altomedievales del noroeste hispano».

una nobleza local, cuyo surgimiento proporcionó la clave para la futura autonomía de la región, en la cual los *potentiores,* los más poderosos, llegaban a acuerdos entre sí para escoger un líder, un «rey», que era elegido entre pares. Gracias al terreno montañoso del norte, a menudo inaccesible, los territorios asociados con la región de Asturias se convirtieron en un centro de resistencia contra los invasores que llegaban a Hispania desde el sur.

Sin duda, el régimen visigodo presentaba suficientes características positivas para contar con el beneplácito de la mayoría de los escritores posteriores. El régimen duró más de dos siglos, un período considerable en comparación con el tiempo en el que los romanos dominaron Hispania. Su autoridad se extendió sobre buena parte de la Península, con lo que dio la impresión de mantener una línea de continuidad desde la Hispania antigua hasta lo que llegó a ser la España cristiana. La falta de documentación para estudiarla permitió a los españoles posteriores crear su propia visión especial: en 1969, por ejemplo, el general Franco alabó a los visigodos por brindar a los españoles su «amor nacional a la ley y el orden». El supuesto éxito de los visigodos, no obstante, también requirió responder a otras preguntas, la más importante de las cuales fue por qué acabaron por desmoronarse los reinos godos. Muchos han compartido la opinión de que, en realidad, los godos fueron incapaces de lograr la estabilidad y la unidad y que, por lógica, fueron responsables de su propia caída.

EL CONDE DON JULIÁN Y FLORINDA LA CAVA

Los regímenes tienden a desaparecer por dos motivos principales: por una agresión exterior o por disensiones internas. Casi siempre, los dos factores se presentan juntos. En nuestro caso, la agresión fue la derrota del último rey godo, en el año 711, en la batalla contra las fuerzas musulmanas que invadieron desde África. Entre los españoles circula desde la

Edad Media una leyenda tradicional que se ha convertido en la versión clásica de los acontecimientos.

Cuenta esta leyenda que, cuando el conde don Julián, el padre de Florinda la Cava, se enteró de lo que le había ocurrido a su hija con el rey Rodrigo, juró vengar la deshonra de su familia. Acudió a las fuerzas musulmanas locales —en aquel momento dominaban el norte de África— y les prometió su colaboración para invadir Hispania, lo que provocó la caída —se la denominó «la pérdida»— de la Hispania cristiana. Pero esto no fue todo. La narración se refiere en particular a la corrupción y a las luchas internas en la corte visigoda, con lo que la decadencia moral sería la causa principal de la caída, al menos para los cronistas cristianos. Dice un romance medieval:

> De la pérdida de España
> fue aquí funesto principio
> una mujer sin ventura
> y un hombre de amor rendido.
>
> Florinda perdió su flor,
> el rey padeció el castigo;
> ella dice que hubo fuerza,
> él, que gusto consentido.
>
> Si dicen quién de los dos
> la mayor culpa ha tenido
> digan los hombres: la Cava,
> y las mujeres: Rodrigo.

Esta historia constituyó el eje del mito fundacional sobre la llegada de los musulmanes a Hispania y se fue repitiendo en la mayoría de las versiones hasta la época moderna. Como otras leyendas similares, era totalmente ficticia. Al parecer, no hay ninguna prueba de la existencia del conde don Julián ni de su hija. La historia de la seducción y la traición no apareció en forma de relato hasta trescientos años después, en una narración árabe del siglo XI que también incluía otras leyendas hispánicas. En el siglo XII, surge por primera vez, en una crónica cristiana, el nombre de Florinda. En general, el elemento clave de la historia es la decadencia moral de los últimos reyes visigodos, un factor que sirve para explicar la caída de un gran reino ante los ataques de un número reducido de invasores. ¿Cómo es posible que un reino poderoso y, además, cristiano, fuera derrocado por una pequeña fuerza invasora? Este ha sido un problema esencial al que durante siglos se enfrentaron los cronistas españoles posteriores y veremos que ha desempeñado un papel fundamental en la creación de otros mitos. En realidad, la pérdida de España no se limitó a un solo acontecimiento del siglo VIII, sino que resultó un problema que se fue repitiendo, porque parecía constituir un defecto crucial en la evolución de la nación. Ya veremos que en siglos posteriores se produjeron más pérdidas.

Supongamos que la pérdida asociada con Florinda contiene algo de realidad, además de la ficción. Es cierto que las divisiones entre las élites godas facilitaban que los invasores tomaran la iniciativa. Aunque algunos escritores sostienen que jamás se produjo una gran invasión árabe, ahora la versión vigente es que sí tuvo lugar una incursión militar considerable. Es posible que las fuerzas relativamente reducidas que penetraron desde África desembarcaran cerca de Cartagena o, quizá, más al oeste. Consistían, sobre todo, en bereberes. (La palabra «árabe» se suele reservar para los musulmanes originarios del este del Mediterráneo.) Se supone que el primer enfrentamiento decisivo tuvo lugar en abril de 711, en el lugar que después se llamó Jabal Tariq (Gibraltar), el peñón que debe su nombre a Tariq ibn Zayd, el comandante militar invasor. Cerca del actual Puerto de Santa María, en la desembocadura del río Guadalete, las fuerzas árabes derrotaron al ejército de Rodrigo, muy debilitado por la deserción de parte de sus tropas. Rodrigo murió en el campo de batalla, lo que supuso el final de lo que la *Chronica mozarabica* cristiana del año 754 llama «casi trescientos cincuenta años de gobierno de los godos en España». Entre los que consiguieron escapar —cuenta la leyenda— figura un noble asturiano, Pelayo, que huyó a su tierra y, desde allí, se dispuso a preparar la resistencia.

Unos meses después penetró en la Península otra fuerza musulmana, pero, a partir de entonces, no hubo ninguna invasión sistemática, sino una serie de campañas, entre los años 711 y 721, en las que se ocuparon algunas poblaciones y otras acordaron establecer alianzas. La capital goda de Toledo fue ocupada en 714. Como la cantidad total de invasores no era demasiado extensa, pasaron décadas antes de que se produjeran verdaderos cambios: el proceso no fue, en modo alguno, una conquista repentina y abrumadora, y no se produjo ninguna otra invasión importante hasta el año 741, cuando llegaron a África unas fuerzas árabes procedentes de Siria para controlar a los bereberes que después cruzaron a la parte meridional de Hispania.

Hace tiempo que los expertos dudan de la verosimilitud de numerosos elementos de esta versión, sobre todo porque quienes redactaron las crónicas fueron escritores musulmanes y cristianos que las escribieron mucho después y sin ningún conocimiento directo de los acontecimientos, por lo cual hay dudas válidas acerca de la existencia de don Julián y de Florinda, de la identidad de Tariq y del lugar exacto del desembarco de las fuerzas bereberes, o de dónde y cuándo presentaron batalla a los cristianos. De lo que no cabe ninguna duda es de la pérdida de España.

Los invasores vencieron de forma aplastante a la sociedad visigoda y a la religión cristiana, pero era imposible que se produjera una absorción inmediata o repentina. Como los invasores eran relativamente pocos, dependían mucho de las alianzas políticas y militares con los dirigentes de Hispania. Por tanto, adoptaron una actitud liberal respecto a las religiones que encontraron en Hispania. En aquel período, los principios de la religión islámica todavía estaban en proceso de evolución, gracias a lo cual dos sociedades en aparente conflicto pudieron convivir y, en algunos aspectos, incluso colaborar. Sin embargo, hubo otros dirigentes cristianos que se negaron a aceptar la dominación musulmana y, como los musulmanes no estaban en condiciones de ocupar toda la península Ibérica, surgieron varios reinos y condados diminutos e independientes en las laderas de las montañas del Cantábrico y de los Pirineos, en zonas de Asturias, León, Castilla, Navarra, Aragón y Cataluña. La primera resistencia efectiva se atribuye a Asturias, donde se dice que Pelayo (quien reinó entre los años 718 y 737), el cabecilla de una banda de montañeros aguerridos, devolvió la esperanza a los godos.

PELAYO Y LA RECONQUISTA

El papel de Asturias en esta historia es crucial, porque los autores posteriores atribuyeron a esta región los orígenes de un vínculo político firme con las regiones de Castilla. Dicho vínculo, según la versión oficial que se sigue aceptando en muchos libros de texto, es lo que al final dio origen al reino de España. Pero no hay pruebas documentales aceptables de los pormenores, un problema que persiste cuando se investigan los primeros períodos de la Historia. Se dice que, cuando Pelayo regresó a su pueblo de Asturias, alentó a sus habitantes para que se resistieran a la invasión musulmana procedente del sur. La victoria que Pelayo y sus seguidores obtuvieron en el año 722 sobre una fuerza musulmana en un lugar llamado Covadonga se toma, tradicionalmente, como el comienzo de la llamada «Reconquista».

Pelayo, al igual que otras figuras míticas similares de la historia de otros pueblos, asume en la tradición el papel extraordinario de la persona que contribuye a remediar la pérdida de su país. Como ocurre con todos los demás mitos fundacionales, Pelayo es, en esencia, una ficción, porque no hay forma de documentar con precisión su existencia ni sus hazañas. La impresionante página web que le dedica la Oficina de Turismo de Asturias reconoce que no disponen de ningún dato comprobable acerca de él ni de su relación con Covadonga.

Las principales crónicas cristianas, las llamadas «Crónicas de Alfonso III», datan de finales del siglo IX y siglos después se completaron con otras crónicas. Las crónicas musulmanas, escritas por autores procedentes del norte de África, no aparecieron hasta el siglo XII, cuatrocientos años después de los acontecimientos que dicen describir. De la información que manejan los dos grupos no hay nada que sea totalmente fiable. Cada detalle de la vida de Pelayo, incluida la fecha en la que se supone que fue coronado rey de Asturias (718), admite varias posibilidades, debido a los datos contradictorios que aparecen en las crónicas disponibles. Algunas dicen, por ejemplo, que Pelayo no fue coronado hasta después de la batalla de Covadonga. Según la crónica, se dice que es asturiano, visigodo o cántabro. Pero estas contradicciones poco importan. Hacía falta algún tipo de ficción estimulante para dar fundamento a la idea de una caída —una pérdida— de España, como se explica en la historia de Florinda la Cava. Al mismo tiempo, era necesario crear un héroe excepcional para dar relevancia a la rebelión, y ese héroe fue Pelayo. Tanto si existió como si no, se considera que fue el primero que dio impulso a la recuperación de las tierras cristianas.

La cueva de Covadonga, donde nació aquel ideal, también es un mito. Situados en el espectacular distrito montañoso de los Picos de Europa, en Asturias, el santuario de Covadonga y su basílica se yerguen en la actualidad sobre una fuente y una cascada subterráneas, donde dicen que se refugiaron Pelayo y los líderes cristianos que presentaron batalla a los musulmanes. En lo alto de las montañas y los bosques, el santuario constituye un centro turístico muy próspero. Dicen que los rebeldes a las órdenes de Pelayo se sublevaron en torno al año 718, hace exactamente mil trescientos años, pero que al principio fueron derrotados por las fuerzas musulmanas y se refugiaron en la cueva de Covadonga, donde los inspiró una aparición de la Virgen María —la basílica está dedicada a ella— y, a continuación, se enfrentaron a sus enemigos y los derrotaron. De ninguno de estos detalles hay pruebas fiables. Ni una sola crónica cristiana ni musulmana escrita en las décadas siguientes menciona siquiera la batalla y lo más probable es que quienes promovieron la leyenda fueran los cronistas a las órdenes del rey de León, Alfonso III, quien más de un siglo después quiso reclamar para su Corona el liderazgo de la lucha contra los musulmanes. Es posible que la falta de pruebas directas invalide todo intento de identificar a Pelayo con Covadonga, pero, evidentemente, no descarta la posibilidad de que se produjera en aquella región algún incidente militar de cierta importancia que frenara el avance de los musulmanes.

En realidad, los símbolos que hoy pueden visitar los turistas son exclusivamente producto de la imaginación y la inversión de los católicos del siglo XIX. En las últimas décadas de esa centuria, cuando el santuario todavía estaba cubierto por la vegetación y el culto a la Virgen apenas existía, el clero se dedicó a crearle una presencia activa, erigiendo estatuas y rezando. En 1941, el mismo año en el que regresó triunfalmente del Louvre de París la prehistórica *Dama de Elche,* se instaló en el santuario asturiano una imagen de Nuestra Señora de Covadonga. La piedad es un homenaje al enorme poder de la leyenda de comienzos de la Edad Media y refleja también la determinación de los gobernantes de la pequeña región de Asturias de hacerse valer como los salvadores y, por consiguiente, los creadores de la España cristiana. Según un analista del siglo XV, Pelayo fue «el primer rey de Hispania», y la respuesta de Hispania, en la forma de los posteriores reyes de Castilla y los Gobiernos hasta la época de Franco, fue dar pleno apoyo a las leyendas y los cultos.

Resulta que, con el paso del tiempo, aparecieron más mitos que respaldan el papel legendario de Pelayo. Ya hemos visto que algunos escritores posteriores presentaron a Florinda como una mujer inmoral cuyos pecados provocaron la destrucción de su país. Esta versión moralizadora contiene, evidentemente, fuertes prejuicios antifemeninos que fueron condenados por diversos escritores, como Benito Jerónimo Feijoo, en el siglo XVII. Como era de esperar, hizo falta un hombre, es decir, Pelayo, para comenzar a deshacer el daño que había puesto en marcha Florinda. La victoria final sobre los musulmanes en 1492 —dijeron los comentaristas, pensando en Granada— fue consumada por otra mujer, esta vez, virtuosa: la reina de Castilla, Isabel la Católica. En síntesis, Covadonga, según los cronistas, supuso el comienzo de la lucha que puso en marcha la Reconquista, una reconquista que se visualizó como una cruzada y que duraría seiscientos años, como ya veremos.

Lo que aconteció en Covadonga fue un elemento más en una lista de cosas que marcaron la confrontación entre el mundo musulmán y el cristiano. El revés que sufrieron los musulmanes en Asturias en 718 se repitió poco más de una década después, cuando un ambicioso ejército musulmán invadió el centro de Francia y fue derrotado en la batalla de Tours, también llamada «la batalla de Poitiers», en octubre de 732, por un ejército franco al mando de Charles Martel[2]. Detuvieron un avance musulmán en el oeste, pero, en el este de Europa, los turcos comenzaron una expansión que acabó con la captura de Constantinopla en 1453.

La falta de información fiable en las crónicas dio lugar a la aparición de innumerables mitos sobre lo que había ocurrido en la época medieval. Se consideró que las leyendas proporcionaban sentido a un pasado remoto que no estaba documentado y, por tanto, no tardaron en ser aceptadas. Feijoo

---

[2] David Nicolle, *Poitiers AD 732: Charles Martel turns the Islamic tide*, Osprey Publishing, Oxford, 2008.

observó lo siguiente: «La pérdida de España dio ocasionalmente a España el supremo lustre. Sin tan fatal ruina no se lograra restauración tan gloriosa. Ninguna Nación puede gloriarse de haber conseguido tantos triunfos en toda la larga carrera de los siglos, como la nuestra logró en ocho que se gastaron en la total expulsión de los Moros»[3]. Así pues, la pequeña victoria en Asturias se consideró el comienzo de la creación de una España que lucharía por librarse de la dominación extranjera. Apenas se tuvo en cuenta lo poco que tenían en común —tanto social como culturalmente— los pueblos godos del norte con los demás territorios que con el tiempo se identificarían como Castilla y, posteriormente, como España.

Correspondió a los escritores de los siglos posteriores la tarea de encontrar la forma de aglutinar todos los intereses pequeños y locales dentro de una perspectiva común para que se pudieran reconocer las peculiaridades de España. Esta tarea de invención se consideró necesaria sobre todo en el siglo XVI, cuando España desempeñó un papel internacional destacado, aunque aún no tenía bien definida su identidad, de modo que la aportación del jesuita Juan de Mariana con su *Historia de España* supuso un gran paso adelante. Mucho antes de Mariana, sin embargo, los cronistas medievales ya habían expuesto los puntos fundamentales de la historia de «la pérdida y la restauración de España», una versión rudimentaria e imaginativa que sirvió durante siglos como base de su identidad.

Ya hemos hablado de las personas principales que, supuestamente, entregaron Hispania al enemigo musulmán. También hemos hablado de Pelayo, el legendario salvador. A Pelayo lo siguieron idealizando durante muchos siglos, porque a los monarcas posteriores les interesaba adoptarlo como predecesor directo y como iniciador de la lucha por la independencia. Cuando uno de los historiadores del emperador

---

[3] B. J. Feijoo, *Teatro crítico,* discurso 13, parte 1, xvi, Glorias de España.

Carlos V, Florián de Ocampo, publicó en 1553 su *Corónica general de España*, se refirió al período previo como «ochocientos años de guerra cruel y porfiada dentro de España, que fue la mayor contienda que se halla desde que el mundo se crió, de una nación contra otra». Lo que reunió a los ciudadanos, en otras palabras, fue la lucha: eso fue lo que ayudó a crear la nación. Pero ¿quiénes eran la nación? No resultó sencillo para los cronistas dar respuesta a esta pregunta y durante siglos las leyendas siguieron arraigadas en una porción significativa de la población. Siguieron vivas para todos los que veían la historia de su país como una lucha permanente entre el bien y el mal. En 1937, el periódico *ABC* ofreció una explicación sobre la naturaleza de la Guerra Civil que acababa de estallar. Proclamó con absoluta convicción que «No son dos Españas en lucha, sino España y la anti-España. Solo hay una España, inmortal y única. La de Sagunto y la de Numancia. La que en Covadonga y en Lepanto, al salvar a la civilización cristiana, salvó a Europa». Los elementos fundamentales de uno de los mitos de España, seguían, en esa fecha, firmes en su sitio.

3
AL-ÁNDALUS, EL PARAÍSO DE ESPAÑA

Desde que al-Ándalus fue conquistado, su capital, Córdoba,
ha sido lo mejor de lo mejor, el no va más, la madre de todas las
ciudades, la morada de los buenos y los piadosos, la patria de la
sabiduría, la fuente del saber, la cúpula del islam, el jardín de las
ideas.

AL-MAQQARI (siglo XVII)

Este epígrafe cita las palabras de un historiador argelino de
principios del siglo XVII, Abu-l-Abbas Ahmad Ibn Muhammad
al-Maqqari, cuyas alabanzas contribuyeron a la leyenda de la
grandeza del logro islámico en lo que había sido Hispania y que
entonces se llamaba al-Ándalus o incluso, según algunos cronistas musulmanes del siglo X, España. El derrocamiento de los
gobernantes visigodos y la imposición del control musulmán
crearon un problema grave para la estabilidad de la Península.
Durante una década, a partir del año 711, los invasores ejercieron un dominio incuestionable sobre la mayor parte del
territorio, aunque no se trató de una conquista al uso.

Los recién llegados eran relativamente pocos y, como ocurre en todas las conquistas, tuvieron que depender de los señores locales para mantener la ley y el orden y para que les pro-
porcionaran mano de obra para la producción agrícola.
También debieron aceptar que la mayoría de la población fuera
cristiana y respetar su religión y su sociedad. A diferencia de
los visigodos, los musulmanes no llegaron necesariamente para
establecerse de forma permanente, sino que hubo una larga

serie de llegadas y partidas, en las que un sector de los invasores sustituía a otro. La Hispania musulmana no se creó solo por la fuerza; también dependió de medidas a largo plazo para estabilizar el régimen. Las primeras generaciones de la conquista se dedicaron a desarrollar un sistema de colaboración con los conquistados y, desde entonces, las condiciones se volvieron más estrictas. Los no musulmanes pagaban más impuestos; las libertades religiosas estaban limitadas, al igual que la actividad religiosa fuera de las iglesias, y, aunque los judíos y los cristianos tenían libertad de culto, también estaban sometidos a restricciones sociales importantes.

En las décadas posteriores a la llegada de los musulmanes, en 711, al-Ándalus siguió siendo una provincia menor, en la que acabó gobernando la dinastía de los Omeyas, originarios de la ciudad de Damasco, en Oriente. El primer gobernante importante de los Omeyas en España fue un príncipe de veinticinco años, Abderramán I, que llegó a la Península en el año 755. Bajo el mandato de Abderramán III (912-961), el emirato de Córdoba alcanzó lo que se considera su máximo esplendor. En 929 se proclamó califa, un título especial que hasta entonces solo correspondía a los gobernantes de Bagdad y de Damasco, y declaró a Córdoba sede de su califato. Con este título, la ciudad pasó a ser independiente de la dinastía abasí, que entonces gobernaba en Bagdad. Abderramán III estableció contactos con gobernantes vecinos, construyó palacios y mezquitas y estimuló la actividad cultural, confirmando así el prestigio de su régimen. El cronista Ahmad al-Razi se refirió con entusiasmo, en 955, al estado floreciente del reino, al éxito de los planes de riego, a los valles plagados de frutales y bosques y a la presencia de numerosos parques y jardines. Sobre todo, se debe al califa la ejecución de dos obras importantes: amplió la Gran Mezquita de Córdoba y, además, a unos ocho kilómetros a las afueras de la capital, construyó la lujosa ciudad palatina de Madinat al-Zahra, castellanizada con el nombre de Medina Azahara, que quedó completamente destruida en el 1010 y no se exploró en serio como yacimiento hasta 1911. Desde entonces, la ciudad dio pie a varias fábulas románticas sobre las glorias de la civilización islámica. Ya lo destacó Roger Collins: «No hay que dejar de hacer hincapié en que la evidencia de la elevada cultura artística y material de al-Ándalus bajo el gobierno de los Omeyas se limita de forma casi exclusiva a Córdoba y al período comprendido entre 930 y 980, aproximadamente»[1].

El hijo de Abderramán III, al-Hakam, dejó a su muerte un heredero de diez años, Hisham II. Como el príncipe era demasiado joven para gobernar, se hizo cargo de la administración el visir al-Mansur (en español, Almanzor), que mantuvo el control desde 981 hasta 1002. Almanzor envió al rey a vivir a Medina Azahara y ejerció el poder desde Córdoba con mucha eficiencia. Emprendió campañas agresivas contra el norte cristiano, saqueó Barcelona, atacó León y Coímbra y destruyó la iglesia de Santiago de Compostela. Para apoyar su poder militar, hizo venir del norte de África a un buen número de bereberes, que, aunque sirvieron bien al régimen, sembraron el descontento entre los grupos árabes que siempre habían constituido la base del poder Omeya.

Tras la muerte de Almanzor, se disputaron el poder los árabes y los bereberes, y al-Ándalus quedó sumido en la decadencia y la confusión, porque las discordias destruyeron la unidad del reino. Los gobernantes cristianos aprovecharon la situación y comenzaron a ocupar poco a poco las tierras musulmanas, en un proceso que algunos historiadores llaman «la Reconquista» y que se prolongó a lo largo de varias generaciones. Durante esos siglos, la sociedad musulmana comenzó a desmoronarse y se debilitaron sus defensas, mientras los cristianos incrementaron su capacidad militar[2]. La batalla decisiva contra los ejérci-

---

[1] Roger Collins, *Caliphs and Kings. Spain, 796-1031,* Wiley-Blackwell, Chichester, 2012, cap. 5.
[2] Felipe Maíllo Salgado, *De la desaparición de al-Ándalus,* Abada, Madrid, 2004.

tos musulmanes, que se libró en 1212 en Las Navas de Tolosa, confirmó el final de su hegemonía. Solo conservaron un territorio grande, el emirato de Granada, aunque siguieron existiendo importantes comunidades musulmanas en el resto de España, sobre todo en el reino de Valencia. Después de Las Navas, transcurrieron casi tres siglos antes de que los gobernantes cristianos estuvieran en condiciones de reanudar las guerras, que finalizaron en 1492 con la capitulación del emirato de Granada.

LA APORTACIÓN MUSULMANA: ¿UNA ÉPOCA DORADA?

Los musulmanes ejercieron el poder en al-Ándalus durante casi seis siglos, en el transcurso de los cuales su posición fue cambiando constantemente. Hubo muchos conflictos dentro de la sociedad musulmana, sobre todo después de la caída del califato Omeya de Córdoba. De vez en cuando se producían rebeliones, que fueron duramente castigadas. En ocasiones, también surgieron conflictos entre los árabes (procedentes del este del Mediterráneo) y los bereberes (procedentes del norte de África) que vivían en al-Ándalus. Si existían estas tensiones dentro de la comunidad islámica, es fácil de imaginar que aún era menos probable que los judíos y los cristianos se sintieran completamente a gusto en la sociedad musulmana. Sin embargo y a pesar de todo, los siglos de presencia musulmana crearon un contexto y una cultura que contribuyeron a brindar a la España medieval una identidad que aún hoy sigue siendo visible.

Lo que los árabes aportaron a España fue, desde luego, inmenso. ¿Podríamos considerarlos, junto con los romanos, un elemento fundamental en la invención de España? ¿Fueron su cultura y su lengua, su modo de vida, sus leyes y sus instituciones, su arte y su tecnología un componente fundamental del carácter y las tradiciones de los españoles? Como se afirma a menudo, ¿ha representado realmente su contribución una época dorada en la vida de la Península?

Siglos después, algunos escritores de la España cristiana comenzaron a formular otra pregunta más: si los musulmanes eran españoles. Según muchos, la respuesta era que no, opinión que revelaba una actitud sobre la percepción y la invención de España. Los siglos de luchas intermitentes para expulsarlos de la Península, así como la constante guerra naval contra ellos en el Mediterráneo y en el norte de África, desde el siglo XVI hasta el XIX, determinaron de forma decisiva la actitud que los españoles de todas las clases tenían respecto a quienes llamaban «moros». A finales del siglo XVII, Feijoo no dudaba en referirse con hostilidad a los moros como parte del papel histórico que desempeñaron en su país, a lo que hay que añadir el trato sumamente hostil que recibieron los musulmanes que se habían convertido al cristianismo y vivían bajo el mandato cristiano, es decir, los llamados «moriscos», un sector numeroso de la población hasta que fueron expulsados en bloque de la Península a principios del siglo XVII.

Desde los primeros tiempos de al-Ándalus, en la Península hubo un enfrentamiento profundo entre la sociedad cristiana y la islámica. La integración del emirato de Granada en el estado cristiano, en 1492 (capítulo 4), no logró mejorar la situación. En febrero de 1502, todos los musulmanes de Castilla tuvieron que elegir entre el bautismo y el exilio. La mayoría de los que estaban en el interior no tuvieron más opción que bautizarse, porque la emigración resultaba prácticamente imposible en unas condiciones tan rigurosas. En las zonas costeras de Granada, la partida era algo más fácil. Fueron tantos los que se marcharon que poco después apenas quedaba en el territorio alrededor del 40 por ciento de la población que había antes de 1492[3]. Con las conversiones obligatorias, el islamismo desapareció del territorio castellano y solo siguió tolerándose en la mitad oriental de la Península, en las provincias que

---

[3] M. A. Ladero, «Mudéjares and repobladores in the kingdom of Granada», *Mediterranean Historical Review,* vol. 6, núm. 2, diciembre de 1991.

recibían el nombre colectivo de Corona de Aragón. Repitiendo la medida que ya se había tomado contra los judíos, la reina Isabel de Castilla abolió el pluralismo religioso en sus dominios, aunque también creó, dentro del conjunto de la sociedad cristiana, un problema totalmente nuevo: el de los moriscos. Los nuevos conversos creyeron que, si aceptaban el bautismo, los dejarían en paz. Sin embargo, a partir de alrededor de 1511, varios decretos atacaron deliberadamente su identidad cultural (su lengua, su vestimenta, sus joyas, el sacrificio ritual de animales) para tratar de obligarlos a abandonar sus costumbres musulmanas.

A partir de 1502 y durante un siglo, la población islámica de España fue acosada y marginada de forma sistemática. En la década de 1520, los musulmanes que vivían bajo la Corona de Aragón también recibieron órdenes de convertirse al cristianismo, aunque los recién convertidos no obtuvieron ningún beneficio por ello. La confrontación religiosa era frecuente[4]. En el contacto cotidiano con los cristianos viejos se producían conflictos acerca de la ropa, la manera de hablar, las costumbres y, sobre todo, la alimentación. De vez en cuando, la Inquisición perseguía a quienes no observaban de forma notoria la fe católica. En toda España había abundantes pruebas de que la mayoría de los moriscos estaban orgullosos de su religión islámica y se esforzaban por preservar su cultura. Una morisca de Granada reconoció en 1572 que «dentro de la casa nos llamábamos moros y allá fuera, cristianos». Ella y su familia hacían sus comidas prácticamente en secreto, en sus domicilios, para que no se supiera que la carne que consumían procedía de un animal que había sido sacrificado de forma ritual. La opresión no hizo más que reforzar el separatismo de los moriscos. Según un informe presentado en 1589 a Felipe II sobre los moriscos de Toledo[5],

---

[4] Louis Cardaillac, *Morisques et chrétiens. Un affrontement polémique (1492-1640)*, Kliencksieck, París, 1977.

[5] L. García Ballester, *Medicina, ciencia y minorías marginadas: los moriscos*, Universidad de Granada, Granada, 1977.

«se casan unos con otros sin mezclarse con los cristianos viejos, ninguno dellos entra en religión, ni va a la guerra, ni sirve a nadie, ni pide limosna; que viven por sí apartados de los cristianos viejos, que tratan y contratan y están ricos». En cambio, para los moriscos los inquisidores eran «lobos robadores, su oficio es soberbia y grandía, y sodomía y luxuria, y tiranía y robamiento y sin justicia»[6].

En Granada, entre 1568 y 1570 la población descontenta reaccionó con un alzamiento masivo que tardó más de un año en ser sofocado. Algunos dirigentes moriscos no le veían ningún sentido a la rebelión y colaboraron activamente con las autoridades españolas para reprimirla. No hubo misericordia para los rebeldes. Como castigo, más de ochenta mil, incluidos hombres, mujeres y niños, fueron expulsados por la fuerza desde Granada hacia el interior de España. Alrededor de uno de cada cuatro exiliados murió por los padecimientos o por indigencia. El aristócrata e historiador Diego Hurtado de Mendoza, que fue testigo de la campaña, declaró que «fue salida de harta compasión para quien los vio acomodados y regalados en sus casas. Muchos murieron por los caminos de trabajo, de cansancio, de pesar, de hambre, a hierro, por mano de los mismos que los habían de guardar, robados, vendidos por cautivos»[7]. El general que digirió la operación, don Juan de Austria, no pudo por menos de sentir piedad ante lo que describió como «la mayor lástima del mundo, porque al tiempo de la salida descargó tanta agua, viento y nieve, que cierto se quedaban por el camino a la madre la hija, y a la muger su marido. [...] No se niegue que ver la despoblación de un reino es la mayor compasión que se puede imaginar»[8]. Esta

---

[6] Louis Cardaillac, ob. cit., pág. 100.

[7] Diego Hurtado de Mendoza, *Guerra de Granada,* Juan Oliveres, Barcelona, 1842, pág. 80.

[8] De don Juan a Ruy Gómez, 5 de noviembre de 1570, *Colección de documentos inéditos para la historia de España,* XXXVIII, 156.

tampoco pareció una solución adecuada. La decisión de expulsar a toda la población morisca se tomó en la década de 1580, en los últimos años del reinado de Felipe II, aunque no se hizo nada al respecto, porque España estaba involucrada en una guerra en los Países Bajos. Cuando los tratados de paz de 1609 pusieron fin al conflicto, los ministros volvieron a tratar la cuestión. Entre 1609 y 1614, el Gobierno puso en práctica su decisión de echarlos a todos: unas trescientas mil personas en total.

No todos los españoles estuvieron de acuerdo. La primera vez que se sometió a discusión la expulsión masiva, un funcionario de la Inquisición se opuso, «porque al fin son españoles como nosotros». En reiteradas ocasiones, funcionarios e intelectuales hablaron a favor de la minoría islámica, los defendieron y manifestaron su oposición a cualquier medida extrema, como la expulsión. Pedro de Valencia, un reconocido teólogo de la época, condenó la propuesta y la calificó de «injusta»; un funcionario del Gobierno, Fernández de Navarrete, dijo que se trataba de «una política muy maligna del Estado». Hasta el duque de Lerma, primer ministro de Felipe III, que acabó siendo quien dirigió las medidas en 1609, reconoció que «parecía terrible caso siendo bautizados echarlos en Berbería». Las expulsiones se llevaron a cabo, de todos modos.

Convivencia…, pero a la fuerza

Al parecer, la guerra y la persecución predominaron en el contacto entre una minoría islámica decadente y la mayoría cristiana que resurgía. A pesar de aquel panorama de permanente hostilidad, muchos españoles comenzaron a desarrollar una actitud que aceptaba a los musulmanes dentro de su definición de España, e incluso empezaron a albergar una visión romántica de la cultura árabe. Según las versiones modernas de este punto de vista, el al-Ándalus medieval era un paraíso[9] que había nacido gracias a la expansión pacífica del islam, una sociedad en la que florecían la tranquilidad religiosa y el conocimiento humano. Es una imagen que presenta una visión completa de la España tradicional, pero ¿será cierta?

Por lo que hemos visto hasta ahora, después de 1492 los musulmanes tenían pocos motivos para alegrarse de vivir bajo el mandato cristiano. ¿Habrá sido, por el contrario, la sociedad musulmana medieval un lugar de paz y progreso? ¿Prosperaron los cristianos? ¿Y los judíos? Una historiadora contemporánea ha dicho que en al-Ándalus existía una política positiva de tolerancia: «El universo de Dios en al-Ándalus tenía tres características principales entrelazadas que constituyen el núcleo de la importancia que tiene para nosotros: pluralismo étnico, tolerancia religiosa y una variedad de formas importantes de lo que podríamos llamar secularismo cultural (poesía y filosofía seculares)». Pero esta autora reconoce que no se trataba de una tolerancia plena: «Solo en ocasiones, esta tolerancia incluyó garantías de libertad religiosa comparables a las que esperamos de un Estado moderno tolerante. Muchos de los rasgos característicos de la cultura medieval proceden del cultivo de la complejidad, del encanto y del desafío que encierran las contradicciones»[10]. Estas palabras tan vagas parecen un intento de ocultar la verdadera violencia que encerraba el esfuerzo de la convivencia en al-Ándalus. Lo que pretende transmitir esta investigadora es que el mandato musulmán —en realidad, ella no lo analiza— fue de inmenso provecho para los judíos españoles, como demuestra la cantidad de escritores judíos, sobre todo Maimónides, que lograron producir su obra en aquellos siglos.

---

[9] Manuel Casamar y Christiane Kugel, *La España árabe. Legado de un paraíso,* Casariego, Madrid, 1990.

[10] María Rosa Menocal, *La joya del mundo: musulmanes, judíos y cristianos, y la cultura de la tolerancia en al-Ándalus,* Plaza & Janés, Barcelona, 2003, pág. 24.

La imagen ficticia de un al-Ándalus dichoso[11] se desarrolló en el siglo XX a través del mito de «la tierra de las tres culturas», una invención política que pretendía llamar la atención de los españoles y también la de los turistas extranjeros sobre el papel positivo del judaísmo y el islamismo en la evolución de la España cristiana. El autor cuya notable erudición aportó sin querer material para el mito fue Américo Castro, cuyos brillantes estudios sobre la cultura hispánica pretendían reivindicar la realidad multidimensional de la sociedad medieval. Castro usaba una palabra nueva y mágica, «convivencia», que se empezó a aplicar a discreción a numerosos aspectos de la historia peninsular y sirvió de inspiración a una generación de estudiantes de literatura medieval española. La misma España que, según la visión anterior, se encontraba en el centro de un choque de civilizaciones se reinventó como una sociedad de convivencia, de coexistencia pacífica, incluso a pesar de las numerosas pruebas de que los judíos, por ejemplo, fueron discriminados y perseguidos por todos los regímenes, tanto con los visigodos como con los árabes. Además, debido a la variedad de sociedades que había en la Península y a los múltiples factores que afectaron la forma en la que cambiaron a lo largo de los siglos, cuesta aplicar un modelo único a su evolución[12].

---

[11] Encontramos un informe fantasioso sobre la felicidad en la España medieval en Chris Lowney, *A Vanished World. Medieval Spain's Golden Age of Enlightenment,* Free Press, Oxford, 2005. El libro habla de «pueblos españoles medievales en los cuales musulmanes, cristianos y judíos se codeaban a diario y compartían los canales de riego, los baños, los hornos municipales y los mercados. Los musulmanes, los cristianos y los judíos españoles forjaron una época dorada para cada fe». Otra incursión en la fantasía fraudulenta sobre este asunto es Steven Nightingale, *Granada: The Light of Andalucia,* Hodder & Stoughton, Londres, 2015.

[12] De los numerosos análisis que existen, véase la provechosa síntesis que hace Thomas F. Glick, *Islamic and Christian Spain in the early Middle Ages,* Princeton University Press, Princeton, 1979, cap. 9.

Sin embargo, el mito también se utilizó para adecuarse a los propósitos de los políticos y el clero, que tenían sus propios motivos para presentar a España como un territorio en el que siempre tenían cabida la paz y el entendimiento. La motivación política alcanzó su apogeo en los años de la dictadura de Franco, cuando destacados arabistas prestaron su apoyo a una presentación de al-Ándalus como un territorio verdaderamente español, una fase en la evolución de una nación española unida[13]. La leyenda del Cid, con sus imágenes de colaboración y de matrimonios entre cristianos y moros, se convirtió en una pieza clave de esta perspectiva. Por ejemplo, la idea de la frecuencia de los matrimonios entre personas de dos fes tan diferentes como el islamismo y el cristianismo enseguida sugiere que la Hispania medieval era una sociedad liberal precisamente en los siglos en los que la guerra entre las dos religiones también era permanente[14]. Sin embargo, la visión optimista del mandato árabe no se podía aplicar a los numerosos siglos y a las diversas sociedades de al-Ándalus; tampoco se podía demostrar con la documentación correspondiente ni contó con el apoyo de los expertos que se especializaban en la España medieval. Por este motivo, resulta imposible aceptar sin más la imagen de un paraíso terrenal[15].

Cabe destacar que la primera invasión árabe a España fue motivada, sin ninguna duda, por una *yihad* o guerra santa y que no fue una incursión pacífica. El historiador tunecino Ibn

[13] Fernando Rodríguez Mediano, *Humanismo y progreso: Romances, monumentos y arabismo*: *Pidal, Gómez-Moreno, Asín,* Nívola, Tres Cantos (Madrid), 2002.

[14] Véase Simon Barton, *Conquerors, Brides, and Concubines: Interfaith Relations and Social Power in Medieval Iberia,* University of Pennsylvania, Filadelfia, 2015.

[15] Darío Fernández-Morera, *The Myth of the Andalusian Paradise. Muslims, Christians, and Jews under Islamic Rule in Medieval Spain,* ISI Books, Wilmington (Delaware), 2016.

Khaldun (1332-1406) comentó posteriormente lo siguiente: «Una guerra santa es un deber religioso, por la obligación de convertir a todo el mundo al islamismo, ya sea por la persuasión o por la fuerza». La constancia de la guerra que se libró sobre todo contra los visigodos en el noroeste de España, pero también contra otros invasores bereberes procedentes de África (los almorávides desde el 1088 hasta 1138 y los almohades desde 1172 hasta 1212), fue minando —no podía ser de otra manera— la tranquilidad de las tierras musulmanas y contribuyó al brusco incremento de la cantidad de personas capturadas en la guerra y posteriormente esclavizadas. La esclavitud, tanto la de los cristianos españoles como la de otros europeos, que a lo largo del tiempo llegó a afectar a millones de personas, se convirtió en una institución fundamental de los conquistadores en la Península.

«Todos los años se debe librar una guerra santa», decía uno de los textos jurídicos utilizados en la España islámica. Esta era una de las opciones agresivas que se utilizaban contra los que no eran musulmanes y refleja su vulnerabilidad extrema en este supuesto paraíso. Almanzor era tan aficionado a la *yihad* que en un solo año (981) envió contra los cristianos cinco expediciones. No era insólito que los vencedores musulmanes ordenaran masacrar a los supervivientes que habían resistido. Por lo general, para lograr la conquista los invasores utilizaban una combinación de pactos pacíficos y violencia despiadada. Al mismo tiempo, admiraban y aprovechaban los logros técnicos y culturales de los romanos y los visigodos, tema este que aquí no tocaremos.

Por eso corresponde poner en duda la afirmación fundamental de que el islamismo introdujo una cultura de la tolerancia de las tres religiones. Según un erudito, «a comienzos del siglo VIII, los árabes aportaron a Europa una de las mayores revoluciones en cuanto a poder, religión, cultura y riqueza. Los árabes se quedaron allí hasta el final del siglo XV, y durante la mayor parte de ese período, la España musulmana fue tolerante en materia religiosa»[16]. Otro escritor nos asegura que «en las artes y la agricultura, el saber y la tolerancia, al-Ándalus fue un modelo de progresismo para el resto de Europa. Uno de sus mayores logros fue su tolerancia. Se acogía a judíos y a cristianos, si no como a iguales, sí como a ciudadanos de pleno derecho. Se les permitía practicar su fe y sus rituales sin ninguna interferencia. Esta tolerancia se ajustaba a los principios del Corán, que enseñaba que había que respetar a los judíos y a los cristianos, por ser "gentes del Libro"»[17].

Estas afirmaciones son engañosas y no están demostradas. En al-Ándalus no había un régimen tolerante, sino innumerables barreras a la igualdad y al contacto entre las distintas religiones. El contacto y el diálogo entre cristianos y musulmanes estaba regulado por la ley de forma rigurosa: los musulmanes no podían comer con los cristianos ni beber sus bebidas alcohólicas; los castigos de los delitos correspondientes a cada religión favorecían a los musulmanes y no se aceptaba el testimonio de cristianos ni de judíos en los casos relacionados con musulmanes; estos no podían trabajar al servicio de los cristianos, y los cristianos no podían montar a caballo ni llevar armas ni vestirse por encima de su posición ni sus casas podían ser más altas que las de los musulmanes. Las normas y las leyes variaban según la región y según el siglo, pero la situación general era que las principales religiones encontraban serios obstáculos. Tampoco se percibía que hubiera libertad para las mujeres, ni siquiera las musulmanas, que estaban controladas rigurosamente por la ley y, además, debían llevar velo. «En la España islámica no había una convivencia armoniosa; en realidad, la convivencia entre musulmanes, cristianos y judíos era

---

[16] David L. Lewis, *God's Crucible: Islam and the Making of Europe, 570-1215*, W. W. Norton, Nueva York, 2008, pág. xxii.

[17] James Reston Jr., *Dogs of God: Columbus, the Inquisition, and the Defeat of the Moors*, Anchor, Nueva York, 2006, pág. 7.

precaria»[18]. Estamos hablando, no obstante, de muchos siglos y es de sentido común aceptar que ha habido lugares y épocas en los cuales, a pesar de los conflictos periódicos, las comunidades sabían llevarse bien entre ellas. Desde luego, había espacios de contacto público en los que era lógico compartir, sobre todo en la vestimenta y en el lenguaje cotidiano. Curiosamente, la división en barrios y aldeas contribuía a la coexistencia, aunque, desde luego, no favorecía la integración, algo que, de todos modos, nadie pretendió jamás.

Compartir constantemente, a lo largo de los siglos, los hábitos de vestimenta, alimentación y lengua permitieron, sin duda, cierto nivel de coexistencia, pero son una cuestión totalmente aparte de las persecuciones y la violencia ejercidas por los gobernantes musulmanes de al-Ándalus. No solo hubo violencia contra personas de otras religiones, sino que incluso fueron más despiadados con los propios musulmanes, ya fueran los rebeldes bereberes o los árabes que apoyaban a la dinastía abasí. Los cronistas árabes documentan la decapitación masiva de los enemigos del primer califa, Abderramán III, y en una crónica se detalla la decapitación particularmente sangrienta de cien prisioneros cristianos en presencia del califa. También están documentadas crucifixiones masivas.

EL LEGADO DE AL-ÁNDALUS

La lamentable persecución que emprendieron los cristianos durante el período comprendido entre 1492 y 1614 no consiguió erradicar de España las características islámicas. Los exiliados moriscos dejaron tras de sí una cultura que había echado unas raíces casi imperecederas en el espíritu de los españoles. Al-Ándalus era una civilización basada sobre todo en las ciudades, porque los musulmanes, al igual que los romanos que los

---

[18] Darío Fernández-Morera, ob. cit., pág. 142.

precedieron, eran fundamentalmente ciudadanos. El noble logro de las grandes urbes, como Córdoba y Granada, con su sofisticada organización política y cívica, contrasta mucho con el nivel modesto de los cristianos, más bien pastoriles y rurales, del norte de la Península. La alimentación diferenciaba la cultura musulmana de la europea. Hasta el siglo XVII, la Valencia de Juan Luis Vives siguió siendo un territorio con predominio islámico y la cocina árabe determinaba buena parte del modo de vida español[19]. Si bien es difícil determinar con precisión qué plantas y qué frutas llegaron a la Península con los árabes, cabe suponer que trajeron olivos, pomelos, limones, naranjas, limas, granadas e higos, además de palmeras datileras. Los norteafricanos no eran un pueblo que consumiera trigo y la base de su alimentación eran las legumbres, de modo que las habas, los garbanzos, las judías y las lentejas pasaron a desempeñar un papel importante en la agricultura andaluza. Es posible que el arroz, al igual que el azúcar, formara parte de la alimentación andaluza antes del siglo X, aunque según algunos estudiosos se incorporó mucho más tarde. La verdadera diferencia culinaria residía, por supuesto, en la forma de preparar los alimentos. Por lo que aparece en los libros de cocina árabe medieval española, vemos que condimentaban los alimentos, según el plato, con canela, pimienta, sésamo, nuez moscada, anís, hoja de limón, clavos, jengibre, menta y cilantro, una variedad de especias desconocidas en el resto de la Europa cristiana. Cuando los expulsaron de la Península, los árabes y, en particular, los moriscos se llevaron consigo sus recetas. Quienes emigraron a Túnez en el siglo XVII enriquecieron las formas locales de cuscús con tomates, patatas y ajíes picantes, que habían llegado a Andalucía procedentes del Nuevo Mundo. Al mismo tiempo, desarrollaron industrias relacionadas con la lana, el algodón, la

---

[19] Para lo que sigue, véanse Expiración García-Sánchez, «Agriculture in Muslim Spain» y David Waines, «The culinary culture of al-Andalus», en S. K. Jayyusi (dir.), *The Legacy of Muslim Spain,* Leiden, 1992.

seda, el vidrio, el papel, las armas y el cuero. La agricultura se benefició de sus eficientes obras de riego. La forma de vida musulmana dejó una huella profunda en el vocabulario español y el europeo, a medida que fueron pasando al uso común palabras que indicaban elementos y profesiones estrechamente vinculados con los árabes.

Sus construcciones los sobrevivieron. Entre las muestras del pasado musulmán destacan los grandes monumentos, de los cuales la mezquita de Córdoba es uno de los primeros y más notables. La mayoría de las obras de arte que se conservan datan del último período del gobierno árabe. La hermosa Giralda de Sevilla, que al principio era el minarete de una mezquita y después fue la torre de la catedral, se remonta al siglo XI, al igual que la Torre del Oro, situada en las márgenes del río de la misma ciudad. La obra maestra de la arquitectura musulmana, la Alhambra de Granada, adquirió sus partes más hermosas a finales del siglo XIV. Los logros en la cultura escrita son equiparables a los de la construcción pública. La lengua de al-Ándalus era el árabe, que hablaban y escribían también muchos cristianos y judíos. Todas las culturas de la Península compartieron y transmitieron el patrimonio islámico. Los gobernantes cristianos contrataban arquitectos árabes para diseñar y construir sus palacios: el impresionante Alcázar de Sevilla fue construido por musulmanes, pero para un rey cristiano. Las iglesias cristianas incorporaban a sus ceremonias la música y los rituales árabes. En la catedral de Toledo se sigue usando el rito mozárabe medieval, de estilo árabe. Los escritores judíos componían sus obras en árabe, porque era el idioma de la cultura de al-Ándalus.

La caída de Granada y la expulsión de los moriscos no borraron de la memoria de los españoles lo que había sido vivir en una sociedad multicultural. La mayoría de los dirigentes del Estado cristiano mantuvieron, por razones más políticas que étnicas, una profunda animadversión por la civilización islámica. Los musulmanes eran el principal enemigo militar en el exterior y la principal influencia subversiva en el interior. A partir de esta base se construyó en la Península una imagen del islamismo de lo más hostil. Sin embargo, gracias a los siglos de convivencia con los musulmanes y los musulmanes convertidos, muchos españoles adoptaron una visión menos agresiva. En 1514, el conde de Tendilla, el gobernante designado por el rey Fernando en Granada, criticó que el rey tratara de que los moriscos abandonaran su vestimenta: «En España, ¿qué hábito, qué cabello traíamos, sino el morisco, y en qué mesa comíamos?»[20]. De hecho, los esfuerzos para que las culturas coexistieran se mantuvieron durante generaciones. A lo largo de todo el siglo anterior a los acontecimientos de 1609, había sentimientos encontrados acerca del papel del pasado islámico e incluso cierta tendencia a idealizarlo, por motivos difíciles de explicar. Varias obras literarias del siglo XVI adoptaron el tema de la difícil coexistencia entre antiguos musulmanes y cristianos. Un ejemplo notable es la novela de 1561 *Historia del Abencerraje y la hermosa Jarifa,* de autor anónimo, que combina los temas de la caballerosidad, el amor, el honor y las relaciones sociales entre cristianos y musulmanes. El hecho innegable de la coexistencia social y cultural, no obstante, dista mucho de la idealización de al-Ándalus como un paraíso.

ESPAÑA, ¿IMPERMEABLE A LA ARABIZACIÓN?

El logro islámico y los elementos supervivientes no impresionaron a algunos españoles conservadores, como el erudito Claudio Sánchez-Albornoz (1893-1985), cuya obra más conocida sobre el período medieval, *España, un enigma histórico,* escrita durante sus años de exilio y publicada en Argentina en

---

[20] Citado en Helen Nader, *The Mendoza family in the Spanish Renaissance,* Rutgers University Press, New Brunswick (New Jersey), 1979, pág. 187.

1956 en dos volúmenes, ha caído en el olvido, no tanto por ser sumamente larga —tiene 1.500 páginas—, sino por estar imbuida de la ideología conservadora y los mitos culturales de la generación a la que perteneció. Sobre todo, despreciaba a los árabes. Su primer ataque sin rodeos al papel de los musulmanes en el pasado de España se publicó en 1929 en un artículo, «España y el islam», que apareció en la *Revista de Occidente,* una publicación dirigida por Ortega y Gasset, en el que sostenía que «el África torpe y bárbara torció los destinos de Iberia. [...] Lo arábigo cultural y vital hubo de ser insignificante en una España de raza, de vida y de cultura occidental». Unos años después, en 1943, Sánchez-Albornoz manifestó que, en su opinión, los musulmanes habían apartado a la España «eterna» de su auténtico destino. Según él, si no hubiera sido por los musulmanes, España sería un país moderno, como Inglaterra y como Francia. Al principio de su *Enigma,* confesaba que «el gran mago de España», Ortega y Gasset, lo «movió», con su interpretación de España, a buscar una perspectiva similar en el pasado medieval español. En consecuencia, había ahondado en la Historia para encontrar las auténticas raíces del carácter de «los hispanos».

La principal conclusión de Sánchez-Albornoz era inequívoca. Mucho antes de la formación de la cultura arabojudía con la que Castro identificaba por aquel entonces la condición hispánica, ya existían España y los españoles, quienes debían su vitalidad a sus orígenes romanos y prerromanos, unos orígenes que sobrevivieron durante siglos, se convirtieron en la base de la sociedad cristiana peninsular y llegaron a modificar todos los aspectos de la carrera del islamismo en España. Encabeza el capítulo 4 de su libro una frase que es un desafío: «No se arabiza la contextura vital hispana»[21]. Sánchez-Albornoz insistía en que los árabes aprendieron de España y no al revés.

---

[21] Claudio Sánchez-Albornoz, *España: un enigma histórico,* 2 vols., Sudamericana, Buenos Aires, 1956, vol. I, pág. 189.

La influencia árabe en la cultura, las costumbres y la lengua fue efímera y jamás se impuso a los cristianos. La cultura árabe no tardó en desaparecer. «Doscientos años después del 711, eran pocos en la Península los que sabían bien el árabe y raros los que entendían los versos arábigos». Según él, España mantuvo su esencia a pesar de los árabes y a pesar de los judíos y ni siquiera los moriscos tenían origen árabe, sino que la mayoría «descendían de los hispano-romanos»[22].

LA VUELTA AL ORIENTALISMO

Había, desde luego, muchos españoles cristianos que comprendían aspectos de la sociedad islámica y la admiraban. Ya estaban allí en el siglo XVI. En el siglo XVIII, algunos escritores, como el dramaturgo Moratín, el poeta Meléndez Valdés y el ensayista José Cadalso, mencionaron en su obra a los árabes, pero, aparte de las referencias literarias, no se hizo casi nada para explorar ni para salvaguardar el patrimonio que habían dejado los exiliados musulmanes. El primer estudio español importante fue la *Historia de la dominación de los árabes en España,* de José Antonio Conde, que se publicó en Madrid en tres volúmenes, de forma póstuma, en 1820. En la misma década ocurrió algo insólito: un diplomático estadounidense, Washington Irving (1783-1859), dio el espaldarazo decisivo al interés del público en la España oriental al despertar una corriente de admiración por los árabes. «Resulta imposible —escribió Irving a un amigo cuando estuvo en España en la década de 1820— recorrer Andalucía sin empaparse de algún sentimiento por aquellos moros. Merecían este hermoso país. Lo ganaron con valor y lo disfrutaron con generosidad y con gentileza». En 1829 se trasladó a Londres, donde publicó

---

[22] Claudio Sánchez-Albornoz, *España: un enigma histórico*, 2 vols., Sudamericana, Buenos Aires, 1956, vol. II, pág. 714.

Cuentos de la Alhambra (1832), una narración de la supuesta historia y las leyendas de la España morisca, que, según se apresuró a explicar, «no era un romance histórico, sino una historia romántica»[23]. Dio la casualidad de que su obra coincidió con la moda europea del Orientalismo, cuando se pusieron en boga los temas árabes, que tuvieron mucha influencia en varios escritores y artistas británicos, alemanes y franceses durante aquella fase activa de la expansión imperial europea[24]. La dimensión española del Orientalismo vio la luz gracias a otra operación militar de Napoleón: la invasión y la ocupación de España que tuvo lugar en la primera década del siglo XIX (véase el capítulo 17). Cuando los franceses iban a alguna parte, los ingleses iban detrás y algo que aumentó considerablemente la apreciación británica de la cultura española fue la Guerra de la Independencia (1808-1813).

Tal vez por primera vez, el público europeo culto descubrió España y la valoró. El aspecto que hizo volar su imaginación no fue la España de los romanos ni la de la época cristiana, sino la del islam, su cultura y su música, que parecían haberse desvanecido, pero en la que anduvieron fisgando con avidez los visitantes europeos, unos visitantes que en sus escritos hacían comentarios entusiastas sobre las glorias del pasado. En 1834, Richard Ford escribió lo siguiente:

Para comprender la Alhambra se ha de vivir en ella y se ha de contemplar en la semioscuridad del atardecer, tan hermosa por sí misma en el sur, cuando los estragos se notan menos que bajo la desdeñosa luz deslumbradora del día. En una noche serena de estío, todo vuelve al pasado y a los moros y entonces, cuando la luna flota por encima en el aire como su símbolo creciente,

---

[23] Muhammed A. al-Da'mi, *Arabian mirrors and Western soothsayers. Nineteenth-century literary approaches to Arab-Islamic history,* Peter Lang Publishing Inc., Nueva York, 2002, pág. 168.

[24] Encontramos una buena introducción en A. L. Macfie, *Orientalism,* Longman, Londres, 2002.

el haz delicado cura las cicatrices y las hace contribuir al sentimiento de viuda soledad. Los reflejos en el tanque, negro como
la tinta, destellan como los palacios de plata sumergidos de las
ondinas. Abajo se extiende Granada, bullendo de actividad, y
las luces brillan como estrellas sobre el oscuro Albaicín, como si
el firmamento se hubiera invertido y estuviera abajo.

Era imaginación romántica, aunque eso también formaba
parte del patrimonio del islamismo, de la aportación imperecedera que hizo a la invención de España.

4
EL MITO DE LA RECONQUISTA

Iniciada de esta forma la batalla [de Clavijo], por una y otra
parte, los sarracenos, sacudidos por el desconcierto, dieron la es-
palda a las espadas de los cristianos, de modo que perecieron casi
sesenta mil de ellos. Se cuenta que en esta batalla apareció Santiago sobre un caballo blanco haciendo tremolar un estandarte
blanco.

RODRIGO JIMÉNEZ DE RADA, *Crónica de España*

En el proceso de invención de una España histórica, ningún
concepto ha sido más fundamental y, al mismo tiempo, más
ficticio, que el de la Reconquista. Como se suele enseñar en las
escuelas y en las universidades, se entendía la Reconquista
como una serie de campañas militares que comenzaron con la
intervención de Pelayo en Covadonga, una victoria que puso en
marcha la recuperación paulatina del territorio para los cristianos, liderada primero por los gobernantes de Asturias y al final
por los de Castilla. Es posible que Pelayo fuera una ficción y lo
mismo se puede decir de Covadonga, pero el problema principal consistía en definir un lapso enorme y complejo de Historia
medieval con una etiqueta compuesta por una sola palabra.

Se estima que el período de la Reconquista comenzó con
Pelayo y finalizó con la rendición de Granada en 1492, «ocho
gloriosos siglos» —así la definió Benito Feijoo en el siglo XVII—
durante los cuales las fuerzas cristianas fueron liberando poco
a poco a la Península del dominio musulmán. Hablar de «ocho
siglos» era una exageración conveniente, ya que ninguna campaña militar en la historia de la humanidad ha durado tanto y,

además, en España no se libró ninguna batalla decisiva, salvo la de Las Navas, en 1212, que puso en marcha el proceso de finalización del conflicto. Mientras tanto, y de forma esporádica, durante todos esos siglos se produjeron innumerables choques, ataques y asedios significativos, el más importante de los cuales fue el asedio que acabó cuando los cristianos, a las órdenes de Alfonso VI, capturaron Toledo, la antigua capital visigoda, en 1085.

Cuando los cronistas medievales cristianos describieron los hechos *a posteriori,* lógicamente utilizaron términos que calificaban a los musulmanes de invasores externos e insistieron en su propio derecho a «recuperar» o «restaurar» a España a su condición previa a los musulmanes. Al parecer, el término «Reconquista» se utilizó por primera vez formalmente en 1796, en una historia publicada en Madrid; se siguió usando de forma generalizada en las décadas posteriores y desempeñó un papel importante en la invención de España y en la presentación de «ese esfuerzo gigantesco al que damos el nombre de Reconquista», según el historiador Modesto Lafuente. La clave de ese papel no se encuentra solo en la palabra, sino en lo que implicaba[1]. Los historiadores liberales de finales del siglo XIX, ansiosos por hallar unas raíces históricas para la nación que esperaban construir, invocaban, mediante la palabra «Reconquista», un período histórico inmenso —¡ochocientos años!— durante el cual se veía a los españoles empeñados en recuperar «su» tierra y su país («España»), en reivindicar su fe (el catolicismo), en defender a sus dirigentes (la monarquía) y en cooperar en la lucha para liberarse de la opresión de los extranjeros (los moros, considerados precursores de los soldados franceses de Napoleón). Se ha observado que «la noción aparece asociada a la formación de la identidad nacional española, asegurando una

---

[1] Martín F. Ríos Saloma, *La Reconquista: una construcción historiográfica (siglos XVI-XIX),* Marcial Pons, Madrid, 2011, págs. 27-31 y el libro entero.

empresa y un pasado común a todas las regiones y ofreciendo al mismo tiempo una singularidad esencial frente a otros países europeos [...], elemento nuclear de la formación de la identidad de España como nación y patria común de todos los españoles»[2].

Como el concepto abarcaba tantas aspiraciones de tendencias tan variadas, tuvo éxito de inmediato y se convirtió en un nuevo y poderoso mito que no solo definía una parte crucial y enorme del pasado, sino que, además, establecía un sentido y un propósito para el futuro. Grandes eruditos, entre los cuales destacan medievalistas como Menéndez Pidal y Sánchez-Albornoz, encontraron apoyo para sus teorías en este concepto. Sánchez-Albornoz sostenía que la Reconquista era una «lucha nacional y religiosa» que, efectivamente, había creado España. Más aún, afirmaba que se trataba de un logro que la había hecho única: «Esta empresa multisecular constituye un caso único en la historia de los pueblos europeos, no tiene equivalente en el pasado de ninguna comunidad histórica occidental. Ninguna nación del viejo mundo ha llevado a cabo una aventura tan difícil y tan monocorde, ninguna ha realizado durante tan dilatado plazo de tiempo una empresa tan decisiva para forjar su propia vida libre».

UN CONCEPTO GENERADOR DE CONTROVERSIA

El nuevo mito tenía algunas características significativas. Por ejemplo, la Reconquista se asoció directamente con Pelayo, Covadonga y el vínculo de la Corona de Asturias con la de Castilla y, por consiguiente, identificaba «España» con la historia de Castilla, de modo que Castilla era España. La idea de una lucha nacional, del nacionalismo español, quedó asociada efec-

---

[2] Francisco García Fitz, «La Reconquista: un estado de la cuestión», *Clio & Crimen*, núm. 6, 2009, págs. 142-215.

tivamente con Castilla. En todos los sentidos, el mito liberal era débil en cuanto a evidencia histórica, pero fue aceptado como la presentación oficial del pasado medieval. Sin embargo, un siglo después unos investigadores minuciosos empezaron a revelar fallos en la estructura. En la década de 1970, un par de historiadores[3] sostuvieron que unos estudios arqueológicos recientes sugerían que la estructura social y política de la región asturiana no cuadraba con el argumento de su papel fundamental en la lucha contra los árabes. Así comenzó un debate serio, aunque de poco sirvió para cambiar el predominio de la idea de la Reconquista. En 2004, José María Aznar, el entonces presidente del Gobierno español, en un discurso pronunciado en Washington en el contexto del apoyo de España a la intervención militar de Estados Unidos en un país musulmán, se refirió a la «larga batalla [de España] para recobrar su identidad; este proceso de reconquista fue largo».

El debate continúa. La mayoría de los historiadores actuales suelen aceptar el uso del término, porque es cómodo —algunos llegan a aplicar la etiqueta de «Reconquista» a toda la Historia medieval de España—, pero también rechazan muchos de los corolarios del concepto. Estos fueron, desde luego, sumamente importantes, porque afectaban a todos los aspectos de la Historia peninsular. Adoptar el término de Reconquista como eje central de la identidad de España lo convierte en la principal definición para los fundamentos religiosos, políticos, imperiales, económicos, sociales y étnicos de los habitantes de la España medieval. Sobre todo, el concepto ofrece un papel preponderante al logro militar y a la noción de «conquista», con lo que inculca a los españoles un sentimiento de orgullo nacional. «El término Reconquista se refiere a la actividad militar», ha dicho el historiador Julio Valdeón (2006). La guerra era, sin duda, el tema principal. A finales del siglo IX, la *Crónica*

---

[3] Abilio Barbero y Marcelo Vigil, *Sobre los orígenes sociales de la Reconquista,* Ariel, Esplugues de Llobregat (Barcelona), 1974.

albeldense comentaba lo siguiente: «Los sarracenos ocupan España y se apoderan del reino de los godos, que todavía retienen en parte. Y con ellos los cristianos día y noche afrontan la batalla y cotidianamente luchan». *Día y noche,* siglo tras siglo era, evidentemente, tanto imposible como falso, pero la prioridad que se da a la noción de «batalla» también era falsa, puesto que hubo muy pocas batallas y, más que la lucha por el territorio, el motivo principal del conflicto era, evidentemente, la religión.

La única parte de Europa occidental en la que los ejércitos musulmanes asumieron el control fue la península Ibérica y fue allí donde el espíritu de la resistencia estuvo más activo. No obstante, el gran guerrero contra los musulmanes —así lo identifica el Occidente cristiano— fue el emperador franco Carlomagno, cuyos triunfos militares se consideraban la base de la sociedad europea. Carlomagno también tuvo una actividad destacada en la Península, donde su reputación —así lo cuentan los cronistas posteriores— se fusionó con la de otro gran nombre, cuyas actividades se consideraban el apoyo celestial a lo que se daría en llamar la Reconquista. Ese nombre es el del apóstol Santiago, venerado en su propio santuario, en Santiago de Compostela (véase el capítulo 13).

EL APÓSTOL SANTIAGO Y LA BATALLA DE CLAVIJO

Las primeras etapas de la Reconquista, pues, estuvieron asociadas estrechamente con la fe en Santiago. La difusión de la leyenda de Santiago debía mucho a una supuesta «batalla de Clavijo», un hecho que, según los historiadores que han examinado las pruebas con sentido crítico, jamás se produjo. La historia de Clavijo comenzó en Asturias en el siglo VIII, poco después de que los musulmanes invadieran España. Ramiro I de Asturias-León fue el primer rey asturiano que se negó a pagar a los dirigentes musulmanes victoriosos el tributo financiero que exigían. El líder musulmán Abderramán II reunió un gran ejército y emprendió el viaje desde Córdoba hacia el norte para castigar a los asturianos. Dicen que las fuerzas enemigas se encontraron en un lugar llamado Clavijo, cerca de Logroño. Según una versión, la víspera de la batalla, Ramiro, desesperado, reflexionaba en su tienda de campaña cuando se le apareció Santiago y le prometió ayudarlo. Al día siguiente se enfrentaron los dos ejércitos. De pronto, del lado cristiano apareció la figura del apóstol Santiago montado en un caballo blanco y luchando contra los musulmanes. Cuando todo acabó, el 23 de mayo de 844, los cristianos victoriosos habían masacrado —eso dicen— a decenas de miles de musulmanes en las márgenes del río Ebro.

El motivo por el cual la historia de Clavijo no se considera auténtica es porque no se la conoció hasta el siglo XII, es decir, tres siglos después. Sin embargo, resulta fácil deducir por qué fue aceptada: porque reforzaba la idea de la españolidad de san Jaime, que entonces se empezó a erigir como un héroe español, una inspiración para luchar tanto contra los franceses como contra los musulmanes, y de este modo nació la visión de san Jaime como Santiago, patrono de España. También comenzó así la leyenda de Santiago Matamoros, en una crónica tras otra del período medieval, sobre todo en el siglo XII, después de la primera cruzada (1095-1101), cuando la desesperación por expulsar a los musulmanes de Tierra Santa fortaleció el elemento religioso de la guerra cristiana.

El mito de Santiago Matamoros contribuyó a estimular la actividad militar entre los gobernantes españoles, y el grito de batalla «Dios y Santiago» llegó a ser de uso habitual en los ejércitos castellanos, tanto en Europa como en América, en el siglo XVI. En el *Quijote,* Sancho le dice a su señor: «Querría que vuesa merced me dijese qué es la causa porque dicen los españoles, cuando quieren dar alguna batalla, invocando a aquel Santiago Matamoros: "¡Santiago y cierra España!" ¿Está por ventura España abierta, y de modo que es menester cerrarla, o qué ceremonia es esta?». «Simplísimo eres, Sancho

—responde don Quijote—, y mira que este gran caballero de la cruz bermeja háselo dado Dios a España por patrón y amparo suyo».

Las leyendas de la Europa medieval alcanzaron su punto más dramático y dinámico cuando adoptaron la forma de crónicas cantadas que narran las glorias de los héroes, tanto los grandes como los pequeños, que defendieron la causa divina contra los enemigos que los amenazaban desde el exterior. Así fue que la balada más exitosa sobre Carlomagno y sus logros contra los musulmanes en España fue el trágico poema épico titulado *Cantar de Roldán,* de casi trescientas estrofas, que narraba las circunstancias de la trágica muerte del sobrino del emperador, el caballero Roldán, y de sus compañeros, cuando defendían los pasos de los Pirineos de los invasores musulmanes. Corría el año 778 y Carlomagno sitiaba la ciudad de Zaragoza, que estaba en poder de los musulmanes, pero los musulmanes tendieron una emboscada a su retaguardia en el paso de Roncesvalles. Sin embargo, la trágica muerte en aquel incidente de Roldán y de cientos de caballeros cristianos no fue en modo alguno una derrota. Su sacrificio, según el *Cantar,* incita al emperador a vengarlos y, al final, las fuerzas cristianas se preparan para alcanzar la victoria. La frontera hispánica, según las crónicas, se transformó en una gran maquinaria militar que consolidó a una España emergente y garantizó sus triunfos y su fe.

Todos parecen coincidir en que el proceso de la Reconquista fue lo que dio origen a España. Ambrosio de Morales, historiador y capellán de Felipe II, explicaba a finales del siglo XVI que había una causa común que los unía a todos en la guerra contra los musulmanes. En su *Crónica general de España* decía que, desde Asturias, el infante Pelayo atrajo para su causa a guerreros de la Toledo cristiana, que viajaron hacia el norte al mando del arzobispo de Toledo, llevando consigo las reliquias de la catedral. De este modo se garantizaba que Asturias protegería la continuidad de la fe y, lo que no era menos importante, que la monarquía de Pelayo, de origen godo, aseguraría la continuidad de la monarquía castellana. Así fue que los pueblos de Cantabria y los godos se unieron por una causa común, con una fe común y una monarquía en común, lo que proporcionó el fundamento para recuperar la libertad del pueblo cristiano que estaba sometido al dominio musulmán, un esfuerzo que constituyó la base para la «restauración» de España. Con la victoria de Covadonga, en 718, según Morales, «comenzó la restauración de España, y toda esta grandeza de religión y señorío que ahora tiene». La famosa pérdida asociada con Florinda se transformó en una restauración, una Reconquista.

La identificación de la monarquía castellana con la de Asturias pasó a ser un concepto básico en los escritos de los cronistas castellanos, aunque otros adoptaron un punto de vista algo más amplio. Uno de ellos fue el vasco Esteban de Garibay, quien en 1571 publicó en Amberes *Cuarenta libros del compendio historial de las chronicas y universal historia de todos los reynos de España.* Garibay describía su obra como una «historia superior de nuestra propia nación española y de nuestros naturales reyes». La primera mitad del volumen trata de Castilla, pero el resto de la obra se refiere también a Navarra, la Corona de Aragón y la España islámica, de modo que abarcaba todos los reinos importantes que constituían España y —esto resulta significativo— también incluía a los musulmanes como una nación dentro de España. Además, se apartó de la dependencia de la leyenda de Pelayo y sostuvo que los reyes de España no tenían necesidad de identificarse con los godos, porque, en realidad, su origen se remontaba a mucho antes, a los tiempos de «Túbal, el progenitor de los verdaderos españoles». Túbal era la figura mítica que se identificaba como el primer poblador de Hispania, mientras que todos los demás —desde los cartagineses y los romanos hasta los godos y los musulmanes— se consideraban invasores que llegaron después.

Gracias a las preferencias expresadas por los cronistas, la invención de España en términos de su historia se convirtió en una posibilidad. Este proceso se produjo en cuatro etapas principales, si seguimos las cuatro fases de las crónicas: primero está la crónica de Jiménez de Rada, seguida por la de Alfonso X; en segundo lugar, la historia de Juan de Mariana; después, la de Modesto Lafuente, y, por último, la de Menéndez Pidal. Jiménez de Rada estableció una continuidad desde la historia de León hasta la de Castilla; Alfonso X fusionó la historia de Castilla con la de España, y Juan de Mariana siguió con el mismo proceso. Por último, Lafuente retocó la historia de España para que se adecuara a la ideología liberal y Menéndez Pidal la volvió a retocar para que hiciera lo propio con una tradición conservadora. Entre todos consiguieron la notable hazaña de inventar las peculiaridades de España, su carácter y sus orígenes. Sin embargo, al hacerlo crearon también una estructura histórica acerca de la cual jamás se llegaría a un acuerdo adecuado.

Los diversos y variados puntos de vista sobre los orígenes medievales de España se presentaron con la máxima brillantez en la obra que mejor explicaba el país y su monarquía, la *Historia general de España,* de Juan de Mariana (1592), que el jesuita escribió primero en latín y después en castellano. Mariana expuso en toda su extensión el argumento de que Pelayo había sido el rey cristiano que había encabezado la recuperación de España y cuya autoridad habían aceptado —era lógico— todos los cristianos de la Península, incluidos los aragoneses, los navarros y los catalanes. Esta supremacía de Asturias implicaba para él, como es lógico, la supremacía de Castilla. Asturias y Castilla encabezaron la Reconquista y Mariana no veía motivo alguno para atribuir ninguna parte del logro a otros pueblos y mucho menos a los franceses. El momento culminante de la liberación final fue, para Mariana, la capitulación de Granada en 1492.

La leyenda de Pelayo siguió siendo la base de todas las explicaciones posteriores del surgimiento de España y —no podía ser de otra manera— se expresaba en términos de una continuidad de la monarquía. Por ejemplo, Diego de Saavedra, un diplomático del siglo XVII, afirmaba que «Pelayo fue elegido rey de los españoles, que en la pérdida de España se retiraron a las montañas de Asturias [...] y desde entonces ha sido la sucesión de los reyes de Castilla y León continuada». La identificación de Asturias con los godos y con Castilla y con España era absoluta, un plan firme para la invención de España como entidad política. Saavedra explica lo siguiente:

> [...] pocos españoles retirados en los montes bajaron a las llanuras, y siempre desnuda la espada por el espacio de ocho siglos pelearon constantes en defensa de la libertad y de la religión, hasta que retiraron a África a los moros y ocuparon las costas de ella fundando la mayor Monarquía que se ha visto en el mundo.

Los cronistas de otras regiones consiguieron manipular el mito para reclamar su participación en el asunto. Por ejemplo, los autores catalanes del siglo XVII aceptaron la primacía de Pelayo en la versión tradicional de la monarquía, pero también recordaron a los lectores que la Corona de Aragón se había resistido a los moros y el importante papel que también habían desempeñado los gobernantes de Francia.

No obstante, las batallas y las victorias, desde la de Covadonga en adelante, cuya culminación fue la toma de Granada, solían proporcionar fundamento a una versión de la historia de España totalmente castellana, de modo que fue una suerte que, al mismo tiempo que Mariana redactaba su versión de los acontecimientos, el estudioso aragonés Jerónimo de Zurita produjera sus *Anales de la Corona de Aragón* (1562) y sus *Gestas de los reyes de Aragón* (1572), e insistiera en algo que Mariana ni siquiera mencionaba: que Asturias no era el único centro de resistencia a los musulmanes y que en Aragón muchos cristianos habían buscado refugio en los Pirineos «y habían construido castillos en sus cimas, de donde surgió una guerra constante, ardua, cruenta y perpetua». «Los primeros que comenzaron a resistir la furia de los moros [...] y los que tuvieron ánimo para volverles el rostro cuanto se extienden los montes Pirineos [...] fueron los mismos godos ya españoles [...], con la ayuda de la nobleza y caballería de los francos». Esta descripción atribuye a los pueblos de los Pirineos, y también a los caballeros de Francia, un papel fundamental. Por consiguiente, la lucha no fue exclusivamente un logro de Asturias y de Castilla, sino que también participaron en ella muchos otros. La rebelión de Pelayo —así lo mantiene Zurita— fue algo puramente local, «el principio del reino que se fue fundando en aquellas provincias», y no fue de ninguna manera el cimiento de toda la monarquía hispánica. La reivindicación que hace Zurita del papel que jugaron los aragoneses precedió en casi medio siglo a los textos que varios escritores catalanes, como el jurista Jeroni de Pujades, escribieron para reivindicar el pasado de su *pàtria i nació* que, según mantenía Pujades, también había resistido a los moros de forma activa desde la región montañosa de los Pirineos.

EL CID CAMPEADOR

De forma lenta, pero segura, se fue reconociendo, aunque a regañadientes, el papel que desempeñaron otros —los que no eran asturianos— en la obra de la «restauración». A los franceses se les quitó enseguida su parte del mérito, porque el *Cantar de Roldán* era, desde luego, un producto de la frontera septentrional y proyectaba la gloria de la monarquía franca. Castilla se apropió de la gloria y los castellanos siguieron dominando la versión aceptada del pasado medieval. Cien años después del *Cantar de Roldán,* cerca del sur de la Península apareció otro romancero, esta vez arraigado con firmeza en el territorio de Hispania, que fue refutado con energía por los musulmanes y por los cristianos. Existen dudas acerca de la autoría y la fecha del manuscrito original, que probablemente tuvo origen a finales del siglo XII. El *Cantar de Mio Cid* se basaba en parte en la historia de un guerrero cristiano auténtico, Rodrigo Díaz, conocido por los musulmanes como «el Cid», a quien el rey Alfonso VI expulsó de Toledo, la ciudad que el monarca acababa de arrebatar a los musulmanes, en el año 1085. El Cid encomienda a su mujer y a sus hijas al cuidado de un monasterio y parte hacia el exilio, acompañado por un grupo reducido de caballeros fieles. A continuación, el *Cantar* narra las complejas aventuras del Cid, que finalmente muere en 1099. A diferencia de la balada franca, que describe con claridad a los cristianos como buenos y a los musulmanes como malos, la epopeya castellana refleja una sociedad más compleja, en la que el bien y el mal se pueden encontrar por igual en las dos partes, y el Cid no es, de ningún modo, un héroe explícitamente cristiano.

La historia del Cid pasó a primer plano cuando se transformó en una versión de la Reconquista, al publicarse en 1929 *La España del Cid* de Menéndez Pidal, tal vez la obra más influyente jamás escrita sobre la Historia medieval española. Menéndez Pidal había nacido en La Coruña (Galicia) y procedía de una familia asturiana conocida. En 1884, sus padres se trasladaron a Madrid, donde él acabó haciendo un doctorado sobre cantares medievales, y en 1899 obtuvo la cátedra de Filología Románica en la Universidad. En 1910 fue uno de los fundadores del Centro de Estudios Históricos y se hizo famoso por fomentar la Historia de la lengua en España como disciplina científica. En 1904 publicó un *Manual de gramática histórica del español* y en 1914 fundó la *Revista de Filología Española*. En 1929 publicó el libro por el que se hizo más conocido, *La España del Cid*. La brillante erudición de Menéndez Pidal en el campo de la Filología, la Literatura y la Historia sentó las bases de una versión conservadora y castellanista de la cultura española.

Menéndez Pidal ya había sido el pionero de la investigación de los orígenes del castellano y, aunque a menudo dio saltos injustificados más allá de las pruebas visibles, fue el líder incuestionable de los filólogos de la época. Sin embargo, sus ambiciones iban más allá de la filología. Como historiador, quería dar a conocer el espíritu de Castilla y pensó que había encontrado el material en el Cid, cuyo *Cantar* —según él— revelaba los cimientos militares y espirituales de España, como esta había sido en la Reconquista del siglo XI y como siguió siendo en los siglos posteriores. Además, el carácter y los logros del Cid sugerían una personalidad que se podía interpretar como representativa de lo mejor y lo más noble del espíritu español, un auténtico héroe nacional que brillaba precisamente en los siglos en los que se suponía que España pasaba por su mejor momento como defensora de los valores de la civilización occidental. Menéndez Pidal tuvo suerte: su libro empezó a circular justo cuando el régimen nacionalista de Franco, totalmente desprovisto de ideas y perspectivas culturales, estaba buscando un sostén ideológico en la experiencia histórica de España. El propio Menéndez Pidal tenía una relación bastante inestable con el dictador, pero su visión del Cid no tardó en imponerse como la presentación oficial de la Reconquista y ocupó su puesto junto a las demás leyendas que hasta entonces habían determinado el curso de la Historia española.

La interpretación que hacía Menéndez Pidal del pasado medieval arraigó entre los estudiosos de la historia y la literatura castellanas, gracias, en parte, a que el gran hombre regresó a España después de la Guerra Civil, en 1947, y presidió las dos academias oficiales más importantes: la Real Academia de la Lengua y la Real Academia de la Historia. Sus puntos de vista se reflejaron a nivel popular en películas, novelas, artículos periodísticos y en las artes, porque la España de Franco no ofrecía más ideología que la glorificación de un pasado medieval imaginario. Desde luego, el mito fue acogido oficialmente por el régimen militar. El *Cantar de Mio Cid* era lectura obligatoria para los cadetes de la Academia Militar de Zaragoza y los profesores eruditos lo consideraban un modelo. No obstante, las investigaciones posteriores de algunos estudiosos comenzaron a despertar interrogantes. Se plantearon dudas acerca de la identificación del Cid del romancero con el Rodrigo Díaz de Vivar histórico; acerca de algunos detalles de la geografía y las costumbres sociales que cuadraban más con las de un siglo posterior al del Cid; acerca de algunos detalles de la lengua que no se encontraban en el castellano del siglo XI, y acerca de la autoría del romancero, que, según el texto original, data de 1207.

Con la desaparición de la dictadura en España se suprimió el apoyo institucional que había recibido la leyenda del Cid. Las nuevas investigaciones modificaron los puntos de vista tanto sobre el Cid como sobre la Reconquista[4] y permitieron a los historiadores adoptar un criterio más abierto sobre la naturaleza de la Reconquista. Se pudo hacer uso del concepto de Reconquista sin tener que apoyar la ideología nacionalista que la avalaba. Por ejemplo, el papel histórico de Covadonga se redujo de forma drástica, ya que no había medios visibles de que los cristianos de Asturias en el siglo IX fueran capaces de emprender una campaña militar, cuyo inicio ahora se suele situar solo a finales del siglo XI. Al final, ha aparecido una tendencia creciente a aceptar que el Cid era un héroe castellano, tal vez incluso español, pero un héroe que no tenía que ser aceptado necesariamente según las líneas que presentaban el régimen nacionalista y su ideología de la Reconquista.

LA RECONQUISTA COMO MOTIVO NACIONALISTA

Esta ideología no fue inocua de ninguna manera, por lo menos en cuatro aspectos.

En primer lugar, ofreció una versión de toda la idea de la formación de una nación en la época medieval en la que predominaban los castellanos (y los asturianos y los godos). Aquella perspectiva tan castellana asumía un rol preponderante en la visión de la Historia de España. Lo que después podemos iden-

---

[4] Richard Fletcher, *El Cid,* Nerea, Hondarribia (Guipúzcoa), 1999.

tificar como nacionalismo español en realidad era profundamente castellano. Los estudiosos que no eran castellanos, como el catalán Martín Almagro Basch, en su *Orígen y formación del pueblo hispano* (1958), trataron de quitar importancia a la perspectiva del pasado español centralizada en Castilla y destacaron las múltiples influencias (sobre todo, la europea) que habían contribuido a la formación de los pueblos hispánicos[5]. A pesar de todo, siguió triunfando la pluma poderosa de Menéndez Pidal.

En segundo lugar, insistir en la idea de que los españoles lucharon durante siglos para recuperar unas tierras que les correspondían solo a ellos relegaba a los árabes al papel de invasores, que poseían, sin merecerlo, un territorio que, en realidad, nunca fue suyo y, de hecho, los excluía de tener ninguna participación en la identidad de España. En sus documentos formales, los cristianos justificaban sus guerras diciendo que el territorio era solo suyo. Un cronista marroquí del siglo XIV cuenta que el rey Fernando I respondió de la siguiente manera a la delegación musulmana que acudió a él en busca de apoyo: «Id a vuestra propia orilla del estrecho [de Gibraltar] y dejadnos a nosotros nuestras tierras, porque nada bueno sacaréis de vivir aquí con nosotros»[6]. Como escribió Ortega y Gasset en *España invertebrada,* España estaba compuesta por tres elementos: los pueblos autóctonos, los elementos de la civilización romana y los inmigrantes germánicos (es decir, godos). Los árabes no formaban parte de España. Una generación después, como ya hemos visto, Américo Castro salió en defensa del elemento islámico en la cultura española, pero los estudiosos españoles despreciaron su aportación, sobre todo porque

---

[5] Véase Francisco Gracia Alonso, *Arqueología i política. La gestió de Martin Almagro Basch al capdavant del Museu Arqueològic Provincial de Barcelona (1939-1962),* Universitat de Barcelona, Barcelona, 2015.

[6] Joseph F. O'Callaghan, *Reconquest and Crusade in Medieval Spain,* University of Pennsylvania Press, Filadelfia, 2003, pág. 9.

parecía disminuir el papel de los romanos y los visigodos en su visión de la España medieval. Por el contrario, prestaron más atención a los escritos de Sánchez-Albornoz, quien negaba rotundamente que el islam hubiera hecho contribución alguna a la creación de España (véase el capítulo 8).

En tercer lugar, como ocurre con la mayoría de los escritos históricos sobre la idea de una cruzada, insistía en que el motivo religioso era fundamental en la ideología de la Reconquista. Unos cuantos estudiosos, como el arabista holandés Dozy, insistían en buscar motivaciones seculares para la resistencia contra los musulmanes. Dozy dijo en 1849 que «un caballero español de la Edad Media no luchaba ni por su país ni por su religión; luchaba, como el Cid, para conseguir algo de comer, ya fuera bajo el mando de un príncipe cristiano o musulmán». Quienes más se oponían a este punto de vista eran los españoles conservadores. Menéndez Pidal declaró en 1926 que «el libre y puro espíritu religioso, salvado en el Norte, fue el que dio aliento y sentido nacional a la Reconquista. Sin él, sin su poderosa firmeza, España hubiera desesperado de la resistencia y se habría desnacionalizado». España se consideraba inseparable del catolicismo (véase el capítulo 13). Es evidente que la religión es una fuerza poderosa en cualquier conflicto intercultural, pero los teóricos de la Reconquista le dieron un carácter específicamente nacionalista en el contexto de la España medieval.

En cuarto lugar, con su insistencia en los «ocho siglos», el mito de la Reconquista cultivó la visión de un pueblo guerrero, los españoles, que había derrotado a los enemigos de la humanidad, seguía siendo capaz de derrotarlos (sobre todo, en el norte de África), había conquistado toda Europa y, por encima de todo, en el siglo XVI había conquistado, casi sin ningún esfuerzo, todo el continente americano. Era un punto de vista muy arraigado y sumamente activo entre los españoles de finales del siglo XIX y que sobrevive hasta hoy (capítulo 14), aunque parecía haber quedado desmantelado definitivamente después de la humillación sufrida en la Guerra de Cuba de 1898.

LA GUERRA SANTA

Como acabamos de mencionar, uno de los temas que estaban presentes en la idea de la Reconquista era el de una cruzada o una «guerra santa», que era la otra cara de una guerra que también era una «guerra justa» contra los invasores. Quien alentaba las campañas militares contra los musulmanes en el Mediterráneo y en Tierra Santa era el Papado medieval, que respaldaba la idea de las cruzadas. Lamentablemente, las cruzadas provocaron miles de víctimas. Cuando los cruzados cristianos de Europa occidental tomaron Jerusalén en el 1099, masacraron a toda la población musulmana y la judía[7].

A partir de este período, la situación de al-Ándalus también llamó la atención. Las versiones castellanas tradicionales se limitan a la actividad de los castellanos, pero en realidad el panorama era mucho más completo y quien desempeñó un papel fundamental fue el papa Inocencio III, con la cruzada que proclamó[8]. La bula papal prometía el perdón de los pecados a quienes participaran en la cruzada, e incluso el paraíso a quienes perdieran la vida en el intento. Una legión de voluntarios militares, muchos de ellos extranjeros, se dirigió a Toledo, donde se pusieron a las órdenes del rey Alfonso VIII de Castilla, de Pedro II de Aragón y de Sancho VII de Navarra. Entre los cruzados figuraban hombres de Aragón, de León, de Portugal y de toda Francia y había tanto nobles como obispos. Algunos de los voluntarios extranjeros eran nobles y religiosos que ya habían participado en 1208 en la cruzada albigense contra los

---

[7] Steven Runciman, *A History of the Crusades,* 3 vols., Cambridge University Press, Cambridge, 1954, vol I, págs. 286-287: «Los cruzados corrieron por las calles y entraron de prisa en las casas y las mezquitas y mataron a todos los que encontraron, ya fueran hombres, mujeres o niños. [...] Nadie sabe cuántas víctimas hubo, pero Jerusalén se quedó sin musulmanes y sin judíos entre sus habitantes».

[8] Francisco García Fitz y Feliciano Novoa Portela, *Cruzados en la Reconquista,* Marcial Pons, Madrid, 2015.

cátaros, en el sur de Francia. De todos modos, ciertos dirigentes cristianos, como el rey de León, no vieron ninguna ventaja para sí mismos y se negaron a prestar su apoyo personal.

El ejército cristiano y el musulmán se enfrentaron cerca de la población de Las Navas el 16 de julio de 1212[9]. Las batallas eran algo bastante fuera de lo común en la época medieval, porque los conflictos se solían reducir a meros enfrentamientos a pequeña escala. Sin embargo, esta batalla tuvo una importancia especial por su carácter de cruzada internacional. La campaña no fue solo un acontecimiento de la Reconquista castellana, sino algo fundamental en las cruzadas que emprendieron los reyes de Europa occidental. Como ya hemos destacado, en la batalla no solo participaron cristianos de origen castellano: de un ejército cristiano compuesto por alrededor de doce mil soldados, es posible que unos seis mil no fueran españoles. (Hay dudas con respecto a si todos participaron en la batalla, porque se sabe que muchos de los franceses se negaron a combatir, porque hacía mucho calor.) El arzobispo de Toledo, Rodrigo Jiménez de Rada, comentó lo siguiente refiriéndose a las semanas previas a la batalla:

La ciudad real se empezó a llenar de gente y se caracterizaba por la diversidad de idiomas, porque, procedentes de casi toda Europa, se congregaron personas de diversas naciones, atraídas por el fervor de la batalla. Poco a poco, la multitud fue creciendo hasta hacerse inmensa. Deseoso de atenderlos de forma adecuada, el Rey puso a su disposición los hermosos jardines situados a las afueras de la ciudad, en torno al río Tajo, hasta el día que marcharon a la guerra.

Desde luego, los soldados extranjeros fueron un elemento fundamental. «Debido a la participación internacional, la campaña de Las Navas no fue un mero episodio en una reconquis-

[9] Francisco García Fitz, *Las Navas de Tolosa,* Ariel, Barcelona, 2005.

ta ibérica autóctona, sino un momento crucial en la historia de la cruzada»[10].

Como ya sabemos, la victoria correspondió a los cristianos. Desde el punto de vista de la Historia militar, no fue una batalla decisiva para la historia de los reinos peninsulares ni alteró el equilibrio de poder entre cristianos y musulmanes. Aquella mañana del 16 de julio de 1212 no se decidió el destino de la Reconquista ni Occidente se salvó del islam. En realidad, el poder del régimen almohade se mantuvo firme e inalterable como mínimo hasta el año 1224, cuando se empezaron a notar los primeros signos de descomposición. Los acontecimientos históricos que tuvieron lugar durante las décadas posteriores a la batalla —la crisis del Imperio almohade, el desmoronamiento de al-Ándalus, la expansión cristiana hacia el sur— dependieron más de una serie de factores sociopolíticos complejos que del resultado de una sola batalla campal. De todos modos, fue un acontecimiento importante, que alentó al Papa a proclamar, al año siguiente, la quinta cruzada contra los sarracenos.

LOS REYES CATÓLICOS Y LA CAÍDA DE GRANADA

El último eslabón del mito de la Reconquista, presente aún en la mayor parte de la bibliografía, es el que atribuye a los Reyes Católicos la finalización de la Reconquista, con la caída de Granada en 1492. La última fase de la lucha histórica, que comenzó cuando los cristianos tomaron una ciudad fronteriza de al-Ándalus en 1482, fue lenta y poco sistemática. Diez años después, capituló Granada, la capital, tras un asedio que duró un año y medio. En enero de 1492, los reyes de España, Fernando e Isabel, entraron en la Alhambra, el último y el más

[10] Miguel Dolan Gómez, *The battle of Las Navas de Tolosa: the culture and practice of crusading in medieval Iberia,* University of Tennessee, Knoxville, 2011, págs. 105, 136.

hermoso de los palacios musulmanes de la Península. Cuando el último rey musulmán que hubo en los reinos hispánicos, Abdallah —los españoles lo conocen como Boabdil—, dejó su capital en poder de las fuerzas cristianas y marchó al exilio con sus seguidores, frenó el caballo para echar una última mirada a la ciudad que había perdido y no pudo contener las lágrimas. Cuenta la tradición oral que su madre, que acompañaba al pequeño grupo, lo regañó: «¡Llora como mujer lo que no has sabido defender como un hombre!». Hasta el día de hoy, el lugar donde Abdallah se detuvo para lamentar su desgracia se conoce como Suspiro del Moro[11]. Su partida marcó el final del poderío islámico, pero también el comienzo de la lenta desaparición de una cultura que, a lo largo de los siglos, había desempeñado un papel fundamental en la creación de la civilización hispánica. Más que un mero lamento de un rey derrotado, aquel último suspiro se convirtió en símbolo de la gloria perdida de una civilización y estimuló a las generaciones posteriores a investigar y analizar las raíces de la decadencia cultural[12].

A partir del siglo XVI, los historiadores que trabajaban para la Corona de Castilla presentaron a los Reyes Católicos como los últimos paladines de la lucha para liberar a la España cristiana del yugo del islam y mostraron la captura de Granada como parte de una lucha que tenía absoluta continuidad con la época medieval. Hernando del Pulgar, secretario de la reina Isabel, no describió el triunfo como una agresión, sino como la mera recuperación de una propiedad:

---

[11] Washington Irving, *Cuentos de la Alhambra* (hay varias ediciones y también está en Internet), cap. 8. Irving cuenta que, cuando Carlos V fue a visitar Granada y le contaron la historia de Abdallah, dijo que él «habría convertido esta Alhambra en mi sepulcro, antes que vivir sin un reino en las montañas de la Alpujarra».

[12] Diego Saglia, «The Moor's last sigh: Spanish-Moorish exoticism», *Journal of English Studies*, vol. 3, 2002.

Era notorio por todo el mundo que las Españas en los tienpos antiguos fueron poseydas por los reyes sus progenitores; e que si los Moros poseyan agora en España aquella tierra del reyno de Granada, aquella posesión era tiranía, e no jurídica. E que por escusar esta tiranía, los reyes sus progenitores de Castilla y de León sienpre pugnaron por lo restituyr a su señorio.

Todo esto no era más que propaganda a favor de la Corona. No había habido una Reconquista constante y las circunstancias de 1492 no tenían nada en común con lo que había ocurrido casi tres siglos antes. Durante la Edad Media, los príncipes regionales habían combatido entre sí, algunas veces por motivos religiosos y otras veces no. Los reyes del norte avanzaron hacia el sur de la Península, una fase que fue posible en ocasiones por alianzas entre cristianos y musulmanes y otras veces no. Fue un período de creación de baladas y cantos románticos que rendían homenaje al heroísmo de soldados como el Cid. Todo aquello llegó a su fin con Las Navas de Tolosa. De hecho, solo una pequeña parte del contexto medieval seguía existiendo trescientos años después de Las Navas, cuando gobernaban los Reyes Católicos.

Con respecto al período durante el cual gobernaron, no tiene sentido hacer referencia a la campaña de Granada como «la última etapa de la Reconquista», como si solo hubiera habido una pausa transitoria. En realidad, la distribución del poder, la situación de al-Ándalus y los recursos de Castilla y Aragón eran totalmente diferentes. Fernando e Isabel no reanudaron un proceso que se había interrumpido, sino que dieron comienzo a una etapa muy diferente. Como no podía ser de otra manera, algunas de las referencias siguieron siendo medievales. Para obtener el apoyo de otros pueblos y del Papa, presentaron las campañas militares como una cruzada, animaron a los soldados a llevar una cruz en el pecho, establecieron nuevos impuestos con la excusa de financiar una guerra contra los infieles y convencieron al Pontífice para que les concediera una parte de los ingresos de la Iglesia. Los voluntarios extranjeros acudieron en masa a sumarse al ejército en Granada. Juan de Mariana escribió lo siguiente en su *Historia de España:*

> Con la entrada de los reyes en Granada, y quedar apoderados de aquella ciudad de los moros dichosamente y para siempre, la mengua pasada de nuestra nación y sus daños se repararon. [...] Por conclusión, que toda España, con esta victoria, quedaba por Cristo Nuestro Señor, cuya era antes.

Para él y otros historiadores, la Reconquista había finalizado, se había recuperado lo perdido y España volvía al redil.

Todo el proceso ha quedado representado, triunfalmente y sin necesidad de palabras, en un lienzo reproducido hasta el infinito en el que aparecen el rey y la reina aceptando la rendición de la ciudad. En casi todos los libros de texto históricos, la imagen oficial de la caída de Granada en 1492 es *La rendición de Granada,* un lienzo de Francisco Pradilla de 330 por 550 centímetros, pintado en 1882, que hoy se exhibe en el Palacio del Senado. Se le encargó al artista en 1878, semanas después de que ganara un premio por su retrato de *Juana la Loca* en la Exposición Nacional. La pintura es una manifestación decisiva —desde entonces, ningún otro artista ha tenido un éxito semejante en su intento de representar la escena— de un momento clave de la historia de la invención de España. La intención política del cuadro es evidente y en la carta de encargo se pedía que la pintura fuera una «representación de la unidad española; punto de partida para los grandes hechos realizados por nuestros abuelos bajo aquellos gloriosos soberanos». El artista cumplió su misión magníficamente. Todo el lienzo es puro mito y triunfo, sin el menor atisbo de veracidad política: exalta la imagen de una nación heroica que somete de forma contundente a sus enemigos tradicionales.

Rechazo al extranjero

Precisamente en aquel año de 1882, un tal José Navarrete publicó en Madrid la segunda edición de un libro titulado *Las llaves del Estrecho: estudio sobre la reconquista de Gibraltar*[13], en el que el autor declaraba que era «una cuestión de honra nacional» la adquisición por parte de España de «la plaza de Gibraltar, el Reino de Portugal y el Imperio marroquí». En aquella fecha, pues, el término «Reconquista» ya se usaba según la definición aceptada del papel de España en su relación con sus vecinos. Los escritores más responsables de esta versión triunfalista e imperialista del pasado eran historiadores liberales que «presentaron la lucha contra los invasores musulmanes como la auténtica fragua en la que se conformó la nación española, afirmando una vez más el espíritu de independencia y el inigualable patriotismo de los "españoles"»[14]. Destaca entre ellos la figura de Modesto Lafuente, hijo de un médico de la provincia de Palencia, ordenado sacerdote a una edad temprana, aunque dejó definitivamente los hábitos a los treinta años para ingresar en el mundo de la escritura y la política en Madrid. Se casó en 1843, fue un articulista próspero en la prensa madrileña y en 1854 consiguió un escaño en las Cortes. Su aportación a la nueva historiografía española adoptó la forma de una *Historia de España* (1850-1867) en treinta volúmenes, que se considera la obra histórica unipersonal más impresionante jamás escrita en España. Enseguida se convirtió en un clásico y siguió siendo la Historia oficial de España por lo menos hasta la década de 1890.

Gracias a Lafuente, los españoles consiguieron una historia de su propio país documentada, autóctona y, en apariencia, imparcial, y también encontraron en él una nueva etapa importan-

---

[13] Martín Ríos Saloma, *La Reconquista. Una construcción historiográfica (siglos XVI-XIX),* Marcial Pons, Madrid, 2011, pág. 209.

[14] Ibíd., pág. 210.

te en la invención de España, porque Lafuente declaró que estaba esbozando la historia de lo que él llamaba «la nación española». Dentro de esa nueva perspectiva, estableció también la validez de la palabra «reconquista», porque «cristiana ha sido la España antes y después de la reconquista». ¿Había desaparecido España durante los siglos de dominio musulmán? «¿Había muerto la España como nación? No: aún vivía, aunque desvalida y pobre, en un estrecho rincón de este poco ha tan vasto y poderoso reino, como un desgraciado a quien han asaltado su casa y robado su hacienda». Aunque aceptaba todos los elementos clásicos de los mitos tradicionales de Pelayo y de Covadonga, Lafuente aportó a su punto de vista algo más. Como pertenecía a la generación posterior a la Guerra de la Independencia, hizo más que ningún otro escritor para conectar las aspiraciones de aquellos siglos remotos, cuando los reyes cristianos adelantaron «la obra de la reconquista», con la época en la que vivía y, al mismo tiempo, hizo una aportación insigne a la visión liberal de una España unida:

> Gallegos, cántabros, vascones y euskaros, mal sujetos a la dominación sarracena, apoyados los unos en sus vecinos de Aquitania, alentados los otros con el ejemplo de los asturianos, y animados todos con las discordias en que se destrozaban las razas y bandos del pueblo muslímico, hacían esfuerzos o por defender o por rescatar su independencia, y aunque sin concierto todavía ni combinación, comenzaban a entenderse, porque los impulsaba un mismo pensamiento, los unía un mismo peligro, un mismo odio al extranjero, una misma fe.

5
LA NUEVA NACIÓN
DE LOS REYES CATÓLICOS

Dando al concepto de nación el valor que hoy tiene, no se puede decir que hay nación española hasta fines del siglo XV. Aún es más: si por nación hemos de entender un solo Estado con un solo organismo político, aún no hemos llegado a ser nación y tal vez nunca lo seamos.

JUAN VALERA (1887)

«España fue, en tiempo de los bienaventurados reyes don Fernando y doña Isabel, durante el tiempo de su matrimonio, más triunfante y más sublimada, poderosa, temida y honrada que nunca fue», escribió en el siglo XV el cronista sevillano Andrés Bernáldez. En principio, sus palabras pretendían alabar a la persona de los reyes, aunque también expresaban admiración por todos los demás aspectos de sus reinados. Mirando en retrospectiva los mil años de sus orígenes medievales, los cronistas tenían la impresión de que, con la derrota de los musulmanes en Granada en 1492, los españoles por fin se habían recuperado de la época de perdición y habían comenzado una etapa de éxitos rotundos. El optimismo arraigó con firmeza en España, junto con la leyenda imperecedera de la grandeza de los reyes. A los cronistas no les cabía ninguna duda: «Nunca nuestra España tuvo mas alto grado de perfección que en aquellos tiempos —escribió Martín González de Cellorigo en su *Memorial* de 1600— en que a sus Reyes Católicos les resplandecieron todos los dictados de honra y gloria». Cellorigo insistía en que, por aquel entonces, España alcanzó «el más alto estado de felicidad y de grandeza».

Al leer estos testimonios, nadie duda de la sensación de satisfacción y de orgullo, de patriotismo inconfundible. No existen valoraciones similares en la Historia de ninguna otra nación europea. ¿En qué consistía, pues, aquella España gloriosa? El reinado de los Reyes Católicos fue, indudablemente, el período más decisivo de su Historia, porque rompió con muchos elementos del pasado y marcó la pauta para el futuro; paró en seco el hábito del disentimiento civil y consolidó la asociación pacífica de distintos pueblos cristianos, y, sobre todo, fusionó el gobierno de la mayor parte de la Península en manos de un solo matrimonio.

La adulación sin precedentes y casi unánime de los Reyes Católicos se convirtió, con el tiempo, en una leyenda histórica ingenua que arraigó en casi todos los sectores de la vida pública. La leyenda evolucionó con más fuerza en el siglo XIX, cuando la promovieron unas tendencias políticas que, casi cuatro siglos después del reinado de los Reyes Católicos, seguían buscando un período glorioso en la Historia de su país, y alcanzó su apogeo durante la dictadura que gobernó España durante cuarenta años, después de la Guerra Civil de 1936. Como no podía presentar un liderazgo intelectual o ideológico propio, el régimen de Franco tomó prestadas ideas para crear una versión totalmente ficticia del pasado nacional e hizo hincapié en el supuesto papel glorioso de Castilla y en los logros que la reina tuvo en el siglo XV.

LA GLORIA DE ISABEL Y FERNANDO

La corriente constante de mitos sobre la gloria de Isabel y de Fernando sigue siendo parte de una imagen histórica que muchos aceptan y que se ha convertido en un ingrediente fundamental de una España inventada. Los mitos y las falacias forman parte de un intento global de crear una imagen ideológica específica. Los elementos están basados, evidentemente, en algo real: la superioridad innegable de la Corona católica de Castilla. Castilla era el reino más grande de la Península, el que poseía la mayoría de los recursos y el que encabezó la lucha contra los moros. El principal de esos recursos era la propia Corona. La historia triunfal, como fue evolucionando a lo largo de los siglos, se fue narrando principalmente en función de los Reyes Católicos, considerados los últimos reyes españoles auténticos de Castilla y Aragón.

En el período posterior al año 1516 no hubo gobernantes españoles. Después de esa fecha, primero ocuparon el trono los Habsburgo alemanes y, después de 1700, los Borbones franceses, unas dinastías extranjeras que, curiosamente, nunca consiguieron ganarse la lealtad incondicional de los españoles[1]. Durante los siglos posteriores, por tanto, los escritores miraron hacia atrás, y con anhelo, a la época en la que los extranjeros no dirigían el destino de España. Isabel y Fernando habían llegado de las raíces más profundas de Castilla y de Aragón, vivían con su pueblo y hablaban su lengua. No venían de un país extranjero ni acabaron viviendo, como hacía constantemente Carlos V, en otros países. Seguían las costumbres locales y practicaban la religión local. Con su piedad y su rectitud, Isabel parecía representar lo mejor de las virtudes cristianas. Además, gracias a sus innumerables viajes por toda la Península, se los veía participar directamente en el gobierno de sus súbditos. En Castilla —esto se ve con toda claridad si consultamos un mapa sobre los movimientos de la corte durante su reinado—, la mayoría de los habitantes vieron al rey o a la reina en algún momento de su vida. Nunca más volverían los españoles a ser gobernados de forma tan directa y, por consiguiente, tan buena. «Ellos eran solo reyes destos reynos —recordaba en 1522 Fadrique Enríquez de Velasco, almirante de Castilla—, de

---

[1] Compárese con Inglaterra, que no tuvo gobernantes ingleses a partir de 1066, pero que, de alguna manera, logró aceptar a sus soberanos extranjeros.

nuestra lengua, nacidos y criados entre nosotros. Conocían a todos, sabían a quién hacían las mercedes y siempre las hacían a quienes las merecían. Andaban por sus reinos, eran conocidos de grandes y pequeños, comunicables con todos».

Ningún soberano español ha recibido más atención que la reina Isabel. «Fue esta tan excelentísima reina, que ni después que Roma fue fundada ni tampoco desde que España fue poblada, rey, príncipe ni emperador, ningún hubo a quien con gozo maravilloso esta reina no sobrepujase», escribió un cronista castellano. El primer estudio importante de su vida en español, escrito por Diego Clemencín, se publicó en 1821 y lleva un título revelador: *Elogio de la reina católica doña Isabel*. El primer estudio en inglés —sigue siendo el mejor— fue el de William H. Prescott de 1838, que describía su reinado como «la época más gloriosa en los anales del país». La biografía más reciente (2017), publicada en inglés, la llama «la primera gran reina europea» y considera que «ninguna mujer de la Historia ha superado sus logros».

Los elogios a Isabel se extendían, en gran medida, a su esposo, Fernando, cuya familia también era de origen castellano, aunque él era rey de Aragón y del sur de Italia. «España fue, en tiempo de los bienaventurados reyes don Fernando y doña Isabel, durante el tiempo de su matrimonio, más triunfante y más sublimada, poderosa, temida y honrada que nunca fue», escribió el cronista sevillano Andrés Bernáldez. En el siglo posterior a su muerte, dos historiadores clásicos del siglo XVI, el aragonés Jerónimo de Zurita y el castellano Juan de Mariana, sostuvieron en sus escritos que Fernando había sido el creador del poderío imperial español. Una generación después, el destacado escritor Fernández de Navarrete confirmó que el rey «no solo estableció el gobierno, sino que extendió el Imperio en Italia y Nuevo Mundo, dando principio a la grandeza de esta inmensa monarquía». Como escribió el sacerdote Claudio Clemente en su *Dissertatio christiano-política* (1636), Fernando «levantó sobre sólido cimiento la mole inmensa de este Imperio español».

En 1640, el escritor aragonés Baltasar Gracián publicó un pequeño elogio titulado *El político don Fernando el Católico*. Era una época de crisis para la monarquía española, debido a la amenaza de rebelión en Cataluña y después en Portugal. Los escritores aragoneses estaban ansiosos por tranquilizarse acerca de su pasado y recurrieron al recuerdo de su rey, Fernando. «Pongo un Rey a todos los passados, propongo un Rey a todos los venideros: Don Fernando el Catholico, aquel gran Maestro del arte de reynar», escribió Gracián. Según él, un día Felipe II se detuvo frente a un retrato de Fernando y comentó: «A este lo debemos todo».

El testimonio más notable del logro de Fernando procedió, en su propio tiempo, de un italiano que no era favorable a España en absoluto: el escritor político Nicolás Maquiavelo. En *El príncipe,* escrito en 1513, apenas tres años antes de la muerte de Fernando (1516), Maquiavelo comentaba que el rey «siempre ha intentado y hecho grandes cosas que llenaron de admiración a sus pueblos y tuvieron ocupados sus ánimos con sus éxitos». Las perspectivas para Fernando no se limitaban solo a la Península. Algunos contemporáneos —entre ellos, el propio rey— se tomaban en serio la idea de que no gobernaría solo sobre la Tierra Santa, sino que incluso podría gobernar toda la Cristiandad, algo que no era tan absurdo, puesto que Fernando ya poseía el título de «rey de Jerusalén».

Antes de la época industrial, la Corona por lo general se consideraba el símbolo del país y era inevitable que los constantes elogios a Fernando y a Isabel sustentaran la imagen de una nación triunfante y unida. La fusión de la Corona con la nación se convirtió en la base para la invención, varios siglos después, en el XIX, de una versión mítica y comparable de la Historia de España[2]. En esta centuria, los políticos presenta-

---

[2] Véase un resumen del contexto del nacionalismo en un entorno español en José Álvarez Junco, *Dioses útiles. Naciones y nacionalismos,* Galaxia Gutenberg, Barcelona, 2016.

ron una versión idealizada del pasado según la cual durante siglos un pueblo libre se había enfrentado a una tiranía despótica de la que entonces se estaban liberando. Este tema los devolvía al pasado medieval y al comienzo de la Edad Moderna, que se remozaron con todo descaro. La Historia comenzaba, según ellos, con los patriotas —entre los cuales destacaba Viriato— que habían combatido contra los opresores romanos. Después de aquel período, escribió Argüelles, diputado en las Cortes de Cádiz en 1810, «los españoles fueron en tiempos de los godos una nación libre e independiente». España se visualizaba como un gran pueblo que se había desarrollado plenamente en la Edad Media, pero que, a partir del año 1516, fue arruinado por gobernantes extranjeros despóticos, de los cuales no fue rescatado hasta el siglo XIX, cuando surgieron las fuerzas patrióticas de la nación recién liberada.

¿Significa esto que España siempre había existido como nación y que siempre había aspirado a conseguir sus libertades? Por supuesto que sí, sostenían los liberales, la tendencia política que apoyaba la Constitución y que solo unos años después se convirtió en la agrupación política que lleva ese nombre. Uno de sus partidarios, Francisco Martínez Marina, publicó en 1813 su *Teoría de las Cortes*, donde explicaba con confianza que desde el siglo XI Castilla «comenzó a ser nación», una nación que figuraba entre «las más cultas y civilizadas de Europa», en la que había una monarquía democrática, las Cortes funcionaban y el pueblo era libre. Quienes alcanzaron el momento de mayor gloria de la nación —sostenía— fueron Fernando e Isabel. Sin embargo, inmediatamente después llegaron monarcas extranjeros que arruinaron los recursos de España, gastaron su inmensa riqueza y derramaron la sangre de sus hijos en campos de batalla extranjeros. Los déspotas foráneos aplastaron las libertades españolas: en Castilla, «cuando Villalar vio espirar a Padilla en un indigno suplicio; en Aragón, cuando fue degollado Lanuza en Zaragoza; en Cataluña, cuando faltó Pablo Claris». Durante trescientos años, desde que accedió al trono una dinastía extranjera absolutista, se han abolido las tradiciones democráticas de la nación, se han silenciado sus instituciones representativas (las Cortes) y el pueblo ha quedado sin voz. Esta opresión explicaba con claridad que una nación que siempre había existido se había vuelto incapaz de hacer oír su voz. Ahora, por fin, gracias al pueblo, que podía alzar la voz contra todos los gobernantes extranjeros corruptos, España podía volver a ser la nación que había sido.

MODESTO LAFUENTE Y LA UNIDAD DE ESPAÑA

La leyenda contaba con el apoyo firme de algunos extranjeros que admiraban España. La obra histórica definitiva de aquellos años fue la del estadounidense William H. Prescott, cuya *History of the Reign of Ferdinand and Isabella* (3 volúmenes, Boston, 1838) se publicó finalmente en castellano, en Madrid, en 1845. La historia de Prescott contribuyó a crear la perspectiva que muchos lectores se han formado acerca de España. Cabe destacar que el historiador estadounidense, por medio de la traducción de 1845, tuvo un impacto mucho más importante en los propios españoles, ya que les proporcionó una versión histórica completa y muy bien documentada de la que habían carecido hasta entonces. Sin embargo, la aportación más definitiva a una nueva perspectiva de España vino de Lafuente, que hacía hincapié en la unidad política de España, en el papel del constitucionalismo y en el valor fundamental de la libertad como requisito previo para la vida política. Es probable que el aspecto más destacado de su visión de los orígenes de la España moderna sea su formulación del mito de una Castilla libre, cuyas libertades fueron menoscabadas por las dinastías extranjeras que vinieron después de Fernando e Isabel. Su enfoque tenía el nivel académico suficiente para merecer el aplauso de la mayoría de las opiniones en el espectro político.

Por primera vez desde la obra de Mariana, los españoles pudieron leer acerca del pasado con algo de confianza. Sobre todo, podían comprender los factores que habían contribuido a crear la nación en la que vivían. La obra de Lafuente siguió siendo la «Historia oficial» de España por lo menos hasta la década de 1890, cuando tuvo que competir con la publicación de una *Historia de España,* en muchos volúmenes, dirigida por Cánovas del Castillo, aunque durante bastante tiempo la siguieron usando todos los que apreciaban tanto la erudición como los puntos de vista de Lafuente. Leerle permitía captar las dimensiones y el carácter de la nación española. En el último cuarto del siglo XIX, esta nueva percepción del pasado se transmitió a través del sistema educativo, que dirigía la preparación de los libros de texto y la forma en la que había que enseñar el pasado. Los escolares que jamás habían oído hablar de Lafuente se empaparon de sus puntos de vista como si fuera la verdad revelada.

Lafuente comenzaba su *Historia* haciéndose la misma pregunta que se formuló Tolstói cuando, en esos mismos años, estaba escribiendo su novela *Guerra y paz:* «¿Qué es lo que mueve a las naciones?». Lafuente aceptaba que la Historia producía progreso: «Creemos con Vico en la dirección y el orden providencial, y admitimos con Bossuet la progresiva tendencia de la humanidad». Sin embargo, la historia que él tenía para contar no era demasiado alentadora. Fiel a sus principios liberales, describía una nación que había sido grande a finales del siglo XV, pero que después había caído en una decadencia estrepitosa durante trescientos años. Para comprender a Lafuente, tenemos que captar el hecho fundamental de que creó una visión del pasado basada en las luchas políticas del presente. A sus espaldas quedaba la Historia de España en el punto en el que la había dejado Mariana (en 1516, el año del fallecimiento de Fernando el Católico), una España que parecía encontrarse en su apogeo. Frente a él, la España del presente, una España hecha jirones, recientemente invadida por ejércitos extranjeros y gobernada por soberanos extranjeros que destruyeron el Gobierno parlamentario y favorecieron el poder de la Inquisición, un país que en algún momento había controlado un Imperio, pero que había quedado reducido a la ignorancia y al sufrimiento. ¿Qué había ocurrido para transformar aquella España en esta?

Para él no cabía la menor duda de que se había producido un cambio trascendental que afectaba tres cuestiones cruciales, todas las cuales tenían una relación directa con el período de los Reyes Católicos. En primer lugar, se habían alcanzado la libertad y la grandeza en la persona de Isabel de Castilla, pero en aquel momento —en el de Lafuente— peligraban debido al absolutismo real. La palabra «absolutismo», que entonces inventaron los liberales de las Cortes de Cádiz, nunca se llegó a definir y acabó significando, simplemente, las cuestiones políticas con las que no estaban de acuerdo. En esencia, la palabra no significaba nada, porque el absolutismo como doctrina no formaba parte del sistema político, aunque cumplía una función polémica conveniente y, por tanto, los historiadores la siguieron usando con un sentido moralizador. En segundo lugar, los gobernantes extranjeros —se mencionaba directamente a José Bonaparte, aunque la acusación se aplicaba a todos los soberanos españoles posteriores a Fernando e Isabel, ya que todos eran extranjeros— habían faltado a la promesa brillante de un imperio mundial, porque se habían mostrado indiferentes a los intereses del país. En tercer lugar, la actuación de la Inquisición y de la Iglesia había aniquilado la posibilidad de bienestar material y de cultura. Estas tres cuestiones identificaban a los principales enemigos de los liberales: el absolutismo, las ideas foráneas y la Iglesia. Aplicaban estas categorías a la forma en la que escribieron la temprana Historia moderna de España. Los políticos liberales de mediados del siglo XIX también usaron los tres temas como componente fundamental y activo del programa de gobierno a través del cual ofrecían soluciones contra el cáncer que había estado carcomiendo el corazón de España. Su punto de vista político evolucionó en varias direcciones más, pero su esencia era la convicción de que estaban volviendo a poner al país en el camino del cual se había apartado a principios del siglo XVI.

LA DIFICULTAD DEL CONCEPTO DE *NATIO*

La palabra *natio* aparecía en las crónicas desde la época de los romanos, aunque jamás había adquirido un significado específico, con lo que provocaba una confusión permanente a todos los niveles. Incluso en el siglo XVI hubo controversias sobre si una *natio* poseía fronteras visibles. En su estudio sobre el Mediterráneo, Fernand Braudel apuntaba que «la cuestión de los límites es la primera que hay que plantearse, porque de ella surgen todas las demás». No bastaba con compartir el nombre de un país. Hablando de su país natal, Alemania, el humanista y geógrafo del siglo XVI Matthias Quad llegó a la conclusión de que «ningún país en toda la Cristiandad incluye tantos territorios bajo un solo nombre». Doscientos años después, Schiller se preguntaba lo siguiente: «¿Alemania? ¿Dónde queda? No sé identificar a ese país». En todo momento había dudas de que las personas dentro de una *natio* tuvieran una identidad compartida. En el siglo XIX, pareció que la palabra adquiría un significado político, pero seguía siendo impreciso. Había, por ejemplo, disputas acaloradas sobre la identidad de Alemania, de Italia o de Rusia.

Los dirigentes políticos españoles de principios del siglo XIX estaban seguros de la existencia de su nación, aunque les costaba definir sus antecedentes[3]. El problema, tal como lo vemos en la actualidad, estaba relacionado con la creación de

---

[3] Véase José Álvarez Junco, *Mater dolorosa. La idea de España en el siglo XIX,* Taurus, Madrid, 2001.

mitos históricos y con el uso de una terminología y un lenguaje que armonizaran con esos mitos. Los criterios utilizados por los académicos para juzgar la naturaleza de las naciones derivan, por lo general —ocurre lo mismo en el caso de España—, de la forma en la cual han evolucionado los países después de la Revolución francesa (1789). Los estudios más prestigiosos siempre comienzan su relato del «nacionalismo» en torno al año 1800. No obstante, las discusiones sumamente fértiles sobre el tema que el lector tiene a su disposición[4] no sirven de mucho para resolver el carácter de las naciones y el nacionalismo que podría haber existido con anterioridad a ese período. En realidad, podría decirse que es un error no identificar la aparición de las naciones hasta el siglo XIX, porque de esa forma se excluye arbitrariamente de nuestra consideración un período amplio de la Historia previa en el cual el tema era, sin duda, pertinente y tenía una importancia indiscutible.

Los liberales dedicaron grandes esfuerzos a demostrar que en el siglo XIX su país tenía su propio carácter como nación. Algunos de ellos insistían en retroceder más en el tiempo en la búsqueda de un carácter nacional y el hábito ha persistido. Ahora es bastante corriente que los escritores nacionalistas españoles sostengan que en el pasado remoto ya existía una entidad llamada España, como un legado del gobierno romano y el visigodo. La práctica de identificar naciones mucho antes del siglo XIX no se limita, sin duda, a España. Hace muy poco, un experto en Historia inglesa ha dicho que la Inglaterra del siglo XVI fue «la primera nación del mundo y la única, salvo, tal vez, Holanda, durante unos doscientos años».

---

[4] De los numerosos estudios que tienen importancia para las naciones preindustriales, véanse E. J. Hobsbawn, *Nations and nationalism since 1780: programme, myth, reality,* Cambridge University Press, Cambridge, 1990, y Benedict R. Anderson, *Imagined Communities: reflections on the origin and spread of nationalism,* Verso, Londres, 1991.

Pocos conceptos políticos han despertado más pasiones que el de nación[5], una palabra que siempre ha sido muy difícil de explicar, pero que, al menos desde el siglo XV, ha sido invocada reiteradamente por escritores y políticos europeos para definir algo vago que congrega a las personas y les proporciona algo de lo que estar orgullosas. ¿Qué es lo que une? ¿De qué pueden estar orgullosas? Nunca se ha proporcionado una respuesta concreta a estas preguntas[6]. Sin embargo, la palabra se ha usado —no cabe duda— en todas partes. En Alemania, Conrad Celtis requería, en 1492, que su «nación», «Alemania», se liberara de la esclavitud y, en 1494, Sebastian Brant, en su conocida *La nave de los necios (Das Narrenschiff),* se refería concretamente a «la nación alemana». Sin embargo, como ya sabemos, en esas fechas Alemania no existía política ni culturalmente y tardaría muchos siglos en llegar a hacerlo. Maquiavelo, en *El príncipe,* identificaba a Fernando de Aragón como «rey de España», aunque nos consta que no lo era. Maquiavelo usaba la palabra del mismo modo en el que hablaba de «Italia», un concepto geopolítico amplio que, en realidad, no era más que una combinación de pequeños Estados. Asimismo, «España» no se refería a una entidad real, sino a la relación entre los diversos reinos que se encontraban en la península Ibérica. La palabra no figuraba en los títulos oficiales de los soberanos de la Península, quienes se llamaban a sí mismos «rey de Castilla», «rey de Aragón», etc., y solo usaban lo de «rey de España» de manera informal o cuando querían usar la palabra «España» por una cuestión de conveniencia, porque en realidad no tenía existencia legal. Eso no impedía que los escritores usaran el

---

[5] Compárese con Anthony D. Smith, *The Nation in History: Historiographical Debates about Ethnicity and Nationalism,* Polity, Cambridge, 2000.

[6] Anthony D. Smith sugiere lo siguiente: «Entiendo por nación una población que ocupa un territorio histórico y comparte los mismos mitos y memorias, una cultura pública de masas, una sola economía y los mismos derechos y obligaciones». *The Nation in History,* «Introducción», ob. cit.

término, porque —al igual que «Alemania»— era, evidentemente, una manera cómoda de hacer referencia a las experiencias compartidas por todos sus habitantes.

En la época preindustrial, todos los países europeos estaban compuestos por una diversidad infinita, una variedad interminable de pueblos, costumbres, lenguas, alimentos, bebidas, vestimentas, pesos y medidas, actitudes, prácticas religiosas, tierras, plantas, animales y climas. En un libro extraordinario al que casi no se ha prestado nada de atención en España, el historiador francés Fernand Braudel se proponía «explicar la diversidad de Francia, si es que se puede explicar»[7]. Braudel habla de la increíble variedad de caracteres económicos, vidas políticas localizadas, dialectos y estructuras familiares que hay en un país tan desunido que solo se le podía dar una unidad mítica, una identidad inventada. La misma diversidad increíble, más fundamental y más real que cualquier idea de nación, se podía encontrar en todas partes, en Italia, Alemania, los Países Bajos y las islas Británicas.

«En la Monarquía de España —declaraba Baltasar Gracián en 1640—, donde las Provincias son muchas, las naciones diferentes, las lenguas varias, las inclinaciones opuestas, los climas encontrados, es menester gran capacidad para conservar, assi mucha para unir». Aquellas experiencias locales eran —mucho más que el concepto irreal de «España»— la sustancia real de la vida social, política y religiosa. Mucho antes de que España empezara a surgir como realidad, las comunidades locales ya tenían una identidad propia, lazos indudables y un orgullo incuestionable[8]. Ahora disponemos de una bibliografía abun-

---

[7] Fernand Braudel, *L'Identité de la France,* Arthaud-Flammarion, París, 1986. [*La identidad de Francia,* 3 vols., traducción de Alberto Luis Brixio, Gedisa, Barcelona, 1993].

[8] Véase un punto de vista reciente sobre la conciencia local en la España preindustrial en Tamar Herzog, *Defining Nations. Immigrants and citizens in early modern Spain and Spanish America,* New Haven y Londres, 2003, cap. 2. La autora analiza, sobre todo, la palabra «vecindad».

dante sobre lo que significaba «comunidad» en aquel entonces y podemos destacar, a modo de ejemplo, la definición que ofrece un escritor de principios del siglo XVII de que «las comunidades son cuatro: la familia, la vecindad, la ciudad y el reino»[9]. Estas comunidades eran lo que podía representar una suerte de «nación» para quienes vivían en ellas.

La palabra «nación» se puede encontrar en documentos muy antiguos, pero con una variedad tan grande de significados como la que sigue teniendo en la actualidad. En el siglo XVI se refería, sobre todo, al lugar en el que se ha nacido: en español, viene de «nacer». Por ejemplo, en los centros mercantiles del norte de Europa, las diversas colonias de comerciantes se identificaban según su «nación» (la «nación genovesa», la «nación española», la «nación portuguesa»); en las Cortes de Valladolid, en 1548, un portavoz llamó la atención sobre «la fuerza de esta nación»[10], refiriéndose al pueblo de Castilla, y cada una de las compañías militares que servían en los ejércitos imperiales de Italia se identificaba mediante su «nación» o su lugar de origen. La palabra se aplicaba a las compañías que había dentro de un ejército —la mayoría de los ejércitos de la época estaban compuestos por compañías procedentes de distintos países—, para definir sus orígenes y la lengua común. Los soldados de los tercios castellanos en Flandes, ausentes durante años de sus hogares y desesperados por identificar la causa por la cual sacrificaban su juventud y su vida, usaban la expresión «nación española» en sentido colectivo. «Somos de la misma nación que vosotros, todos españoles», escribieron los soldados

---

[9] Citado en I. A. A. Thompson «Castile, Spain and the monarchy: the political community from *patria natural* to *patria nacional*», en Richard L. Kagan, y Geoffrey Parker, *Spain, Europe and the Atlantic World,* Cambridge University Press, Cambridge, 1995 [*España, Europa y el mundo atlántico,* traducción de Lucía Blasco Mayor y María Condor, Marcial Pons, Madrid, 2001], pág. 128, n. 10.

[10] José Antonio Maravall, *Estado moderno y mentalidad social,* 2 vols., Revista de Occidente, Madrid, 1972, vol. I, pág. 483.

que servían en Holanda a los amotinados en la población de Alost en 1576. Cuando el duque de Alba trató de aplacar a las tropas amotinadas en Flandes, les dijo: «¿Por quién tengo de hacer más que por vosotros, siendo de mi nación?».

Sin embargo, «nación» no era la única palabra que usaban para referirse a las cosas que los unían, sino que también hablaban de «país», que tenía un fuerte componente geográfico y significaba el lugar del cual uno es originario. Los dirigentes políticos también tenían interés en cultivar palabras asociadas con «lealtad», la más importante de las cuales era «patria», que en Italia se usaba en general para referirse a la ciudad a la que se pertenecía y que también se usaba bastante en España. El patriotismo o el amor a la patria se consideraba un sentimiento fundamental.

Muy a menudo, estas palabras se usaban demasiado a la ligera. Existía, sin duda, una idea generalmente aceptada del territorio de España como «patria» y como «nación», aunque no significaba ninguna realidad política, porque, evidentemente, en tiempos de Fernando e Isabel no había una España unida. Sin embargo, cuando los cronistas describían el territorio en el que vivían, a menudo usaban la palabra «España». Un historiador catalán pudo escribir, en 1547, una Historia de Cataluña con el título *Chroniques de Espanya,* aunque Cataluña tenía autonomía política con respecto al resto de España. Esteban de Garibay dedicó su obra *Los XL libros d'el compendio de las chronicas y universal historia de todos los reynos de España* a Felipe II y lo publicó en Amberes en 1571[11]. La describió como una «historia superior de nuestra propia nación española y de nuestros naturales reyes». La primera mitad del libro trataba de Castilla, pero el resto también hablaba de Navarra, la Corona de Aragón y la España islámica, de modo que abarcaba

---

[11] Baltasar Cuart Moner, «La larga marcha hacia las historias de España en el siglo XVI», en R. García Cárcel (dir.), *La construcción de las Historias de España,* Marcial Pons, Madrid, 2004, pág. 110.

todos los reinos importantes que constituían «España» y —esto es muy significativo— incluía a los musulmanes como una nación dentro de España.

Algunos escritores de aquella época hacían un poco más de hincapié en su definición de España. A finales del reinado de Felipe II, un magistrado de Madrid, Gregorio López Madera, publicó una obra en la que alababa a España y la llamaba «su patria» y también insistía en que se trataba de una nación unida —«el reino de España es verdaderamente uno»— que existía desde siempre. Es posible que fuera el primer nacionalista primigenio de Castilla y hacía hincapié en que España siempre había sido cristiana —trataba a los moros con desdén, como invasores pasajeros— y en que su lengua les había sido dada directamente por Dios y que no era un mero derivado del latín[12]. Su libro solía caer en la categoría de los textos dedicados a loar más que a los de narrativa histórica. La primera Historia realmente general de España como nación, de amplio alcance, bien documentada y escrita con una objetividad impresionante, fue la de Mariana, quien la escribió primero en latín y después la tradujo él mismo y la publicó en dos volúmenes en 1601 con el título de *Historia general de España*[13]. Esta siguió siendo la historia más consultada por los españoles durante dos siglos y medio.

También se podría definir la pertenencia a una nación explicando quiénes no pertenecen a ella. A lo largo de varios siglos, los pueblos se volvieron más conscientes de las diferencias entre ellos mismos y los demás. Los demás hablaban de otra forma, vivían de otra forma y comían de otra forma. Sin embar-

---

[12] Kathryn A. Woolard, «Is the Past a Foreign Country? Time, language, origins and the Nation in early modern Spain», *Journal of Linguistic Anthropology,* vol. 14, núm. 1, pág. 73.

[13] Véase una buena versión del contexto de la obra de Mariana en Enrique García Hernán, *La construcción de las Historias de España,* ob. cit., n. 11.

go, ¿qué tenían ellos en común dentro de su propio territorio? Eso era algo más difícil de determinar. En general, quienes solían tomar la decisión no eran los pueblos, sino las autoridades, que usaban criterios como la legislación, el orden y el pago de impuestos —son criterios muy similares a los que se usan en la actualidad— para identificar a los que pertenecían a un territorio o eran originarios de él. Quienes no eran originarios ni ciudadanos se clasificaban como extranjeros y carecían de ciertos derechos. Por consiguiente, en Aragón, en el siglo XVII, un residente de la vecina Valencia podía ser considerado extranjero, y viceversa. Esto quería decir que se estaba adoptando un criterio político y, de hecho, la aparición de lo que se consideraba un Estado comenzó a dar identidad a lo que hasta entonces se consideraba vagamente una nación. En otras palabras, el poder del Estado comenzó a definir a las personas que controlaba (la nación) y a excluir a las demás.

UNA COMUNIDAD DE NACIONES

Durante el período preindustrial no había una concepción jurídica de lo que suponía ser español. Solo había súbditos del rey español. Las diversas entidades políticas que constituían España estaban compuestas por distintas nacionalidades: navarros, aragoneses, castellanos, catalanes, portugueses. En realidad, las regiones no eran las únicas nacionalidades dentro de Hispania. Hasta 1492, el reino de Granada, era, evidentemente, una nación en la que el gobierno, la cultura, la lealtad y la Historia comunes —una Historia que había durado mucho más que la que compartían los reinos cristianos— aglutinaban a los habitantes musulmanes.

Los judíos, que sufrieron un golpe muy doloroso con su expulsión, en 1492, eran un grupo reducido, pero también reivindicaban que eran una nación. Durante los siglos que vivieron en Hispania, tanto con un gobierno musulmán como con uno cristiano, poco a poco fueron desarrollando la idea de que constituían un grupo sociocultural bien diferenciado que no se basaba en un territorio ni en un gobierno —no tenían ninguna de las dos cosas—, sino en una religión y un lugar de origen. Los judíos convertidos, llamados «conversos», que a mediados del siglo XV ya eran una minoría poderosa en el sur de Castilla, estaban seguros de su posición social y orgullosos tanto de ser cristianos como de su ascendencia judía. Como afirmaban con toda claridad muchos de sus propios escritores, eran una nación. Tenían su propia individualidad y estaban orgullosos de ella. A finales del siglo XVII, el escritor judío exiliado Isaac Cardoso, que vivía en Italia, comentó lo siguiente: «En una nación como España hay muchas naciones que están tan entremezcladas que ya no puede reconocerse a la nación original. Israel, por el contrario, es un pueblo entre muchos, uno que, a pesar de estar diseminado, es distinto y particular en cada lugar»[14]. Sostenía que España era, simplemente, una comunidad de naciones, mientras que Israel era algo mucho más grande: una nación que se podía encontrar en otros pueblos. Por decirlo de otra manera, podía ser que los judíos exiliados procedieran de España y se hubieran dispersado, pero seguían formando una nación coherente. Iberia, a pesar de los ecos de la Inquisición, aportó a los exiliados judíos y a los conversos un lazo común que hizo de todos ellos «gente de la nación»[15].

Por consiguiente, si nos preguntamos si había una nación en España antes del siglo XIX, la respuesta es —así lo manifestaba Gracián— que había muchas, porque España existía como una comunidad de naciones. La evidencia es irrefutable. Nadie

---

[14] *Excellences of the Jews,* citado en Y. H. Yerushalmi, *From Spanish Court to Italian Ghetto. Isaac Cardoso: a Study in Seventeenth-Century Marranism and Jewish Apologetics,* Columbia University Press, Nueva York, 1971.

[15] Miriam Bodian, «"Men of the nation": the shaping of converso identity in early modern Europe», *Past and Present,* 143, 1994, págs. 70-72.

era más consciente de esto que los reyes de España. En torno a 1650, Juan de Palafox, un aragonés que fue obispo primero de Puebla (México) y después de Osma, en Aragón, comentaba que en los siglos anteriores los soberanos siempre habían reconocido el carácter multinacional de España y hacía hincapié en que Fernando e Isabel nunca habían tratado de crear una España unida: «La reina Isabel incluso cambiaba sus ropas de acuerdo a la nación en que se encontraba: en Castilla era una castellana; en Aragón, una aragonesa, y en Cataluña, una catalana». Le daba la impresión de que España solo saldría adelante si reconocía su diversidad: «En toda Vizcaya no encontraréis una naranja y en toda Valencia no encontraréis una castaña». El gobierno tiene que tolerar la diversidad lingüística, «gobernando a los castellanos en castellano, y a los catalanes, en catalán»[16].

Como ya sabemos, los monarcas españoles no usaban la palabra «España» en sus títulos y eran conscientes de que los países que gobernaban tenían un carácter especial. Felipe II era muy consciente de esto. Cuando insistía en reclamar el trono de Portugal, justo antes de invadir aquel país en 1580, dirigió un mensaje a los portugueses con estas palabras: «El juntarse los unos reinos y los otros no se consigue por ser de un mismo dueño, pues aunque lo son los de Aragón y estos, no por esto están juntos, sino tan apartados como lo eran cuando eran de dueños diferentes»[17]. En otras palabras, si Portugal lo aceptaba como rey, no perdería su derecho a ser una nación autónoma. Cuando finalmente se hizo con el poder en Portugal, respetó totalmente ese derecho.

Con el tiempo —era inevitable— las naciones que había en España se dieron cuenta de que se estaban menoscabando sus

---

[16] Palafox, citado en J. M. Jover, «Sobre los conceptos de monarquía y nación», *Cuadernos de Historia de España,* 13, 1950.

[17] De Felipe II al duque de Osuna y Cristóbal de Moura, 30 de junio de 1579, *Colección de documentos inéditos para la Historia de España* (en adelante, citada como *CODOIN*), VI, págs. 519-520.

privilegios. Los casos clásicos eran los de los musulmanes y los judíos (véase el capítulo 8). Esta situación estuvo vigente hasta que al final Felipe V unificó la mayor parte de los reinos autónomos de España en una sola administración política en la segunda década del siglo XVIII. Por primera vez, en 1712, una sesión de las Cortes, en Madrid, no representaba solo a Castilla, sino también a la totalidad de la España borbónica e incluía a dos diputados de Valencia y a cinco de Aragón[18]. A partir de entonces, España existió como una unidad política, es decir, como un Estado que ocupaba la mayor parte de la Península. Sin embargo, ¿era aquel nuevo Estado una nación que reemplazaba a las naciones que contenía? No cabía duda de que había «españoles», pero ¿había también una «nación española»?

España: ¿Nación o Estado?

Quienquiera que trate de identificar una nación está, automáticamente, tratando de imponer unos criterios con los cuales siempre habrá otros que no estén de acuerdo[19]. Un experto destacado sobre el tema, Hugh Seton-Watson, escribió lo siguiente, después de muchos años de estudio de las pequeñas naciones del este de Europa[20]: «No se puede encontrar ninguna "definición científica" de lo que es una nación y, sin embargo, el fenómeno ha existido y sigue existiendo». Dice también, en la misma obra:

---

[18] Para Valencia, las ciudades eran Valencia y Peñíscola; para Aragón, eran Zaragoza, Tarazona, Calatayud, Borja y Fraga.

[19] Una síntesis útil sobre el concepto de una nación «inventada», según sostiene, por ejemplo, Eric Hobsbawm, se encuentra en Anthony D. Smith, *Nationalism and Modernism. A critical survey of recent theories of nations and nationalism,* Routledge, Londres, 1998, cap. 6.

[20] Hugh Seton-Watson, *Nations and States: an enquiry into the origins of nations and the politics of nationalism,* Westview Press, Londres, 1977.

Una nación existe cuando una cantidad significativa de personas de una comunidad considera que forman una nación o se comportan como si la formaran. No es necesario que toda la población se sienta así ni que se comporte así y no es posible determinar de forma dogmática el porcentaje mínimo de una población que se tiene que ver afectada de esta forma. Cuando un grupo significativo tiene esta creencia, posee «conciencia nacional».

Advertía también, sin embargo, que, si tan solo una pequeña proporción de la ciudadanía reivindica que se describa su comunidad como una nación, la supuesta nación será apenas algo ficticio. Si las aplicamos a España, estas observaciones nos sirven para llegar a la importante conclusión de que, tal vez, España existiera como nación mucho antes de existir como Estado[21], porque había suficientes personas, tanto a nivel de élite como a nivel popular, que compartían el sentimiento de pertenecer a algo llamado España.

No obstante, es importante que comprendamos bien lo que querían decir con esto. Al principio de la Edad Moderna, España era realmente una nación, al igual que lo era Alemania, ni más ni menos. Esto quiere decir que, aunque los españoles tenían muchas cosas en común, en torno a 1700, en vísperas de las reformas políticas de Felipe V, no tenían la misma forma de vida, las mismas aspiraciones, la misma lengua, la misma cultura ni un gobierno común. Tendrían que pasar casi dos siglos para que se pudieran superar, como en Alemania, aquellas barreras que impedían la unidad. El paso esencial para formar una nación de tipo moderno era político, es decir, la creación de un Estado que definiera de manera más específica lo que constituía una nación y lo que no. En pocas palabras, el Estado tenía que preceder a la nación.

---

[21] En cambio, una región como Cataluña nunca ha sido una nación ni un Estado.

Entre las distintas nacionalidades de España, la más importante era —resulta evidente— la nación de Castilla. El problema es que incluso costaba definir lo que era Castilla, porque no se trataba, sin duda, de la entidad política que los historiadores conocen como «la Corona de Castilla». Esta era una entidad que incluía zonas como Galicia, Andalucía y Asturias, donde la forma de vida era considerablemente diferente, sobre todo en cuanto a cultura y dialecto, de la que reconocen los castellanos. Quienes critican el papel de Castilla en la Historia peninsular siempre han dicho que Castilla se ha apropiado de la identidad de España. Esta afirmación no es del todo falsa y es fácil comprender por qué ha sido así. La superficie de Castilla era casi cuatro veces mayor que la de los reinos de la Corona de Aragón, con la consiguiente superioridad de recursos naturales y riqueza. En torno a 1500, en Castilla vivía casi el 80 por ciento de la población de la España peninsular. Las tres ciudades más grandes de España en aquella época eran Sevilla, Granada y Toledo. Castilla, a diferencia de la Corona de Aragón, poseía muchos de los elementos fundamentales de un gobierno unido: tenía unas Cortes, un sistema impositivo, una lengua, una moneda y una administración, y no tenía barreras aduaneras internas.

Castilla fue también pionera de la edad del Imperio. Las iniciativas militares europeas habrían sido imposibles sin los soldados castellanos. La mayoría de quienes emigraron a las colonias procedían de la Corona de Castilla y hablaban castellano. Debido al papel preponderante que desempeñaron los castellanos en iniciativas en el extranjero, la historia del viaje, el descubrimiento, la conquista y la guerra fue escrita por los historiadores oficiales de una manera que atribuía toda la gloria a Castilla. Cuando hoy leemos las conmovedoras versiones históricas que han llegado hasta nosotros, es fácil olvidar que fueron, fundamentalmente, obras propagandísticas castellanas que, por una parte, se alegraban de los logros de sus ciudadanos y, por la otra, ansiaban complacer a sus patrocinadores, que, por lo general, eran el Gobierno. El trabajo de los historiadores castellanos se convirtió, tal vez, en el instrumento más poderoso para la creación de la imagen deseada del Imperio.

Los historiadores que escribieron en el siglo XVI fueron los primeros en confundir, sin duda de forma deliberada, las identidades de Castilla y de España. El historiador oficial Antonio de Herrera llegó incluso a presentar toda la iniciativa imperial, tanto en Europa como en el Nuevo Mundo, exclusivamente como una historia de las hazañas heroicas de los castellanos. En sus páginas, el explorador portugués Magallanes se convierte en castellano y la batalla de Pavía, librada en Italia en 1525 y que enfrentó al ejército francés con una fuerza imperial internacional —eran sobre todo alemanes, con un contingente numeroso de italianos y españoles—, se convirtió en un conflicto solo entre franceses y españoles, en el cual la captura del rey de Francia se debió a la victoria del «ejército español».

Para un castellano del siglo XX como el escritor José Ortega y Gasset resultaba lógico que Castilla prevaleciera siempre sobre Aragón. «La genial vulpeja aragonesa comprendió que Castilla tenía razón, que era preciso domeñar la hosquedad de sus paisanos e incorporarse a una España mayor. Sus pensamientos de alto vuelo solo podían ser ejecutados desde Castilla. Entonces se logra la unidad española»[22]. Según Ortega, la «unidad» se remontaba al siglo XV. Esta interpretación del pasado centrada en Castilla, que aparece en todos los escritos de Ortega, no hace demasiada justicia a lo que ocurrió en realidad. Lo esencial era que una nación empezaba a tomar forma, porque todos los españoles colaboraron juntos y contribuyeron a hacerla realidad y no porque los castellanos fueran los únicos ni los que más colaboraron.

El mejor testimonio que tenemos de la colaboración de todos los españoles se encuentra en la actividad militar. Cuando

---

[22] José Ortega y Gasset, *España invertebrada,* Espasa-Calpe, Madrid, 1964, pág. 59.

estaban en marcha las últimas etapas de la campaña de diez años contra la Granada musulmana, un testigo italiano, Pedro Mártir de Anglería, expresó en 1489 su admiración por la sensación de tener un propósito común que se percibía en el ejército cristiano:

> ¿Quién jamás creería que los astures, gallegos, vizcaínos, guipuzcoanos y los habitantes de los montes cántabros, en el interior de los Pirineos, más veloces que el viento, revoltosos, indómitos, porfiados, que siempre andan buscando discordias entre sí y que por la más leve causa como rabiosas fieras se matan entre sí en su propia tierra, pudieran mansamente ayuntarse en una misma formación? ¿Quién pensaría que pudieran jamás unirse los oretanos del reino de Toledo con los astutos y envidiosos andaluces? Sin embargo, unánimes, todos encerrados en un solo campamento practican la milicia y obedecen las órdenes de los jefes y oficiales de tal manera que creerías fueron todos educados en la misma lengua y disciplina[23].

La colaboración entre españoles y la importancia de su dependencia de una lengua común, el castellano, sentó un precedente importante para la posterior cooperación en guerras, exploraciones y colonizaciones. Los españoles combatieron codo con codo en la lucha por Granada y siguieron luchando juntos en Italia y, después, en el continente americano. Sin embargo —es fundamental recordarlo—, los soldados españoles solían proceder de la Corona de Castilla, porque Castilla permitía reclutar hombres de una forma que no estaba permitida por la Corona de Aragón. Los famosos tercios que lucharon en Nápoles eran, por lo general, castellanos. Las actividades militares de la nación formaban parte de una experiencia compartida, a la cual todos habían contribuido en alguna medida.

---

[23] *Epistolario de Pedro Mártir,* Madrid, 1953, *CODOIN*, vol. IX, pág. 123.

¿EXISTE LA NACIÓN ESPAÑOLA?

De todos modos, durante siglos siguió siendo difícil concretar la localización y el carácter de España. Dos décadas después de las Cortes de Cádiz, en 1834 Alcalá Galiano hizo hincapié en la necesidad de «crear la nueva nación de los españoles», una nación que, pese a los grandes esfuerzos de los políticos y, sobre todo, del ejército, no cobró forma fácilmente. Todo el mundo sabía que España existía, pero ¿qué era? ¿Un Estado, una nación, un pueblo, una amalgama de todo, pero sin una identidad ni una dirección claras? La primera Constitución española, es decir la de 1812, no usaba la palabra «España», aunque aceptaba la existencia de una «nación española». «España» no apareció hasta la Constitución de 1869 y siguió figurando en las siguientes.

Los historiadores especializados en el siglo XIX han ofrecido una variedad de puntos de vista sobre por qué no tomó forma una nación española[24]. No hubo una bandera nacional hasta mediados del siglo XIX y su uso no fue obligatorio hasta principios del siglo XX y, lo más importante, no había un himno nacional[25]. La falta de un himno nacional, con una letra inequívoca, según el modelo de los que tienen Francia, Alemania y Estados Unidos, era una prueba inconfundible de la falta de emociones compartidas por todos los españoles y a su vez no fomentaba la posibilidad de que se desarrollasen estas emociones. A principios del siglo XX, el Estado se vio obligado a aceptar como música oficial la Marcha Real, que tenía

---

[24] Encontramos un resumen excelente en Isidro Sepúlveda Muñoz, «De intenciones y logros: fortalecimento estatal y limitaciones del nacionalismo español en el siglo XIX», @mnis, septiembre de 2002.

[25] Los himnos nacionales han tenido una aparición muy reciente en la historia de las naciones modernas. Hay un ejemplo curioso: el compositor del himno nacional japonés, en 1870, fue un soldado británico que era el director de la orquesta de la corte del emperador.

LA INVENCIÓN DE ESPAÑA

dos defectos graves: pertenecía a la familia real y no a la nación y, encima, no tenía letra, de modo que no cabía la posibilidad de identificarse con ella desde un punto de vista psicológico.

Ya hemos visto, pues, que la palabra «nación» perdió su sentido cultural y étnico a favor de uno político, un cambio de uso que se producía, desde luego, en toda Europa. Fue un proceso sumamente complicado, que siempre estuvo acompañado por la creación de más mitos, porque es difícil —sigue siéndolo— ponerse de acuerdo sobre lo que constituye realmente una nación. En los albores del siglo XX, Ortega y Gasset definió a España más como una posibilidad que como un hecho. Resulta evidente que no estaba negando su existencia, pero le preocupaba que no estuviera adquiriendo la forma que él esperaba. La mayoría de los comentaristas posteriores se encontraron con el mismo problema. Podían ver y tocar España, pero nunca estaban seguros de en qué consistía y tuvieron que seguir reinventando la nación. Al igual que los liberales del siglo XIX, los historiadores de la dictadura franquista reinterpretaron la historia y remontaron al pasado remoto el nacimiento de una «nación española». No obstante, que se insistiera en su existencia como nación por lo general respondía a un proyecto político concreto: destacar que todas las comunidades periféricas de la Península estaban vinculadas con Castilla y no se podían separar de ella. Esta cuestión no tenía nada de franquista en sus orígenes —poco o nada de lo que produjo el régimen fue original—, sino que se tomó prestada del cúmulo de mitos liberales del siglo XIX.

La idea de los orígenes primigenios de España se reconoce en tres afirmaciones fundamentales: que España ha existido siempre, que era una unidad armoniosa con una ciudad capital y que tenía una cultura homogénea y con poca inestabilidad étnica, es decir, que todos los españoles pertenecían a un solo pueblo. La primera de las tres, una aseveración fundamental de los nacionalistas castellanos, es que «España siempre ha existido». En 1978, el escritor Julián Marías afirmó que España es «la nación más antigua del mundo»[26]:

> España ha sido la primera «nación» que ha existido, en el sentido moderno de esta palabra; ha sido la creadora de esta nueva forma de comunidad humana y de estructura política, hace un poco más de quinientos años: si se quiere dar una fecha representativa, sería 1474[27]. Antes no había habido naciones: ni en la Antigüedad, ni en la Edad Media habían existido; ni fuera de Europa. Poco después de que España llegara a serlo, lo fueron Portugal, Francia, Inglaterra; con España, la primera «promoción».

Esta declaración tan nacionalista, que no se basa en ninguna evidencia histórica, es un reflejo exacto de una opinión muy generalizada.

La segunda afirmación acerca de España como nación es que la habitaba un pueblo que se sentía español y que compartía un mismo centro político: la capital, Madrid. A menudo se dice que Felipe II convirtió a Madrid en la «capital de la nación»[28]. Esto es incorrecto. Felipe II eligió Madrid como sede de la corte y de su gobierno, pero no tenía la menor intención de convertirla en la capital de «España» —como bien sabía el rey, esto era imposible desde un punto de vista político—, y con los Habsburgo Madrid nunca fue la «capital de la nación». En sus visitas a Barcelona, Valencia y Zaragoza, por ejemplo, Felipe II reconoció plenamente que estas ciudades eran capitales de sus respectivas regiones[29] y, de hecho, a partir de 1580, hasta contempló la posibilidad de convertir a Lisboa en la capital administrativa.

---

[26] *El País,* 15 de enero de 1978.

[27] 1474 fue el año en el que se casaron Fernando e Isabel.

[28] Manuel Fernández Álvarez, *La sociedad española del Renacimiento,* Cátedra, Madrid, 1974, pág. 62.

[29] Para saber más sobre las visitas del rey a estas ciudades de provincias, véase mi libro *Felipe de España,* Siglo XXI, Madrid, 1997.

Por último, España era, según los nacionalistas, una sociedad homogénea en la cual todos vivían en armonía. Esta idea tan interesante —por lo general, se aplicaba al período medieval, usando la palabra «convivencia»— se suele considerar, incluso por parte de quienes la creen errónea, una mala interpretación relativamente inofensiva de lo evidente. En realidad, no es una mala interpretación inocente, sino un concepto con una carga política que tiene una intención muy concreta: mantener que España poseía una de las características fundamentales de la nacionalidad, es decir, cohesión nacional. Recientemente (2003), alguien que comparte este punto de vista, José Luis Abellán, manifestaba sin ambages su visión de la nación en su gran época imperial[30]. Con respecto a los musulmanes —sugería—, España mantuvo «una actitud de comprensión y respeto, avalada por ocho siglos de convivencia». Después de esta declaración asombrosa, que pasa por alto la sangre derramada durante la Reconquista y el hecho de que en 1609 España enviara al exilio a un cuarto de millón de ciudadanos musulmanes, llega a la conclusión de que el país tenía «una cultura nacional basada en la solidaridad y en la integración» y añade que España ocupaba una posición única en el mundo, con una «identidad cultural que nos ha definido como pueblo mediterráneo en que se ha hecho realidad el cruce de culturas y civilizaciones, donde el sincretismo cultural se ha traducido en la función asumida de puente entre continentes».

Si algo significan estas palabras es que musulmanes y judíos, por no hablar de los catalanes y los vascos, se fusionaron —de ahí el «sincretismo»— en una cultura nacional y siempre vivieron en paz los unos con los otros. No se causó ningún perjuicio a judíos ni a musulmanes, ni a catalanes ni a vascos, sino que todos participaron en una nación a la que se

---

[30] José Luis Abellán, «España contra sí misma», *El País,* 12 de abril de 2003.

alegraban de pertenecer. Esta interpretación de la convivencia ha pasado a formar parte del mito oficial de todos los Gobiernos centrales de España en el siglo XX. Una de sus manifestaciones fue la campaña que emprendió el Gobierno socialista de José Luis Rodríguez Zapatero en 2007 por una Alianza de Civilizaciones, basada, fundamentalmente, en un acercamiento político entre el Partido Socialista en España y los regímenes musulmanes de otros países, en el convencimiento de que los españoles y los musulmanes habían convivido en la Península en la Edad Media en una armonía imaginaria.

Estas y otras interpretaciones similares de la Historia nacional centradas en el siglo XVI trataban de crear la convicción de que España era una realidad unida, eterna e inmutable, pero no se las puede tomar en serio como una aportación a la invención de España, porque en cada caso se basaban en la simple ignorancia de los hechos y no se sustentaban en opiniones bien documentadas. Mediante el uso de un lenguaje florido e impreciso, el tipo de punto de vista conservador que aquí se refleja evitaba definir algo específico y mucho menos el significado de las palabras o la realidad de lo que había ocurrido en el pasado. Elevaba la discusión a un nivel metafísico, en el que no se citaba ningún detalle, no se usaba ninguna prueba y tan solo se recurría a conceptos ambiguos a fin de aumentar la indefinición.

Curiosamente, fue un conservador cultural, el estudioso Marcelino Menéndez Pelayo, quien, al parecer, cogió con firmeza las riendas en este asunto. A pesar de defender posturas ultratradicionalistas, Menéndez Pelayo era un pensador lúcido que siempre trató de estudiar la Historia con objetividad y no ignoraba la realidad social. A mediados del siglo XIX, ya tenía muy claro que la jerga nacionalista lo colocaba en un terreno delicado. Para él, «el ideal de una nacionalidad perfecta y armónica no pasa de utopía. Es preciso tomar las nacionalidades como las han hecho los siglos, con unidad en algunas cosas y variedad en muchas más, y sobre todo en la lengua y literatura»[31].

La dificultad para definir lo que es o no es una nación por lo general deriva de dos cuestiones fundamentales: el problema conceptual de distinguir lo que implica una nación, en contraste con otras palabras, como «Estado» o «país», y la tarea de encontrar una base histórica para la entidad que finalmente se decida. En el caso de muchos Estados modernos, estas dos tareas no se han resuelto nunca (por ejemplo, en Estados soberanos, como Yugoslavia) o simplemente se han pasado por alto (en el caso de India), para dar prioridad a la tarea más urgente de crear un Estado.

Como ocurría en la mayoría de los países de Europa, los pueblos que vivían en España durante el Antiguo Régimen apenas tenían en común un carácter distintivo o unos sentimientos. Su conciencia de una identidad regional, que actualmente es una cuestión importante en los arreglos políticos que se producen en España, no comenzó a adoptar una forma segura hasta que pudieron crearse contramitos que los respaldaran. A partir de la década de 1860 aparecieron diversas versiones acerca del origen histórico de las regiones. Por ejemplo, los escritores gallegos comenzaron a desarrollar la idea de que ellos eran una nación de origen europeo que había evolucionado al margen de los castellanos. Los catalanes trataron de plantear ideas similares, basadas en orígenes distintos y en un trasfondo político totalmente diferente. El escritor vasco Sabino Arana fue el primero en desarrollar la teoría de una «raza» vasca, cuyos orígenes eran europeos, en lugar de peninsulares. El siglo XVI siguió siendo, por consiguiente, el período central para todos los que aceptaban la preponderancia de Castilla dentro de España, pero el siglo XIX aportó una nueva dimensión, al producir es-

---

[31] Citado en Antoni Santoveña Setién, *Marcelino Menéndez Pelayo. Revisión crítico-biográfica de un pensador católico,* Universidad de Cantabria, Santander, 1994, pág. 95.

critores regionales que reivindicaban naciones diferentes e incluso lo que los españoles castellanos denunciarían después, apasionadamente, como «separatismo».

En su obra *La redención de las provincias* (1931), Ortega y Gasset reconocía que «la única realidad enérgica existente en España» era la provincia y observaba que no era España lo que despertaba sentimientos, sino solo las provincias y las regiones. Las reformas y la centralización sirvieron —al parecer— para crear un Estado, pero no consiguieron crear una España auténtica y unida. Existía el mismo problema en muchos otros países y España no era la única zona de Europa que carecía de los elementos constitutivos de una nación. También Francia, su vecina grande y poderosa, experimentó durante el siglo XIX la misma falta de cohesión, unidad, sentimiento nacional y unidad lingüística. Dos estudios clásicos —*La identidad de Francia,* de Fernand Braudel, y *Peasants into Frenchmen: The Modernization of Rural France,* de Eugen Weber (1976)— demostraban de maravilla la cantidad de siglos que llevó proporcionar a Francia una personalidad unificada. Hasta las Cortes de Cádiz de 1810 no estalló en España la chispa del patriotismo, pero incluso entonces la fusión de las provincias en una sola nación fue un proceso que dependió mucho del mito y la leyenda.

6
LA SANTA INQUISICIÓN

Caverna de ladrones, baluarte de la superstición y de la ignorancia, esfinge insaciable de carne humana, tirano entre los establecimientos despóticos, monumento de barbarie. Una invención tal que ni en los antiguos ni en los modernos tiempos tiene semejante.

ANTONIO PUIGBLANCH,
La Inquisición sin máscara (Cádiz, 1881)

Según la definición clásica de la historia de Castilla, la aventura amorosa de Florinda la Cava trajo como consecuencia la pérdida de España, que cayó en poder de los árabes en el año 711. Asimismo, una leyenda sobre la relación amorosa de la *fermosa fembra* Susana de Sevilla narra la pérdida de los judíos del sur de España en 1480. Uno de los regidores de Sevilla era Diego de Susán, el padre de Susana, la *fermosa fembra*. Era de sangre judía y estaba vinculado a un grupo de personas que, supuestamente, conspiraba para sublevarse contra la Inquisición. El amante de Susana era cristiano, no judío, y, temiendo que él pudiera ser una de las víctimas, ella delató el complot a las autoridades. Arrestaron a todos los implicados. Cuando Susana vio el resultado de su delación, cayó en la desesperación y murió sumida en la pobreza y la vergüenza. Su último deseo fue que pusieran su calavera encima de la puerta de su casa, como advertencia y ejemplo para los demás. Que nosotros sepamos, toda la historia del complot y la delación no está documentada y lo más probable es que se trate de una leyenda.

Sin embargo, la Inquisición era algo bien real. Comenzó sus actividades en 1480 en Andalucía, donde el primer auto de fe se celebró en 1481. Muy poco después de su fundación, se convirtió en el instrumento de una de las principales políticas de la nueva España de Fernando e Isabel: presionar a los conversos (los judíos que se habían convertido) para que reafirmaran su cristianismo. La política proporcionó fundamento —ya lo veremos en el capítulo 8— a la evolución de la nación étnica. La Inquisición también tuvo su propio impacto, como protectora de la religión de la España de la Reconquista. «Así se vio en este tiempo —escribió Mariana en su *Historia*—, ordenado que se hubo el Santo Oficio de la Inquisición en España, al momento resplandeció una nueva luz, y con el favor divino las fuerzas de nuestra nación fueron bastantes para abatir el poder de los moros». Gracias a la Inquisición, España no tardó en adquirir entre los europeos la reputación de ser una nación fanática e intolerante, una reputación que el tribunal hizo todo lo posible por cultivar. De hecho, no había nadie más ansioso que la propia Inquisición de que la consideraran el flagelo de los herejes, porque eso justificaba su existencia.

Desde el comienzo mismo, el Tribunal del Santo Oficio de la Inquisición en España provocó una guerra de palabras. A lo largo de los siglos, tanto sus defensores como sus detractores fueron creando una imagen poderosa de sus intenciones y de sus logros. Su propaganda fue tan eficaz que incluso hoy cuesta separar los hechos de la ficción. En la larga historia de la Inquisición, que mantuvo su existencia durante más de trescientos años y representó una aportación considerable a la invención de España, hubo más mito y leyenda de lo que parece[1]. En este capítulo vamos a analizar brevemente algunas de las leyendas que se han urdido en torno a este tema.

---

[1] El material de las páginas siguientes está documentado en gran detalle en Henry Kamen, *La Inquisición española,* 7.ª edición, Crítica, Barcelona, 2018.

¿FUE LA INQUISICIÓN ESENCIALMENTE ESPAÑOLA?

Sin duda, fue el más conocido de los tribunales creados en Europa por los cristianos, pero no fue el único y ni siquiera el más cruel. Casi todos los sistemas religiosos han concebido en algún momento mecanismos para controlar la fe y disciplinar la práctica. En las zonas católicas de la Europa medieval, los obispos estaban facultados para establecer tribunales de «inquisición», es decir, para inquirir o averiguar. En el siglo XII, el Papado estableció en Francia una serie especial de Inquisiciones como parte de la campaña contra los cátaros. También se nombraron algunos inquisidores en la Corona de Aragón. En Castilla, por el contrario, no habían oído hablar de la existencia de una Inquisición: los obispos y sus tribunales eclesiásticos habían bastado, hasta entonces, para encargarse de castigar a los herejes.

Cuando Isabel y Fernando aceptaron que se investigaran las creencias de los conversos españoles, en noviembre de 1478 el Papa dio órdenes de nombrar inquisidores, primero en Castilla y después en Aragón. Se concedió a la Corona española la capacidad de nombrarlos y destituirlos, pero algunos aspectos siempre estuvieron sometidos al control papal. En su procedimiento, la nueva Inquisición se ciñó estrictamente a la práctica del tribunal medieval francés y todos los aspectos de su actividad derivaban de Francia. La «Inquisición española» —la podemos llamar así— solo funcionó en territorio español y en ningún otro país de Europa. Otras regiones, como Francia, Alemania e Inglaterra, tuvieron sus propias Inquisiciones, algo diferentes. El rey de España también era el soberano de los Países Bajos, pero allí no estableció jamás este tipo de tribunal, porque la región tenía su propia Inquisición. Un siglo después, los españoles crearon también algunos tribunales en Hispanoamérica.

El motivo principal para establecer el tribunal era la cuestión de los conversos, es decir, los judíos que se habían convertido. Jamás hubo ninguna duda respecto a contra quiénes iba dirigida la Inquisición. Más del 99 por ciento de los acusados por el tribunal de Barcelona entre 1488 y 1505 y más del 91 por ciento de los acusados por el de Valencia entre 1484 y 1530 eran conversos de origen judío. En otras palabras, lo que preocupaba no era la herejía en general, sino una sola forma de desviación religiosa: que se practicaran en secreto los ritos judíos. Lo que parecía una preocupación religiosa tenía, por consiguiente, un impacto étnico. Este hecho ha influido, lógicamente, en la opinión que tenían del tribunal los escritores judíos, una consideración importante, puesto que algunos de los mejores estudios de la historia de la Inquisición han sido llevados a cabo por ellos. A partir de principios del siglo XVI, sin embargo, las prácticas religiosas de los cristianos judíos tuvieron menos interés para el tribunal. En síntesis, aparte de la cuestión de los conversos, la Inquisición española tuvo muy poca participación en la persecución de la herejía en Europa.

Sí tuvo que ver, sin embargo, la expulsión de los judíos en 1492. Debido a la persecución que se emprendió a finales del medievo, a España solo le quedaba una pequeña población judía: el total de judíos que vivían en Castilla en 1492 probablemente no superaba los 80.000 y la Corona de Aragón tenía una población total de judíos de 18.000. Había muchos más cristianos judíos viviendo en España que judíos, pero la Inquisición estaba convencida de que los pocos que quedaban eran la influencia fundamental que animaba a los cristianos a seguir con las prácticas judías y, por consiguiente, presionaron a Fernando e Isabel para que publicaran un decreto, el 31 de marzo de 1492, para expulsar de España a todos los judíos que no se convirtieran al cristianismo. Este acontecimiento ha sido bien estudiado, pero hemos de analizar con atención ciertos hechos relacionados con él y, sobre todo, de qué cantidades estamos hablando. En total, no se expulsaron realmente más de 50.000 judíos, pero, incluso de estos, varios miles acabaron por regresar a la tierra donde habían nacido. Fue la primera gran emigración de ciudadanos españoles de su territorio natal y la mayor limpieza étnica que se produjo hasta entonces en ningún país europeo. Sin embargo, continuó la presencia semítica en forma de las decenas de miles que habían decidido rehacer su vida dentro de la sociedad cristiana, como lo habían hecho otros en generaciones anteriores, preservando su estilo de vida y contribuyendo, de forma casi invisible, al enriquecimiento de la civilización hispana.

A menudo se cree que el tribunal era una peculiaridad española, porque constantemente se lo ha identificado con el papel político y militar de España en Europa, algo que ocurrió porque los enemigos políticos de España alentaban la propaganda e insinuaban que España quería imponer una tiranía religiosa sobre el resto de Europa. Los primeros ataques impresos importantes a la Inquisición se produjeron en el siglo XVI, en el contexto de la Reforma europea y la rebelión en los Países Bajos (capítulo 10).

EL TRIBUNAL SANGUINARIO

¿Acabó la Inquisición con la vida de millones de personas? Sabemos que no. La Inquisición era un tribunal eclesiástico y, por consiguiente, no tenía capacidad legal para derramar sangre, pero traspasaba la tarea de ejecutar a los culpables a las autoridades civiles, de modo que, moralmente, tenía la misma responsabilidad. La imagen de un tribunal sanguinario se debe a un rasgo famoso de la Inquisición: el auto de fe. Más allá de las ejecuciones, es importante hacer hincapié en que la Inquisición en España en el siglo XV era un sistema policial, en el que, como en todos los sistemas policiales europeos, se podían cometer grandes injusticias. Por infinidad de razones, la información con la que contaba no era de confianza, a pesar de lo cual muchos historiadores han cometido el error de aceptar como fidedignas las pruebas que se usaban en la Inquisición, aunque en realidad no lo eran. Buena parte de las acusaciones que aceptó contra los conversos, por ejemplo, no eran fiables. El tribunal era un instrumento de castigo y, por consiguiente, ampliamente aborrecido, incluso por los españoles, pero también era un instrumento de prejuicio social, porque adoptaba medidas que reflejaban tendencias como el antisemitismo. Tenía muchísimos defectos, pero la sed de sangre no era uno de ellos.

Sangre se derramó, sin duda. El período más intenso de persecución de los conversos fue el comprendido entre 1480 y 1530, cuando miles de personas pasaron por las manos de los inquisidores, aunque muy pocas fueron ejecutadas. Una opinión reciente que ha sido analizada meticulosamente es que, en el transcurso del medio siglo que duró el apogeo de la persecución, el tribunal de Zaragoza ordenó 130 ejecuciones; el de Valencia, puede que 225, y el de Barcelona, unas 34. Teniendo en cuenta todos los tribunales de España hasta alrededor del año 1520, es poco probable que la Inquisición ejecutara por herejía a más de 2.000 personas[2]. Estas cifras —está garantizado— son increíblemente bajas. A modo de comparación, en los Países Bajos de los Habsburgo las autoridades ejecutaron por herejía por lo menos a 1.300 personas entre 1523 y 1566[3]. La persecución religiosa no es solo una cuestión de comparar cifras, pero los hechos demuestran que, por lo menos en el siglo XVI, que es cuando la persecución alcanzó su auge en Euro-

---

[2] Resulta ilustrativo examinar algunos tipos de muerte que se producen en la época en la que vivimos. Las cifras oficiales de muertes en accidentes de tráfico en España en un año, según la DGT, son los siguientes: «El año pasado (2017) se produjeron en España 102.233 accidentes de tráfico con víctimas, en los que perdieron la vida 1.830 personas y otras 139.162 resultaron heridas, de las cuales 9.546 requirieron ingreso hospitalario».

[3] Alastair Duke, «The "Inquisition" and the repression of religious dissent in the Habsburg Netherlands 1521-1566», en Alastair Duke, *Dissident Identities in the Early Modern Low Countries,* Ashgate Publishing, Surrey, 2009, pág. 100.

pa, más personas fueron condenadas por tribunales religiosos fuera que dentro de España.

EL DRAMATISMO DEL AUTO DE FE

La muestra más conocida de la Inquisición española fue el auto de fe, que se usó desde el comienzo mismo de su existencia y se basaba en una práctica medieval francesa. No obstante, la compleja ceremonia que se describe y se ilustra en los libros populares sobre esta cuestión, que siempre hacen hincapié en el tema de la sangre, no apareció hasta ochenta años después de la fundación del Tribunal del Santo Oficio y, para entonces, la propia Inquisición ya no funcionaba con tanta severidad como en las décadas anteriores. Sin excepción, las sentencias de muerte se llevaban a cabo después de la ceremonia del auto de fe. Como acabamos de señalar, teniendo en cuenta todos los tribunales de España hasta alrededor de 1520, es poco probable que en ese período de la Inquisición se ejecutaran por herejía a más de 2.000 personas. Muy pocas fueron ejecutadas en los tres siglos siguientes y, con toda probabilidad, podemos aceptar el cálculo aproximado, hecho a partir de los documentos disponibles, de que tal vez hayan muerto un máximo de 3.000 personas durante toda la historia del tribunal. En períodos normales, es probable que la jurisdicción penal española ejecutara por delitos como robo, violencia o asesinato a muchas más personas que el Santo Oficio.

No obstante, las novelas de ficción han aprovechado al máximo el dramatismo del auto de fe y, en consecuencia, el público tiende a aceptar el mundo fantástico que presentan. En su novela *Limpieza de sangre,* Arturo Pérez-Reverte disfruta presentando a sus lectores la siguiente imagen acerca de un auto de fe ficticio, a mediados del siglo XVII:

> A la España del cuarto Felipe, como a la de sus antecesores, le encantaba quemar herejes y judaizantes. El auto de fe atraía

miles de personas, desde la aristocracia al pueblo más villano; y cuando se celebraba en Madrid era presenciado, en palcos de honor, por sus majestades los reyes. En tal jornada, que pretendía memorable, el Santo Oficio quiso matar varias perdices de un solo escopetazo. Los más radicales inquisidores habían planeado un auto de fe espectacular, que metiera el miedo en el cuerpo. Dos mil personas habían velado para asegurarse un sitio, y a las siete de la mañana en la Plaza Mayor no cabía un alma.

Era un día luminoso, perfecto para la jornada. [...] Olía a sudor, a multitud, a fiesta.

El texto de esta descripción se basa, probablemente, en la conocida pintura de un artista italiano, Francesco Rizzi, sobre un auto de fe que se celebró en 1680 en la Plaza Mayor de Madrid, al que asistieron el rey, Carlos II, y su corte. Por aquel entonces se imprimió una versión del auto. La cuestión es que la versión que aparece en la novela es pura fantasía. En realidad, ya no se quemaba a las víctimas, los reyes casi nunca asistían a los autos y el público no solía ser entusiasta ni numeroso. Volveremos a hablar de esto.

ENTUSIASMO POPULAR

La Inquisición tenía pretensiones de ser omnipotente, pero en realidad no lo era. A principios del siglo XVII, un dominico de Barcelona alababa el poder de la Inquisición: «¿Qué poder hay como el de este santo tribunal? Solo él gobierna, dispone, anula y ordena según su deseo, y nadie se atreve a contradecirlo». Lo que afirmaba era totalmente falso, aunque típico de la forma en la que los inquisidores manipulaban los hechos y las circunstancias. También decían que contaban con el apoyo de la población y, como veremos más adelante, no era así y sus actos públicos, como los autos de fe, tampoco despertaron jamás el entusiasmo popular.

«Nadie se atreve a contradecirlo». En realidad, la ciudad de Barcelona era el lugar donde más a menudo se contradecía al tribunal. La afirmación del fraile era una mentira. En 1560, cuando el tribunal se encontraba en el apogeo de su poder, los inquisidores de Barcelona se quejaban de que las autoridades de la ciudad no asistían nunca a los autos de fe y de que en Cataluña en general la gente «en son de tenerse por buenos cristianos traen todos por lenguaje que la Inquisición es aquí por de mas, que ni se haze nada ni ay que hazer». Recordemos que esto se produce precisamente en el período en el cual el descubrimiento de protestantes había despertado una alarma generalizada en Castilla. En Cataluña, en cambio, no había ninguna preocupación por parte de las autoridades. «Toda la gente de esta tierra —informaban los inquisidores en 1627—, assi eclesiástica como seglar, ha mostrado siempre poca afficion al Santo Officio».

El propio tribunal —no podía ser de otra manera— nunca cesó de proclamar sus éxitos. En un auto de fe celebrado en Barcelona en 1602, los inquisidores informaron con considerable satisfacción que «nuestra procesión aterrorizó a la población», algo totalmente falso, porque, gracias a la ausencia casi total de juicios que había en aquella época, hacía más de un cuarto de siglo que los inquisidores no podían organizar un auto de fe público en Barcelona y en pocos momentos de su historia las autoridades o el pueblo catalanes habían tenido miedo del Santo Oficio.

La mitología moderna asocia el poder de la Inquisición con la celebración de autos de fe. En realidad, resulta que los autos públicos solo cumplían un papel insignificante en todo el dramatismo de la Inquisición. Cuando se descubrieron herejes protestantes en 1558 y la Corona quiso colaborar en su castigo, el inquisidor general Valdés redactó una serie de normas para representar una ceremonia pública totalmente nueva y aparatosa que reafirmara el poder de la Inquisición y reforzara su presencia, pero no solo haciendo notar su presencia en las calles, sino, sobre todo, insistiendo en la colaboración de las autoridades. Los autos, poco frecuentes a principios del siglo XVI, tras la amenaza de los protestantes a mediados de siglo volvieron a ser muy poco frecuentes —prácticamente, de los que se ven una vez en la vida—, salvo en las zonas en las que de vez en cuando se empezaba de golpe a perseguir a los conversos.

En la Península, los reyes no tenían ningún problema en hacer valer su poder y no adoptaron la costumbre de asistir a los autos. Fernando e Isabel no fueron a ninguno y tampoco Carlos V, quien, sin embargo, no se pudo negar a presentarse al que se celebró en su honor en la ciudad de Valencia en 1528. El caso de Felipe II resulta revelador sobre el aspecto político de la cuestión. Asistió a tres autos en España en toda su vida, es decir, uno cada veinticuatro años —no se puede decir que fuera un fanático—, y en ninguno de ellos presenció ninguna ejecución. Asistió porque el protocolo requería su presencia, pero no porque él quisiera hacerlo. Los reyes posteriores aparecieron en un auto una sola vez durante su reinado. Felipe III apareció en uno en Madrid el 6 de marzo de 1600 y Felipe IV pidió, excepcionalmente, que se celebrara uno en 1632, en señal de agradecimiento por la recuperación de su mujer, que había estado enferma. El último gran auto público de la dinastía de los Habsburgo fue el de 1680, al que asistió brevemente Carlos II. El pueblo acudía en masa a los autos para ver al rey, pero, si no, ni se tomaban la molestia.

LA INQUISICIÓN ESPAÑOLA: MISTERIO, LEYENDA Y FANTASÍA

¿Ha habido algún mito sobre la Inquisición que tuviese una forma particularmente española? La manera en la cual la concebían los españoles no tenía nada o casi nada que ver con la larga tradición de la polémica contraria a la Inquisición que encontramos en otros países. A través del francés, sin embargo, una lengua que comprendían muchos españoles cultos y que les servía como punto de contacto con el pensamiento extranjero y con las ideas de la Ilustración francesa, compartían las actitudes europeas respecto al tribunal. La campaña liberal adoptó una forma concreta en 1810, en el período asociado con las Cortes de Cádiz. Los «patriotas» que participaron en los debates sobre la abolición de la Inquisición no sabían casi nada del tema, aunque eso no les impidió seguir adelante. Un caso típico fue el de Puigblanch. Antonio Puigblanch nació en el puerto catalán de Mataró y después fue a Madrid a acabar los estudios. En 1807 obtuvo la cátedra de hebreo en la Universidad de Alcalá. Su notable erudición solo es comparable a su profunda preocupación por reformar la Iglesia y el Estado. Se vio envuelto en la política de las Cortes y al año siguiente, en 1811, publicó en Cádiz, con el seudónimo de Natanael Jomtob, su prestigiosa *La Inquisición sin máscara*[4]. Puigblanch recurrió a una amplia variedad de documentos publicados para demostrar que tanto la existencia como los métodos de la Inquisición (es decir, el proceso judicial, el rigor, el secreto, el uso de la tortura y el control de la censura) eran contrarios a las normas de la Iglesia y de la sociedad civil. Aquel volumen considerable —eran alrededor de quinientas páginas—, ampliamente avalado por centenares de notas a pie de página y por citas en latín, griego, hebreo y francés, tuvo una influencia innegable en los lectores españoles. Los acontecimientos políticos lo condenaron al exilio permanente en Inglaterra, donde en 1816 publicó la traducción al inglés de su libro.

La obra de Puigblanch fue el primer ataque serio a la Inquisición hecho por un español desde que González Montano publicara su libro, del cual hablaremos más adelante, en el siglo XVI. Sin embargo, la primera investigación rigurosa y basada por completo en los documentos originales del Santo Oficio también apareció en aquellos años. El autor era Juan Antonio

---

[4] Existe una edición reciente, fotocopiada, que se publicó en Barcelona en 1988.

Llorente, un sacerdote aragonés que empezó a trabajar para la Inquisición en Logroño y en 1789 fue ascendido y se convirtió en uno de sus secretarios en Madrid. En 1809, cuando el rey francés de España, José, abolió la Inquisición, pidió a Llorente que escribiera una historia del tribunal. Con todos los archivos del Santo Oficio a su disposición, Llorente consiguió publicar en Madrid, en 1812, sus *Anales de la Inquisición de España,* en dos volúmenes, y, el mismo año, *Memoria histórica sobre cuál ha sido la opinión nacional de España acerca del tribunal de la Inquisición.* La *Memoria histórica* fue la fuente principal de información histórica para los diputados en las Cortes de Cádiz cuando abolieron el tribunal[5]. Cuando los funcionarios profranceses de José se vieron obligados a huir del país con el rey, Llorente los acompañó y publicó en francés, en París, su gran obra en cuatro volúmenes, *Histoire Critique de l'Inquisition Espagnole* (París, 1817-1818).

Es difícil exagerar la escala del logro de Llorente, que, con una imparcialidad poco frecuente y un compromiso profundo con la seriedad de la tarea emprendida, trató de componer, a partir de su abundante cosecha de papeles, un relato sólido de lo que había estado haciendo aquel tribunal misterioso. Sus obras fueron los primeros informes totalmente documentados sobre la Inquisición que vieron la luz en más de trescientos años.

Fortalecieron aún más el mito liberal los famosos *Caprichos* de Francisco de Goya (1746-1828). Las sesiones de las Cortes de Cádiz de 1812, en las que se debatió el tema de la abolición de la Inquisición, también provocaron algunas de las exageraciones más extravagantes sobre el papel y la influencia de la Inquisición. Lo que Goya aportó a los procedimientos fueron dos lienzos satíricos poderosos sobre este asunto, unas obras que nos ofrecen una perspectiva maravillosa de lo que opina-

---

[5] Véase la introducción de Gerard Dufour a su edición de la *Memoria histórica,* París, 1977.

ban sobre la Inquisición muchos españoles progresistas, aunque interesa destacar que no son nada fiables como pruebas.

Las pinturas, junto con diversos grabados sobre la misma cuestión, representan un momento excepcional, porque es la única vez en casi cuatrocientos años que un pintor español ha demostrado suficiente interés para dedicar una obra de arte importante al tema de la Inquisición. Lamentablemente, tanto la obra de arte como el artista han sido víctimas del ansia de producir una historia romántica. Se ha presentado al artista, en estudios, en novelas y hasta en películas, como blanco de un tribunal que, en realidad, estaba casi extinto y no representaba un peligro para él ni para nadie. Su pintura *Auto de fe de la Inquisicion*[6], una representación realmente imaginativa y violenta de odio anticlerical, se ha invocado constantemente, sin ninguna prueba en absoluto, como la forma en la que los españoles percibían el Santo Oficio. La obra, un *collage* satírico sobre un acontecimiento imaginario que presenta varios elementos que no tienen nada que ver entre sí, no representa ningún auto de fe que hubiera tenido lugar jamás. Goya quería atacar y lo hizo con su genio irrepetible, aunque al final sus pinturas fueran fantasías creativas, en vez de ser un testimonio histórico[7].

LA IMAGEN DE LA INQUISICIÓN ESPAÑOLA EN EUROPA

¿Y qué pensaban los europeos de la Inquisición? Había muchas opiniones interesantes, en su mayoría hostiles. El pri-

---

[6] En la Real Academia de Bellas Artes de San Fernando, Madrid.

[7] Del mismo modo, el famoso retrato que pinta Goya de la sublevación contra las tropas francesas es producto de su imaginación y no de un testigo ocular. Véase Janis Tomlinson, *Goya in the Twilight of Enlightenment*, Yale University Press, New Haven, 1992. Análogo a la pintura de Goya sobre la Inquisición es el imaginativo mural de Diego Rivera, *The Court of the Inquisition* (Palacio Nacional, México).

mer error común —se encuentra sobre todo entre los europeos del norte— era considerar que el tribunal era algo peculiar del Mediterráneo. «Insoportable para pueblos libres, como los franceses, los flamencos y los alemanes, es adecuado para los españoles, los italianos y otros pueblos meridionales»[8]. Curiosamente, se pasaba por alto que los primeros que tuvieron el tribunal en la época medieval fueron los alemanes y los franceses, y que los flamencos y los ingleses no persiguieron la herejía con menos brutalidad. Siempre se ha hecho una mala interpretación de lo que era y de lo que hacía el Santo Oficio en España.

Cuando por primera vez la imprenta comenzó a formar la opinión pública, en el siglo XVI, resultó que las víctimas más diligentes de la Inquisición eran los partidarios de la Reforma, que se dedicaron a convencer a Europa de que las intenciones de España no se limitaban a los judíos y los musulmanes, sino que entonces se dirigían contra la verdad y la libertad cristianas. En la década de 1560 se reprodujeron por primera vez imágenes de los aterradores —y, como acabamos de ver, recreados *a posteriori*— autos de fe, como prueba del espantoso destino que aguardaba a los enemigos de España. Las plumas protestantes representaban la lucha como una forma de liberarse de una fe tiránica. Dondequiera que triunfara el catolicismo —sostenían— desaparecían no solo la libertad religiosa, sino también la civil. Se consideraba que la Reforma liberaba el espíritu humano de las cadenas de la oscuridad y la superstición. La propaganda afín a estos lineamientos resultó de notable eficacia en el contexto de los conflictos políticos de la época y siempre había refugiados de la persecución para aportar contenido a la historia.

Curiosamente, una de las primeras fuentes importantes de propaganda contra la Inquisición era de origen católico. Con la

---

[8] Citado en J. N. Hillgarth, *The mirror of Spain, 1500-1700,* The University of Michigan Press, Ann Arbor, 2000. pág. 234.

notable excepción del Sacro Imperio Romano Germánico, todos los Estados católicos importantes de Europa, incluida Francia, fueron enemigos de España en algún momento. Sepúlveda, un humanista del siglo XVI que vivió un tiempo en Italia, comentaba que «los italianos son hostiles a los españoles por los numerosos males que les han causado. Por este motivo, los italianos siempre quieren atacar a los soldados españoles en Italia»[9]. Por su experiencia personal, el artista flamenco Pedro Pablo Rubens opinaba que, en el siglo XVII, «los italianos no le tienen demasiado cariño a España»[10]. Su imagen desfavorable de España se extendía también a la Inquisición.

Cuando venían a visitar la Península los diplomáticos italianos, tanto los que procedían de Estados independientes (como Venecia) como los del Papado, no encontraban gran cosa digna de alabanza. Los informes que enviaban a su país hablaban de una nación pobre y atrasada, dominada por una Inquisición tiránica. Francesco Guicciardini, embajador de Florencia ante Fernando el Católico, decía que los españoles eran «muy religiosos en apariencia, aunque en realidad no lo eran tanto»[11]. En 1525, el embajador de Venecia, Contarini, decía que todos temblaban ante el Santo Oficio. En 1557, el embajador Badoero hablaba del terror que producía su actuación. En 1565, el embajador Soranzo informaba que en España tenía más autoridad que el rey. Según él, en la Corona de Aragón, «el rey hace todo lo posible para destruir los numerosos privilegios que tienen [los aragoneses] y, sabiendo que no hay manera más fácil ni más segura de hacerlo que mediante la Inquisición, no

---

[9] Juan Ginés de Sepúlveda, *Obras completas,* 4 vols., Ayuntamiento de Pozoblanco, Pozoblanco (Córdoba), 1995-2000, vol. II, pág. 96.

[10] Peter Paul Rubens, *The letters of Peter Paul Rubens,* traducidas y editadas por Ruth Saunders Magurn, Harvard University Press, Cambridge (Massachusetts), 1955, pág. 258.

[11] Francesco Guicciardini, «Relazione di Spagna», *Opere,* Bari, 1929-1936, X, pág. 131.

cesa de aumentar su autoridad»[12]. Aunque todas estas afirmaciones eran falsas, los diplomáticos venecianos seguían repitiéndolas.

La lucha política contra España en Europa occidental, encabezada por los holandeses y los ingleses, que tenían la ventaja de contar con las imprentas más activas, se centraba en la supuesta amenaza para la libertad que suponía la Inquisición. En Francia, los protestantes temían que su rey se pusiera de acuerdo con el español Felipe para establecer una nueva Inquisición. En los Países Bajos, Guillermo de Orange y el conde de Egmont estaban tan inquietos que en 1561 le pidieron al cardenal Granvelle que negara aquel rumor acerca de Felipe II. En todos los casos, había motivos políticos para inventar alegaciones. La verdad es que, como aseguró Felipe II a uno de sus ministros, el modelo español de la Inquisición no se podía exportar a los Países Bajos ni a Italia[13].

MENÉNDEZ PELAYO: EN DEFENSA DE LA INQUISICIÓN

Con frecuencia se cree que los principales críticos de la Inquisición no eran españoles, pero en realidad sí lo eran. Si hubo una leyenda negra sobre el Santo Oficio, los principales responsables fueron los españoles. Cuando en 1566 el duque de Alba conducía a sus tropas hacia los Países Bajos a través de los valles arbolados de Renania, dos españoles imprimían en la vecina Heidelberg la primera edición de un libro que llegó a ser un arma importante contra el imperialismo español en Europa. *Sanctae Inquisitionis Hispanicae Artes (Las artes de la Santa Inquisición española)*, publicado en Heidelberg en 1567, afirma

---

[12] Eugenio Alberi, *Le relazioni degli ambasciatori veneti al Senato,* Florencia, 1839-1840, serie I, vol. 5, pág. 85.

[13] L. P. Gachard, *Correspondance de Philippe II sur les affaires des Pays-Bas,* 6 vols., Librairie ancienne et moderne, Bruselas, 1848-1879, I, clxxvi.

que su autor fue «Reginaldus Gonzalvus Montanus», aunque en realidad parece haber sido escrita de forma conjunta por dos exiliados españoles protestantes, Casiodoro de Reina y Antonio del Corro[14], quienes presentaron, puede que por primera vez, una descripción completa del funcionamiento del tribunal y su persecución de los protestantes. En la fecha de su publicación casi no se tenía ninguna imagen negativa de España en Europa y todavía no se había producido la represión del duque de Alba en los Países Bajos. Quienes contribuyeron de forma más activa a la imagen negativa de la Inquisición seguían siendo los españoles, como se observa en las controversias surgidas en las Cortes de Cádiz en 1810 en torno a la propuesta de los liberales de abolir el tribunal.

La versión liberal del Santo Oficio persistió, incuestionable, durante más de medio siglo, hasta que aparecieron los protagonistas de la España tradicional y trataron de desmontarla. Entre los nuevos defensores de la Inquisición figuraban los conservadores y los católicos, que, aunque no eran partidarios del tribunal, tenían un punto de vista totalmente diferente del papel que había desempeñado en España. Quien prestó el mayor espaldarazo a la versión católica fue un especialista conservador que reaccionó contra la corriente anticatólica en la política liberal, Marcelino Menéndez Pelayo, un erudito que creó prácticamente solo la imagen nacional de una España católica. Nació en Santander en 1856, estudió en la Universidad de Barcelona e hizo un doctorado en Madrid, tras lo cual viajó por el sur de Europa: Portugal, Francia e Italia. A los veintiún años obtuvo una cátedra en la Universidad de Madrid, intervino en política a partir de 1884, llegó a ser senador y después, en 1898, director de la Biblioteca Nacional. Antes de morir, llegó a publicar una cantidad impresionante de escritos sobre todos los aspec-

---

[14] Nicolás Castrillo, *El «Reginaldo Montano»: primer libro polémico contra la Inquisición española*, Consejo Superior de Investigaciones Científicas (CSIC), Madrid, 1991, pág. 31.

tos de la creatividad cultural. Su libro más memorable, su aportación fundamental al mito católico y conservador, fue *Historia de los heterodoxos españoles,* una obra en varios volúmenes que comenzó a escribir cuando tenía veinte años [15].

Menéndez Pelayo fue, quizá, el único defensor competente que tuvo jamás la Inquisición. Aparte de su obra maestra, *Historia de los heterodoxos españoles* (1880), a los veintidós años publicó también un ensayo brillante, titulado *La ciencia española* (1876), que trataba de demostrar que la Inquisición no había suprimido las ciencias en España (véase el capítulo 12). Atacó sobre todo a los liberales, que sostenían que la Inquisición había aniquilado la literatura y el saber en España:

> Es caso, no solo de amor patrio, sino de conciencia histórica, el de deshacer esa leyenda progresista, brutalmente iniciada por los legisladores de Cádiz, que nos pintan como un pueblo de bárbaros, en que ni ciencia ni arte pudo surgir, porque todo lo ahogaba el humo de las hogueras inquisitoriales. ¿Y no sabían esos menguados retóricos, de cuyas desdichadas manos iba a salir la España nueva, que en el siglo XVI, inquisitorial por excelencia, España dominó a Europa, aún más por el pensamiento que por la acción, y no hubo ciencia ni disciplina en que no marcase su garra? [...] Nunca se escribió más y mejor en España que en esos dos siglos de oro de la Inquisición [16].

Los dos enfoques partidistas, que coincidían con el punto de vista liberal y el conservador de la Inquisición, se mantuvieron en España con sorprendente vigor hasta nuestros días, debido a que los dos sostenían que los aspectos vitales de la cultura española no se podían comprender ni explicar sin que

---

[15] Hay numerosas ediciones de esta obra, incluida una versión completa, disponible en Internet. En general, he usado la edición en ocho volúmenes publicada en Buenos Aires en 1945.

[16] Marcelino Menéndez Pelayo, *Historia de los heterodoxos españoles,* ob. cit., tomo V, pág. 482.

entrara en juego, para bien y para mal, la responsabilidad de la Inquisición. En consecuencia, se llegó a considerar que la naturaleza y el impacto del tribunal del siglo XV describían la forma en la que España fue evolucionando a lo largo de los cuatrocientos años siguientes. El mito de la Inquisición llegó a ser duradero y a estar bien arraigado, porque era fundamental para mantener la ideología política.

RUINA, AISLAMIENTO Y ATRASO

La opinión más arraigada sobre la Inquisición es que provocó el aislamiento de España y, por consiguiente, su ruina.

Todas las ideologías mantienen con convicción el mito del aislamiento. Los escritores conservadores han sido favorables al aislamiento, por considerarlo la única forma de preservar la cultura superior característica de España, mientras que los escritores liberales a partir de 1800 afirmaban que el aislamiento había perjudicado a España y la había separado de la corriente principal de la civilización moderna. Lafuente escribió acerca de «la compresión que ejercía sobre las inteligencias en estos ramos del saber el severo tribunal del Santo Oficio y del aislamiento en que vivía España del movimiento intelectual europeo desde Felipe II». De un modo u otro, la teoría del aislamiento se convirtió en un arma decisiva en el arsenal de los comentaristas, porque ofrecía una explicación evidente de los diferentes puntos de vista.

Hasta el día de hoy, los escritores apoyan la opinión de que Felipe II y la Inquisición impidieron todo contacto de España con el mundo exterior, y esta idea se ha usado para explicar el atraso de España. Para apoyar esta teoría, los comentaristas señalan dos leyes específicas de Felipe II: una de 1558, que regulaba la censura de libros, y otra de noviembre de 1559, que, al parecer, ordenaba el regreso al país de los españoles que estuvieran estudiando en universidades extranjeras que no hubieran sido aprobadas. Las dos parecían tener aspectos negativos.

Analicemos en primer lugar la ley de 1559. Dos siglos después de esa fecha, el estudioso valenciano Gregorio Mayans llegó a la conclusión de que «una de las causas por que han descendido tanto las artes y las ciencias ha sido aquella ley que mandó promulgar Felipe Segundo, prohibiendo los estudios en las universidades extranjeras». Un siglo después de Mayans, Lafuente volvió a manifestar esta opinión con mayor énfasis aún:

> No era fácil imaginar que hubiera un soberano en el siglo XVI que quisiera incomunicar intelectualmente su nación con el resto del mundo, y que hiciera crimen en sus súbditos enseñar a otros hombres o aprender de ellos. Privada España del comercio literario con las demás naciones, quedando la España rezagada en la marcha intelectual del mundo y a mucha distancia detrás de los demás pueblos, tanto como hasta entonces se había adelantado a casi todas las naciones[17].

Se seguía diciendo lo mismo cuatro siglos y medio después, en 1998, cuando un catedrático de historia afirmó en Madrid que el rey «prohibió que los jóvenes españoles estudiasen en Europa», y otro, que había dejado a su país sumido en la ignorancia: «Aquí, en lugar de difundir el libro, nos dedicamos a perseguirlo»[18]. Las dos afirmaciones son falsas, por el mero hecho de que jamás existió ninguna ley que prohibiera a los españoles estudiar en el extranjero.

Basta, simplemente, con leer el texto de las leyes. La de 1559 se aplicaba solo a los residentes en la Corona de Castilla y

[17] Modesto Lafuente, *Historia General de España desde los tiempos primitivos hasta la muerte de Fernando VII,* 6 vols., Montaner y Simón, Barcelona, 1877-1882, vol. III, pág. 212.

[18] «Crisis de Imperio», *El País,* 17 de enero de 1998; «El error del Rey Prudente», *El País,* 28 de noviembre de 1998.

no a todos los españoles. Quienes residían en los territorios de Aragón, Cataluña, Valencia, País Vasco y Navarra conservaron la libertad de estudiar fuera del país, donde les pluguiera. Durante casi diez años a partir de entonces, Felipe II no hizo nada más para controlar el desplazamiento de los estudiantes. Solo en 1568, cuando casi la totalidad del sur de Francia estaba en manos de los calvinistas, intervino con otra ley, que en aquella ocasión se aplicaba a sus súbditos en la Corona de Aragón. Las primeras palabras del decreto de 1568 dejan claro lo que se pretendía con el de 1559:

> Los años passados mandamos pregonar en estos nuestros Reynos de Castilla por via de pragmatica que ninguno fuesse a estudiar fuera dellos. Y porque nos ha parecido hazer lo mismo para essos nuestros Reynos de la Corona de Aragon [...].

¿Tuvo alguna consecuencia este decreto? En realidad, los castellanos no tenían por costumbre estudiar en el extranjero. Están ausentes casi por completo de las listas disponibles de matriculados en el siglo XVI en las principales universidades europeas. En resumen, el decreto de 1559 y el de 1568 no cambiaron en absoluto los hábitos de estudio de los españoles. Como suele ocurrir, pasaron por alto la prohibición y siguieron estudiando donde les apetecía. Existen muchos ejemplos documentados, como el del abogado de Barcelona que informaba a las autoridades que, «por evitar los gastos de las universidades de España passó a Toulouse de Francia adonde tomó el grado de doctor, y aviendo registrado el dicho grado a la ciudad de Barcelona ha continuado su abogacia a la dicha ciudad»[19]. No hay ningún fundamento histórico que avale la imagen totalmente imaginaria de una España aislada del mundo exterior por el rey y por la Inquisición.

---

[19] Archivo de la Corona de Aragón, Barcelona, leg. 358, documento del doctor Geronimo Tamboni, 16 de abril de 1616.

Por una cuestión de sentido común, queda demostrado que los españoles, que eran el centro de un Imperio intercontinental, nunca estuvieron aislados del mundo exterior. En una época en la que España era la principal potencia europea, miles de españoles de todo rango y condición, incluidos el clero, los nobles, los estudiantes, los militares y los aventureros, dejaron la Península para ir a cualquier otro lugar del continente o para emigrar a América. La prohibición que pesaba sobre los estudios no les afectó. Incluso en Castilla, la prohibición se ignoró y se siguió enviando a los hijos al extranjero para estudiar donde quisieran. En todo caso, España fue la nación menos aislada de Europa en la primera etapa de la Edad Moderna. Dentro de la Península, la población se desplazaba también a menudo. En un estudio espléndido sobre este tema, un investigador nos recuerda que «a principios de la Edad Moderna, España era una sociedad con mucha movilidad y que la población estaba siempre en movimiento»[20]. Había centros internacionales, donde también tenían contacto con extranjeros, como en la capital, Madrid, el puerto cosmopolita de Sevilla y los centros de peregrinación de Santiago de Compostela y Montserrat. A Italia llegaba una buena parte de los visitantes españoles, ya fueran soldados, comerciantes o clérigos. Los españoles podían viajar y lo hacían. La Península jamás estuvo aislada, ni para salir ni para entrar.

CENSURA Y ATRASO CULTURAL

Centrémonos ahora en la ley de censura de 1558. Según el mito del aislamiento, España no solo estaba separada del exterior, sino que también estaba prohibido leer cualquier cosa que se hubiera escrito en el extranjero, lo cual, de hecho, destruyó

---

[20] David E. Vassberg, *The village and the outside world in Golden Age Castile,* Cambridge University Press, Cambridge, 1996, pág. 129.

su cultura. Aceptaron el mito tanto los liberales como los conservadores. El conservador Cánovas del Castillo denunció la «Pragmática de 1558 contra los libros que tanta parte tuvo en la decadencia intelectual de España»[21]. Se acusó tanto al rey como a la Inquisición de aplastar la posibilidad de pensar libremente dentro del país. Al mismo tiempo se decía que la Inquisición había aislado a España y había sofocado por completo la libertad interna. Un escritor español, Ignacio Sotelo, afirmaba lo siguiente no hace mucho (en 2003):

> No cabe la menor duda de que en la España de los siglos XVI y XVII el temor al Santo Oficio arrancó de raíz cualquier preocupación intelectual. Levantaba desconfianza todo aquel que se dedicase a los estudios humanísticos o a los saberes profanos, por parecer actividades propias de judaizantes, e incluso los laicos o clérigos demasiado preocupados en cuestiones teológicas podían dar la impresión de estar influidos por la herejía luterana, de modo que la mejor forma de verse libre de cualquier sospecha era permanecer dentro de la inmensa mayoría de los analfabetos[22].

Sotelo concluye con esta afirmación estrafalaria: «En tal ambiente social se comprende que en el mundo hispánico no se desarrollase el hábito de la lectura ni floreciese la industria editorial». Esto no es más que una tontería que se repitió sin cesar durante los dos siglos posteriores, después de que los liberales la formularan por primera vez. Aparece entre las opiniones expresadas en 1948 por Américo Castro:

> No pensar, no saber, no leer, protegían contra el sadismo y el afán de rapiña de las gentes del Santo Oficio, eficaz remache para la atonía intelectual del español de aquellos tiempos.

---

[21] A. Cánovas del Castillo, *Bosquejo histórico de la Casa de Austria en España,* Madrid, 1911, pág. 156.

[22] Ignacio Sotelo, «El español ¿lengua de pensamiento?», *Anuario del Instituto Cervantes,* Madrid, 2003.

La imagen de una España que se había vuelto analfabeta debido a la tiranía de Felipe II y a la Inquisición correspondía a una idea compartida por la mayoría de los liberales de la generación de Castro, como Ortega y Gasset, quien en uno de sus ensayos presentó la hipótesis de una «tibetización de España», es decir, una España aislada y atrasada por siglos de dominación clerical. La necesidad del mito es bastante obvia: justificaba a la perfección por qué España, que por derecho propio habría tenido que estar a la vanguardia de la vida intelectual y científica de Europa, estaba condenada a permanecer siempre en la retaguardia. En otras palabras, si un español no había inventado la bombilla eléctrica, la culpa era de la Inquisición. Si, doscientos años después de la abolición de la Inquisición, los españoles siguen sin leer[23], la culpa es de la Inquisición.

En realidad, a pesar de su bajo nivel de alfabetización, España era una de las naciones con más producción literaria. Había un flujo considerable y constante de libros que entraban y salían de España. En ningún otro país europeo ocurría algo similar. En el período formativo, hasta 1501, se habían publicado en España alrededor de 800 títulos en 30 centros y entre 1501 y 1520 se publicaron alrededor de 900 títulos más[24]. Valencia y Barcelona, que tenían imprentas que funcionaban desde 1473, son las ciudades españolas en las cuales se imprime desde hace más tiempo. A partir de la década de 1540 se produjo un cambio importante: la mayoría de los libros españoles de aquella época se publicaron fuera de España[25]. Lo que desencadenó la internacionalización del libro español fue la corte de Carlos V, que estaba en constante movimiento y las controversias sobre

---

[23] Según las estadísticas, en la España actual (2018), uno de cada dos adultos no abre nunca un libro.

[24] F. J. Norton, *Printing in Spain 1501-1520,* Cambridge University Press, Cambridge, 1966, pág. 125.

[25] T. S. Beardsley Jr., «Spanish printers and the classics 1482-1599», *Hispanic Review,* 47, 1979, pág. 30.

la Reforma llevaron a los escritores españoles al mercado del libro europeo. Escribían, desde luego, en latín, la única lengua internacional. Alfonso de Castro, capellán de Felipe II, publicó sus grandes tratados en París y en Lyon. Pedro de Soto, confesor de Carlos V, publicó la totalidad de sus libros en el extranjero, en Augsburg, en Ingolstadt y en Dillingen.

Después de la década de 1560, cuando, para tener público, los autores de todos los países preferían escribir en su propia lengua, por lo general los libros en español se publicaban en España. Sin embargo, esto solo afectó a una parte de los libros. Mucho después de la Pragmática de 1558, los escritores españoles siguieron publicando, a lo largo de todo el siglo, tanto dentro como fuera del país: era una libertad de la cual, curiosamente, no disfrutaba ningún otro país europeo. Desde luego, las obras que se publicaban en el extranjero se importaban a España. No había ninguna intención de cometer ninguna herejía. A finales del siglo XVI, es decir, durante el reinado de Felipe II, por lo menos sesenta escritores españoles destacados publicaron sus obras en el exterior, en Lyon (Francia), donde la calidad de las imprentas era muy superior a la de España[26].

Los españoles podían publicar con impunidad en los reinos de Aragón, Italia, Francia o los Países Bajos, así que podían jactarse de gozar de más libertad literaria que sus vecinos. La entrada de libros en España continuó sin interrupción. Entre 1557 y 1564, el comerciante Andrés Ruiz introdujo en Castilla más de novecientas pacas de libros procedentes de Lyon y más de un centenar procedentes de París. A principios del siglo XVII, prácticamente había libre circulación de los libros procedentes de las imprentas francesas a España, en su mayoría a través de los Pirineos. Numerosas librerías de Barcelona con-

---

[26] Jaime Moll, «Problemas bibliográficas del libro del Siglo de Oro», *Boletín de la Real Academia Española*, 59, 1979; también su «Valoración de la industria editorial española del siglo XVI», en *Livre et lecture en Espagne et en France sous l'Ancien Régime,* ADPF, París, 1981.

taban casi exclusivamente con libros importados, incluidos autores españoles que habían publicado en el exterior. A pesar de la gran cantidad de trabas burocráticas y de la vigilancia constante para evitar la entrada de libros heréticos, no se ponían obstáculos importantes a la importación y todo esto ocurría en tiempos de la Inquisición.

El flujo de obras literarias no se interrumpió nunca, como demuestra el caso de Barcelona. Diez años después de los decretos de 1558 y 1559, los ingresos de los libreros seguían procediendo de la importación ininterrumpida de libros extranjeros, muchos de los cuales iban a parar a Castilla: «Los libros que entran por esta frontera son en gran numero —informaban los inquisidores desde Cataluña en 1569— y no bastamos aunque oviese muchos inquisidores para dar cobro de tantos volúmenes». «Cada día —informaban en 1572— entran libros así para España como para otras partes». Cuando los españoles querían leer libros extranjeros, los importaban y los leían. La visión de una España en la cual durante doscientos años no se pensaba, no se escribía y no se leía, solo porque se vivía con miedo a la Inquisición, resulta tan grotesca que lo asombroso es que alguien la haya aceptado en serio.

LA INQUISICIÓN SIN IMÁGENES

Puede que el aspecto más increíble de lo que, como hemos visto, resulta una presentación casi ficticia de la Inquisición en España sea la cuestión de su invisibilidad. Si el tribunal hubiese formado parte de una estructura tiránica, habría afectado a la vida cotidiana de los españoles y habría sido visible con toda claridad como un instrumento de opresión. En la práctica, sin embargo, durante los cuatrocientos años que existió es increíble lo invisible que fue. Los inquisidores habrían querido obtener la máxima publicidad por su obra y por sus logros en España y, al final, no obtuvieron ninguna. Fuera de España, los difamaban en publicaciones y en la propaganda estatal; dentro de España, los trataban con indiferencia.

Por ejemplo, la Inquisición contaba con muy poco personal: un grupo reducido de unas seis personas para atender a regiones como Galicia o Cataluña. Nunca disponían del tiempo ni de la energía para patrullar la zona. Sabemos que, en Cataluña, por ejemplo, en más del 90 por ciento de las poblaciones, durante más de trescientos años de existencia, el Santo Oficio no apareció ni una sola vez. En Galicia era totalmente desconocido fuera de las ciudades principales. En Castilla, salvo en el centro, el panorama era similar. Los que vivían en el campo podían considerarse afortunados si lograban ver a un inquisidor en toda su vida y, por consiguiente, los trataban con indiferencia e incluso con desprecio. Por tanto, los inquisidores casi no tuvieron ninguna participación en la vida religiosa de los españoles y mucho menos en detectar o en excluir la herejía, sino que, por el contrario, se metían con los extranjeros, por lo general con los marineros vulnerables de los puertos como Sevilla y Barcelona. De los 2.000 casos de personas acusadas de protestantismo en España en el siglo XVI, 1.700 eran extranjeras.

Por lo general, tenemos la imagen de la Inquisición ejerciendo su poder mediante un procedimiento tan terrible como el auto de fe, pero, como ya hemos destacado, no hubo ningún auto de fe formal antes de mediados del siglo XVI y muy pocos después de finales de ese siglo. Lo más importante es la actitud de los españoles ante el auto.

La prueba más convincente de la apatía respecto a los autos de fe es que los artistas españoles no les prestaron atención. Un acontecimiento que —se supone— tenía tanto impacto en la población nos habría dejado algún testimonio visual, pero casi no tenemos ninguno. La única imagen disponible sobre el formato de un auto en sus primeros años es un montaje totalmente imaginario que pintó a finales del siglo XV Pedro Berruguete, en el que aparece santo Domingo presidiendo una sesión del tribunal medieval francés. En los doscientos años siguientes se observa una falta increíble de imágenes visibles. Las armas del tribunal —una cruz de la fe en la que se enrosca una rama de olivo de la misericordia— estaban grabadas en la fachada pública de los edificios controlados por el tribunal y aún se pueden ver en los centros medievales de algunas ciudades. No obstante, aparte del símbolo, al parecer los españoles no tuvieron ninguna constancia visual de la presencia del Santo Oficio. Como otros pueblos del Mediterráneo, los españoles pasaban buena parte de la vida al aire libre, donde se concentraban las fiestas y las procesiones en todos los meses del año. Sin embargo, la Inquisición no estaba en las calles ni, aparte de los sambenitos que se colgaban en unas cuantas parroquias, en las iglesias ni en actividades sociales de ningún tipo. Durante más de cien años después de su fundación, la Inquisición no tuvo ninguna confraternidad que uniera a sus empleados y les brindara una identidad social. Hasta 1603, el Consejo de la Suprema no se ocupó de fundar una confraternidad para sus familiares.

Lo que más nos intriga es por qué el tribunal no trató de transmitir su imagen para obtener apoyo, algo que quizá se vuelve más relevante a mediados del siglo XVI, cuando por primera vez el auto de fe llegó a ser visualmente impresionante, a pesar de lo cual casi no existe ninguna constancia histórica en el arte español. Se podrían proponer varias explicaciones. Puede que el auto de fe público no fuera aceptado jamás como algo de lo que sentirse orgullosos, puesto que sus ingredientes eran el castigo y la vergüenza. Hubo un rechazo público similar, a lo largo de toda la historia de España, de la vergüenza relacionada con las prendas penitenciales conocidas como «sambenitos». Además, debido al antagonismo persistente respecto al tribunal que manifestaban las autoridades tanto municipales como eclesiásticas, la Inquisición no podía desplegar sus imágenes en ningún lugar público controlado por ninguna de los dos. Por tanto, una pintura que glorificara la Inquisición habría tenido que conservarse discretamente en un edificio del tribunal, como las dependencias de la Suprema en Madrid, o en un monasterio correspondiente a la orden religiosa que más se identificaba con ella, es decir, la de los dominicos. ¿Dónde están ahora estas imágenes? No todos los edificios del Santo Oficio fueron destruidos por la violencia popular ni se eliminaron todas sus propiedades públicas, de modo que podemos llegar a la conclusión de que la falta de un arte visual se debe, simplemente, a que nunca existió. Durante toda la gran era de la actividad inquisitorial, parece que ni un solo artista importante quiso dedicar un lienzo a sus triunfos. No se puede decir que la propia Inquisición hiciera algo para disuadir a los artistas: después de todo, el auto y sus procesiones servían como demostración pública.

En cambio, los europeos que querían criticar la política española fueron prolíficos a la hora de presentar imágenes de la Inquisición. En realidad, les debemos más a ellos que a los españoles el origen de la idea de que el tribunal era un instrumento de terror. Durante el apogeo de la revuelta en los Países Bajos, los artistas del norte de Europa empezaron a producir grabados que han establecido para siempre la imagen que aún tenemos del ceremonial público de la Inquisición. Se debe, sin duda, al interés holandés y al predominio de impresores holandeses y alemanes en el mercado europeo que las primeras imágenes conocidas surgieran de grabadores septentrionales. Como, por lo general, su objetivo era la propaganda antiespañola, los grabados no ofrecen una imagen totalmente fiable de lo que pretenden mostrar. Además, eran bastante escasas. Hasta el siglo XVII no se publicaron las primeras imágenes convincentes en el magnífico volumen *A History of the Inquisition,* publicado por Philip Limborch en Ámsterdam en 1692, que sigue siendo la fuente que más se consulta. Limborch era un destacado intelectual holandés, defensor de la tolerancia religiosa. A aquel período corresponde también la única pintura auténtica que se hizo jamás sobre la Inquisición, encargada expresamente por el tribunal de Madrid para demostrar la presencia del rey y de la corte en un auto de fe en 1680, a la que ya nos hemos referido. La pintó un artista italiano residente en Madrid, Francesco Rizzi, y está colgada en el Museo del Prado.

En el siglo XVIII, apareció una colección aún más exhaustiva de grabados: la obra monumental de Bernard Picart en siete volúmenes, *Cérémonies et coutumes religieuses de tous les peuples du monde,* publicada en Ámsterdam por Jean Frédéric Bernard entre 1723 y 1743[27]. En sus tres mil páginas de texto y sus 250 de grabados, la inmensa obra incluía numerosos grabados sobre la Inquisición, con ilustraciones de un auto en Madrid y una procesión ceremonial de la Inquisición portuguesa en Goa. De hecho, Goa fue el escenario de muchos grabados extranjeros que se reprodujeron y se atribuyeron por error a la Inquisición española. A partir de aquel siglo, las representaciones de los artistas europeos adoptaron, además, la forma de sátiras. Prácticamente todas las imágenes posteriores de la Inquisición fueron satíricas o simplemente ficticias. Entre estas últimas podemos incluir las representaciones pictóricas de las torturas, comunes a partir del siglo XVIII. Aunque parezca increíble, en la era de la imprenta no vio la luz ni una sola imagen española auténtica del Santo Oficio. En la batalla de las imágenes, la Inquisición salió perdiendo, sin duda. Fue un aspecto de la invención de España en el que los españoles, a todas luces, no consiguieron establecer su punto de vista y dejaron la iniciativa librada exclusivamente a los extranjeros.

---

[27] Lynn Avery Hunt, Margaret C. Jacob y W. W. Mijnhardt (dirs.), *Bernard Picart and the First Global Vision of Religion,* Getty Research Institute, Los Ángeles, 2010.

7
Un Nuevo Mundo

Por donde quiera que han pasado cristianos conquistando y
descubriendo, otra cosa no parece sino que con fuego todo se va
gastando.

PEDRO CIEZA DE LEÓN, *Crónica del Perú*

Con su apoyo al marino genovés Cristóbal Colón en 1492, los
Reyes Católicos otorgaron a sus reinos la increíble ventaja de
ser la primera nación europea en explorar el continente americano. Gracias a un tratado firmado en Tordesillas dos años después, un acuerdo internacional confirmó el derecho de España
a colonizar la mayor parte de las tierras recién descubiertas. La
pretensión grande y justificada de los españoles, cuando llegaron a escribir sobre estos acontecimientos, fue la de ser los primeros. Fueron los primeros europeos que empezaron a conquistar el Atlántico (con la ocupación de las islas Canarias), los
primeros en explorar el Caribe, los primeros en poblar el continente americano, los primeros en navegar hasta el Pacífico,
los primeros en dar la vuelta al mundo y los primeros en derrocar a los imperios indígenas del Nuevo Mundo. El historiador
Fernández de Oviedo escribió, por ejemplo, con referencia al
primer contacto de Vasco Núñez de Balboa con el Pacífico en
1519: «Este servicio del descubrimiento de la mar del sur, ser
el primero de los cristianos que la vido, y con grandísima dili-
gencia que la buscó y halló, a solo Vasco Nuñez se debe este

trofeo: él fue el primero que en ella navegó, el que primero puso navíos en ella, de todos los cristianos».

Curiosamente, los españoles se interesaron bastante poco por la aportación de Colón, a cuya carrera solo prestaron una atención limitada hasta el siglo XIX. Las personas elegidas como héroes nacionales fueron, más bien, los llamados «conquistadores», Cortés y Pizarro, que intervinieron más de treinta años después de Colón. Por consiguiente, otras naciones adoptaron al descubridor genovés. Cuando, después de liberarse del dominio británico, los colonos americanos se pusieron a buscar sus propias raíces y sus héroes nacionales, decidieron adoptar a Colón como iniciador de su participación en el Nuevo Mundo y un país tras otro fueron dando a las nuevas poblaciones el nombre del gran descubridor. El reconocimiento del papel de Colón fue estimulado a la fuerza por la biografía romántica que en 1828 escribió acerca de él Washington Irving. Después, a principios del siglo XX, fue promovido por dos influencias distintas: el deseo de algunos ciudadanos estadounidenses, sobre todo italianos, de hallar sus raíces europeas y el afán de los dirigentes de los países independientes de América del Sur de redescubrir sus lazos con España. Así se empezó a rescatar el Día de Colón como fiesta nacional en Estados Unidos. En 1892, el régimen conservador de Cánovas del Castillo se enteró de que Estados Unidos estaba tomando medidas para celebrar los cuatrocientos años del día que, por lo general, se aceptaba como fecha del descubrimiento: el 12 de octubre. Los españoles se apresuraron a montar su propia celebración, que coincidía con los esfuerzos que habían estado haciendo para incrementar su influencia entre las nuevas naciones independientes de Latinoamérica. Cánovas propuso que todas las naciones hispánicas adoptaran la misma fecha como festivo común. Su iniciativa no obtuvo ninguna respuesta.

No obstante, cuando en 1898 desaparecieron los últimos restos del Imperio español, muchas de las naciones hispánicas cambiaron de idea: empezaron a darse cuenta de que el imperialismo estadounidense representaba una amenaza para sus intereses y se mostraron más dispuestas a vincularse con España mediante la celebración del 12 de octubre, de modo que la práctica se extendió. En Estados Unidos, en 1934 y por la presión de los estadounidenses de origen italiano, el Congreso estableció el Día de Colón, que se fijó el segundo lunes de octubre, como festivo nacional. El día festivo nunca fue aceptado por todos y, por presión de otras tendencias ideológicas, a principios del siglo XXI a menudo ha sido sustituido por el Día Internacional de los Pueblos Indígenas. Los que impulsaron la retirada del apoyo al Día de Colón fueron los movimientos que preferían conmemorar las consecuencias negativas de la llegada de los colonos europeos al Nuevo Mundo.

AMÉRICA: ¿EMPRESA EN SOLITARIO O EN COLABORACIÓN?

Las consecuencias positivas y las negativas presentan dos perspectivas contradictorias de la presencia de España en el continente americano. Los nacionalistas españoles hacían hincapié en el honor de ser los primeros europeos en llegar al Nuevo Mundo, aunque también solían presentar a España como el único participante. A sus ojos, correspondía a su país una superioridad única, una fuerza moral y física que les permitió conquistar. Estas leyendas contribuyeron con fuerza a crear una imagen de los indudables logros y capacidades de España que no se sustenta en datos históricos. Se decía que los pioneros en el Nuevo Mundo procedían de España, aunque, lamentablemente, de ese modo se pasaba por alto la complejidad de la era de los descubrimientos.

Muchos factores y naciones hicieron posible la expansión europea en otros continentes. Si bien la ocupación de las Canarias condujo a los españoles hasta el Atlántico, Castilla no contaba con ninguna experiencia especial en el mar y los puertos que más usaba estaban en la costa vasca y en la catalana. Los principales logros de la época, en cuanto a equipamiento, navegación y embarcaciones, correspondieron a otras naciones de la Península, sobre todo a los portugueses y a los vascos, que siguieron desempeñando un papel fundamental en la evolución del Imperio. Como en todos los demás aspectos de su iniciativa imperial, Castilla jugó un papel destacado precisamente porque se apoyó, en parte, en los logros de otros pueblos, entre los cuales destacan los portugueses y los genoveses. Por ejemplo, los castellanos llegaron a las islas Canarias en la década de 1470, pero los portugueses habían llegado antes. Con posterioridad, los castellanos dominaron la intervención en las islas, pero con la destacada colaboración de los inmigrantes portugueses y con financiación genovesa. Cuando los castellanos empezaron a colonizar el Caribe, también contaron con el respaldo de los portugueses y de otros europeos. En cada una de las etapas de exploración y colonización, los logros de los españoles siempre fueron empresas conjuntas.

El papel pionero de los portugueses[1] es bien conocido. Portugal era un país pequeño —apenas un millón de habitantes— y no tenía antecedentes de expansión extranjera. Sin embargo, en 1415 sorprendió al mundo cuando envió una fuerza expedicionaria que capturó el puerto de Ceuta, en el norte de África. Después, sus dirigentes financiaron la flota que, a las órdenes de Bartolomeu Dias, navegó a lo largo de la costa africana en 1487. En aquellos meses, Colón también estaba en contacto con los portugueses, buscando apoyo para sus propios sueños de navegar hacia el este. No obstante, en aquel momento la Corona portuguesa no estaba en condiciones de financiarlo. Lo siguiente que se sabe de Colón es que pasó por Lisboa en marzo de 1493 para anunciar que había llegado a unas islas cerca de Japón.

Fue un choque para los portugueses, pero, aunque no se podía creer del todo a Colón, la Corona española tomó medidas

---

[1] Véase un estudio reciente en Roger Crowley, *Conquerors. How Portugal forged the first global empire,* Random House, Nueva York, 2015.

para asegurarse de que otras naciones no se metieran en unos mares que consideraba suyos. En 1494 se firmó el Tratado de Tordesillas, ratificado por el Papa, que trazaba una línea imaginaria al oeste para definir las aguas en las que podían navegar España y Portugal. En consecuencia, Portugal apoyó la flota que, a las órdenes de Vasco da Gama, al final llegó a India en 1498. Las naves de Vasco da Gama atracaron frente a la costa sudoeste de India en mayo de 1498, después de trescientos nueve días de navegación desde Lisboa, de dar la vuelta al cabo de Buena Esperanza, de subir a lo largo de la costa oriental de África y de cruzar el océano Índico hasta el puerto de Calicut. En viajes posteriores, los portugueses llegaron hasta la costa de Brasil en 1500 y a China en 1514. Uno de los logros más destacados de los españoles fue un viaje que, desde el punto de vista técnico, no fue portugués, pero que habría sido imposible sin ellos: la vuelta al mundo en la nave *Victoria* (1519-1522), en una flota compuesta por cinco naves, al mando del portugués Magallanes, que contó con la ayuda de marinos portugueses que ya habían sido pioneros en la ruta a Asia una década antes. Los patrocinadores de la expedición eran portugueses; los mapas de navegación eran portugueses, y los prácticos de las embarcaciones eran portugueses. En el caso de la nave *Victoria,* los honores de completar el viaje correspondieron a un español: Sebastián Elcano. La historia de la colaboración entre España y Portugal se puede alargar por el simple hecho de que para que una empresa tuviera éxito había que contar con lo que se pudiera aprender de quienes la habían intentado antes o con quienes disponían de los recursos necesarios.

LA CONQUISTA COMO UNA FICCIÓN Y EL CONQUISTADOR COMO UN HÉROE

En la idea de la conquista de América se apoya una leyenda poderosa que sigue siendo fuente de orgullo para muchos.

Aunque el concepto de la «conquista» del Nuevo Mundo, repetido una y otra vez (véase el capítulo 14), está profundamente arraigado en los libros españoles más antiguos, jamás hubo, desde luego, una conquista militar, porque —ya lo veremos— era imposible. La triunfal segunda carta de relación de Hernán Cortés al emperador Carlos V, en la que anunciaba el descubrimiento y el derrocamiento de los aztecas, es uno de los grandes documentos de la Historia y también uno de los más tristes, porque narra la destrucción de una civilización clásica, una civilización que —así nos lo han enseñado— fue destruida por los conquistadores. Sin embargo, la figura del conquistador también es un mito, como muchas otras cosas que se conmemoran de aquel año famoso de 1492.

Una y otra vez, las películas sobre la conquista presentan a los conquistadores como héroes, con cotas de malla medievales. En realidad, es probable que jamás se usaran cubiertas protectoras en el Nuevo Mundo —ya habían pasado de moda en el Viejo— y no se dedicó a la conquista ni un solo ejército profesional. Del mismo modo que los británicos no conquistaron India —porque no podían—, el Gobierno español no conquistó el Nuevo Mundo. Cuando los españoles impusieron su control, lo hicieron mediante los esfuerzos esporádicos de grupos reducidos de aventureros a los que la Corona trató después de controlar. Aquellos hombres, que orgullosamente asumieron la descripción de «conquistadores», a menudo ni siquiera eran militares. El grupo que capturó al emperador inca en Cajamarca en 1532 estaba compuesto por artesanos, notarios, mercaderes, marinos, la pequeña nobleza y campesinos, una muestra representativa de los inmigrantes que llegaron a América y, en cierto modo, un reflejo de la propia sociedad peninsular. En otros puntos del Nuevo Mundo intervinieron grupos similares.

La mayoría de ellos, y, sobre todo, los dirigentes eran «encomenderos» —lo eran ciento treinta y dos de los ciento cincuenta aventureros que acompañaron a Pedro de Valdivia a

Chile—, lo que quería decir que cada uno participaba en la expedición porque la Corona le había concedido una «encomienda», es decir, un contrato que le daba derecho a exigir a los indígenas tributo y trabajo y lo obligaba a servir y a defender a la Corona y a instruir a los nativos en la fe cristiana. Gracias a la encomienda, la Corona fue capaz de montar una operación militar en el Nuevo Mundo sin tener la necesidad —de todos modos, no habría podido cumplirla— de enviar un ejército. Solo después trató el Gobierno español de imponer algún control sobre toda la operación, pero incluso entonces es dudoso que tuviera éxito. Por lo general, eran los colonos quienes ejercían el verdadero control. En el Virreinato del Perú, la ciudad de Quito se rebeló en 1592, porque estaba descontenta con los funcionarios españoles. «Para conquistar estos reinos del Perú —protestaba, desafiante, el concejo municipal—, Su Majestad no ha tenido que hacer nada. Ganaron la tierra quienes vinieron aquí por su propia cuenta»[2].

Como cabría esperar por su afán evidente de aventuras y riquezas, muchos de los conquistadores pertenecían a una buena clase social y, además, sabían leer y escribir, aunque esto se reducía a menudo a saber escribir su nombre. Es bien sabido que Francisco Pizarro era de origen humilde, hijo ilegítimo y analfabeto, pero también parece que, de los 160 españoles que lo ayudaron a derrocar al inca, más de cien podían escribir su nombre. Asimismo, parece que la mayoría de los españoles que ayudaron a Cortés en Tenochtitlán sabían leer y escribir. Un puñado de conquistadores poseían una cultura extraordinaria: destacan en particular Bernal Díaz del Castillo en México, pero también algunos cronistas militares, como Pedro Cieza de León en Perú. Tenemos pocos motivos para pensar que los pioneros fueran los desgraciados de la Tierra. Eran pobres y buscaban fortuna, pero muchos eran inteligentes y decididos.

---

[2] Citado en M. Góngora, *Studies in the colonial history of Spanish America,* Cambridge University Press, Cambridge, 1975, pág. 76.

Sin embargo, en ningún momento estuvieron en condiciones de someter a las poblaciones nativas de forma sistemática ni de ocupar más que una porción de las tierras en las que habían penetrado. Eran pocos y sus esfuerzos estaban demasiado dispersos. Bastante más de dos siglos después de la supuesta conquista y mucho después de que los cartógrafos dibujasen unos mapas en los que se presentaba como española la casi totalidad del continente americano, los europeos, en realidad, apenas controlaban una parte ínfima del continente: en especial, las fértiles zonas costeras del Caribe y del Pacífico. Este hecho es fundamental para comprender el tipo de papel que desempeñó España en América. El Imperio de ultramar fue una empresa frágil, que produjo muchos beneficios significativos —sobre todo, por las minas de oro y de plata—, pero que los europeos no lograron controlar en absoluto de forma satisfactoria.

Los indudables éxitos de los españoles, a su vez, contribuyeron a alimentar la imagen de un Imperio que atraía tanto admiración como hipérbole[3], y esta imagen llegó fácilmente a las aulas. Un libro de texto corriente en inglés, publicado en la década de 1960 y a partir de entonces muy usado en España, contaba que «la destrucción de los Imperios azteca e inca fue llevada a cabo tan solo por un puñado de hombres. Cortés aniquiló el imperio de Moctezuma con seiscientos soldados y dieciséis caballos»[4]. Estas afirmaciones son verdades a medias. Una página web española actual semioficial sigue la misma línea en 2006 cuando cuenta lo siguiente:

La gran conquista de América, un continente que era más de ochenta veces España, fue realizada en menos de treinta años por

----

[3] En realidad, los mitos del Imperio español se refutan en un libro provechoso de Matthew Restall, *Seven Myths of the Spanish Conquest,* Oxford University Press, Oxford, 2003, especialmente en el capítulo 1 y en el 4.

[4] J. H. Elliott, *La España imperial,* Vicens Vives, Madrid, 1965, pág. 49.

unos miles de peninsulares —seguramente no llegarían a los diez mil— que recorrieron el continente buscando sus centros de mayor riqueza para establecer sobre ellos fundaciones coloniales. Fueron alcanzando los núcleos de poder y cultura de la América precolombina y los dominaron militarmente gracias a su armamento y técnica de combate.

Esta «conquista» bastante ficticia no fue una reivindicación exclusiva del siglo XX, sino que ya se encontraba en el siglo XVI. Los castellanos de la generación siguiente a la del descubrimiento de América fueron los primeros en destacar sus propios éxitos. Se creó una leyenda perdurable del primer Imperio atlántico acerca de la capacidad sobrehumana de los conquistadores. Un testigo de los grandes acontecimientos de Perú, Pedro Cieza de León, comentaba: «¿Quién podrá contar los nunca oídos trabajos que tan pocos españoles en tanta grandeza de tierra han pasado?»[5]. «Hernando Cortés con menos de mil infantes rindió un grande imperio como el de la Nueva España —escribió un veterano de la frontera americana, Vargas Machuca— y Quesada, con ciento sesenta españoles, ganó el nuevo reino de Granada»[6]. Un historiador oficial, Francisco López de Gómara, continuó con la misma historia extravagante, escrita para que la leyera el emperador: «Nunca jamás rey ni gente anduvo ni dominó tanto en tan breve espacio de tiempo como la nuestra, ni ha hecho ni merecido lo que ella, así en armas y navegación como en la predicación del santo evangelio».

Los cronistas de aquella época estimularon la confianza en el poder irresistible de los españoles y el pensamiento tradicional la conservó. A principios del siglo XIX, José Blanco White

---

[5] Pedro Cieza de León, *Obras completas,* vol. I, 2, Ed. Carmelo Sáenz de Santamaría, Madrid, 1984.

[6] Bernardo de Vargas Machuca, *Milicia y descripción de las Indias,* Librería de Victoriano Suárez, Madrid, 1599 (Cita tomada de la edición de 1892 en dos volúmenes, vol. I, pág. 102).

daba testimonio de la forma en la que el mito seguía determinando la percepción popular del papel de España en América:

La animosidad que se levantó en Cádiz en contra mía se debió a mi defensa del derecho de las colonias españolas a una perfecta igualdad con la madre patria. Aún en estos momentos, en que se ha perdido toda esperanza de reconquistar los dominios hispanoamericanos, no se ha extinguido del todo el espíritu del tiempo de las conquistas de Méjico y Perú, y en los años en que las colonias empezaron a sacudirse su yugo, el orgullo de la conquista estaba tan alto en España como en pleno siglo XVI. Desde aquel tiempo los españoles habían vivido en la más profunda ignorancia del curso de los asuntos humanos en el resto del mundo y por esta razón los prejuicios que habían heredado las sucesivas generaciones seguían tan fuertes como en los tiempos de Cortés y Pizarro[7].

Hacia finales del siglo XIX, cuando los españoles empezaron a producir libros de texto de Historia, limitaron su narración al período de sangre y gloria e hicieron hincapié sobre todo en Cortés y en Pizarro[8]. No había nada más que valiera la pena contar y ellos no lo contaron. Curiosamente, mientras tanto, los mejores estudios sobre Cortés y Pizarro no son obra de un español, sino de un estadounidense: el mismo Prescott que fue pionero de la historia peninsular con un volumen magnífico sobre el reinado de Fernando e Isabel. Sus estudios sobre los conquistadores se tradujeron al castellano y de inmediato se convirtieron en obras de referencia para los lectores cultos.

---

[7] Blanco White, *Autobiografía,* Universidad de Sevilla, Sevilla, 1988.
[8] Véase Carolyn Boyd, *Historia Patria. Politics, History and Nacional Identity in Spain, 1875-1975,* Princeton University Press, Princeton, 1997. [*Historia patria: política, historia e identidad nacional en España, 1875-1975,* trad. de José Manuel Pomares Olivares, Ediciones Pomares-Corredor, Barcelona, 2000].

Ya hemos comentado que la conquista siempre fue un trabajo en equipo y nadie colaboró más con los españoles que los propios indígenas. Su contribución fue notoria en la conquista de Tenochtitlán. Hicieron falta ocho meses de planificación, construcción y reclutamiento antes de que se pudiera atacar la ciudad. Cuando se lanzó el ataque, en mayo de 1521, la situación había cambiado de forma drástica desde el primer desembarco de Cortés en la costa, con 400 hombres, y la oposición de todo el pueblo nahua. Su pandilla de españoles no era mucho mayor —poco más de 900, gracias a los recién llegados—, pero tenían de su parte a la mayoría de las ciudades que habían sido vasallas y aliadas de los mexicas. Los españoles, cuyas armas no les servían de mucho ante la superioridad del enemigo, no habrían conseguido nada sin la ayuda de los indios. El historiador Prescott nos cuenta que «el imperio de los indios fue, en cierto modo, conquistado por los propios indios. La monarquía azteca cayó por obra de sus propios súbditos». El historiador mestizo de Texcoco, Alva Ixtlilxochitl, informó que, justo antes del asedio, el soberano de Texcoco pasó revista a sus hombres y que «ese mismo día, los de Tlaxcala, de Huitzilán y de Cholula [los aliados de Cortés] también pasaron revista a sus tropas, cada cacique a sus vasallos, y en total habría más de trescientos mil hombres»[9]. Las tribus indígenas eran también, en todo momento, la mayoría de las fuerzas que luchaban en la región andina y, por consiguiente, también la mayoría de las que morían, tanto en las batallas como en las expediciones[10]. Cuando Almagro partió hacia Chile en 1535, lo acompañaron por lo menos 12.000 indios de la zona de Cusco; cuando Gonzalo

---

[9] Fernando de Alva Ixtlilxochitl, *Ally of Cortes,* traducción al inglés de Douglass K. Ballentine, Texas Western Press, El Paso, 1969, pág. 23.

[10] Véase Karen Spalding, «The crises and transformations of invaded societies: Andean area (1500-1580)», en Frank Salomon y Stuart B. Schwarz (dirs.), *Cambridge History of the Native Peoples of the Americas,* vol. III, *South America,* partes 1 y 2, Cambridge University Press, Cambridge, 1999.

Pizarro fue a explorar el Amazonas, llevó a 10.000 de la región de Quito.

Resulta tentador considerar la llegada de los europeos en función del éxito que acabaron consiguiendo. Por tanto, las versiones tradicionales han destacado, con buen tino, los factores que, al parecer, les brindaron la superioridad. Se atribuía a los españoles una civilización política avanzada, una mentalidad religiosa con una vitalidad única y grandes ansias de luchar contra los infieles. Sus hazañas se explicaban por la superioridad de su tecnología y por la determinación con la que buscaban oro. No cabe duda de que alguno de estos factores estaba presente, pero no siempre fueron coronados por el éxito, porque en la historia de los españoles también ha habido fracasos estrepitosos. Vista en perspectiva, claro está, muchos de quienes participaron en la conquista se negaban a reconocer ningún fracaso. Los cronistas se pusieron de acuerdo para alimentar la leyenda de una conquista obtenida por derecho divino. La realidad era más compleja: hubo éxitos concretos, pero la imagen general era la de la necesidad de adaptarse a unas circunstancias que no siempre eran favorables. Entre el éxito y el fracaso, lo que emprendieron los españoles en el Nuevo Mundo —algo que no había emprendido hasta entonces ninguna nación europea— adoptó características propias. Los colonos españoles se expandieron a lo largo del sur y en el Caribe y bien hacia el norte del continente[11].

UNA HISTORIA DE VIOLENCIA

La ocupación europea de partes de América del Norte y del Sur estuvo acompañada —era inevitable— de violencia. Cortés lamentaba las masacres que se produjeron durante el asedio de México con estas palabras:

---

[11] Carrie Gibson, *El Norte. The Epic and Forgotten Story of Hispanic North America,* Atlantic Monthly Press, Nueva York, 2019.

Andaban con nosotros nuestros amigos a espada y rodela, y era tanta la mortandad que en ellos se hizo por la mar y por la tierra, que aquel día se mataron y prendieron más de cuarenta mil ánimas; y era tanta la grita y lloro de los niños y mujeres, que no había persona a quien no quebrantase el corazón, y ya nosotros teníamos más que hacer en estorbar a nuestros amigos que no matasen ni hiciesen tanta crueldad que no en pelear con los indios; la cual crueldad nunca en generación tan recia se vio, ni tan fuera de toda orden de naturaleza como en los naturales de estas partes[12].

La tragedia se repitió en todas partes y no hace falta acumular testimonios. Los sacerdotes que aconsejaban a la Corona se quejaban de que los españoles irrumpían como ladrones, se apoderaban de lo que les apetecía y proclamaban que lo habían conquistado. El jesuita José de Acosta comentó que la crueldad de los españoles en América era peor que la de los bárbaros clásicos: «Jamás ha habido tanta crueldad en invasión alguna de griegos y bárbaros. No son hechos desconocidos o exagerados por la fantasía de los historiadores». Por supuesto, los conquistadores se negaban a aceptar las críticas. Bernal Díaz se quejó de la versión que dio el historiador del emperador, López de Gómara, «de aquellas grandes matanzas que dice que hacíamos, siendo nosotros obra de cuatrocientos soldados los que andabamos en la guerra». Sin embargo, las pruebas son indiscutibles.

El clero en América fue de los primeros en protestar. El testimonio más conocido es el del dominico Bartolomé de las Casas, quien, en su *Historia de las Indias,* declaraba que «tenían los españoles, en la guerra que hacían a los indios, ser siempre, no como quiera, sino muy mucho y extrañamente crueles, porque jamás osen los indios dejar de sufrir la aspereza y amargura

---

[12] Hernán Cortés, *Tercera carta de relación al emperador Carlos V,* 15 de mayo de 1522.

de la infelice vida que con ellos tienen». Era habitual, manifestó, que los españoles, si tenían que hacer frente a una cantidad superior de indios, los redujeran mediante una deliberada y «muy cruel y grande matanza». Los biógrafos recientes de Las Casas no dudan en dar pormenores sobre los excesos de los colonos españoles en la isla La Española[13].

En España, durante mucho tiempo se pasó por alto el testimonio de Las Casas. Quienes lo hacen olvidan que los críticos más implacables que tuvo en aquella época compartían sus opiniones acerca del comportamiento de los colonos españoles. Su crítico más poderoso fue fray Toribio de Benavente, también conocido como Motolinía, cuyo testimonio es, si cabe, mucho más condenatorio que el de Las Casas:

> Bastante fue la avaricia de nuestros españoles para destruir y despoblar esta tierra, que todos los sacrificios y guerras y homicidios que en ella hubo en tiempo de su infidelidad, con todos los que por todas partes se sacrificaban, que eran muchos. Y porque algunos tuvieron fantasía y opinión diabólica que conquistando a fuego y a sangre servirían mejor los indios, y que siempre estarían en aquella sujeción y temor, asolaban todos los pueblos.

Los propios funcionarios españoles dieron un testimonio similar. En 1545, en el proceso al conquistador Pedro de Alvarado en Perú, afirmaron que «hacía la guerra a fuego y sangre como se suele hacer a los indios». Un testigo de aquellos años, Cristóbal de Molina, que apoyaba a la facción de Almagro en Perú, testificó lo siguiente:

> Si había algún español que era buen ranchero y cruel y mataba muchos indios, teníanle por buen hombre y en gran reputación. He apuntado esto que ví con mis ojos y en que por mis pecados anduve, porque entendan los que esto leyeran, que de la

---

[13] Por ejemplo, Lawrence A. Clayton, *Bartolomé de las Casas: a biography,* Cambridge University Press, Nueva York, 2012, sobre todo el cap. 3.

manera que aquí digo y con mayores crueldades harto se hizo esta jornada y descubrimiento y que de la misma manera se han hecho y hacen todas las jornadas y descubrimientos destos reinos, para que entiendan qué gran destrucción es esto de estas conquistas de indios.

Perú fue también el tema del cronista de aquella región, Pedro Cieza de León, quien testifica que «por donde quiera que han pasado cristianos conquistando y descubriendo, otra cosa no parece sino que con fuego todo se va gastando». Escribió Cieza que «sería un nunca acabar, porque no se ha tenido en más matar indios que si fuesen bestias inútiles. Más pues los lectores conocen lo que yo puedo decir, no quiero sobre ello hablar». Una conclusión horrorosa, cuyos peores aspectos tuvieron lugar —dice— durante la guerra civil entre los seguidores de Pizarro y los de Almagro, cuando los españoles armaron a los indios y los animaron a matar a los cristianos de la facción contraria.

Es fundamental hacer hincapié en que solo con la violencia no se habría llegado a la despoblación de partes del Nuevo Mundo, pero lo que es indudable es que la crueldad contribuyó a la despoblación[14]. No es ninguna novedad: la crueldad extrema estuvo a la orden del día durante las acciones militares que los españoles emprendieron contra la Granada musulmana y también contra la población de las islas Canarias[15]. Al narrar las experiencias de los primeros misioneros españoles en Nueva España, el franciscano Motolinía presentaba un catálogo desolador

---

[14] Véase un resumen reciente en castellano de Antonio Espino López, quien considera que la matanza de indios no fue una política excepcional, practicada en momentos de crisis, sino, más bien, parte de una «cultura de agresión» sistemática. Antonio Espino López, *La conquista de América. Una revisión crítica,* RBA, Barcelona, 2013.

[15] Antonio Espino, «Granada, Canarias, América. El uso de prácticas aterrorizantes en la praxis de tres conquistas, 1482-1557», *Historia,* núm. 45, vol. II, julio-diciembre de 2012.

de las zonas mineras en las que no se podía andar por la cantidad de huesos de los indios que habían muerto y cuyos cielos oscurecían los buitres carroñeros. El cronista del emperador, Gonzalo Fernández de Oviedo, observaba que «no bastaría papel ni tiempo a expresar enteramente lo que los capitanes hicieron para asolar los indios e robarlos e destruir la tierra. Es menester que se diga cómo se acabó tanta gente en tan poco tiempo».

Esclavizar a los indios por la fuerza tuvo un impacto fundamental en la población indígena. La Corona española tomó algunas medidas para controlar la situación, como las «Leyes de Burgos» que Fernando aprobó en 1512 y las «Leyes Nuevas» del emperador de 1542, pero fueron infructuosas. Medio siglo después de la llegada de los españoles a América Central, el jurista Tomás López Medel consideraba que habían fallecido hasta seis millones de indios, «muerto y asolado con las guerras y conquistas y con otros malos tratamientos y muertes procuradas con grande crueldad». La crueldad prosiguió. Incluso a finales del siglo XVIII, en San Diego (California), un sacerdote escribió que las tropas españolas «merecen la horca, por las atrocidades que siguen cometiendo, secuestrando y violando a las mujeres».

Las cifras de la pérdida de población nunca se pueden calcular con exactitud. Ya sabemos que la violencia no fue la única causa, porque nunca hubo suficientes españoles para matar a la gran cantidad de indígenas que perecieron. El propio Las Casas creía que la causa principal fue la explotación de la mano de obra nativa mediante el sistema de la encomienda.

EL TERRIBLE EFECTO DE LAS ENFERMEDADES

No cabe la menor duda, sin embargo, de que la causa principal del catastrófico descenso de la población en el continente americano fueron las enfermedades infecciosas que llegaron del exterior. Los europeos llevaron consigo, desde su continente y desde África, una espantosa variedad de infecciones mortales —en la mayoría de los casos, los portadores eran los animales y no tanto los seres humanos—, como la viruela, el tifus, el sarampión, la difteria, la gripe, la fiebre tifoidea, la peste, la escarlatina, la fiebre amarilla, las paperas, los resfriados, la neumonía y la gonorrea. En el centro de México, la población indígena se redujo rápidamente de, posiblemente, 25,2 millones en 1518 a 2,65 millones en 1568 y a poco más de un millón en 1605. En Perú, una población precolombina de alrededor de nueve millones se redujo a unos seiscientos mil en 1620[16]. No es aventurado sugerir que más del 90 por ciento de las muertes que se produjeron entre los pueblos indígenas del Nuevo Mundo se debieron a infecciones[17] más que a la crueldad. El problema consiste en ofrecer cifras verosímiles para estas afirmaciones. Un análisis reciente llevado a cabo por investigadores británicos ofrece conclusiones basadas en una consideración atenta de las pruebas[18]. El estudio sugiere que, en el año 1600, la entrada de nuevas enfermedades, sumada a la guerra y a la esclavitud, había reducido la población precolombina de alrededor de 60,5 millones de personas en el continente americano a unos 5,6 millones, lo que representa una pérdida general del 90 por ciento. Se calcula que la zona que perdió más población fue el Caribe, con un 99 por ciento. Por consiguiente, se produjeron cambios considerables en el uso de la tierra en el continente, lo cual tuvo aún más consecuencias para la población autóctona.

---

[16] Véase Russell Thornton, *American Indian holocaust and survival. A population history since 1492,* University of Oklahoma Press, Norman (Oklahoma), 1987, págs. 40 y 44.

[17] Noble D. Cook, *Born to Die. Disease and New World conquest, 1492-1650,* Cambridge University Press, Cambridge, 1998, pág. 206.

[18] A. Koch, C. Brierley, M. Maslin, S. Lewis, «Earth system impacts of the European arrival and Great Dying in the Americas after 1492», *Quaternary Science Reviews,* núm. 207, 2019, págs. 13-36.

Tierra de esperanzas y de riquezas

El continente americano, recién descubierto, desempeñó un papel revolucionario en la formación del carácter, la sociedad y la economía de España. De diversas maneras, América contribuyó al proceso de la invención de España y abrió a su población unas perspectivas con las que jamás había soñado. Decenas de miles de personas emigraron al Nuevo Mundo. Evidentemente, muchos huían de la pobreza, de un país de «tantas miserias y trabajos que no hay quien se pueda valer en ella»[19], hacia nuevos horizontes. «Estoy decidido —confesaba un colono que se había establecido en México— de dejar a mis hijos en tierra donde no aprieten tantas miserias»[20]. «Has de entender —escribió un recién llegado a Panamá a su hijo, que se encontraba en España— que los que pretenden cosas mayores no se han de criar en los lugares donde nacieron»[21]. Hemos de tener en cuenta que de ninguna manera hubo un alud de inmigrantes, porque América quedaba demasiado lejos y a veces costaba sobrevivir. Miles regresaron a España en cuanto pudieron.

Además, buena parte de los inmigrantes no eran españoles. Un decreto de 1499, que se repitió en otro de 1501, prohibía la entrada de extranjeros en el continente americano, pero estas limitaciones nunca se cumplieron. La situación irregular de muchos extranjeros se corrigió por medio de una orden de Carlos V del 17 de noviembre de 1526, que permitía viajar a América a los súbditos de todos sus reinos, con lo que, a partir de aquella fecha, la inmigración quedó prácticamente sin control. Fernández de Oviedo informaba que en la ciudad de Santo Domingo «ninguna lengua falta acá de todas aquellas partes del

---

[19] Enrique Otte, *Cartas privadas de emigrantes a Indias 1540-1616*, Consejería de Cultura de la Junta de Andalucía, Sevilla, 1988, pág. 240.

[20] Ibíd., págs. 45 y 327.

[21] Ibíd., pág. 248.

mundo en que hay cristianos, así de Italia como de Alemania, Escocia e Inglaterra y franceses y húngaros y poloníos y griegos y portugueses y de todas las otras naciones de Asia, Africa y Europa»[22].

Durante unos veinte años después del primer viaje de Colón, la iniciativa española en América se limitó sobre todo a las Antillas y, en gran medida, a una sola isla, La Española, donde en 1496 se fundó la primera población española en el Nuevo Mundo: Santo Domingo. A medida que la cantidad de inmigrantes fue aumentando, se atrevieron a salir de la isla en busca tanto de esclavos, para cubrir las necesidades de mano de obra en La Española, como de tierras. La guerra, los trabajos forzados y las epidemias empezaron a cobrarse víctimas entre los taínos, los habitantes originales de la isla. Las Casas declaró la cifra plausible de tres millones de indígenas muertos entre 1494 y 1508. Para sustituirlos, los colonos hicieron incursiones en las islas vecinas para conseguir esclavos. Entre 1509 y 1512 se transportaron, por ejemplo, unos 40.000 nativos de las Bahamas.

América enriqueció a los españoles. A diferencia de los ingleses en América del Norte, que, pese a todos sus esfuerzos, no encontraron minas, los españoles tuvieron, desde la época de Colón, abundante acceso a riquezas minerales. Se enriquecieron tanto los conquistadores como los colonos y la Corona recibió sumas inmensas que la ayudaron a financiar las guerras en Europa. América brindó una vía única de libertad para los pobres y los oprimidos del Viejo Mundo. Quienes tuvieran el valor suficiente para arriesgarse a emprender la larga travesía a América —el viaje por mar podía durar, de media, entre uno y seis meses— y para afrontar los rigores de la frontera podían amasar una fortuna y después, tal vez, regresar a su país. La transformación que experimentó la ciudad de Trujillo gracias a

---

[22] Juan Friede, *Los Welser en la conquista de Venezuela,* Edime, Caracas, 1961, pág. 48.

la riqueza de la familia Pizarro da fe de por lo menos una historia de un gran éxito. La riqueza, a su vez, fomentaba la movilidad social y convirtió a España en una sociedad que despertaba la envidia de Europa. Claro que también tenía su aspecto negativo: estimuló una subida de precios que, con el tiempo, empezó a tener consecuencias negativas para la población.

LA ESCLAVITUD, PRINCIPAL FUENTE DE RIQUEZA

La experiencia americana también sirvió para familiarizar a los españoles con la esclavitud, una práctica que ya existía en la Edad Media en Europa occidental y que persistió en el Mediterráneo debido a las guerras entre cristianos y musulmanes. Desde la época de Colón, los españoles solían esclavizar a los indios americanos y así contribuyeron, como hemos visto, a la tragedia demográfica del Nuevo Mundo. Gracias a la esclavitud, la colonización resultaba rentable. Un colono de México explicó, con gran concisión, lo siguiente: «En esta tierra no se sabe qué cosa es hambre, y hay todas las frutas de Castilla, y muchas más de la tierra donde no se echa de menos a España y así la gente pobre lo pasa mejor en esta tierra que no en España, porque mandan siempre y no trabajan personalmente y siempre andan a caballo»[23].

Cuando la población nativa esclavizada empezó a desaparecer, se decidió importar esclavos negros de África. La participación directa de España en el tráfico de esclavos en América se remonta a la primera importación de africanos a La Española. Entre 1450 y 1600, es posible que llegaran al nuevo continente unos 290.000 africanos y, entre 1600 y 1700, cuando el tráfico de esclavos estaba en su apogeo, alrededor de 1.490.000[24]. La proporción que llegó a las colonias españolas

---

[23] Ibíd., pág. 130.
[24] Las cifras que da Philip Curtin son algo inferiores. Las que menciono se aproximan a las de Paul Lovejoy, «The volume of the Atlantic slave

sigue siendo motivo de controversias; según una opinión reciente, hasta el año 1600 Hispanoamérica recibió alrededor de 75.000 y entre 1600 y 1700, 455.000[25].

La gran cantidad de negros que se importaron no tardó en tener como consecuencia que llegaran a superar a los blancos en el Nuevo Mundo. En la ciudad de Lima, la mitad de la población era africana y, en 1607, casi el 70 por ciento de la población de Panamá era negra, una superioridad numérica que persistió, pese a la espantosa tasa de mortalidad de los esclavos negros, tanto durante el viaje a América como a causa del sistema impuesto allí por los españoles. Como ya hemos visto en el caso de los indios americanos, algunos sacerdotes protestaron contra el comercio de esclavos negros. Entre los críticos más acérrimos se encontraba el fraile dominico Tomás de Mercado, que había vivido en México en la década de 1550 y lo había presenciado con sus propios ojos. Lo calificó de «barbaridad» y de «injusticia» y describió a los negros como «engañados, violentados, forzados y hurtados». La tasa de mortalidad en la travesía del Atlántico podía cifrarse, según su testimonio, en las cuatro quintas partes de los negros transportados[26]. Con el tiempo, los negros llegaron a controlar con su trabajo buena parte de la economía colonial en el campo, en las ciudades, en las minas y en las casas, y en gran medida contribuyeron a crear el Imperio que España dirigía en el Nuevo Mundo[27].

---

trade: a synthesis», en Patrick Manning (dir.), *Slave trades 1500-1800: globalization of forced labour,* Variorum, Aldershot, 1996, pág. 61.

[25] Patrick Manning, «Migrations of Africans to the Americas: the impact on Africans, Africa and the New World», en *Slave trades 1500-1800: globalization of forced labour,* ob. cit., pág. 66.

[26] Tomás de Mercado, *Suma de Tratos,* Biblioteca Virtual Cervantes, cap. 20.

[27] Se ha escrito muchísimo sobre este tema. Para el período al que nos referimos aquí, véanse Fredrick P. Bowser, *The African Slave in Colonial Peru, 1524-1650,* Stanford University Press, Stanford, 1974; Colin A. Palmer, *Slaves of the White God: Blacks in Mexico, 1570-1650,* Harvard Univer-

LA AÑORANZA DE LA PATRIA

Después de atravesar el Atlántico y el Pacífico o de pisar otras tierras europeas, los emigrantes de la Península consiguieron superar algunas de sus diferencias regionales y reconocer que tenían un origen común. El escritor vallisoletano Cristóbal Suárez de Figueroa (1571-1644), que pasó la mitad de su vida en Italia, reconocía que «los ánimos más opuestos de la patria, fuera se reconcilian y conforman para valerse». Expresaba enérgicamente la nostalgia de quienes habían abandonado España y, con ella, «cielos, ríos, campos, amigos, parientes y otros géneros de gozos que en vano buscamos en otras partes»[28]. La carencia en el extranjero fue una influencia poderosa para crear una afinidad por España y contribuyó a hacer real algo que no había sido más que una idea. La palabra empezó a hacer resonar añoranzas y a hacer referencia a la patria de la que procedían todos los pueblos de la Península[29].

El ejemplo más evidente fue la emigración al Nuevo Mundo. Generaciones de españoles estuvieron siempre debatiéndose entre su patria de adopción y la que habían dejado atrás. España existía como nación, porque su falta la volvía real. El Nuevo Mundo ayudó a los españoles a adquirir mayor conciencia de su identidad como nación. Como todos los que emigran, sentían una lealtad elemental por su lugar de origen. Su tierra era la fuente fundamental de su identidad. «Este reino —escribía en 1706 un colono de México a su esposa, que se encontraba en Madrid— se compone todo de gente de

---

sity Press, Cambridge (Massachussetts), 1976, y Carmen Bernard, *Negros esclavos y libres en las ciudades hispanoamericanas,* Fundación Histórica Tavera, Madrid, 2001.

[28] José Antonio Maravall, *Estado moderno y mentalidad social,* ob. cit., vol. I, págs. 472 y 478.

[29] Véase una visión amplia en Harald Runblom (dir.), *Migrants and the Homeland. Images, Symbols, and Realities,* Centre for Multiethnic Research, Uppsala University, Upsala, 2000.

España, y los que son de una tierra se estiman más que parientes»[30].

Manifestaron abiertamente aquella deuda en todos los lugares de América a los que pusieron el nombre de su ciudad natal: Córdoba, Guadalajara, Laredo. Siguiendo una norma que ha regido siempre la emigración hasta nuestros días, quienes procedían del mismo lugar tendían a dirigirse al mismo destino y a recrear en un entorno nuevo la sociedad de la que procedían. Un ejemplo notable es el de la emigración de la localidad castellana de Brihuega a Puebla, la segunda ciudad de Nueva España por cantidad de habitantes. En el período comprendido entre 1560 y 1620, más de mil personas de Brihuega emigraron a Puebla, llevando consigo buena parte de la experiencia que tenía la localidad en la fabricación de tejidos. Al mismo tiempo que trataban de salir adelante en su nuevo hogar, estaban decididos a preservar su identidad como oriundos de Brihuega[31].

No obstante, las realidades económicas tendían poco a poco a separar a los emigrantes de su patria. Quienes habían conseguido reconstruir su vida satisfactoriamente no podían regresar a la pobreza de sus orígenes. La correspondencia que se conserva de los primeros colonos no deja lugar a dudas y se repite sin cesar en una carta tras otra: América ofrecía más posibilidades, más riqueza, más movilidad social. Para qué regresar a un Viejo Mundo que ofrecía tan poco. En Perú corría el rumor de que las guerras y los impuestos elevados estaban arruinando a quienes seguían viviendo en la Península. «Acá nos dan malas nuevas —comentaba un colono de Potosí en 1577— que allá en Sevilla la toman toda para el rey. Y muchos

---

[30] Isabelo Macías y Francisco Morales Padrón, *Cartas desde América 1700-1800,* Andalucía 92, Asesoría Quinto Centenario, Sevilla, 1991, pág. 65.

[31] Ida Altman, *Transatlantic ties in the Spanish empire,* Stanford University Press, Stanford, 2000, pág. 185.

que estaban de camino para España lo han dejado por esta causa. Y también unos cuentan tantas desventuras de guerras y sucedáneos y otros muchos trabajos, que se quiebran las alas a los hombres de ir a España. Y muchos compran posesiones y haciendas y muchos se casan con intento de no ver a España. Yo no sé qué haré. Mi deseo cierto no es de morir en esta tierra, sino donde nací»[32].

El Nuevo Mundo ofrecía, en el período posterior a la conquista, una nueva ética basada en lo conseguido, más que en lo heredado, en el trabajo, más que en la holgazanería. Poco a poco, los colonos se fueron identificando más con su nueva tierra que con el lugar donde habían nacido. Cuando un cartagenero escribió en 1590 a su esposa para que se reuniera con él, le dijo que olvidara la tristeza de dejar su tierra natal: «No se os ponga por delante vuestra "patria", pues lo que se debe tener por tal es donde se halla el remedio»[33]. «No es decirte no quiero ir a España —escribió en 1704, desde Lima, un marido a su esposa, que se encontraba en la Península— que lo deseo con todas veras». Había un problema, explicaba: «Lo aniquilada que está España con tantos atrasos y tantos pechos y derechos, lo que no hay por acá»[34].

Seguro que había miles que se encontraban en la posición del colono de Cajamarca que escribió en 1698 que, «aunque el cuerpo tengo en las Indias, el alma tengo en Navarra»[35]. Había también, desde luego, muchos que lamentaban su ausencia, como es el caso de Diego de Vargas, gobernador de Nuevo

---

[32] Enrique Otte, *Cartas privadas de emigrantes a Indias 1540-1616,* ob. cit., pág. 526.

[33] Ibíd., pág. 307.

[34] Isabelo Macías y Francisco Morales Padrón, *Cartas desde América 1700-1800,* ob. cit, pág. 187.

[35] Tamar Herzog, «Private organizations as global networks in early modern Spain and Spanish America», en L. Roniger y T. Herzog (dirs.), *The collective and the public in Latin America. Cultural identities and political order,* Sussex Academic Press, Brighton, 2000, pág. 121.

México a partir de 1688. En una de sus cartas de 1686 manifestaba lo siguiente: «Esa tyerra de España me fue madrastra», aunque se quejaba también de «los cuidados con que para pasar la vida humana en estas partes es fuerza todo un laberinto y abismo»[36].

LA CAUSA DE TODOS LOS MALES DE ESPAÑA

El Imperio contribuyó a crear la identidad de los españoles, pero, al mismo tiempo, despertó en ellos críticas profundas y constantes. Pocos aspectos provocaron tanta controversia como el descubrimiento y la colonización del Nuevo Mundo. Para quienes hoy aceptan la presencia española en el Nuevo Mundo como un relato de éxito puede resultar una sorpresa enterarse de que una fuerte corriente de opinión en la Península adoptó el punto de vista contrario (véase el capítulo 12). A pesar de las riquezas, de las oportunidades y de los nuevos horizontes, había españoles que consideraban que su país no había obtenido ningún beneficio.

Una corriente de opinión persistente en España consideraba a América la causa de todos los males posteriores. Según esta línea de pensamiento, la riqueza fácil procedente del Nuevo Mundo hizo que se perdieran las ganas de trabajar. «Nuestra España —escribió González de Cellorigo en 1600— se ha mirado tanto en el comercio de las Indias que sus habitantes han descuidado los asuntos de estos reinos, y a consecuencia de ello, España, de su gran riqueza, ha desembocado en una gran pobreza»[37]. «La pobreza de España —manifestó el canónigo

---

[36] John L. Kessel (dir.), *Remote beyond compare. Letters of don Diego de Vargas to his family from New Spain and New Mexico, 1675-1706,* University of New Mexico, Albuquerque (Nuevo México), 1989, pág. 446.
[37] Martín González de Cellorigo, *Memorial de la política necesaria y útil restauración a la república de España*, Instituto de Cooperación Iberoamericana, Valladolid, 1991, pág. 15.

Sancho de Moncada de manera aún más concluyente y sucinta en 1619— tiene su origen en el descubrimiento de las Indias»[38]. Durante los doscientos años siguientes, hubo comentaristas que repitieron estos sentimientos como si fueran la verdad revelada (véase el capítulo 12) y la opinión siempre iba acompañada por un corolario mordaz: que los extranjeros estaban robando a los españoles la riqueza americana. La crítica al papel de los extranjeros en el comercio español solía acabar en una manifestación estentórea de nacionalismo castellano: «Lo que tomamos de las Indias es nuestro —sostenían numerosos escritores—. ¿Por qué vamos a dejar que otros nos lo quiten?». «¿De qué sirve —protestaba un autor castellano en la década de 1650— el traer tantos millones de mercaderías y de plata y oro la flota y galeones con tanta costa y riesgos, si viene en permuta y trueco de hacienda de Francia y de Génova?»[39].

A principios del siglo XIX, el triunfo de los movimientos de independencia en el Nuevo Mundo retiró a América de los factores que despertaban el orgullo nacional. Las acciones militares que emprendieron a continuación las tropas españolas contra los antiguos colonos por lo general acabaron en fracasos. El colmo fue la Guerra de Cuba de 1898. El Nuevo Mundo, orgullo y gloria en la época imperial y que tanto había contribuido a la invención de España, dejó de ocupar el centro del escenario.

---

[38] Sancho de Moncada, *Restauración política de España,* Luis Sánchez, Madrid, 1619, pág. 22.

[39] Francisco Martínez de Mata, *Memoriales,* edición y nota preliminar de Gonzalo Anes, Moneda y Crédito, Madrid, 1971, págs. 149-150.

8
LA NACIÓN ÉTNICA

La raza, la hispanidad, es algo espiritual que trasciende sobre las diferencias biológicas y psicológicas y los conceptos de nación y patria. Es algo espiritual, de orden divino y humano a la vez. Es la proyección de la fisonomía de España fuera de sí y sobre los pueblos que integran la hispanidad.

ISIDRO GOMÁ, cardenal de Toledo (1934)

La grandeza que había tenido en una época el Imperio español se esfumó cuando, en 1898, después de la guerra contra Estados Unidos, perdió las últimas colonias que le quedaban: Cuba, Filipinas y Puerto Rico cayeron en poder de Estados Unidos. Como ha destacado Sebastian Balfour[1]:

La pérdida de los restos del Imperio tras el desastroso encontronazo con Estados Unidos en 1898 destruyó el mito que justificaba el Imperio, un Imperio que, en el pasado, había proporcionado a las élites españolas un propósito primordial. Para las élites económicas, había ofrecido la extracción de riqueza y la exportación de productos nacionales a las colonias; para la Iglesia, una misión evangélica continuada, y, para los militares, una posición imperial que compensaba su paga tercermundista. Este propósito desapareció cuando desapareció el Imperio.

---

[1] Sebastian Balfour, *El fin del Imperio español (1898-1923)*, Crítica, Barcelona, 1997.

191

Hacía falta otro mito que ocupara su lugar. Frustrados por el desmoronamiento de una visión que se había mantenido hasta entonces, los comentaristas se pusieron a buscar algo que, al parecer, les había servido de sostén en el pasado. Entre los escritores que manifestaron su preocupación por el llamado «problema de España» figuran Unamuno, Ganivet, Azorín, Valle-Inclán, Baroja, Antonio Machado, Maeztu y Benavente. En su búsqueda de una solución, rechazaron las respuestas que ofrecía Europa, su progreso y su ciencia, e incluso desecharon la esperanza que les brindaba «el casticismo castellano de los siglos XVI y XVII» y prefirieron depositar su confianza en la valentía de la figura de don Quijote, símbolo de la lucha, sin dejar de reconocer que don Quijote también estaba condenado al fracaso. ¿Cuál era, entonces, el pasado histórico en el que se podían inspirar? Como señaló Pedro Laín Entralgo, «todos sentirán deslizarse sus preferencias hacia una España ya inequívocamente española y ajena a la vez a nuestra gran aventura histórica, esto es, hacia la Castilla primitiva».

Sin embargo, al llegar al punto aquel de una España primitiva, los comentaristas siguieron caminos divergentes según sus ideas políticas y religiosas. Algunos políticos posteriores, como Azaña, se preocuparon por lo que llamaban «el problema nacional», mientras que los conservadores, sobre todo desde el punto de vista del más erudito de todos, el católico Menéndez Pelayo, insistían en los valores espirituales como base de la nación. Esta última tendencia fue la que buscó apoyo en una base histórica firme, es decir, en el reinado de los Reyes Católicos y en el año legendario de 1492, que siempre ha servido de inspiración a los españoles.

Hubo tres acontecimientos principales relacionados con 1492 que, al parecer, sacaron a los españoles del terreno del mito y los hicieron descender bruscamente a lo que parecía el mundo de la realidad histórica; a saber: la caída de la Granada islámica, el descubrimiento de América y la expulsión de los judíos. Los tres impusieron una ideología étnica a la España moderna y durante un tiempo colocaron la palabra «raza» en el centro del discurso. Por lo que se percibe cuatro siglos después, en 1492 fue fundamental tomar conciencia de una identidad étnica, que representaba, dentro de una nación unida, tanto el pasado medieval multirracial como la experiencia multirracial derivada de la expansión mundial. Al menos eso era lo que se percibía y, al menos en parte, parece tener sentido[2]. Sin embargo, podría decirse que lo que ocurrió en realidad fue muy diferente.

El problema de los orígenes étnicos

Hacía tiempo que los españoles estaban familiarizados con el concepto de raza, que, para muchos, seguía siendo un factor crucial para definir el carácter de la nación[3]. En el transcurso del siglo XIX, el ansia de identificar los elementos positivos del carácter de la nación alentó la difusión del romanticismo respecto al pasado islámico y del nacionalismo respecto al pasado judío. Tanto los moros como los judíos eran, según la visión romántica, parte de aquella nación compleja. Como decía Cervantes, España parecía ser «madre de naciones», tal vez el único pueblo europeo con un origen multiétnico. Esta imagen, sin embargo, presentaba algunas sombras.

Las actividades de la Inquisición y la posterior expulsión en masa de los judíos en 1492 y de los musulmanes en 1609 demostraron que la cuestión de la religión estaba profundamente conectada con los orígenes étnicos. Aunque parezca que las

---

[2] Compárese con Anthony D. Smith, *The Ethnic Origins of Nations,* B. Blackwell, Oxford, 1988.

[3] Dentro de un contexto, véase David Nirenberg, «Race and the Middle Ages», en M. Quilligan, W. Mignolo, M. Greer, *Rereading the Black Legend: The Discourses of Religious and Racial Difference in the Renaissance Empires,* University of Chicago Press, Chicago, 2007.

expulsiones estaban inspiradas en la religión, también resulta evidente que eran el final de generaciones de discriminación contra las minorías étnicas. Esto cuestiona todo el concepto del surgimiento de una nación unida. El descubrimiento de América en 1492 amplió los horizontes étnicos de España y dio origen a un panorama amplio y nuevo de complejidad racial y cultural, una situación que no tenía parangón en ningún otro Estado europeo. La sociedad española posterior a 1492 no estaba compuesta solo de los cristianos, los musulmanes y los judíos de su herencia medieval, sino que, a partir de entonces, incluía también a los indios americanos, a los afroamericanos y a innumerables asiáticos. La escala del mestizaje entre distintos grupos étnicos en el Nuevo Mundo confirmó la creación de un tipo totalmente nuevo y complejo de entorno mundial.

¿ERA RACISTA LA ESPAÑA CLÁSICA?

Debido a su compleja identidad étnica, resulta difícil estudiar la influencia que tuvo el Imperio español en la evolución y la invención de España. El único aspecto que ha sido estudiado con cierta meticulosidad es el papel del antisemitismo, un término de lo más impreciso, porque confunde el contexto religioso con el étnico. En la España medieval, los judíos formaban parte de la sociedad. Los judíos, tanto los conversos como los que no se habían convertido, desempeñaban un papel importante y era lógico que el antisemitismo estuviera presente en la política y en la cultura, porque la España del siglo XV tenía la mayor población judía de Europa. Lamentablemente, la brutal expulsión de algunos judíos en 1492 y de la mayoría de los musulmanes en 1609 complica aún más nuestra visión del contexto étnico, puesto que añade un tono marcadamente racista a las políticas públicas de la Corona española. ¿Era racista la España clásica? ¿Demuestran las expulsiones y la discriminación entre los pueblos una tendencia a la limpieza étnica? Hay espacio suficiente para que se desarrollen mitos, el más persistente de los cuales es el de la pureza de sangre.

ANTISEMITISMO Y LIMPIEZA DE SANGRE

En el siglo pasado ha circulado entre algunos literatos la opinión de que la sociedad española, en el siglo posterior a las expulsiones, estaba obsesionada con el antisemitismo y la limpieza de sangre. El escritor Juan Goytisolo contó que se dio cuenta cuando encontró un pasaje que había escrito el escritor exiliado José Blanco White para una publicación inglesa. A partir de 1821 y desde la tranquila rectoría de Ufton Nervets, en Berkshire, White redactó para el *New Monthly* una serie de retratos sobre la vida y la sociedad en la España que había conocido en su niñez y su juventud. Se publicaron al año siguiente en forma de libro, en inglés, con el título de *Letters from Spain,* y en ellos White escribía lo siguiente[4]:

> Existe entre nosotros una distinción de sangre que creo es propia de España. La menor mezcla de sangre africana, india, mora o judía mancha a toda una familia hasta la última generación, sin que el paso de los años borre el conocimiento de este hecho o lo haga desaparecer la oscuridad y humildad de las partes que tal desgracia tienen. En esta populosa ciudad [Cádiz] ni aun los niños ignoran que la Inquisición castigó por relapso en el judaísmo a uno de los antepasados de una familia. Toda persona limpia de sangre manchada es definida por la ley como «cristiano viejo, limpio de toda mala raza y mancha». La severidad de esta ley, o mejor dicho de la opinión pública que la apoya, cierra a los tachados las puertas de todo empleo en la Iglesia y el Estado.

---

[4] José María Blanco White, *Letters from Spain,* Henry Colburn and Co., Londres, 1822, pág. 30. Los comentarios de Blanco White no siempre resultan creíbles.

Cuando Goytisolo leyó este fragmento en la década de 1970, quedó convencido de que España siempre había sido antisemita y a partir de entonces declaró en repetidas ocasiones que las leyes de la pureza de sangre eran la cruz de España. Pocas ideas han arraigado tanto en los comentarios sobre la España moderna como la de la supuesta obsesión por la pureza de sangre[5]. En realidad, la obsesión no existió jamás en la forma en la que se presenta. Sin embargo, la ficción fascinante de una sociedad racista se sigue repitiendo en novelas y ensayos académicos.

Es evidente que esto está relacionado con la cuestión más amplia del antisemitismo, un prejuicio mundial que siempre ha tenido fuerza en España y que —es inevitable— sobrevive hoy en día[6]. El episodio principal relacionado con la limpieza de sangre al que siempre se hace referencia es la propuesta, hecha en Toledo en 1547, de un estatuto especial que impidiera ocupar puestos en la catedral a los sacerdotes de origen judío. El lugar, Toledo, tiene una importancia especial, porque un siglo antes, en 1449, se había hecho una propuesta similar para excluir a los judíos conversos de los cargos públicos. Un intervalo tan grande —un siglo— y la limitación de los incidentes a un solo lugar —Toledo— debería invitarnos a ser cautos antes de sacar conclusiones o de establecer una supuesta conexión entre ellos. Sin embargo, la cautela es algo de lo que muy a menudo se ha prescindido.

Algunos escritores insisten en citar el episodio de 1547 no solo como una obsesión racial, sino incluso como muestra de

---

[5] Max S. Hering Torres, «La limpieza de sangre. Problemas de Interpretación: acercamientos históricos y metodológicos», *Historia Crítica,* 45, 2011.

[6] De los diversos estudios recientes sobre el antisemitismo en la España moderna, véase Pere Joan i Tous y H. Nottebaum (dirs.), *El olivo y la espada. Estudios sobre el antisemitismo en España (siglos XVI-XX),* Max Niemeyer, Tubinga, 2003.

un racismo generalizado, a pesar de que no hay ninguna prueba documental, ya que los documentos demuestran, por el contrario, que el estatuto tropezó de inmediato con la oposición de los altos cargos, del concejo municipal de Toledo, del Consejo de Castilla, que era el máximo tribunal —que llegó a la conclusión de que «el estatuto es ynjusto y escandaloso y que de la execucion del se podrian seguir muchos inconvenientes»—, y de una reunión especial del clero castellano, que declaró que «el estatuto con el rigor que se haze tiene ynconvenientes grandes y en la execucion del se mostraria cada dia mayores»[7]. Tampoco se menciona que Felipe II —entonces gobernaba España, pero aún no era rey— suspendió el estatuto, que solo pudo seguir adelante nueve años después. La opinión de buena parte de la élite castellana siempre estuvo en contra del estatuto. Según el biógrafo de Felipe II, Cabrera de Córdoba, era «aborrecido de los que dan reglas de buen gobierno» e informaba que las Cortes sentían un «odio inmortal» contra la medida[8]. Sus declaraciones reflejan la impresionante oposición a las ideas de «limpieza de sangre» que reinaba en Castilla.

Se siguió practicando la política de discriminación mediante pruebas de sangre —la gente tenía que demostrar que sus abuelos no eran de origen judío—, pero en pocos sitios. Cabe mencionar cuatro motivos para que tuviera una aplicación tan limitada. En primer lugar, muy pocas instituciones compartían la política de discriminación a través de estatutos de limpieza de sangre: por ejemplo, menos de una sexta parte de los obispados de España. Durante el siglo XVI, esta política era desconocida en casi toda España y prácticamente solo existía en Castilla. En segundo lugar, siempre fue muy controvertida y nunca se aceptó del todo. El propio Papa, que había aprobado a rega-

---

[7] Todos los documentos citados aquí se pueden consultar en el Archivo General de Simancas, Cámara de Castilla, leg. 291, f. 1.

[8] L. Cabrera de Córdoba, *Filipe Segundo, rey de España,* 4 vols., Edición publicada de Real Orden, Madrid, 1876-1877, vol. I, pág. 47.

ñadientes el estatuto de Toledo, la criticó por ser contraria al derecho canónico y al orden eclesiástico. En España se desencadenó un debate permanente, dirigido, sobre todo, contra los estatutos. En tercer lugar, donde los estatutos estaban en vigor, quienes querían evitarlos lo hacían, recurriendo a sobornos o a pruebas fraudulentas.

Por último, incluso donde los estatutos estaban en vigor, en la práctica los españoles los pasaban por alto. En Toledo, en 1557, un año después de que Felipe II permitiera finalmente la entrada en vigor del famoso estatuto de 1547, se nombró canónigo de la catedral a un judío converso. El rey solía pasar por alto los estatutos en los lugares en los que existían y a veces incluso se saltaba las normas. Por ejemplo, nombró caballero de la Orden de Santiago a un famoso veterano de la Guerra de Flandes, al tiempo que ordenaba que no se investigara su pureza de sangre[9]. Además —y esto es bien sabido—, los municipios y las catedrales que tenían estatutos de limpieza cuando les convenía los pasaban por alto sistemáticamente. La catedral de Murcia adoptó un estatuto en 1517, pero no lo aplicó hasta ochenta años después. El Ayuntamiento de Toledo tenía un estatuto desde el año 1566, pero las familias de conversos destacadas siguieron ocupando puestos en el ayuntamiento sin ningún problema durante todo ese período[10]. En Cuenca, que tenía una larga tradición de antisemitismo, a finales del siglo XVI las familias de los judíos conversos de hecho ocupaban el 50 por ciento de los puestos municipales[11]. Una cosa era la adopción de los estatutos y otra muy diferente su implementación[12].

---

[9] El capitán era Julián Romero. Véase Luis Cabrera de Córdoba, *Filipe Segundo, rey de España,* vol. II, pág. 429.

[10] Linda Martz, «Pure blood statutes in sixteenth-century Toledo: implementation as opposed to adoption», *Sefarad,* núm. 64, i, 1994, págs. 91-94.

[11] P. L. Lorenzo Cadarso, «Oligarquías conversas de Cuenca y Guadalajara (siglos XV y XVI)», *Hispania,* núm. 186, 1994, pág. 79.

[12] Enrique Soria Mesa, *La realidad tras el espejo. Ascenso social y limpieza de sangre en la España de Felipe II,* Universidad de Valladolid, Valla-

En todos estos años hubo, pues, una ambivalencia profunda acerca de la implementación de la exclusión. En principio, era posible que los conversos, fueran o no castigados por la Inquisición, quedaran excluidos de muchos órganos importantes; en la práctica —dan fe de ello las principales autoridades constitucionales de la época—, no fue así. Un juez destacado de la época, Castillo de Bobadilla, observaba que en Castilla los conversos podían acceder a los puestos municipales, y otro jurista, Pedro Núñez de Avendaño, comentaba que los conversos a veces quedaban, en teoría, excluidos de «los cargos públicos, pero en la práctica se les admite con libertad»[13]. Durante todo el período, encontramos conversos como alumnos y también como profesores en las principales universidades. Domínguez Ortiz ha llegado a la conclusión de que «jamás se alzaron barreras legales contra los descendientes de los conversos».

En síntesis, la idea de una sociedad y una Inquisición dominadas por la preocupación por la limpieza de sangre no tenía ninguna base real. En sus últimos años, Felipe II trató de eliminar los estatutos existentes. Las normas sobre la pureza de sangre siguieron vigentes en varias partes de España hasta el siglo XIX y afectaron a numerosos individuos en diversos grados, nada desdeñables, por cierto, aunque para entonces eran, por naturaleza, un medio para excluir a quienes competían por los puestos, más que un instrumento racial[14]. La verdadera preocupación

---

dolid, 2016, afirma que «en una etapa supuestamente cerrada, fanatizada y dominada por la honra, los conversos fueron omnipresentes en la administración del estado; en el clero, bajo, medio y alto; en el ejército». Véase un estudio general en Juan Hernández Franco, *Sangre limpia, sangre española,* Cátedra, Madrid, 2011.

[13] Citados ambos en B. González Alonso, *Sobre el Estado y la administración de la Corona de Castilla en el Antiguo Régimen,* Madrid, 1981, pág. 71.

[14] Compárese con Ruth MacKay, «*Lazy, Improvident People*». *Myth and Reality in the Writing of Spanish History,* Ithaca, 2006, pág. 185: La discriminación «tenía en cuenta el poder y el estatus, más que la raza o la religión».

que impulsó a las instituciones a mantener los estatutos fue la cuestión del honor, de defender los valores sociales, que —se temía— los recién llegados ponían en peligro, sobre todo si eran de origen semita[15]. La Inquisición solo desempeñó un papel indirecto en el proceso de discriminación racial y en el siglo XVII inició —aunque parezca increíble— su propia campaña para abolir todas las leyes contra los judíos[16].

El tema de los estatutos de limpieza atañe a cuestiones que se pueden enfocar desde distintos puntos de vista. Un problema fundamental surge de una confusión lamentable entre la cuestión de la pureza de sangre y el problema, muy diferente y, sin duda, mucho más profundo, del antisemitismo, en el cual la Inquisición tenía, evidentemente, una responsabilidad compartida con el resto de la población española. El tema es, desde luego, pura ficción: una de las aventuras del héroe favorito de Pérez-Reverte, el capitán Alatriste, ambientada en tiempos de Felipe IV, se titula *Limpieza de sangre,* pero no es más que una novela policíaca.

LA CUESTIÓN DEL MESTIZAJE

La dimensión semítica de la discriminación social llegó a ser, con el tiempo, solo una pequeña parte del problema complejo del mestizaje. Debido a la envergadura de sus intereses mundiales, a partir de finales del siglo XV la sociedad española tuvo que encontrar un lugar no solo para los judíos y los musulmanes, sino también para una inmensa variedad de culturas no europeas. Dentro de la Península, siguió habiendo problemas

---

[15] Véase un buen estudio reciente sobre el tema en Juan Hernández Franco, *Cultura y limpieza de sangre en la España moderna,* Murcia, 1996.

[16] Henry Kamen, «Una crisis de conciencia en la edad de oro en España: La Inquisición contra "Limpieza de Sangre"», *Bulletin Hispanique,* t. 88, núms. 3-4, 1986, págs. 321-356.

de integración cultural: constantemente se reprimía a los moriscos, se marginaba a los gitanos y el antisemitismo jamás perdió fuerza. Sin embargo, fuera de la Península había un acercamiento notable entre los españoles y los pueblos de sus colonias. En Filipinas, la minúscula población española no crecía y había muy pocas mujeres españolas. Incluso en 1637, en Manila solo había 150 familias españolas en el distrito amurallado, una cantidad demasiado pequeña al cabo de unos ochenta años de colonización. En cambio, había más de 20.000 colonos chinos. Por consiguiente, debido a la falta de mujeres europeas, los colonos se veían obligados a casarse con asiáticas, lo que no tardó en dar lugar a una población mestiza. Mientras tanto, la población aborigen tagala fue maltratada: según un informe de finales del siglo XVI, los sacerdotes españoles de Luzón «tratan a los nativos peor que si fueran perros o esclavos».

En el continente americano se daba una situación similar: los españoles que no llevaron a sus familias tuvieron que casarse con mujeres de otro origen. En una ley de 1514, el rey Fernando había aprobado el matrimonio mixto entre indios y españoles: «[Que nada] pueda impedir —insistió— el matrimonio entre los indios con españoles, y que todos tengan entera libertad de casarse con quien quisieren». El resultado fue que los mestizos desempeñaron un papel mucho más positivo de lo que habrían querido los españoles puros[17], lo que facilitó el contacto entre la cultura española y la indígena. «Aunque allá os parecerá cosa recia en haberme casado con india —escribió en 1571 un comerciante de México a su familia—, acá no se pierde honra ninguna porque es una nación la de los indios tenida en mucho»[18].

---

[17] Olivia Harris, «Ethnic identity and market relations: Indians and mestizos in the Andes», en Larson y Harris, *Ethnicity, Markets and Inmigration in the Andes,* Duke University Press, Durham (Carolina del Norte), 1995, pág. 358.

[18] Enrique Otte, *Cartas privadas de emigrantes a Indias 1540-1616,* ob. cit., pág. 61.

En la actualidad, los historiadores siguen investigando sobre el racismo y la noción de sangre en la sociedad colonial española, pero lo cierto es que la noción de «limpieza de sangre», en el sentido que se le daba a estas palabras en su contexto español, no tardó en dejar de ser un problema importante. Siempre siguió habiendo discriminación y opresión —es una consecuencia lógica de la desigualdad de poder y riqueza en toda la sociedad colonial—, pero en las colonias americanas la población de todas las razas logró alcanzar un nivel impresionante de movilidad racial[19]. A pesar de las barreras que encontraron, los mestizos llegaron a desempeñar un papel de suma importancia en la sociedad colonial.

Esto nos conduce a lo que tal vez sea la novedad más importante que produjo el Imperio en la identidad étnica hispánica: la práctica de la esclavitud. La esclavitud africana ya era una institución arraigada en la península Ibérica en el siglo XV, debido a los contactos cada vez más frecuentes de sus habitantes con las costas africanas. Con ayuda de los portugueses, España promovió la expansión de la esclavitud africana al Nuevo Mundo y también a la Península. El tema es muy amplio, pero no nos concierne de forma directa (véase el capítulo 7)[20]. A pesar de lo mucho que sufrieron, los africanos pudieron luchar hasta alcanzar cierto estatus; muchos se españolizaron y se fundieron en el mundo hispánico. Los negros, tanto los esclavos como los libres, conservaron lo que pudieron de su cultura y de este modo trataron de protegerse de aquel entorno nuevo y salvaje. Millones de súbditos negros bajo el dominio español compartieron esta cultura durante todo el período que duró el Imperio. Es oportuno destacar la realidad de la identidad negra, así como su aportación crucial a la cultura y la sociedad del mundo hispánico.

---

[19] La tesis de Tannenbaum ha dejado de ser viable, pero nos sigue haciendo reflexionar.

[20] Josep M. Fradera y C. Schmidt-Nowara (dirs.), *Slavery and Antislavery in Spain's Atlantic Empire,* Berghahn, Nueva York, 2013.

ESPAÑA Y EL CONCEPTO DE RAZA

Un elemento clave, pues, en la percepción que tenía España de sus identidades étnicas era el Nuevo Mundo. Reducidos a un papel menor en la política europea, los españoles buscaron apoyo en lo que muchos consideraban su mayor logro: la colonización y la civilización del Nuevo Mundo. En el año 1892, justo cuatro siglos después de la fecha del descubrimiento, se intentó llegar a un nuevo entendimiento entre España y sus antiguas colonias a través de instituciones culturales y de la diplomacia. Un concepto que se empezó a usar para definir la relación con América fue el de raza.

La palabra «raza» no significa lo mismo en inglés y en francés. El sociólogo francés Gobineau (1816-1882) había sostenido que la humanidad se dividía en tres grandes grupos biológicos. En el siglo posterior, la palabra había adquirido significados específicos según la preferencia local: se identificaba con el color de la piel, con el origen regional, con la cultura, con la práctica religiosa y con el estatus social. Estas categorías eran de gran utilidad cuando se utilizaban para explicar las actitudes entre distintas comunidades en sociedades tan complejas como lo había sido la española a lo largo de toda su Historia. Sin embargo, en el siglo XX todos los expertos se han puesto de acuerdo en que el concepto de raza no tiene ninguna validez científica cuando se trata de distinguir entre seres humanos. Ya no son válidas expresiones como «la raza judía». La manifestación más clara de esta conclusión fue la Declaración sobre la Raza y los Prejuicios Raciales hecha por la UNESCO en 1978: «Todos los seres humanos pertenecen a la misma especie y tienen el mismo origen. Nacen iguales en dignidad y derechos y todos forman parte de la humanidad».

Evidentemente, estos sentimientos coinciden con los de Bartolomé de las Casas, quien había criticado sin piedad las actividades de los colonos en el Nuevo Mundo, donde, decía, «nuestro trabajo era exasperar, arrasar, matar, aplastar y destruir». Las Casas insistía en varias de sus obras y, de forma explícita, en *Apologética historia sumaria,* que aquella humanidad común debería haber hecho iguales a los españoles y a los nativos:

> Todas las naciones del mundo son hombres, y de todos los hombres y de cada uno dellos es una, no más, la definición, y esta es que son racionales; todos tienen su entendimiento y su voluntad, y su libre albedrío, como sean formados a la imagen y semejanza de Dios. Todos los hombres tienen sus cinco sentidos exteriores y sus cuatro interiores, y se mueven por los mismos objetos dellos; todos tienen los principios naturales o simientes para entender y aprender y saber las ciencias y cosas que no saben. Así que todo linaje de los hombres es uno, y todos los hombres cuanto a su creación y a las cosas naturales son semejantes.

En la España moderna, la ambición de pertenecer a una categoría excepcional de españoles ha permitido a un puñado de escritores expresar sus ideas acerca de por qué son diferentes, al menos en cuanto a su origen, de los demás españoles. Un ejemplo destacado fueron los escritos de Sabino Arana, el primer teórico del nacionalismo vasco, quien creía que los vascos eran diferentes del resto de los españoles, que estaban contaminados por su historia, «ya que moros y judíos habían habitado durante muchos siglos en España y cruzádose con la población indígena». Los castellanos eran, según Arana, «nuestros moros». Como repetían algunos nacionalistas, los vascos tenían una sangre especial y no formaban parte de la nación española. En el mismo período, los nacionalistas gallegos apoyaban las teorías que afirmaban que su pueblo pertenecía a una raza diferente. Se consideraba que la raza gallega era de origen celta y se daba prioridad a los restos arqueológicos que lo demostraban. El anhelo de ser excepcionales fue un duro golpe para la evolución centenaria de los pueblos peninsulares hacia un carácter, una fusión, que fuera común a todos ellos. Incluso en Cataluña, donde los movimientos nacionalistas no han hecho hincapié en el elemento étnico, un puñado de dirigentes insisten en que hay diferencias culturales entre ellos y los demás españoles. Un periodista de derechas, Quim Torra —en 2017 fue nombrado presidente de la Generalitat—, tenía puntos de vista agresivos sobre la superioridad racial de los catalanes. En un artículo que escribió en el 2012 llamaba «bestias» a los castellanos que vivían en Cataluña:

> Bestias con forma humana, sin embargo, que beben odio. Un odio perturbado, nauseabundo. Están aquí, entre nosotros. Les repugna cualquier expresión de catalanidad. Es una fobia enfermiza. Viven en un país del que lo desconocen todo: su cultura, sus tradiciones, su historia. Se pasean impermeables a cualquier evento que represente el hecho catalán. Les rebota todo lo que no sea español y en castellano.

Las diferentes etapas de la inmigración a la Península posterior a la de los romanos han hecho que constantemente surgieran teorías sobre quiénes eran en realidad los españoles. Las teorías recientes, basadas en datos genéticos poco sólidos y en mucha especulación, han llegado incluso a afirmar que todos los españoles descienden de los árabes, mientras que en el *American Journal of Human Genetics,* a finales de 2008, un equipo de biólogos llegó a la conclusión de que el 20 por ciento de la población actual de España y de Portugal es de ascendencia sefardita.

LA «RAZA HISPÁNICA»

Después de la derrota humillante que sufrieron ante Estados Unidos, los Gobiernos de España comenzaron a soñar con recuperar una posición en el mundo e hicieron hincapié en una perspectiva que esperaban compartir con las naciones de Hispanoamérica, es decir, la celebración del descubrimiento de América[21]. Lo poco que quedaba de los sueños de una cultura universal se convirtieron, después de 1898, en el concepto de raza y en la idea de armonía racial entre los pueblos. Seguía siendo un concepto revanchista, basado explícitamente en la superioridad de «la raza hispánica», fuera lo que fuese que aquello significase, pero reconocía que, bajo el paraguas de la hispanidad, cabían muchos pueblos y tradiciones y en ese sentido se había llegado lejos para afirmar la identidad histórica de España y su lugar en el mundo.

Ya hemos visto que, para muchos de los colonos del Nuevo Mundo, la España lejana empezaba a seguir los lineamientos de una nación identificable, pero este proceso también actuó en la dirección contraria, porque muchos españoles de España comenzaron a reconocer que habían conseguido una identidad precisamente porque mantenían una relación estrecha con el Nuevo Mundo. ¿Qué compartía España con sus antiguas colonias? La idea de pertenecer a la misma raza[22]. ¿Y qué era la raza, exactamente? Aquel era el gran debate. Lo que los escritores españoles de finales del siglo XIX entendían por «raza» no tenía nada que ver con el linaje, la sangre ni el color, sino que hacía referencia a la cultura y la civilización españolas que habían evolucionado en el Nuevo Mundo. La raza era un concepto atlántico. Un historiador reciente explica que «la constatación de la existencia de una raza transatlántica, desde el punto de vista del hispanoamericanismo español, estaba basada en la creencia previa en un carácter nacional; para que España pu-

---

[21] En lo que sigue, me baso en el excelente trabajo de Ilan Rachum, «Origins and Historical Significance of the Día de la Raza», *Revista europea de estudios latinoamericanos y del Caribe,* núm. 76, abril de 2004.

[22] Isidro Sepúlveda, *El sueño de la madre patria: hispanoamericanismo y nacionalismo,* Centro de Estudios Hispánicos e Iberoamericanos, Marcial Pons, Madrid, 2005.

diera haber trasplantado su identidad a América era necesario que la tuviera con anterioridad»[23].

Varios escritores sostenían que había un «espíritu nacional» especial, cuya peor amenaza procedía del expansionismo agresivo de Estados Unidos. Este espíritu, que tenía raíces étnicas, era superior al materialismo despiadado y representaba unos valores religiosos e intelectuales. La raza —sostenía Unamuno— «tiene un sentido histórico, espiritual y no antropológico, no material». Aquellos valores específicamente hispánicos eran de origen romano y habían estado presentes desde la época de Séneca, según Ganivet. Para Menéndez Pidal, los valores procedían del cristianismo y estaban implícitos en la religión de los españoles. Eran los valores que fortalecieron a la América creada por los españoles. De hecho, los dirigentes que habían liberado a las colonias americanas se habían basado también en el espíritu de la raza. La máxima personificación de aquel ideal español, según Unamuno, era Simón Bolívar, un héroe verdaderamente hispánico, hasta el punto de que las colonias recién liberadas eran una prolongación más de los éxitos de la raza.

En su ensayo sobre la hispanidad, Ramiro de Maeztu afirmaba lo siguiente:

> Lo que llamamos raza no está constituido por aquellas características que puedan transmitirse al través de las obscuridades protoplásmicas, sino por aquellas otras que son luz del espíritu, como el habla y el credo. La Hispanidad está compuesta de hombres de las razas blanca, negra, india y malaya, y sus combinaciones, y sería absurdo buscar sus características por los métodos de la etnografía.

Diversos escritores latinoamericanos, como José Enrique Camilo Rodó y Rubén Darío, manifestaron su indignación ante el expansionismo estadounidense, adoptando la causa y la cul-

---

[23] Ibíd., pág. 191.

tura del país al que antes se habían opuesto: la España imperial. Como dijo Darío: «Yo, que he sido partidario de Cuba libre, soy amigo de España en el instante en que la miro agredida por un enemigo brutal que lleva como enseña la violencia, la fuerza y la injusticia». La sombra amenazadora de Estados Unidos, que había destruido el Imperio español y parecía estar a punto de determinar el futuro de sus antiguas colonias, estaba produciendo alarma. En 1910, en un banquete en Montevideo, Rodó habló a favor de «el sacro sentimiento de la raza que unía a los españoles y a los hispanoamericanos». A partir de 1913, México y otros países hispanoamericanos adoptaron otra forma de celebrar los viajes de Colón a América y lo llamaron el «Día de la Raza»[24].

Cada país latinoamericano tenía razones específicas para festejar el Día de la Raza y muchos de los decretos que imponían la fiesta hacían referencia a España. El decreto aprobado en Argentina en 1917 mencionaba «esa festividad en homenaje a España, progenitora de naciones, a las cuales ha dado, con la levadura de su sangre y con la armonía de su lengua, una herencia inmortal que debemos afirmar y mantener». Colombia estableció el Día de la Raza en nombre de «los pueblos que recibieron de España la hermosa trilogía de la sangre, la lengua y la religión». Con la aprobación de las Cortes y del rey Alfonso XIII, a partir de junio de 1918 el día se celebró con ese nombre en España. Sin embargo, al cabo de una década los sectores conservadores tomaron medidas para cambiar el nombre por el de «Día de la Hispanidad», para rendir homenaje específicamente a la contribución de España a la civilización occidental. El cambio de nombre se produjo formalmente en

[24] Se ha escrito mucho sobre la evolución de los conceptos de raza y de nación: para Hispanoamérica, véase Claudia Leal y Carl Langebaek, *Historias de raza y nación en America Latina,* Universidad de los Andes, Bogotá, 2010. No hay ningún estudio adecuado sobre la evolución de estos conceptos en la península Ibérica.

1958 y su principal promotor fue el escritor Ramiro de Maeztu. En 1934 se publicó su libro clave, *Defensa de la Hispanidad,* según el cual la hispanidad era la esperanza del mundo:

> Al descubrir las rutas marítimas de Oriente y Occidente hizo la unidad física del mundo; al hacer prevalecer en Trento el dogma que asegura a todos los hombres la posibilidad de salvación, y por tanto de progreso, constituyó la unidad de medida necesaria para que pueda hablarse con fundamento de la unidad moral del género humano. Por consiguiente, la Hispanidad creó la Historia Universal, y no hay obra en el mundo, fuera del Cristianismo, comparable a la suya. [...] Percibimos el espíritu de la Hispanidad como una luz de lo alto.

Esta interpretación conservadora de la «raza» contó posteriormente con el respaldo del régimen de Franco y se sumó a otros mitos extravagantes para tratar de aportar cierto fundamento filosófico a algo que no lo tenía. En 1941, el propio Franco escribió una novela más o menos autobiográfica titulada *Raza,* con el seudónimo de Jaime de Andrade, que mostraba tendencias filosemíticas y en la que la figura que representaba a Franco alababa expresamente la cultura de una España medieval en la cual cristianos, judíos y árabes habían convivido en un clima tolerante de paz. La negativa de Franco a aprobar leyes contra los judíos, como le pedía Hitler, que aceptara la entrada en España de los judíos que huían de Francia y su exhibición pública de una Guardia Mora a caballo —recuerdo perfectamente que la vi por las calles de Madrid en la década de 1960— demuestran que la visión mítica de una raza en «el país de las tres culturas» era algo que se defendía en los círculos políticos más altos. Los aspectos filosemíticos de la raza en España tenían que coexistir con una corriente poderosa de antisemitismo a todos los niveles, pero cosechó importantes beneficios: en 1964 se estableció el Museo Sefardí en la sinagoga medieval del Tránsito y en 1968 se inauguró en Madrid la nueva sinagoga de la calle Balmes. Con respecto a la apertura de la sinagoga, el Ministerio de Justicia emitió un comunicado que explicaba que el decreto de expulsión de los judíos de España de 1492 se consideraba abolido desde que un decreto de 1869 estableciera en el país la libertad de cultos.

Tanto el mito de la hispanidad como el Día de la Raza cambiaron de nombre cuando, en la década de 1970, España dejó de tener un Gobierno autoritario para entrar en una fase democrática. Eran aspectos que no llegaron a arraigar en la invención de la España moderna. Se evitaba la palabra «raza», porque recordaba ideologías biológicas y políticas relacionadas con la Alemania nazi. Se dio un nuevo enfoque a la visión imperial, y el hincapié en los logros del siglo XVI se hizo en la cultura y en la lengua, más que en el chovinismo. En 1991 se creó el Instituto Cervantes como una serie de centros destinados a difundir la cultura española. Su símbolo, que había estado en el centro de la ideología imperialista de 1900, era la figura de don Quijote, cuya valiente lucha contra los molinos de viento representaba en cierto modo el esfuerzo de España de luchar contra los fantasmas de su pasado. A pesar de la impresionante complejidad de los orígenes étnicos de los territorios hispánicos, los conceptos de unidad social basados en la noción de raza nunca tuvieron demasiada importancia.

9
LA LENGUA DEL IMPERIO

La sangre de mi espíritu es mi lengua
y mi patria es allí donde resuene
soberano su verbo.

MIGUEL DE UNAMUNO,
Rosario de sonetos líricos

Dicen que, cuando el humanista Antonio de Nebrija le ofreció un ejemplar de su recién publicada *Gramática de la lengua castellana,* la reina Isabel quedó desconcertada y preguntó para qué servía. Corría el año 1492. Intervino entonces su confesor, fray Hernando de Talavera, obispo de Ávila, y le dijo lo siguiente: «Después de que Su Alteza haya sometido a pueblos bárbaros y naciones de lenguas diversas, con la conquista llegará para ellos la necesidad de aceptar las leyes que el conquistador imponga a los conquistados y entre ellas se encontrará nuestro idioma». Era casi evidente que, cuando un país se expandía, llevaba consigo su lengua. Casi un siglo después, en 1580, otro escritor manifestaba con orgullo los mismos sentimientos: «Hemos visto a la majestuosidad del idioma español extenderse hasta las provincias más lejanas a las que las banderas victoriosas de nuestros ejércitos hayan ido».

Los españoles nunca dejaron de admirarse de que la lengua de su pequeño rincón de Europa se convirtiera en el idioma común de millones de hablantes en América y en Asia, y aquel orgullo dio lugar a un mito que, en el siglo XXI, sigue siendo tan fuerte como siempre. ¿Fue la lengua una compañera del Imperio? El uso en todas partes de la lengua española parecía una reivindicación del poder, la cultura y el triunfo universal de España, de modo que el mito pasó a formar parte de otros mitos. La lengua se consideró el triunfo más universal, más profundo y más duradero de España durante la época imperial. En lo más profundo de la decadencia del Imperio, en el siglo XVII, Baltasar Gracián aún podía afirmar que había dos idiomas universales, el latín y el español, «los cuales son en nuestros días las llaves del mundo». Esto no era cierto, sin duda —el español no era una lengua común en Europa y los diplomáticos solían usar el francés o el italiano—, aunque siguió siendo un consuelo para quienes sentían nostalgia de la grandeza del pasado.

Si buscamos los elementos que inventaron España y que reunieron a los españoles, no había nada más fundamental que la lengua que compartían, pero, ¿hasta qué punto tenían los españoles una lengua común? Además, ¿triunfó realmente en España y en el imperio mundial? Las respuestas no son tan sencillas como cabría esperar[1].

LA LENGUA CASTELLANA COMO BASE IDENTITARIA

Cuando el pueblo español se aglutinó, se identificó con una lengua hablada y escrita: el castellano o la lengua de Castilla. Sin embargo, ¿fue esa lengua la base de su identidad? «Cada vez que aflora la cuestión de la lengua —escribió el pensador político italiano Antonio Gramsci—, quiere decir que empiezan a saltar a primer plano una serie de problemas distintos». Pongamos un ejemplo muy sencillo: la identificación de la lengua con la nación. A principios del siglo XVII, Enrique IV de Francia declaró: «En verdad pienso que todos los pueblos que

---

[1] Véanse distintas perspectivas en José del Valle (dir.), *A Political History of Spanish. The Making of a Language,* Cambridge University Press, Cambridge, 2013.

hablan francés deberían formar parte de Francia». Parece una verdad de Perogrullo, pero no lo era, porque eso habría convertido en territorio francés partes importantes de Italia, Suiza y los Países Bajos. Puede que el monarca lo dijera con esa intención. Sin embargo, lo malo era que habría separado de Francia partes importantes de Bretaña y del sur del Mediterráneo, algo que, sin duda, el rey no pretendía hacer.

Los problemas eran similares en el caso de España. Una consecuencia fundamental indudable de la identidad imperial de España fue la difusión del castellano. En el prólogo de su *Gramática,* Nebrija sostenía que «el idioma siempre acompaña al Imperio; ambos siempre han nacido, crecido y prosperado juntos». Era un sentimiento muy común en aquel momento. Nebrija copió la frase del humanista italiano Lorenzo Valla. En ese contexto, la lengua no se limitaba al vocabulario y a la gramática, sino que, además, implicaba imponer a los pueblos sometidos una cultura, unas costumbres y, sobre todo, una religión. La lengua era poder.

Generaciones de estudiosos han aceptado que la época del Imperio fue también la del florecimiento de la lengua y la cultura castellanas, en cumplimiento palpable de las intuiciones de Talavera y de Nebrija. Que en el siglo XXI el castellano sea la lengua principal de una quinta parte de la humanidad es motivo constante de orgullo para los españoles. El castellano fue un centro de identidad crucial, porque se convirtió en la lengua del Imperio, la primera lengua europea que se usó ampliamente no solo en la patria, sino en otros territorios muy alejados. Los españoles la usaban en todas partes para comunicarse entre sí y era el medio que utilizaban los escritores, el clero, los diplomáticos y los oficiales de los ejércitos internacionales de la Corona. El latín como lengua oficial del Imperio nunca compitió con el castellano, porque eran pocos los españoles que lo comprendían o lo leían y, aunque se enseñaba en las escuelas religiosas y las de las aldeas, para la mayoría de las personas e incluso para el clero era prácticamente una lengua muerta. En

1544, un profesor navarro comentaba que «pocos hay se den a leer latín por no haberle estudiado». En 1587, el autor de un diccionario castellano-latín reconocía que los españoles no sabían latín. Por el contrario, el incremento del poder imperial favoreció el uso de la lengua principal de España.

Gracias a la existencia del Imperio, el castellano disfrutaba de unas ventajas que no tenía a su alcance ninguna otra lengua europea. Las imprentas de los dos países europeos más desarrollados, Italia y los Países Bajos, pusieron sus recursos a disposición de los autores castellanos, porque sus territorios tenían vínculos políticos directos con España. A diferencia de los ingleses, que solo podían esperar que un libro en inglés se publicase en su propio país, los castellanos tenían la posibilidad de publicar en cualquiera de los reinos de la Península y también en los demás Estados de la monarquía y en Francia y en Portugal. En la década de 1540 se publicaban más libros de autores españoles fuera de la Península que dentro de ella. Aparecieron sobre todo en Amberes, Venecia, Lyon, Toulouse, París, Lovaina, Colonia, Lisboa y Coímbra[2]. En la década de 1560, cuando Felipe II quería imprimir libros de calidad, publicaba sobre todo en Amberes y en Venecia.

El mérito literario, del que se enorgullecieron las generaciones posteriores —no era para menos—, era indudable. Las obras castellanas se dieron a conocer a los europeos y las imprentas extranjeras publicaban traducciones de obras españolas. Los holandeses, por ejemplo, compartían el interés por la exploración, la navegación, las historias sobre el continente americano y sobre Oriente y, de vez en cuando, por algunas obras literarias[3], como *La Celestina*. A principios de la Edad

---

[2] Henry Thomas, «The output of Spanish books in the sixteenth century», *The Library*, núm. 1, 1920, pág. 30.

[3] Jan Lechner, *Repertorio de obras de autores españoles en bibliotecas holandesas hasta comienzos del siglo XVIII*, Hes & de Graaf Publishers, Utrecht, 2001, pág. 10.

Moderna, las bibliotecas públicas y privadas de los Países Bajos contaban con más de 1.000 ediciones de autores castellanos y con 130 ediciones de traducciones del castellano. En total, disponían de casi 6.000 ediciones de obras en todos los idiomas acerca de España[4]. Incluso en Suiza, los impresores de Basilea publicaron 114 ediciones de obras escritas por españoles entre 1527 y 1564, y 70 más entre 1565 y 1610[5]. En ningún momento, salvo por motivos de herejía o de crisis política, la Inquisición española puso obstáculos a esta impresionante producción literaria ni interfirió con ella.

La «LENGUA NACIONAL»

Al parecer, la expresión «lengua nacional» para referirse al castellano no se empezó a usar hasta el año 1884, cuando apareció en el *Diccionario* de la Real Academia de la Lengua. La Academia la distinguía de las demás lenguas que se hablaban en el país, a las que denominaba «dialectos». El hincapié que se hacía en el papel de la lengua en el siglo XIX era, al parecer, parte del autodescubrimiento de España como nación. Algunos expertos en el pensamiento político suelen aceptar que la lengua es un elemento básico de la identidad de una nación y que una nación no puede existir sin una lengua común. A partir del siglo XVIII, cuando el escritor alemán Herder recalcó que la lengua es una identidad básica de la nación, los movimientos nacionalistas hicieron mucho hincapié en la prioridad de tener una lengua común, a pesar de que esto no se sustente con lo que ha ocurrido en realidad, desde un punto de vista histórico. Podemos afirmar de forma categórica que una lengua no crea una nación. En casi todos

---

[4] Jan Lechner, op. cit., pág. 309.
[5] Carlos Gilly, *Spanien und der Basler Buchdruck bis 1600,* Helbing & Lichtenhahn, Basilea, 1985, págs. 155-273.

los casos, la invención de la nación ha precedido al uso nacional de la lengua. En todos los países europeos no se adoptó una lengua común hasta mucho después de que se establecieran las peculiaridades fundamentales de la nación y el Estado. En la Italia unificada de 1860, solo una pequeña minoría —eran menos del 3 por ciento— hablaba la lengua (toscana) que no tardaría en convertirse en la lengua nacional. En la Francia prerrevolucionaria, la mitad de la población no hablaba francés[6].

Lo mismo se puede decir de España. Aunque Nebrija hubiera tenido la previsión de redactar una gramática castellana en 1492, en aquella época menos de tres cuartas partes de la población española hablaba esa lengua y casi con seguridad más del 95 por ciento no la escribía. La variedad de lenguas que hablaba a diario un cuarto de la población de España incluía el árabe, el catalán, el vasco y el gallego. Nadie más, tanto en Europa como en el resto del mundo, hablaba castellano. Quienes defienden la idea de que España era una nación en 1492 tendrían que aceptar la triste realidad de que una lengua nacional común no era uno de sus componentes fundamentales[7].

No deberíamos ser demasiado optimistas acerca de la evolución de la mayoría de las lenguas. Se ha sugerido que «podemos encontrar uno de los secretos del predominio castellano en el triunfo de su lengua y su cultura sobre las de otras zonas de

---

[6] En el caso de Francia, véase el resumen en Fernand Braudel, *The Identity of France,* Collins, Londres, 1988, págs. 96-97. Para Italia, resulta interesante señalar que uno de los mayores impedimentos para traducir la Biblia al italiano a principios de la Edad Moderna era la falta de una lengua italiana común a la que traducirla.

[7] Véase Clare Mar-Molinero, «The role of language in Spanish nation-building», en Clare Mar-Molinero y Angel Smith, *Nationalism and the Nation in the Iberian Peninsula. Competing and Conflicting Identities,* Berg, Oxford, 1996, pág. 72.

la península»[8]. El concepto de «triunfo [...] sobre» otras lenguas y culturas parece —visto en perspectiva— inadecuado y, sin embargo, formaba y sigue formando parte del mito conservador e imperial. Las lenguas extendían su influencia cultural con mucha lentitud y España no fue una excepción con respecto al resto del continente. Se ha señalado correctamente que, «entre el siglo XV y el XVII, a menudo se pusieron en práctica programas de promoción lingüística en la mayor parte de Europa occidental y que, como consecuencia de este proceso, las principales lenguas vernáculas de la región —esto incluye al inglés, el francés, el español, el alemán, el italiano, el sueco, el portugués y el holandés— pasaron de ser dialectos fundamentalmente orales y muy localizados, con un léxico reducido e inestable, a ser las lenguas escritas muy ricas, uniformes y estandarizadas para la administración del gobierno y la producción literaria que conocemos en la actualidad»[9].

Por lo general, una lengua no se transmite a través de los libros. El éxito de la literatura impresa tenía —es evidente— una influencia de lo más limitada en un mundo en el que muy pocas personas leían libros, el índice de analfabetismo era abrumador y todos los contactos culturales importantes eran orales y no escritos. La situación de la península Ibérica era típica. Las obras españolas se podían vender muy bien en las librerías de Barcelona, pero en la calle casi todos hablaban catalán: «En Cataluña —sostenía el doctor Diego Cisteller, sacerdote de aquel principado en 1636, más de un siglo después del comienzo de la dinastía de los Habsburgo—, la plebe y vulgo no entiende el castellano». Lo mismo ocurría en las demás provincias costeras de España. Incluso en 1686, las normas para el transporte marítimo en Guipúzcoa tuvieron que estipular que

[8] J. H. Elliott, *La España imperial, 1469-1716,* Vicens Vives, Madrid, 1965, pág. 128.
[9] Alan Patten, «The Humanist Roots of Linguistic Nationalism» (artículo en Internet, enero de 2006), pág. 2.

las embarcaciones llevaran un sacerdote que hablara vasco, ya que, entre los marinos, «los más no entienden la lengua castellana».

La falta de una lengua nacional común era un fenómeno habitual en la mayoría de los Estados europeos, incluso en Alemania, Francia y España. Buena parte de los nacidos en Andalucía y Valencia (si eran de origen islámico), Cataluña, País Vasco, Navarra y Galicia no comprendían nada de castellano. Quienes se dieron cuenta del problema, a la fuerza, fueron los misioneros que trataban de comunicarse con las congregaciones de aquellas partes del país. En las zonas que habían sido musulmanas y en las que el árabe seguía siendo la lengua hablada, los misioneros trataron en vano de aprenderlo para hacer llegar su mensaje a la gente. En Cataluña, todo el clero que no era catalán se esforzó por aprender la lengua local, y los jesuitas, por ejemplo, procuraron designar solo a catalanes para trabajar en aquella región. Durante toda la época de los Habsburgo, la pluralidad de lenguas dentro de la Península no pudo por menos de ser reconocida y aceptada. Sin embargo, no tardó en adoptarse el castellano como lengua franca o lengua común de los españoles y como tal fue aceptada, sin ninguna pretensión de ser la única lengua de España. Así lo explica Gregorio Mayans en su *Orígenes de la lengua española* (1737): «Por lengua española entiendo aquella lengua que solemos hablar todos los españoles cuando queremos ser entendidos perfectamente unos de otros».

El prestigio de la lengua española

A falta de una lengua internacional, a los españoles les costaba hacerse entender fuera de su país. Por ejemplo, cuando Felipe II viajaba por Alemania, para ponerse en contacto con los demás tenía que hablar latín. En aquella época, el castellano apenas había empezado a sonar en Europa, a juzgar por el *Diá-*

logo de la lengua (h. 1536) del exiliado Juan de Valdés, que por entonces residía en Italia. Al principio de su obra, Valdés reconocía que su castellano natal tenía menos prestigio como lengua literaria que la lengua toscana (la lengua que posteriormente se conoció como «italiano»), porque la toscana «está ilustrada y enriquecida por un Boccaccio y un Petrarca [...] y como sabéis la lengua castellana nunca ha tenido quien escriba en ella con tanto cuidado y miramiento cuanto sería menester para que hombre [...] se pudiere aprovechar de su autoridad»[10]. Valdés prefería hablar y escribir en castellano, aunque no lo leía demasiado, «porque, como entiendo el latín y el italiano, no curo de ir al romance». La lengua no tardó en pasar a formar una parte necesaria del bagaje de las personas cultas, gracias al papel internacional de la monarquía española, aunque jamás alcanzó la categoría de la italiana, que, para los europeos, siguió siendo la lengua de cultura más usada.

Por poner un ejemplo, citemos el caso de Johann Ulrich von Eggenberg (1568-1634), un noble bohemio que se enamoró de España durante una visita, en 1600-1601, y que coleccionaba las obras de Cervantes y de Lope de Vega. En la actualidad, su rica colección de libros se conserva en la hermosa biblioteca del castillo de Český Krumlov, en las montañas que rodean Praga. En los años en los que adquirió obras extranjeras, reunió 28 en español y 24 en francés, aunque la mayor parte de sus compras fueron en italiano: 126 libros[11]. La cultura latina que penetró en el centro de Europa fue, a pesar del poder y de la influencia de España, sobre todo la italiana. Cuando la nobleza austríaca de la época quería ampliar sus horizontes culturales, iban a estudiar a Padua, Bolonia y Siena, en lugar de ir a España, y, cuando compraban libros extranjeros,

---

[10] Juan de Valdés, *Diálogo de la lengua,* Porrúa, México, D. F., 1966, pág. 78.

[11] J. V. Polišenský, *War and Society in Europe 1618-1648,* Cambridge University Press, Cambridge, 1978, pág. 32.

preferían obras escritas por italianos[12]. Lo mismo ocurría en Francia, donde el matrimonio, en 1614, de Luis XIII con la princesa española Ana de Austria estimuló una moda efímera de lo español en la corte. En España, Cervantes tenía la impresión —totalmente errónea— de que, como consecuencia de este matrimonio, en Francia todo el mundo empezaría a aprender castellano[13]. En realidad, se impuso la moda de la cultura italiana, que siempre había sido la mayor influencia en Francia y no perdió jamás su posición preponderante[14].

Asimismo, el español desempeñó un papel ambiguo en el continente americano. En México, por ejemplo, los frailes misioneros usaban la lengua náhuatl para su labor religiosa, aunque siempre daban preferencia al español, porque les resultaba más fácil, pero también porque se convirtió en lengua franca en zonas en las que se usaban otros dialectos indígenas. La fusión de culturas a través del español escrito siempre fue más aparente que real. Más allá de la palabra escrita, el mundo real de los indios americanos consistía en sonidos, colores y presencias que quedaban fuera del alcance de la percepción de los españoles[15]. Era un universo totalmente ajeno para los europeos, que no lo comprendían y lo rechazaban por considerarlo pagano. Como cabía esperar de una lengua europea en un ambiente extraño y complejo —los ingleses y los holandeses tuvieron

---

[12] Véase el estudio pionero de Otto Brunner, *Neue Wege der Sozialgeschichte,* Vandenhoeck & Ruprecht, Gotinga, 1956.

[13] «En Francia ni varón ni muger dexa de aprender la lengua castellana», en su *Persiles.* Una proporción increíble de la élite cultural francesa hablaba la lengua en aquella época, pero eran «una minoría minúscula»: Alexandre Cioranescu, *Le Masque et le Visage. Du baroque espagnol au classicisme français,* Librairie Droz, Ginebra, 1983, pág. 145.

[14] *L'Age d'Or de l'Influence espagnole. La France et l'Espagne a l'époque d'Anne d'Autriche 1615-1666,* París, 1991, pág. 51.

[15] Serge Gruzinski, *The Conquest of Mexico. The incorporation of Indian societies into the western world, 16th to 18th centuries,* Polity, Cambridge, 1993, pág. 91.

problemas similares en sus colonias—, el español se difundió muy lentamente. Los españoles empleaban el castellano dondequiera que fueran y hasta los vascos lo usaron en el norte de México como lengua franca. En la frontera de Nuevo México, los pueblos indígenas usaban como lengua franca una versión rudimentaria del castellano y las palabras europeas fueron entrando en su vocabulario cotidiano. Sin embargo, en la época colonial la lengua de los españoles jamás reemplazó a las indígenas entre los indios y solo se convirtió en lengua habitual por cuestiones administrativas cuando llegó a ser la única que resultaba práctico utilizar.

En Asia, el español no se arraigó en absoluto. Durante la época en la que comenzaba el comercio europeo, la lengua franca aceptada era el portugués, hablado incluso por los comerciantes asiáticos entre sí y adoptado a la fuerza por los españoles cuando querían comunicarse con los asiáticos. Las autoridades hindúes de Ceilán y los dirigentes musulmanes de Macasar hablaban y escribían en portugués[16]. Para comunicarse con otros europeos, los misioneros no portugueses por lo general hablaban portugués y, en consecuencia, no tardaron en perder fluidez en su propia lengua[17]. El jesuita navarro Francisco Javier usaba el portugués, en lugar del español, como medio principal de comunicación en Asia. En una colonia como Manila, donde los españoles eran una pequeña minoría, el castellano tenía escasas posibilidades de supervivencia. Los primeros misioneros españoles tuvieron que hacer frente al fenómeno de la preponderancia del chino. La primera obra que se imprimió en Filipinas, en 1593, fue escrita en chino por un dominico español.

El logro del clero en los estudios lingüísticos tuvo un valor fundamental, ya que en muchos casos recuperaron dialectos

---

[16] C. R. Boxer, *The Portuguese Seaborne Empire 1415-1825*, Penguin, Harmondsworth, 1973, pág. 128.

[17] J. S. Cummins, *A question of rites. Friar Domingo Navarrete and the Jesuits in China*, The Scolar Press, Cambridge, 1993, pág. 210.

que, con toda probabilidad, habrían caído en el olvido y tendieron puentes para la comunicación. El franciscano Francisco de Pareja elaboró, en 1612, el primer léxico, diseñado para el confesionario, de los dialectos timucuas que se utilizaban en el norte de Florida. Era la primera vez que esa lengua aparecía en forma impresa, pero, a efectos prácticos, también fue la última, ya que tanto los indios timucuas como su lengua no tardaron en desaparecer. Los esfuerzos etnológicos fueron admirables, pero, por lo general, de escasa utilidad. Muchas órdenes religiosas, entre ellas los franciscanos, no tardaron en interrumpir los esfuerzos de enseñar a los indios en los dialectos locales y se limitaron a enseñarles solo en castellano.

El chovinismo lingüístico era común a todos los imperios y sería injusto criticar a los españoles por seguir un camino que era bastante habitual. El clero hizo algunos intentos por mantener vivo el diálogo entre su propia lengua y la de sus feligreses. En España, sin embargo, los sacerdotes que atendían a los moriscos dejaron de tratar de aprender árabe, con lo que dependían exclusivamente del castellano, con todo lo que eso implicaba. Al recurrir siempre al uso del castellano, los sacerdotes interrumpieron el contacto con las culturas que no eran castellanas. Hasta bien entrado el siglo XVIII, los párrocos andinos predicaban sus sermones en castellano, mientras los indios escuchaban en silencio, sin comprender nada.

Algunos sacerdotes de Manila, como el dominico Domingo Fernández de Navarrete a mediados del siglo XVII, aprendieron aplicadamente el tagalo, el mandarín y el dialecto de Fukien. La primera gramática del tagalo fue un logro de Francisco Blancas: *Arte y reglas de la lengua tagala* (1610)[18]. Todas estas obras pioneras tenían un solo objetivo: ayudar a los europeos a comprender, hablar y escribir las lenguas autóctonas.

---

[18] Vicente L. Rafael, *Contracting colonialism. Translation and Christian conversion in Tagalog society under early Spanish rule,* Cornell University Press, Ithaca, 1988, pág. 26.

Por consiguiente, aplicaron un proceso unidireccional de transferencia de significado: se traducía el castellano a los términos nativos, pero, en cambio, casi no se intentó traducir los conceptos nativos al castellano. Al captar las palabras y las acciones visibles y al congelarlas dentro de un vocabulario reconocible, los misioneros de las colonias dieron origen a algo que solo se definía mediante conceptos castellanos. El resultado fue un aspecto de la influencia del Imperio que a menudo se pasa por alto: su incapacidad para comprender cómo pensaban en realidad los pueblos sometidos. Los misioneros convivieron durante décadas con los americanos y los asiáticos autóctonos, y se consideraban capaces de hablar su lengua e incluso de escribirla, pero, en determinados momentos de conflicto, de pronto se dieron cuenta de que, en realidad, no comprendían su forma de pensar. Daba la impresión de que conquistadores y conquistados hablaban la misma lengua, pero lo cierto era que vivían en dos mundos de significados muy distintos.

¿UNA LENGUA UNIVERSAL?

Con estas pocas líneas pretendo ofrecer cierto contexto histórico a la reivindicación frecuente de que, en el apogeo de su edad de oro, la lengua española dominaba el mundo occidental. No cabe duda de que, durante el período que abarca este libro, el imperio mundial más destacado era el español, que tenía asentamientos y fortalezas en los cinco continentes. Sin embargo, como ya hemos observado, la única lengua que tenía en Europa alguna pretensión de universalidad cultural era el italiano, al que no tardó en sustituir, a partir del siglo XVII, el francés. El italiano era, después del latín, la lengua más hablada por los diplomáticos de la Europa renacentista[19]. Lo usaban,

---

[19] Véase Miguel Ángel Ochoa Brun, *Historia de la diplomacia española,* 6 vols., Ministerio de Asuntos Exteriores, Madrid, 1999, vol. IV, pág. 502.

lo leían, lo estudiaban y lo hablaban las élites desde Londres hasta Bruselas y desde Viena hasta Varsovia.

El español era, sin duda, ampliamente usado, pero su papel ha quedado distorsionado a menudo por opiniones que no estaban al corriente de un incidente que tuvo lugar en el año 1536, cuando el emperador Carlos V pronunció un discurso en español en Roma, en presencia del Papa y de los representantes diplomáticos de la ciudad. Quienes al parecer no han leído el discurso o desconocen las circunstancias en las que fue pronunciado han llegado al extremo de afirmar que el emperador estaba reivindicando la lengua española ante toda Europa, pero, en realidad, el contexto era bastante diferente.

El año anterior, 1535, había sido un año de esplendor militar, cuando el emperador y sus aliados italianos lograron capturar la ciudad de Túnez, en la costa del norte de África. En marzo de 1536, el emperador aceptó la invitación del Papa para tratar algunos problemas comunes y el 5 de abril se encontraba en Roma. Dos días antes, las tropas francesas habían cruzado la frontera y habían entrado en Italia, de modo que Francia y el emperador se encontraban en estado de guerra. El 17 de abril, Carlos se dirigió a una asamblea de cardenales y diplomáticos en presencia del Papa. Su alocución es el único discurso público que hizo el emperador en español en Europa y también es la base de una reclamación presentada varias veces en el siglo XX de que el emperador declaraba que el español era la lengua oficial y universal. En su *Idea imperial,* Menéndez Pidal manifestaba lo siguiente respecto a la lengua española[20]:

[...] comenzó a ser usada por todas partes, sobre todo desde que Carlos V la hizo resonar en un parlamento ante el papa Paulo III, el 17 de abril de 1536. Así, el emperador, que a los dieciocho

---

[20] Ramón Menéndez Pidal, *Idea imperial de Carlos V,* Espasa-Calpe, Madrid, 1955, pág. 31.

Alejo Vera y Estaca, *Numancia* (1880-1881). Museo del Prado.

José de Madrazo y Agudo, *La muerte de Viriato, jefe de los lusitanos* (1807). Museo del Prado.

Francisco de Paula van Halen, *Batalla de Las Navas de Tolosa* (1864). Palacio del Senado.

Representación de los guerreros cristianos desafiando a los moros desde la cueva de Covadonga.

La Alhambra de Granada inspiraba en Occidente una visión idílica del islam hispánico.

Francisco Pradilla Ortiz, *La rendición de Granada* (1882). Palacio del Senado.

Juan Luna, *Combate naval de Lepanto* (1887), con don Juan de Austria sobre el castillo de proa. Palacio del Senado.

Dióscoro Teófilo de la Puebla, *Primer desembarco de Cristóbal Colón en América* (1862). Ayuntamiento de La Coruña.

España como cabeza de Europa, vista por el protestante alemán Heinrich Bünting, *Europa Prima Pars Terrae in Forma Virginis* (1581).

El encuentro de Atahualpa y Francisco Pizarro en Cajamarca. Detalle de Felipe Guamán Poma de Ayala, *Nueva crónica y buen gobierno* (hacia 1600).

Tiziano. Retrato ecuestre de Carlos V después de la batalla de Mühlberg, 1547.

Arturo Fernández Cersa, *María Pita cargando contra los ingleses* (1889). Ayuntamiento de La Coruña.

Juan Gálvez, *Agustina de Aragón* (1810). Museo Lázaro Galdiano.

January Suchodolski, *El asalto de Zaragoza* (1845). Museo Nacional de Polonia, Varsovia.

Diego Velázquez, *Las lanzas o La rendición de Breda* (hacia 1635). Museo del Prado.

José Casado del Alisal, *La rendición de Bailén* (1864). Museo del Prado.

Francisco de Goya, *Auto de fe de la Inquisición* (hacia 1814-1816). Real Academia de Bellas Artes de San Fernando.

Ricardo Balaca, *La batalla de Almansa* (1862). Museo del Prado.

José Aparicio e Inglada, *El año del hambre de Madrid* (1818). Museo del Prado.

años no hablaba una palabra de español, ahora, a los treinta y seis años, proclama la lengua española lengua común de la Cristiandad, lengua oficial de la diplomacia, dato esencial para juzgar la idea de Carlos V.

Lo que realmente ocurrió en Roma aquel día de primavera de 1536 no tiene nada que ver con lo que imaginaba Menéndez Pidal[21]. Carlos V estaba muy disgustado con Francia por haber quebrantado la paz y sorprendió a la asamblea al negarse a hablar en su propia lengua: el francés. En su lugar, habló en castellano. El público quedó anonadado, porque no esperaban que les hablara en una lengua que los diplomáticos apenas usaban. El obispo de Mâcon, uno de los representantes de Francia ante el Papado, pidió al emperador el texto de su discurso, porque él no entendía el castellano, a lo que Carlos respondió con laconismo: «Señor obispo, entiéndame si quiere, y no espere de mí otras palabras que de la lengua española, la cual es tan noble que merece ser sabida y entendida de toda la gente cristiana». Su intención no fue reivindicar el castellano, sino hablarlo precisamente para sacar de sus casillas al obispo, que no podía comprender lo que decía. Al día siguiente, cuando se le pasó la cólera, el emperador mandó llamar en privado a los dos embajadores franceses, aunque siguió negándose a hablar francés, y les hizo un resumen oral, *«in italiano buonissimo»,* de lo que había dicho en castellano.

A partir de entonces, Carlos V no pronunció ningún otro discurso en castellano fuera de España y el castellano nunca llegó a ser la lengua oficial de la diplomacia internacional. Su norma era hablar siempre en francés, tanto en Alemania como

---

[21] Véase más información en Miguel Martínez, «Language, nation and empire in early modern Iberia», en José del Valle (dir.), *A Political History of Spanish: The Making of a Language,* Cambridge University Press, Cambridge, 2013.

en los Países Bajos. Era la lengua que hablaba en privado con su familia y en público con sus consejeros y con los cortesanos. Fue la lengua en la que escribió sus memorias. Claro que se usaba el castellano en la correspondencia relacionada con la península Ibérica y también en las reuniones oficiales en las que había castellanos presentes, de modo que el castellano fue muy usado y apreciado, aunque no podía competir con el italiano en el siglo XVI ni con el francés en el XVIII. Este fallo cultural dio lugar a la necesidad de un mito acerca de la universalidad de la lengua española.

Todavía es habitual encontrar autores que reivindican, sin ninguna reserva, que España impuso la lengua castellana en el Nuevo Mundo. En realidad, cuando las repúblicas hispanoamericanas declararon su independencia en el siglo XIX, ellas mismas dudaban de las posibilidades de supervivencia del castellano. Todas acordaron que el castellano tenía que seguir siendo la lengua de uso general, pero había una corriente poderosa que estaba a favor de permitir que cada país desarrollara su propia variante. Como mínimo desde 1900 se trató de proteger lo que eufemísticamente se llamaba «la pureza de la lengua», pero que, en realidad, también era una cuestión de su supervivencia. Eran conscientes de que una proporción elevada de los americanos nativos no hablaba nada de castellano. Asimismo, las nuevas repúblicas también se daban cuenta de que se hablaban mucho otras lenguas, como en el Río de la Plata, donde predominaba el italiano. Como advirtió un escritor, «la raza española corre grave peligro en las naciones hispanoamericanas; no solo el cosmopolitismo de estos países, por razón de la influencia inmigratoria, tiende a quitar a aquellos su carácter típico, sino que del norte para el sur viene poco a poco efectuando una pacífica conquista la enemiga raza sajona de los Estados Unidos»[22].

---

[22] Isidro Sepúlveda, *El sueño de la madre patria: hispanoamericanismo y nacionalismo,* ob. cit., pág. 215.

EL «CONSUELO» DE LA LENGUA

Gregorio Mayans, ferviente admirador de la cultura italiana, reconoció en 1734 ante el italiano José Patiño, el primer ministro español, que España no había logrado incrementar la influencia de su lengua. «Una de las cosas en que una nación tiene que poner especial atención en lograr —escribió— es que su idioma se vuelva universal», algo que, según él, solo ocurrió en los días gloriosos de Felipe II, cuando España había llegado hasta los confines de la Tierra, mientras que en aquel momento lo habían superado el inglés y el francés, cuya literatura, ciencia y lengua tenían la supremacía mundial. «La culpa —afirmó— es nuestra, por nuestra insuficiencia»[23]. Las palabras de Mayans demuestran el poder continuado, incluso en aquella época, del mito de la lengua imperial. Todas las naciones imperiales necesitan difundir su lengua, porque, sin ella, no podrían comunicarse en otros territorios ni gobernarlos. Lo lógico era que los países europeos que tenían colonias de ultramar impusieran su propia lengua, pero también que estudiaran las lenguas indígenas para abrir canales de comunicación. En determinadas circunstancias, como ocurrió en el siglo XVI cuando la Corona española trató de restringir el uso de las lenguas nativas para ayudar a los administradores coloniales, la promoción del castellano se convirtió en una opción práctica y deseada.

El éxito incuestionable de la lengua española prácticamente en los cinco continentes y, sobre todo, en la propia España, fue un gran consuelo cuando los logros del Imperio empezaron a decaer. Cuando tuvieron que enfrentarse al desmoronamiento del poder imperial, el incremento de las tribulaciones económicas y la falta de popularidad en el mundo, los españoles pudieron consolarse con la idea de que, aunque hubieran fallado en todos los demás sentidos, como mínimo en algún momento

---

[23] M. J. Martínez Alcalde, *Las ideas lingüísticas de Gregorio Mayans,* Ayuntamiento de Oliva (Valencia), 1992, págs. 243-244.

habían dominado el mundo mediante su lengua. Entonces el mito se impuso a la realidad. En América Latina, según la mitología oficial, confirmada por los misioneros españoles, pero también por el Estado, la mayor parte de la población se había españolizado y hablaba en español, cuando en realidad es dudoso que el castellano fuera hablado como lengua principal por más de una décima parte de la población visible en las colonias del Nuevo Mundo, donde la gran mayoría de la gente mantenía su propia sociedad, su cultura y su lengua y, por lo general, no tenía un contacto habitual con los españoles.

Hasta los esclavos negros solían conservar sus propias lenguas africanas, en lugar de hablar la lengua foránea de sus amos. Cuando se declaró la independencia, a principios del siglo XIX, a los dirigentes nacionales les costó encontrar suficientes administradores cultos que supieran español. Por consiguiente, promover la lengua se convirtió en una prioridad para los políticos latinoamericanos por el mero hecho de que los españoles no lo habían hecho. En Perú, por ejemplo, los intelectuales reconocían que, cuatro siglos después de la llegada de Colón, el quechua seguía siendo la primera lengua de la mayoría de la población y proponían que se les impusiera el castellano para modernizar la cultura[24]. Un caso revelador es el de Filipinas, donde, después de tres siglos y medio, en un territorio que abarca 7.000 islas y con una población que habla más de 300 dialectos, los españoles jamás consiguieron enseñar su lengua a más de un 5 por ciento de los habitantes[25]. Hasta

---

[24] John C. Landreau, «José María Arguedas: Peruvian Spanish as subversive assimilation», en José del Valle y Luis Gabriel-Stheeman (dirs.), *The battle over Spanish between 1800 and 2000. Language ideologies and Hispanic intellectuals,* Routledge, Londres, 2002 [*La batalla del idioma,* Iberoamericana Editorial Vervuert, Madrid, 2004], pág. 171.

[25] Leslie E. Bauzon, «Language planning and education in Philippine History», *International Journal of the Sociology of Language,* núm. 88, 1991, págs. 101-119; Antonio Quilis, «Historia de la lengua española en Filipinas», *Hispanic Linguistics,* vol. 2, 1985, núm. 1, págs. 133-152. Véase otra

los misioneros solían usar en su trabajo las lenguas nativas, ya que en las islas no entendían el español. Curiosamente, tanto en Perú como en Filipinas fue el movimiento proindígena el que trató de impulsar una lengua (el español) que no había sido universal durante el antiguo régimen imperial.

EL PATRIOTISMO DE LA LENGUA ESPAÑOLA

La cuestión de la hegemonía del castellano en la península Ibérica se ha estudiado ampliamente y es relevante aquí, porque fue una dimensión crucial de la invención de España. La lengua castellana creció porque cumplía un papel aceptado, pero también porque se extendió a través de la burocracia estatal. El intento de usar la vieja lengua del Imperio para incrementar el nacionalismo cultural tenía cierta lógica para algunos dirigentes latinoamericanos y no podía por menos de hacer las delicias de los nacionalistas castellanos en España, donde se empezó a desarrollar la ideología patriótica del hispanismo. Este hispanismo, sobre todo a partir de 1898, iba dirigido principalmente contra Estados Unidos y la lengua inglesa, aunque también agudizó el nacionalismo castellano y se dirigió contra las lenguas minoritarias de la Península, que podían llegar a convertirse en medios efectivos para el separatismo regional dentro de España. Unamuno, que era vasco de nacimiento y con ideas políticas conservadoras, se declaraba enemigo implacable de cualquier amenaza a la lengua de Cervantes. Recomendaba suprimir el catalán y pronosticaba la «muerte inevitable» del vasco como lengua. «Cada día —anunció— soy más fanático de la lengua en que hablo, escribo y siento»[26].

---

perspectiva en Mauro Fernández, «The representation of Spanish in the Philippine Islands», en José del Valle (dir.), *A Political History of Spanish: The Making of a Language,* ob. cit., cap. 25.

[26] José del Valle y Luis Gabriel-Stheeman (dirs.), *The battle over Spanish between 1800 and 2000,* ob. cit., pág. 113.

El chovinismo de Unamuno con respecto a la lengua se pone de manifiesto en su reacción violenta a la crítica extranjera de los tremendos acontecimientos de la Semana Trágica de Barcelona en 1909. Varios escritores extranjeros, como Ernst Haeckel, Anatole France y Maurice Maeterlinck, habían criticado la dureza de la represión. Irritado por estas críticas, en septiembre de 1909 Unamuno escribió una carta indignada al periódico madrileño *ABC* en la que manifestaba que España era difamada sistemáticamente, según él, debido a la envidia que sentían los europeos, que no podían perdonar que el español fuera la lengua más importante del mundo. Proclamaba que los españoles eran superiores a los europeos y que el espíritu de san Juan de la Cruz era superior al de Descartes. Si dicen que han alcanzado inventos científicos, pues bien, «¡que inventen ellos, que ya luego nosotros sabremos aplicar sus inventos!». Por la misma época, abogó por la supresión en los antiguos territorios hispánicos del Nuevo Mundo de cualquier lengua que no fuera el español. Se hizo eco de estos sentimientos Ortega y Gasset, quien creía con no menos firmeza en las virtudes exclusivas de Castilla. «Solo las mentes castellanas —sostenía en *España invertebrada*— tienen la capacidad adecuada para percibir el gran problema de una España unida». Castilla era la única que había creado España y el único lenguaje auténtico de España era el castellano.

Poco después de la pérdida de las colonias en 1898, hubo escritores españoles que participaron con los políticos en un movimiento para poner de manifiesto las ventajas que su cultura había aportado al Nuevo Mundo. A grandes rasgos, este intento de recuperar una posición en el mundo se puede resumir de la siguiente manera. La doctrina del hispanismo incluía, entre muchos otros postulados, «la existencia de una única cultura, estilo de vida, tradiciones y valores españoles, todos ellos encarnados en la lengua; la idea de que la cultura hispanoamericana no es otra cosa que la cultura española trasplantada al Nuevo Mundo, y el concepto de que la cultura hispánica tiene una jerarquía en la que España ocupa una posición hegemónica»[27]. Esta visión postimperial consideraba al Nuevo Mundo prácticamente una *tabula rasa* con muy poca cohesión antes de recibir la impronta decisiva de la lengua castellana, una lengua que de inmediato creó la raza hispánica, la máxima forma de civilización.

Esta actitud respecto a la lengua española llegó al Nuevo Mundo de la mano de los exiliados cultos de la Península y también la promovieron los latinoamericanos en encuentros internacionales en los que se invitaba a algunos escritores, como el novelista mexicano Carlos Fuentes, para que respaldaran a los castellanos en sus elogios a la cultura que España había otorgado a América. En un típico discurso prohispanista que pronunció en Rosario (Argentina), Fuentes planteó la idea de que «al principio, América era un vasto territorio despoblado», que solo esperaba que le aportaran una cultura, que recibió cuando «la América indígena se contagió del inmenso legado hispánico, de la más multicultural de las tierras de Europa: España celta e íbera, fenicia, griega, romana, judía, árabe y cristiana»[28], una visión bastante imaginativa del impacto que los inmigrantes españoles tuvieron en realidad en el Nuevo Mundo.

No obstante, la cuestión del hispanismo solo nos afecta aquí en la medida en la que recurrió a una versión mitológica de la cultura española del comienzo de la Edad Moderna en la que podía basarse. Quien construyó el mito, en gran medida, fue el mismo intelecto prolífico que en 1936 construyó la teoría del liderazgo imperial de España con Carlos V (véase el capítulo 14). Este artífice talentoso fue Menéndez Pidal, el filólogo que dedicó toda su vida a la lengua castellana. Tras el desastre de 1898, Menéndez Pidal albergaba la profunda convicción de que el castellano tenía una misión que cumplir en la historia

---

[27] Ibíd., pág. 6.
[28] *El Mundo*, Madrid, 18 de noviembre de 2004.

mundial. La cuestión aparentemente neutra de la lengua se convirtió en un animado campo de batalla político, en el que el objetivo principal era la reivindicación, por parte de España, de su hegemonía cultural. Menéndez Pidal sostenía que el castellano tenía unas cualidades intrínsecas superiores y que históricamente había demostrado ser una lengua unificada y unificadora, tanto en la Península como en sus antiguas colonias del Nuevo Mundo. Los corolarios de esta postura eran evidentes: las demás lenguas debían dar prioridad al castellano, sobre todo en la Península, donde había que restar importancia a las lenguas regionales. Con este objetivo, a los partidarios de este punto de vista no les costaba imaginar que la lengua castellana (es decir, la española) había sido la regeneradora del mundo occidental. Quien expuso esta doctrina con mayor claridad fue —ya lo hemos visto— Maeztu:

> No hay en la Historia universal obra comparable a la realizada por España, porque hemos incorporado a la civilización cristiana a todas las razas que estuvieron bajo nuestra influencia.

Era la época en la cual, por primera vez, en 1918, España comenzó a festejar el 12 de octubre como fiesta nacional. En el discurso que pronunció en Buenos Aires en 1934 para celebrar la fecha —ya lo hemos citado en este libro—, el cardenal primado de España, Isidro Gomá, incluyó las siguientes palabras:

> Ofreceremos al mundo la España viva y gloriosa de siempre. Tenemos un fondo de cultura tradicional que el mundo nos envidia. Tenemos una lengua, vehículo de las almas e instrumento de cultura, que dentro de poco será la más hablada de la tierra.

La esencia de la hispanidad era la lengua. Hay varios motivos para sentir entusiasmo por una lengua. Tal vez sea la única que tenemos y, por consiguiente, la estimamos mucho. Puede ser una lengua en la que hayamos invertido dinero por motivos tecnológicos. Puede ser la más apreciada. Tal vez esté asociada con el propio país y, por tanto, despierta nuestro patriotismo. Puede que el aspecto insólito de concebir el español como lengua universal no tenga parangón. El fervor que despierta su universalidad derivaba de la convicción de que había alcanzado la grandeza histórica en Castilla en 1492 y que aquella grandeza histórica alcanzaría cotas aún más altas en el futuro. Esto fue lo que convirtió la cuestión en un mito, aunque, evidentemente, no todos los españoles estaban de acuerdo en la misma medida. El castellano despertaba una reivindicación de universalidad que no solían hacer, por ejemplo, los hablantes del inglés o del ruso: era algo casi único lingüísticamente. Una conferencia reciente (2004) del escritor mexicano Enrique Krauze nos brinda una perspectiva del entusiasmo que despierta[29]:

> Hay un imperio bienhechor en el que no se pone el sol. Es el imperio del español; un dominio antiquísimo y moderno, cultural y espiritual, una nación virtual, sin fronteras, múltiple, compleja, variada, cambiante y llena de promesas. El español se expande ufano, y ya no es solo de España, ni principalmente de España. Recorrer la asombrosa historia de nuestro idioma puede ser o parecer un despropósito, pero nunca está de más, porque su desarrollo es una de las glorias indisputadas de la civilización occidental.

Esto es el patriotismo, tanto nacional como internacional, de la lengua y, además, es un componente de la invención de España, porque trata de identificar las virtudes y la esencia de España con una sola lengua, que se presenta como algo universal, pero que también es el componente más profundo de España y de sus logros.

---

[29] Discurso pronunciado en el III Congreso Internacional de la Lengua española, publicado en *El País* el 12 de enero de 2004.

10
UNA PICA (O DOS) EN FLANDES

Tengo en mucho estos estados [Países Bajos] y los quiero
mucho, y agora mas que nunca.

FELIPE II (1559)

La escena que evoca John Motley, un historiador del siglo XIX, no deja lugar a dudas[1].

De todos los actos perversos que tuvieron lugar en los Países
Bajos, aquel fue el peor. Lo llamaron «Furia Española» y con tal
nombre se conoce desde entonces. La ciudad, que había sido un

La mañana del 5 de noviembre, Amberes presentaba un aspecto deplorable. El espléndido ayuntamiento de mármol —una
célebre «maravilla del mundo», incluso en aquella época y en
aquel país en los que se prodigaba tanta magnificencia en los palacios municipales— era una ruina ennegrecida, de la cual solo se
conservaban las paredes y cuyos archivos, cuentas y el resto de su
contenido habían quedado destruidos. La parte más magnífica de
la ciudad se había consumido: por lo menos quinientos palacios,
en su mayoría de mármol o de piedra martillada, formaban una
masa humeante. Por todas partes se veían los cadáveres de las víctimas de la masacre, en mayor profusión en torno a la Place de
Meer, entre las columnas góticas de la bolsa y en las calles próximas al ayuntamiento. La confusión en la ciudad duró dos días más.

De todos los actos perversos que tuvieron lugar en los Países
Bajos, aquel fue el peor. Lo llamaron «Furia Española» y con tal
nombre se conoce desde entonces. La ciudad, que había sido un

---

[1] John Motley, *The Rise of the Dutch Republic,* George Allen & Company, Londres, 1912.

mundo de riqueza y esplendor, se convirtió en un osario y desde entonces se malogró su prosperidad comercial. Tres mil cadáveres se encontraron en sus calles, se supone que muchos más perecieron en el Escalda y casi otro tanto ardieron o fueron destruidos de otras maneras.

En la larga historia de la intervención militar de España en Europa, ningún otro acontecimiento destaca con tanta claridad en la memoria histórica como el saqueo al que las tropas españolas sometieron a la gran ciudad comercial de Amberes el 4 de noviembre de 1576. El ejército español, a las órdenes del duque de Alba, ocupaba los Países Bajos desde 1567, pero, debido a la subida del coste de la guerra, el Gobierno no tenía recursos para hacer frente a las pagas de los soldados. Después de varios motines infructuosos para reclamar el pago, al final las unidades del ejército se rebelaron en la madrugada del 4 de noviembre y atacaron el ayuntamiento y aquella parte de la ciudad.

La espantosa escena resulta aún más increíble al recordar que pocos pueblos de Europa han tenido una historia tan larga de amistad como España y los Países Bajos. ¿Qué fue lo que destruyó aquella amistad? Durante la Edad Media, los lazos más fuertes eran comerciales y culturales, pero también se extendían a los vínculos matrimoniales entre las élites. Los Reyes Católicos establecieron lazos dinásticos con la familia de los Habsburgo en Borgoña, por lo cual el esposo de su hija, Felipe, llegó a ser rey de Castilla y su hijo Carlos gobernó los Países Bajos (con el título de duque de Borgoña) y fue rey de España. Cuando Carlos fue nombrado emperador en 1520, los Países Bajos y España pasaron a ser socios en el nuevo Imperio. Encontró en Castilla numerosas ventajas la clase gobernante en los Países Bajos, que tenía garantizado el comercio tradicional con Castilla, pero además recibió concesiones y propiedades allí y también en las tierras americanas, recién descubiertas.

Lamentablemente, fue entonces cuando comenzaron los problemas, que empeoraron con el hijo de Carlos, su sucesor en el trono de España, Felipe II, que vivió cinco años en los Países Bajos y los conocía bien. Semanas después de regresar de allí a España, en 1559, confesó a su ministro principal que «tengo en mucho estos estados [Países Bajos] y los quiero mucho» y sus nobles comentaron lo «increíble» que era lo mucho que los echaba de menos. Resultó irónico, por tanto, que su propia participación fuera decisiva en el conflicto en el que después se vieron envueltas aquellas provincias. Las diferencias políticas en torno a los privilegios de la nobleza gobernante y a la manera de encarar la propagación de la herejía protestante provocaron una grave crisis. Cuando la situación se deterioró, el Gobierno español escogió una solución militar y en agosto de 1567 el duque de Alba llegó a Bruselas al frente de 10.000 soldados españoles. Resultó una intervención prolongada y costosa que, de una forma u otra, duró ochenta años.

La expresión «poner una pica en Flandes» por lo general se interpreta como «llevar a buen puerto algo muy complicado de resolver». La referencia a Flandes procede de los problemas financieros y logísticos que el Gobierno español enfrentó en el siglo XVI, cuando tuvo que soportar la pesada carga de financiar la intervención militar encabezada por el duque de Alba. La lanza larga llamada «pica» que usaba la infantería española se convirtió en el símbolo de aquella intervención. Los historiadores han estudiado minuciosamente las cuestiones complejas, que también han recibido un tratamiento romántico por parte de autores de ficción popular, que han tratado de construir un mundo ficticio en torno a la palabra «Flandes», con los «tercios de Flandes» como protagonistas principales. Una de las novelas de este estilo en español es *El sol de Breda,* de Arturo Pérez-Reverte, en la que el héroe, Diego Alatriste, es un capitán de infantería que presta servicio en los tercios de Flandes. La novela describe las condiciones espantosas en las que los soldados españoles combatían en los Países Bajos y presenta un esbozo de las condiciones generales de la presencia española. La popularidad de la novela ha hecho que el público en general acepte algunas de sus afirmaciones históricas, lo que distorsiona considerablemente el contexto de la actuación de España en esta guerra tan particular.

¿LOS AMOS DE EUROPA?

¿Quiénes eran los tercios?[2]. En la narrativa popular, al parecer, se usa como sinónimo de «soldados españoles», pero tal uso es inexacto. Como en España no había guerras, había, por lo general, poca necesidad de tener una institución militar considerable en la Península. En todas las provincias había milicias, que, en realidad, más que un ejército, eran una fuerza defensiva. En cambio, Castilla mantenía una presencia militar fuera del país, mediante los llamados «tercios», que tenían su base en Italia. Desde los tiempos del Gran Capitán (Gonzalo Fernández de Córdoba), los soldados castellanos que servían en Italia se agrupaban en regimientos de infantería, posteriormente conocidos como «tercios». Los crearon el Gran Capitán y sus comandantes en respuesta a la poderosa infantería francesa. Tanto los franceses como los castellanos seguían los modelos suizos, pero el Gran Capitán los modificó y creó unos destacamentos más reducidos y móviles. Los tercios no recibieron una organización formal hasta la ordenanza que Carlos V dictó en Génova en 1536, cuando se crearon cuatro unidades específicas.

La palabra «tercio» se tipificó a partir de entonces y, por lo general, se aplicaba a un regimiento formado por diez compañías a las órdenes de un maestre de campo. Cada compañía estaba integrada por unos trescientos hombres y, al principio, dos de las diez estaban compuestas íntegramente por arcabuceros. Los tercios en seguida se hicieron famosos por su eficiencia

---

[2] Geoffrey Parker, *The Army of Flanders and the Spanish Road, 1567-1659: The Logistics of Spanish Victory and Defeat in the Low Countries' Wars*, 2.ª ed., Cambridge University Press, Cambridge, 2004, pág. 27.

en el combate, puesto que no eran reclutas, sino voluntarios asalariados que se dedicaban a la guerra como profesión. Destinados al servicio continuo en los territorios italianos, fueron las primeras unidades militares permanentes de Europa. No eran necesariamente mejores que otras tropas, pero tenían la ventaja de la continuidad del servicio, lo que significa que tenían mucha más experiencia. No es de extrañar que más adelante los llamaran «veteranos», una descripción que los llenaba de orgullo. En general, pertenecían a una clase social alta: en el caso de los tercios que servían en Flandes en 1567, al menos la mitad eran hidalgos, en su gran mayoría procedentes de Castilla y de Andalucía. Por ser una élite social y militar, los oficiales los trataban con el debido respeto. «Honorables señores, hijos míos»: así comenzaba la carta del duque de Alba a los tercios que se habían sublevado en Haarlem durante una de sus protestas periódicas porque no les pagaban lo que les debían.

Cuando el duque de Alba fue a los Países Bajos en 1567, contaba con diez mil quinientos soldados, de los cuales 1.250 eran de caballería y el resto, de infantería. Los cuatro regimientos de Lombardía, Cerdeña, Sicilia y Nápoles sumaban casi nueve mil hombres y sus comandantes respectivos eran Sancho de Lodiono, Gonzalo de Bracamonte, Julián Romero y Alfonso de Ulloa, todos capitanes expertos y distinguidos. Casi todos los soldados eran castellanos. La caballería estaba al mando de un noble castellano, el prior don Hernando. Chiappino Vitelli, marqués de Cetona, veterano de las guerras en Italia, fue nombrado comandante de infantería y al mando de la artillería se puso a otro italiano, Gabriel Serbelloni. Los soldados llevaban consigo sus pagas: según el informe de uno de los oficiales, 500 mulas transportaban el dinero. La ruta escogida para la marcha había sido estudiada y aprobada por los representantes del rey en 1566. Aunque posteriormente se conoció como «el camino español», porque durante alrededor de cuarenta años fue el recorrido habitual de los ejércitos españoles, hacía mucho que lo conocían y lo usaban los viajeros y los comerciantes de todos los países.

Por lo general, los tercios no operaban dentro de España, a menos que no se pudieran reclutar otras fuerzas. Aunque estaban bien organizados, no eran muchos y solo constituían un pequeño porcentaje de las fuerzas que la Corona tenía a su disposición. Durante las guerras de Flandes, los tercios españoles pocas veces superaron el 10 por ciento de la cifra total de tropas que allí prestaban servicio en el ejército. Cuando no les pagaban en un plazo razonable —esto ocurría con bastante frecuencia—, los tercios eran capaces de organizar un motín. El escritor francés Brantôme describe que, después de tomar el Peñón de Vélez en 1564, un grupo de cuatrocientos soldados de uno de los tercios se negó, en Málaga, a subir a las embarcaciones que los llevarían a Italia y, por el contrario, marchó hacia Madrid a reclamar los atrasos. «Caminaban por las calles de cuatro en fondo, valientes y orgullosos como príncipes, con las espadas en alto y el bigote cuidado, desafiando y amenazando a todo el mundo, sin temer a la justicia ni a la Inquisición». El rey (Felipe II) se negó a tomar medidas contra los soldados, pero pidió al duque de Alba que hablara directamente con ellos y les dijera que sus salarios los esperaban en Italia.

Los tercios no eran más que una pequeña solución al problema ocasionado por la expansión imperial. Con una población escasa —apenas tenía poco más de cinco millones de habitantes, que no era nada en comparación con las poblaciones mucho más numerosas de Francia y de Alemania—, Castilla no estuvo en ningún momento en condiciones de contar con suficientes hombres para satisfacer las necesidades de la guerra ni de la paz fuera de sus fronteras. Los escritores se quejaban entonces de que buena parte de la población masculina emigraba al Nuevo Mundo, pero, desde el punto de vista numérico, eso fue mucho menos significativo que la necesidad constante de soldados a partir de la década de 1560.

Como otros Gobiernos europeos que tampoco contaban con un ejército permanente, el Estado de Castilla solo podía recurrir a las tradicionales levas feudales que practicaba la nobleza

—esta práctica continuó sin interrupción incluso en el siglo XVIII— o a contratar soldados dentro de sus fronteras, mediante alistamientos forzosos o voluntarios. Las tropas españolas que se reclutaban de este modo no eran tercios y no se deben confundir con ellos. En general, eran castellanos, porque la Corona no tenía autoridad para reclutar tropas en Cataluña, Valencia, Aragón o Navarra sin la autorización expresa de sus autoridades, de modo que la exportación de soldados castellanos fue bastante considerable: se calcula que, entre 1567 y 1574, alrededor de cuarenta y tres mil soldados salieron de España para combatir en Italia y en los Países Bajos, con una media de más de cinco mil por año. Cabe imaginar el impacto que esto supuso, al cabo de muchos años, para los hogares castellanos y su campiña. La mortalidad de quienes servían en el ejército en el exterior era impresionante. Se estima que, en los dieciocho años comprendidos entre 1582 y 1600, pueden haber muerto en Flandes mil quinientos españoles por año. Es posible que en la década de 1580 la mortalidad fuera aún mayor: alrededor de cincuenta y cinco soldados españoles por semana. Los que regresaban de la guerra —comentó Felipe III en 1604— eran «hijos, hermanos, deudos y vecinos, y que estos o mueren en ella o buelven estropeados, sin vista, brazos, piernas y finalmente inutiles; y que haviendo dado alla el fruto de sus vidas, quando no son de ninguno los han de sustentar aca sus padres, hermanos y deudos»[3].

No fue en absoluto una historia de poder y de gloria, ni tampoco de victorias. El autor de *El sol de Breda* presenta una imagen cuyos principales protagonistas son los tercios victoriosos: «La pesadilla de Europa; los mismos que habían capturado a un rey francés en Pavía, vencido en San Quintín, saqueado Roma y Amberes, tomado Amiens y Ostende». En realidad, en esta historia no deberían figurar Pavía, San Quintín ni Roma, puesto que en los tres sitios la participación de los tercios fue escasa. En Pavía, en 1525, el ejército imperial de Carlos V, con más de veinticuatro mil

---

[3] Archivo General de Simancas: sección Estado 634, fol. 19.

hombres, incluía catorce mil alemanes y alrededor de cinco mil italianos, pero apenas cinco mil soldados de infantería españoles, a las órdenes del marqués de Pescara. El saqueo de Roma, llevado a cabo en 1527 por las tropas del mismo emperador, también fue obra en su mayor parte de soldados alemanes y, en la batalla de San Quintín de 1557, de un ejército de cuarenta y ocho mil hombres a las órdenes de Felipe II, solo un 12 por ciento eran españoles. El 53 por ciento eran alemanes, el 23 por ciento eran de los Países Bajos y el 12 por ciento eran ingleses. Ninguno de los comandantes principales —entre ellos, el duque de Saboya, el conde de Egmont y el duque Eric de Brunswick— era español.

No obstante, fortalecido por estas supuestas victorias, el autor de *El sol de Breda* considera que España era una gran potencia militar: «Tal era la fuerza que nos permitió ser amos de Europa durante un siglo y medio: conocer que solo las victorias nos mantenían a salvo entre gentes hostiles». ¿Los amos de Europa? En ningún momento el poder de España se basó solo en mostrar sus músculos y sus tropas no se apostaron más que en las fortalezas que las invitaron. ¿Victorias? Es un concepto ilusorio, porque las victorias españolas fueron triunfos logrados (véase el capítulo 14) en colaboración con otros países o en la defensa de sus fronteras. Sobre todo, es importante recordar que no hay que confundir los tercios de Flandes con el ejército de Flandes, que, en teoría, estaba pagado y también controlado por el Consejo de Estado de los Países Bajos y que, en el siglo XVII, llegó a contar con sesenta y cinco mil hombres. Podía incluir a los tercios españoles, pero en su mayor parte estaba compuesto por tropas alemanas y de los Países Bajos (en particular, valonas), con contingentes menores de infantería española, italiana, borgoñona y británica. La composición del ejército de Flandes en el siglo XVII muestra una complejidad que puede inducir a confusión[4]. En 1608, por ejemplo, solo el 17 por cien-

---

[4] Sobre los tercios en el período posterior, hasta la famosa derrota de Rocroi, véase William P. Guthrie, *The Later Thirty Years War. From the*

to de su infantería era española, mientras que el 45 por ciento era alemana, el 15 por ciento belga y el 12 por ciento italiana[5]. En 1649, el mismo ejército tenía veintitrés regimientos alemanes, once belgas y cuatro italianos, y apenas seis españoles.

LA REBELIÓN CONTRA ESPAÑA

No solo los novelistas hacen una mala interpretación de la relación entre España y los Países Bajos. Una de las confusiones más comunes en la literatura popular es la afirmación de que los Países Bajos eran una posesión española. En el 2018, un texto universitario utilizado en España afirmaba que «hacia 1566-1568, las provincias del norte de los Países Bajos, parte del Imperio español, comenzaron contra España una serie de revueltas que desembocarían en la Guerra de los Ochenta Años o Guerra de Flandes, en la que los holandeses luchaban por conseguir su independencia de la Corona española». Casi todo lo que dice esta frase es incorrecto. Los Países Bajos jamás fueron «parte del imperio español», sino del Sacro Imperio Romano Germánico. Las revueltas no comenzaron en el norte, sino en el sur, y, en realidad, no hubo ninguna revuelta «contra España», porque España no regía las provincias y el soberano formal era, para ser exactos, el rey de España.

Además, hay otra confusión que no es menos importante: la afirmación de que los soldados españoles estaban allí para luchar contra la herejía. Intervinieron, como ya habían dejado claro Felipe II y el duque de Alba, en primer lugar, para luchar contra la rebelión y no contra la herejía. El rey no tenía autoridad para luchar contra la herejía, a la que ya se enfrentaban

---

Battle of Wittstock to the Treaty of Westphalia, Praeger, Westport, 2003, sobre todo el cap. 5 y el apéndice A, pág. 182.

[5] Antonio Rodríguez Villa, *Ambrosio Spinola, primer marqués de los Balbases,* Fortanet, Madrid, 1904, págs. 700-704.

adecuadamente los tribunales eclesiásticos de Flandes, mientras que la rebelión, en términos políticos, no era contra España, sino contra la persona del rey. No obstante, los acontecimientos en los Países Bajos tuvieron gran repercusión en la formación de las actitudes españolas. En aquellos años difíciles, los funcionarios de la Península solían hablar de los habitantes de los Países Bajos como rebeldes, lo cual implicaba «rebeldes contra la Corona», y los españoles lo ampliaron y consideraron el conflicto una rebelión contra España.

DUDAS Y MITOS SOBRE *LA RENDICIÓN DE BREDA*

El incidente de la Guerra de los Ochenta Años o Guerra de la Independencia de los Países Bajos (1568-1648) que más llama la atención en España es la rendición de Breda, que es el tema de una pintura maravillosa de Velázquez que se exhibe en el Museo del Prado. Corresponde al final de la Guerra de los Ochenta Años, cuando una España agotada militarmente cada vez necesitaba más la ayuda de sus aliados. La Corona dependía mucho de la financiación de los genoveses, entre ellos la de la familia Spinola, cuyo miembro más destacado, a principios del siglo XVII, era Ambrosio Spinola, que no era militar de profesión, sino empresario, y reunía todos los factores que habían contribuido a crear y a mantener el Imperio español. Su familia ocupaba un lugar destacado en las actividades bancarias de Génova y de Sevilla y algunos de sus miembros residían en España desde finales del siglo XV. Contribuyeron a financiar la empresa americana y a desarrollar el comercio y el poder militar de España en Europa. A partir de 1603, Ambrosio trabajó en los Países Bajos, donde financió el reclutamiento de un ejército para poner fin, en 1604, al sitio holandés al puerto de Ostende. La recuperación de Ostende no se puede considerar en absoluto una victoria: el sitio le costó al Gobierno las vidas de aproximadamente sesenta mil soldados, un coste no inferior al que sufrieron los derrotados, tras lo cual la ciudad quedó completamente en ruinas, sin ningún edificio en pie, y toda la población eran refugiados que se marcharon después de la rendición. El sufrimiento y el derramamiento de sangre provocados por el asedio tuvieron graves consecuencias para sus contemporáneos.

De los asedios posteriores dirigidos por Spinola, los más conocidos fueron el de la fortaleza de Julich, que estaba en manos de los holandeses y se rindió en febrero de 1622, después de siete meses de asedio, y el de la ciudad de Breda, donde estaba acuartelada una fuerza reducida, al mando de Justino de Nassau, hermano bastardo del estatúder Mauricio, jefe de Estado de la república de los Países Bajos. Como escribió el artista Pedro Pablo Rubens desde su residencia de Amberes, «el marqués Spinola está cada vez más decidido a tomar la plaza y —creedme— no hay poder capaz de salvar la ciudad, de lo bien que está asediada»[6].

Breda se rindió finalmente el 5 de junio de 1625, después de un asedio que duró nueve meses. Por casualidad, el propio Mauricio murió poco antes de la rendición y en su lecho de muerte preguntó por el asedio. Aunque Spinola se quedó tres años más en los Países Bajos, aquella fue su última campaña allí. El éxito de Breda, inmortalizado en el magistral cuadro de Velázquez, solo fue uno de la impresionante tríada de triunfos que consiguió la monarquía española en el año memorable de 1625. Los otros dos tuvieron lugar en Cádiz, donde España rechazó un ataque inglés, y en Brasil, donde, según palabras del propio rey, «se ha expulsado a los holandeses de Bahía», lo que se consideraba —con razón— una victoria decisiva que convencería a los holandeses de firmar la paz.

Quien visite ahora el Museo del Prado encontrará motivos de sobra para admirar la obra maestra de Velázquez, pero, ¿qué sucedió realmente en Breda? ¿Costó tanto sufrimiento como la recuperación de Ostende? Nos hacemos una idea de

---

[6] Peter Paul Rubens, *The letters of Peter Paul Rubens*, ob. cit., pág. 102.

lo que ocurría en realidad gracias a una carta que un funcionario del Gobierno en Bélgica envió al rey de España, que quedó tan afectado por este mensaje que enseguida envió una copia a Bruselas, a la soberana de los Países Bajos, la infanta Isabel. La carta del funcionario describía el sufrimiento provocado por la guerra y por los militares. «El ejército está formado principalmente por tropas extranjeras que carecen de disciplina y perpetran el robo y la destrucción allí donde van. Ni siquiera se contienen y cometen sacrilegios. Las casas solariegas están a su merced. Ni siquiera el enemigo pudo hacer tanto daño al campo, al país. Brabante se encuentra totalmente en ruinas a causa del ejército que está inmerso en el asedio de Breda. Las provincias piden un final favorable de este asedio»[7]. Un estudioso moderno ofrece una visión algo diferente: «Breda no fue más que un ejercicio de esperar a que el hambre obligara a los defensores a rendirse. Hubo muy pocos combates, pocos bombardeos y muy pocas bajas»[8]. Las dos versiones tienen algo de cierto. Se combatió poco durante el asedio y la población del interior de la ciudad no fue masacrada ni sufrió epidemias, pero las consecuencias de un año de guerra en la campiña, sus habitantes y su economía fueron indudables. Incluso después de la marcha de Spinola, la guerra en los Países Bajos continuó. El embajador de Venecia escribió desde La Haya en agosto de 1629: «El enemigo está causando estragos en el campo. Las tropas imperiales y la caballería croata son demasiado crueles y en todas partes resuena el clamor de los pobres campesinos»[9].

---

[7] Henry Lonchay, Joseph Cuvelier y Joseph Lefèvre, *Correspondance de la Cour d'Espagne sur les affaires des Pays Bas au XVIIe siècle,* vol. 2, Librairie Kiessling et Cie, Bruselas, 1927, pág. 219.

[8] Jonathan Israel, *The Dutch Republic and the Hispanic World 1606-1661,* Clarendon Press, Oxford, 1982 [*La república holandesa y el mundo hispánico, 1606-1661,* trad. de Pedro Villena, Nerea, Madrid, 1997], pág. 107.

[9] *Calendar of State Papers Relating to English Affairs in the Archives of Venice, Volumen 22, 1629-1632,* Londres, 1919, págs. 158-174.

El artista de Lorena Jacques Callot, que durante aquellos meses fue testigo directo del asedio, recibió después el encargo de la infanta de realizar una serie de ilustraciones[10]. Al parecer, visitó el lugar en 1625 y cuatro años después se dieron a conocer sus seis grabados sobre el sitio de Breda. La obra está compuesta por seis planchas que se reúnen para formar una imagen completa. Se hicieron doscientas impresiones en la imprenta Plantin-Moretus de Amberes en 1628. Presentando toda la escena desde una perspectiva distante, Callot demuestra lo mucho que la campaña debió de afectar a la población. Fue una de las obras antibélicas más magníficas que haya concebido jamás artista alguno.

La pintura de Velázquez ocupa, como muchas grandes pinturas similares, un lugar especial en la mitología y la ideología. Aquí nos referiremos a ella solo en relación con el asedio y no hablaremos de la obra de arte. Lo primero tiene que ver con la imagen que se cultivó en la mente de los españoles sobre lo ocurrido en 1625. Tres años después de la recuperación del fuerte, el dramaturgo Calderón de la Barca escribió *El sitio de Breda* (1628), que ofrecía, por primera vez, una imagen de la generosidad del general vencedor. La obra de Calderón no se basaba en información de primera mano sobre el asedio, Flandes, su clima ni su topografía; de hecho, hace referencia al «cruel verano» de Flandes y a sus montañas y sus valles, cuando el país es famoso por ser totalmente llano. Sobre la entrega que hace Justino de Nassau de las llaves a Spinola, un hecho totalmente ficticio, escribe Calderón uno de sus textos más citados:

---

[10] Existen numerosos estudios sobre la obra de Callot. Para obtener una perspectiva en general y en español sobre el tema de la guerra y el arte, véanse los ensayos en Bernardo José García García (dir.), *La imagen de la guerra en el arte de los antiguos Países Bajos,* Editorial Complutense, Madrid, 2006. El capítulo correspondiente a los Países Bajos lo escribió Joost Vander Auwera.

Justino, yo las recibo,
y conozco que valiente
sois; que el valor del vencido
hace famoso al que vence.

La misma imagen de generosidad aparece diez años después, cuando se supone que Velázquez realizó su pintura. La imagen del general generoso fue aceptada y difundida a partir de entonces por todos los especialistas españoles en historia del arte y se convirtió —no es de extrañar— en la versión oficial en muchos libros, porque confirmaba el lado humano del poder imperial español.

Sin embargo, tal vez nos estemos engañando sobre lo que en realidad se aprecia en la pintura de Velázquez. Sabemos que Spinola era un hombre justo, pero, como demuestra su conducta en el sitio de Ostende, no era comprensivo en absoluto. Es posible que su gesto hacia el comandante holandés —si eso fue lo que ocurrió— no fuera típico de él. Un artista posterior de la corte española, el pintor aragonés José Leonardo, prefirió pintar a Spinola en un lienzo, *La rendición de Julich* (1656), actualmente en el Museo del Prado, aceptando la rendición de la ciudad de un general derrotado que está de rodillas. Las dos pinturas, la de Leonardo y la de Velázquez, se realizaron muchos años después de los hechos y las dos eligieron distintos enfoques, con lo cual nos brindan imágenes distintas del propio Spinola y de la realidad del poder español.

El lienzo de Velázquez contiene errores reconocidos. Es posible que el artista se esforzara en verificar la información, pero también tuvo libertad para expresar sus propias ideas. Sabemos que en las batallas de Flandes había quedado casi obsoleto el uso de la pica —en su lugar, se empezaba a usar el arcabuz—, así que Velázquez las puso en su pintura para añadir dramatismo, más que por verosimilitud. La ceremonia entre los dos generales tampoco está documentada y es muy probable que jamás tuviera lugar. No se tiene constancia de la entrega de ninguna llave por parte de un general a otro. Sobre todo, y a pesar de la impresión que ofrecen algunos libros, en realidad no hubo ninguna batalla: lo que pasó fue que hubo un asedio, con el consiguiente sufrimiento, pero sin derramamiento de sangre. Además, por supuesto, no hubo ninguna victoria, a pesar de la frecuencia con la que se usa esta palabra. Asimismo, aunque Calderón alabó el supuesto gesto entre los dos generales, calificándolo de «típicamente español», la verdad es que ninguno de los dos era español, de modo que el gesto no podía ser típico para ninguno de ellos. En realidad, cada vez había menos tropas españolas en los campos de batalla europeos y Madrid se veía obligada a aceptar que libraran sus guerras soldados y oficiales de otras nacionalidades. Cuando Spinola reclutó un ejército para servir a España en Flandes en 1620, solo el 10 por ciento de las tropas eran españolas: la mayor parte eran alemanas e italianas[11].

Al cuestionar si, en realidad, Spinola hizo el gesto de impedir que Justino de Nassau se arrodillara, se nos ocurren más preguntas. Si la pintura de Velázquez carece de fundamento histórico, ¿qué motivos tuvo para pintarla? Resulta evidente que su interés fundamental no era el registro histórico; de eso se ocuparon, en fechas mucho más próximas a los hechos y con más detalles relevantes, artistas extranjeros como Callot y Snayers. La obra de Velázquez, encargada por su mecenas, el rey, no tenía tanto interés en presentar los hechos como en mostrar una imagen que fuera aceptable en España. Pero ¿qué clase de imagen?

La cuestión depende de las fechas. Por lo general, los historiadores del arte datan la pintura en el año 1635 o en 1638. Si se pintó en 1635, es decir, diez años después del acontecimiento, al parecer no sería más que una muestra ficticia del antiguo

---

[11] Antonio Rodríguez Villa, *Ambrosio Spinola, primer marqués de los Balbases,* ob. cit., pág. 355. Las cifras que da Rodríguez Villa son las siguientes: 10.000 alemanes, 8.000 napolitanos, 3.000 belgas y 3.000 españoles.

triunfo imperial del general italiano en un país lejano, con el importante corolario de que destaca la idea de la reconciliación y no dice nada sobre el sufrimiento. Se deja de lado la realidad de la guerra y se agradece la realidad de la paz. Esto es, al parecer, lo que ha entusiasmado a todos los historiadores del arte. Sin embargo, esta interpretación no tiene mucho sentido si en realidad la pintura se hizo en 1635. Si así fuese, tanto el artista como su mecenas están cerrando los ojos a lo que ocurría en el mundo real. En 1635, España atravesaba su momento más belicoso. Sus ejércitos aliados no solo acababan de ganar en Nördlingen, el año anterior, la que podría considerarse la batalla más importante de la historia imperial española, sino que también acababan de emprender una guerra a gran escala con Francia. Si la obra de Velázquez se pintó aquel año, estaba transmitiendo a la corte un mensaje muy extraño y de lo más contradictorio.

Si, por el contrario, se pintó en 1638, en realidad el artista estaba diciendo algo completamente diferente. El mensaje de reconciliación seguía siendo el mismo, pero tenía más sentido en el contexto de lo que estaba ocurriendo. Lamentaba el final de la grandeza, porque, por esas fechas, el enemigo ya había reconquistado la ciudad de Breda, que llevaba doce meses en poder de los holandeses, que la conservarían para siempre. Además, al pintar el apretón de manos entre el vencedor y el vencido, Velázquez tenía a su alcance un modelo perfecto, porque en 1637 el comandante holandés Federico Enrique tuvo el mismo gesto de generosidad cuando aceptó la rendición de la ciudad al gobernante valón de Breda, Gomar de Fourdin, después de su derrota. La ciudad, que había estado sitiada desde el 21 de julio, se rindió el 6 de octubre de 1637. Se permitió a los defensores salir de la ciudad y se les concedió un salvoconducto para dirigirse al sur. Por consiguiente, que Velázquez representara en su pintura la amabilidad de Spinola no era nada excepcional, porque era el mismo gesto que había tenido Federico Enrique. En esta ocasión, sin embargo, la escena era la contraria a la representada por Velázquez, porque quien mostraba su gentileza era un enemigo de España.

UNA ENEMISTAD IDEALIZADA

La imagen de las picas en Flandes nos invita a no perder nunca de vista la enemistad permanente entre los Países Bajos y España, que, como ya hemos indicado, era lo opuesto a la verdad: los Países Bajos fueron durante largos períodos grandes amigos de España. Es probable que el primer período de tensión se produjera cuando pareció que los cortesanos flamencos que acompañaron a Carlos V a España en 1519 estaban sacando partido de su posición en la corte. Pedro Mártir denunció en Castilla que los cortesanos flamencos «tienen a los españoles en menos que si hubieran nacido en sus cloacas»[12]. El desprecio de los castellanos por los flamencos se manifestó en la rebelión de los comuneros. No obstante, aquella fue una fase breve y la actitud favorable de los españoles ilumina las páginas de Cristóbal Calvete de Estrella, quien, en su notable *El felicísimo viaje del muy alto y muy poderoso principe don Phelippe* (Amberes, 1552), ofrece una descripción detallada, íntima y cortesana de los contactos entre los españoles y los neerlandeses durante la visita del príncipe Felipe. Tal vez se encuentre un retrato incluso más positivo de los neerlandeses en las páginas de otro funcionario de la casa del príncipe Felipe, Vicente Álvarez, que los describía elogiosamente como pacíficos, amables e inteligentes[13]. Tan buena disposición persistió mucho después de que finalizaran las guerras y Breda fuera un recuerdo lejano. Examinemos rápi-

---

[12] Citado en Yolanda Rodríguez Pérez, *The Dutch Revolt through Spanish Eyes,* Peter Lang, Berna, 2008, pág. 36.

[13] Ibíd., págs. 48-49.

damente algunos de los aspectos de las relaciones entre los dos pueblos[14].

Evidentemente, los españoles no eran aliados políticos de los holandeses. También sufrieron mucho por el expolio de las embarcaciones holandesas en sus territorios de ultramar. Según Matías Novoa, un cronista del siglo XVII, un diplomático holandés de aquella época se jactaba de lo siguiente:

> Nuestras armadas sojuzgan todo el mar Océano y en su rumbo sólo son temidos nuestros bajeles; surcamos toda la Habana y costa de Tierra Firme; tomamos las flotas españolas, y la plata que desembarca en Sevilla es nuestra. Y si toda la plata, oro y mercaderías las pasamos a nuestros puertos, ¿quién dice que no sea nuestra la América, ahorrándonos el sueldo y provisiones de virreyes y gobernadores? Robámosle las flotas que van a Filipinas, y pasamos a aquellas islas, mal seguras de nuestra artillería y soldados; entramos en la India; los del Japón nos admiten a contratar con ellos, y los chinos no nos desprecian.

La cita se refería a una situación real de hostilidad que existía a principios del siglo XVII. Por su parte, los españoles nunca dejaron de ser conscientes de sus vínculos culturales y económicos con los Países Bajos. «Durante el prolongado período de conflicto político (1568-1648), no solo se mantuvieron las relaciones comerciales, sino un interés considerable por la cultura española»[15]. En el año de la Armada Invencible, 1588, los comerciantes de Ámsterdam vendían suministros navales a Bruselas; a finales de siglo se adquirieron embarcaciones holandesas para la armada española, y durante los años de la guerra se vendió armamento holandés al ejército de Flandes[16]. El Trata-

---

[14] Véase una buena síntesis en Lily Coenen, *The Image of Spain in Dutch travel writing (1860-1960)*, BOXPress, Bolduque, 2013.
[15] Ibíd., pág. 36.
[16] Violet Barbour, *Capitalism in Amsterdam in the 17th century*, University of Michigan Press, Ann Arbor, 1963, págs. 32-33, 35.

do de Münster concedió la independencia a los Países Bajos en 1648. En cuanto se firmó, las dos partes descubrieron que tenían varios intereses en común, además de la paz.

Durante los ochenta años de luchas, y a pesar de los puntos de conflicto evidentes, gran cantidad de españoles habían llegado a conocer y a respetar a los neerlandeses[17]. En Bruselas, los funcionarios y los ministros alentaban el acercamiento. Una parte de los dirigentes holandeses querían ventajas comerciales, mientras que los españoles necesitaban ayuda contra los portugueses, que se habían rebelado contra la Corona española, y también querían expulsar a los holandeses de Brasil. España valoraba la experiencia naval holandesa: poco después de la firma del tratado de paz en 1648, en Ámsterdam se empezaron a construir doce fragatas para la armada española[18]. El contacto entre las dos partes se estrechó cuando, en la década de 1650, las dos se encontraron enfrentadas a la Inglaterra de Oliver Cromwell. En 1653, el conde de Peñaranda sintetizó lo que, en su opinión, eran los méritos relativos de las dos potencias protestantes: «Si me preguntaran cuál es la potencia más fuerte y más sólida, respondería que es Inglaterra, con su Parlamento, pero, si me preguntaran cuál es mejor como amiga que aporta tanto beneficios como confianza, siempre diría que es Holanda». A partir de 1656, cuando don Juan José de Austria, en calidad de gobernador de los Países Bajos meridionales, inició negociaciones con La Haya, los dos antiguos enemigos establecieron una alianza práctica. A partir de 1656, hubo en Madrid

---

[17] Este tema se ha estudiado poco, pero véase J. C. M. Boeijen, «Een bijzondere Vijand. Spaanse kroniekschrijvers van de Tachtigjarige Oorlog», en *Tussen twee culturen. De Nederlanden en de Iberische wereld 1550-1800*, Nimega, 1991.

[18] Jonathan Israel, *La república holandesa y el mundo hispánico, 1606-1661*, ob. cit., pág. 209. Manuel Herrero Sánchez, *El acercamiento hispano-neerlandés (1648-1678)*, CSIC, Madrid, 2000, pág. 53, n. 58, indica que fueron ocho fragatas.

un representante diplomático holandés[19]. En cuanto Francia y España firmaron la paz en el Tratado de los Pirineos en 1659, los Estados Generales de las Provincias Unidas enviaron a Madrid una delegación diplomática especial para hablar de negocios. Una semana antes de la Navidad de 1660, los embajadores holandeses presentaron sus respetos a Su Católica Majestad, don Felipe IV, en el palacio del Buen Retiro, y se dirigieron a él en francés, mientras que él les respondió en castellano. En aquel acto se resolvieron casi cien años de conflictos y desconfianzas entre los dos países.

Sin embargo, las conversaciones versaron menos sobre la cultura que sobre el comercio. De hecho, las Provincias Unidas necesitaban el apoyo del Imperio español para mantener su propia economía y para protegerse contra los intereses de los ingleses y los franceses, que los estaban invadiendo. Los españoles les correspondieron. En nombre de España, un diplomático flamenco informó en 1651 a los Estados Generales que «en ninguna parte del mundo han recibido mejor bienvenida vuestros mercaderes y comerciantes que en los dominios de mi señor»[20]. A partir de la década de 1650 se incrementó el comercio de los Países Bajos con la Península, hasta llegar a convertirse en un negocio rentable con los países del Mediterráneo[21]. Desde el norte enviaban cereales, pescado, madera y artículos navales y se llevaban de la Península plata y más plata, además de un poco de lana, aceite de oliva, vino y, de vez en cuando, sal. Se beneficiaron de las guerras de España contra Inglaterra en 1655-1660 y contra Francia en años posteriores, porque intervinieron en el comercio de artículos que estaban

---

[19] Manuel Herrero Sánchez, *El acercamiento hispano-neerlandés (1648-1678)*, ob. cit., pág. 63.

[20] Citado por Herrero Sánchez, *El acercamiento hispano-neerlandés (1648-1678)*, ob. cit., pág. 82.

[21] Jonathan Israel, *The Dutch Republic and the Hispanic World 1606-1661*, 1982, ob. cit., págs. 418-427.

prohibidos para los ciudadanos de estos dos países. Las embarcaciones holandesas transportaban la mayoría de las exportaciones de lana de España al norte de Europa o a Italia. En décadas posteriores, los holandeses aportaron el capital necesario para financiar el comercio de esclavos al continente americano[22]. A su vez, el Imperio español se benefició de la protección militar de la que seguía siendo la mayor potencia marítima del mundo. Las embarcaciones holandesas escoltaban a los buques mercantes españoles a lo largo de las costas para protegerlos de sus enemigos. La aparición en 1657 de dieciséis buques de guerra holandeses anclados en la bahía de Alicante, el puerto más grande de España en el Mediterráneo, fue algo que no tardó en volverse habitual en los principales puertos del sur de España. Los comerciantes españoles estaban satisfechos de comerciar con sus antiguos enemigos: «Todos los comerciantes ingleses de la costa —informaba un funcionario inglés que llegó a España en la década de 1660— se quejan de la debilidad de los españoles por los holandeses»[23].

En 1670, España confirmó su intención de llegar a un acuerdo con los holandeses, que entonces eran los principales garantes de la integridad de los Países Bajos meridionales. En Madrid, el conde de Peñaranda mantuvo con firmeza la alianza, hasta el punto de que el embajador inglés comentase que «aquí todos desean mucho colaborar con los holandeses y lo harían sin dudarlo, aunque los franceses fueran aún más poderosos de lo que son»[24]. Lamentablemente para los holandeses, no tardaron en tener que apelar a su amistad con España. En 1672, dos inmensos ejércitos franceses (alrededor de ochenta mil hombres a las órdenes de Luis XIV y de Turenne y treinta

---

[22] Violet Barbour, *Capitalism in Amsterdam in the 17th century,* ob. cit., pág. 110.

[23] Ibíd., pág. 101.

[24] Citado en R. A. Stradling, *Europe and the decline of Spain,* Londres, 1981, pág. 161.

mil más a las órdenes de Condé) avanzaron respectivamente desde Charleroi y desde Sedán y se abatieron sobre las Provincias de Holanda, siguiendo la línea del Mosa. La invasión francesa, que había tenido mucho cuidado de no tocar territorio belga, contribuyó a acercar aún más a los holandeses y los españoles, una política que ya había llevado adelante en aquellos años el embajador de España en La Haya desde 1671 hasta 1679, el extraordinario diplomático Manuel de Lira. La situación desesperada de los holandeses y la amenaza evidente a los españoles obligó a ambos a llegar por fin a un acuerdo formal, que se formalizó en el Tratado de La Haya (30 de agosto de 1673)[25]. En virtud de este acuerdo, España dio instrucciones a su gobernador en Bélgica, el conde de Monterrey, para que declarase la guerra a Francia aquel mismo mes.

Aunque el Gobierno español era consciente de que su presencia en los Países Bajos meridionales era fundamental para mantener su condición de potencia europea, disponía de escasos recursos humanos y financieros para sostenerla. En 1664, cuando la cantidad real de tropas españolas allí acuarteladas apenas superaba los seis mil hombres, el nuevo comandante español quedó espantado cuando, al llegar, comprobó que los hombres estaban —según él— «desnudos, descalzos, sucios y mendigando»[26]. Ante la necesidad de colaborar contra un enemigo común, las Provincias Unidas lograron obtener de España una concesión que consideraban totalmente necesaria para su propia supervivencia. Se permitió el acuartelamiento de una cantidad limitada de tropas holandesas en determinadas fortalezas situadas en la frontera entre los Países Bajos meridionales y Francia, con lo que, después de la década de 1670, la defensa del territorio más conflictivo de la gran monarquía católica quedó en manos de herejes y de antiguos rebeldes.

---

[25] Manuel Herrero Sánchez, *El acercamiento hispano-neerlandés (1648-1678)*, ob. cit., pág. 195.

[26] Ibíd., pág. 158.

Al mismo tiempo, la principal fuerza naval española en el Mediterráneo se encomendó al mando supremo de un almirante holandés. Este fue, tal vez, el cambio más sorprendente en toda la hiatoria del Imperio, que pasaba entonces a quedar apuntalado por los recursos de naciones que en otros tiempos habían sido sus peores enemigos. Había generales protestantes holandeses al mando de las tropas españolas y almirantes protestantes holandeses que dirigían la armada española. En los Países Bajos, España puso todas sus tropas a las órdenes del príncipe de Orange, quien declaró que «mi principal preocupación es encontrar la forma de evitar que los Países Bajos españoles caigan en manos de Francia». En noviembre de 1673, el príncipe, al frente de un ejército compuesto por soldados holandeses y españoles, capturó la fortaleza de Bonn, a orillas del Rin, y obligó a los franceses a retirarse del territorio belga. A continuación, sus fuerzas se distinguieron contra los franceses en la batalla de Seneff, en agosto de 1674.

Esto no supuso, en modo alguno, el final de la alianza entre los holandeses y los españoles, que alcanzó cotas nuevas e inesperadas en la generación siguiente, pero basta para presentar una imagen muy diferente de lo que se suele observar cuando contemplamos la obra maestra de Velázquez. Los hechos revelan una dimensión importante de la invención de España: la capacidad del pueblo español para aceptar la compleja relación de amistad y enemistad que tenían con el pueblo de los Países Bajos. Cuando los expertos logren establecer la fecha verdadera en la que se pintó *Las lanzas,* estaremos en mejores condiciones para juzgar el mensaje que Velázquez quiso transmitir a su público.

11
PIRATAS EN ALTA MAR

La guerra en el mar ha acrecentado mucho la reputación
de España.

FELIPE IV (1626)

Al mirar atrás, en su ancianidad, a la famosa batalla en la que
resultó gravemente herido en la mano izquierda, el escritor Miguel de Cervantes la recordaba como «la más alta ocasión que
vieron los siglos pasados, los presentes, ni esperan ver los venideros». Estaba orgulloso de sus heridas: «las que el soldado
muestra en el rostro y en los pechos, estrellas son que guían a
los demás al cielo de la honra, y al de desear la justa alabanza».
La batalla de Lepanto, en la que participó y fue herido, ha pasado a la Historia como la victoria más memorable de la gran
época imperial de España, aunque, para Cervantes, fue el comienzo de muchos infortunios. Cuatro años después de la batalla, embarcó en Nápoles hacia España, pero su embarcación
se separó de su escolta y cayó en poder de unos piratas argelinos, que lo tuvieron prisionero en Argelia durante cinco años.

El mar fue tanto el punto fuerte como el débil del Imperio
español. Mediante el desarrollo de rutas marítimas fiables, España y sus colaboradores pudieron llegar a casi cualquier rincón del globo, de modo que establecieron colonias y comer-
ciaron en los cinco continentes, pero el problema principal

era defender aquellos territorios tan dispersos. Las potencias navales activas en Europa en la época en la que los territorios españoles se reunieron bajo el mandato de Fernando e Isabel eran básicamente cuatro: Portugal, la Corona de Aragón, Venecia y los turcos. Los cuatro tenían acceso activo al mar. Castilla, en cambio, no tenía ninguna base naval importante en el sur de la Península, así que dependía de los puertos cantábricos y los vascos para sus vínculos con el norte de Europa y de la Corona de Aragón para recibir apoyo naval durante las guerras contra los emires de Granada. Cuando el emperador Carlos V se hizo cargo de los destinos de España, puso en marcha su carrera como gran potencia naval, pero, en cuanto a equipo y a personal, aquello solo fue posible gracias a la alianza con la armada genovesa, a partir del año 1528. Con la ayuda naval de Portugal y de Génova, en 1535 Carlos obtuvo el mayor éxito militar de su reinado: la conquista de Túnez. A partir de entonces, hubo que tomar en serio a España como potencia naval.

Sin embargo, no se ha de juzgar aquel poderío en base al criterio anticuado de las batallas o ni siquiera por los recursos navales españoles, que eran limitados. Mucho más impresionantes y duraderos fueron los esfuerzos que se hicieron para mantener unos medios de contacto transoceánicos y la colaboración constante de los aliados navales, en particular de los italianos. Cabe destacar, sobre todo, la impresionante realidad del dinero: gracias a la plata preciosa que llegaba del Nuevo Mundo, España era el único país europeo que podía librar guerras en tierra y en mar, sabiendo que contaba con un crédito ilimitado.

A lo largo de todos estos años, en realidad las principales potencias navales en el Mediterráneo occidental eran la flota turca y sus aliados. Desde el siglo XVI, los capitanes musulmanes usaban como base los puertos del norte de África para atacar el transporte marítimo cristiano, saquear las costas y tomar a miles de prisioneros, por los cuales se pedía un rescate o, de lo contrario, se los vendía como esclavos[1]. Como hemos visto, Cervantes fue una de las víctimas. Para los españoles, los capitanes de barco se identificaban siempre como «piratas» y se siguió luchando contra ellos de forma esporádica hasta el siglo XIX.

En su época imperial, los españoles también acusaron de piratas a los ingleses, los franceses y los holandeses. Es cierto que los piratas más activos y más famosos de los mares occidentales procedían de estos tres países, pero muchos se sorprenderán al saber que los propios españoles figuraban también entre los piratas más prósperos de la época. Se tiene constancia de la actividad de muchos piratas españoles en el Mediterráneo en el siglo XV, aunque ninguno de ellos ha sido estudiado y lo que sabemos de ellos es, sobre todo, una leyenda.

Don Juan de Austria y Lepanto

Empecemos por los turcos. Para todos los españoles, los turcos eran el enemigo tradicional, el que los ayudó a unirse en la lucha por el Mediterráneo. Sin embargo, al éxito de Carlos V en la captura de Túnez en 1535 le siguió, en 1541, el desastre de Argel, que confirmó la imposibilidad de España de acabar con la superioridad otomana. Cuando llegó al trono Felipe II, su primera gran batalla naval también fue un desastre: la armada turca lo derrotó en la isla de Yerba en 1566. Para proteger las costas españolas vulnerables, el rey invirtió en un enorme programa de construcción naval con base en Barcelona y en Nápoles. Gracias a aquellos fondos, España consiguió la flota más poderosa del Mediterráneo occidental. Esto dio a Felipe mucho peso en las negociaciones para formar una Liga Santa para luchar contra los turcos, que tuvo como consecuencia la

---

[1] Entre los libros recientes, véase Alan G. Jamieson, *Lords of the Sea. A History of the Barbary Corsairs,* Reaktion Books, Londres, 2012.

victoria de Lepanto. En toda la Historia española, ningún otro acontecimiento militar ha recibido tantos aplausos como esta batalla, una acción naval que pareció confirmar la posición predominante de España en Europa y en el Mediterráneo. Sin embargo, aquella posición no era del todo lo que parecía. Fue un acontecimiento totalmente excepcional, porque la situación de España como potencia naval tenía características especiales que merecen una explicación. Lepanto no solo fue la primera gran batalla naval en la que España participó, sino que también fue la última acción naval significativa de España en el Mediterráneo. ¿Cómo es posible y por qué?

Desde principios de 1566, los servicios de inteligencia occidentales no habían dejado de transmitir noticias inquietantes sobre la actividad naval turca en el Mediterráneo y sobre movimientos militares en la frontera húngara. En el verano de 1570, los turcos ocuparon la mayor parte de la isla de Chipre. Venecia, con el apoyo del Papa, convocó una alianza general de los estados italianos contra aquella amenaza aparentemente imparable. La Santa Liga suscrita por España, el Papado y Venecia el 20 de mayo de 1571 estipulaba que los aliados reclutarían y mantendrían durante seis meses una fuerza permanente de alrededor de doscientas galeras y más de cincuenta mil hombres. Como España controlaba la mitad de Italia, en realidad la liga era una unión de todos los estados italianos. Aparte de una cantidad no especificada que aportaría el Papa, España y sus territorios asumirían tres quintas partes de los costes y Venecia, dos quintos. Debido a la rivalidad entre los estados, resultó difícil elegir la cadena de mandos para la flota prevista. Al final, la elección recayó en el hermanastro de Felipe II: don Juan de Austria.

Cuando las fuerzas de la Santa Liga lograron congregarse en Mesina a finales del verano de 1571, contaban con un total de doscientas tres galeras: nunca se habían reunido tantos barcos en aguas de Europa occidental. La aportación directa española a aquella fuerza impresionante se limitaba a catorce galeras, a las órdenes de Álvaro de Bazán. Las otras 63 que iban al mando de España eran todas italianas: treinta de Nápoles, diez de Sicilia, once al mando de Juan Andrea Doria y otros contingentes pequeños que incluían tres galeras enviadas por Saboya, otras tres de Génova (a las órdenes de Alejandro Farnesio) y tres de Malta. El Papa envió doce galeras, al mando de Marco Antonio Colonna, y Venecia fue la que hizo la mayor aportación, con ciento seis galeras. Como demuestran las cifras, la flota de la Santa Liga era italiana desde todo punto de vista y, sobre todo, veneciana, y España dependía mucho del apoyo de sus aliados italianos. Solo Nápoles y Sicilia aportaron más de la mitad de las galeras y se hicieron cargo de más de un tercio de los gastos.

España, en cambio, aportó el mayor porcentaje de hombres. De los veintiocho mil soldados que acompañaron a la flota, España proporcionó poco menos de una tercera parte —alrededor de ocho mil quinientos— en cuatro tercios, con sus comandantes, Lope de Figueroa, Pedro de Padilla, Diego Enríquez y Miguel de Moncada. También había alrededor de cinco mil soldados alemanes y el resto eran, en su mayoría, italianos, incluidos tres mil enviados y pagados por el Papa. Además de los soldados, la flota cristiana contaba también con trece mil marineros y cuarenta y tres mil quinientos remeros. Las embarcaciones, evidentemente, servían más como transporte que como buques de guerra. La inmensa flota tardó bastante en reunirse y, a finales de agosto, el comandante acordado, don Juan de Austria, de veinticuatro años y en el apogeo de su carrera, llegó a Mesina para ocupar su puesto. Don Juan tenía poca experiencia, pero contaba con la ventaja de que lo acompañaban las principales figuras militares del sur de Europa.

La armada zarpó de Mesina el 16 de septiembre, en dirección a Corfú. Al amanecer del 7 de octubre se encontró con la flota enemiga a la entrada del golfo de Lepanto, frente a la costa de Grecia. Las embarcaciones de los dos combatientes ocupaban el mar hasta donde alcanzaba la vista y las galeras cristianas de fondo ancho ocupaban tanto lugar en el agua que algunas tuvieron que esperar en la retaguardia. El centro del orden de batalla cristiano estaba compuesto por sesenta y dos galeras a las órdenes de don Juan y cada una de sus dos alas contaba con cincuenta y tres galeras. La flota otomana —se calcula que contaba con doscientas ocho galeras y veinticinco mil soldados— era muy pareja, aunque la superioridad de cañones y arcabuces estaba del lado cristiano. Fue tal vez la batalla terrestre más excepcional librada jamás en el mar, ya que la infantería iba luchando de galera en galera, apoyada por la potencia de fuego. La batalla terminó a media tarde.

No ha habido muchos balances de muertes comparables en la Historia europea. Las dos partes reconocieron enseguida que fue una victoria cristiana, pero la cantidad de bajas no daba motivos para regocijarse. El mar quedó sembrado de cadáveres. Los cristianos perdieron quince galeras y tuvieron casi ocho mil muertos y ocho mil heridos. Los turcos perdieron quince galeras, que quedaron destruidas, y ciento noventa más, que fueron capturadas, y entre sus víctimas tuvieron treinta mil muertos y ocho mil prisioneros; además, doce mil remeros cristianos fueron liberados de sus barcos. No se volvió a superar tanta mortalidad en una batalla hasta el siglo XX, con la Primera Guerra Mundial. Un cronista musulmán del acontecimiento escribió lo siguiente: «No ha habido jamás una guerra tan desastrosa en tierras islámicas ni en todos los mares del mundo desde que Noé creó las naves».

La mañana siguiente a la batalla, don Juan desayunó a bordo de la nave del almirante genovés Juan Andrea Doria y declaró que la victoria correspondía más a su padre, el difunto emperador, que a él. No obstante, ninguno de los generales puso en duda su gloria y, aunque los italianos jamás dejaron de creer que la victoria había sido italiana, no negaron los méritos del príncipe. En Roma, según informó un cardenal, «estábamos locos de contento y sobre todo el Papa, y sin exagerar pensamos que moriría de alegría, porque el viejo santo llevaba dos noches sin dormir». El papa Pío V estaba tan exultante que se ofreció a coronar en persona a Felipe II como emperador de Oriente si recuperaba Constantinopla. En una carta a don Juan, el Papa le aplicó específicamente la cita bíblica: «*Fuit homo missus a Deo, cui nomen erat Joannes*».

Los festejos en el mundo cristiano tuvieron lugar sobre todo en los estados italianos. La intervención mayoritaria de las naves y los fondos italianos había contribuido a alcanzar la victoria. No cabía duda de que el papel fundamental de la monarquía española sirvió para concentrar en España las esperanzas de Occidente, pero, dejando aparte algunas celebraciones públicas, la victoria no pareció despertar la curiosidad de los españoles. En Italia, donde la victoria se consideró —tenían buenos motivos— propia[2], no tardaron en aparecer representaciones magistrales de la batalla, obra de Paolo Veronese, Andrea Vicentino, Tintoretto y Tiziano. El Vaticano, que cubrió buena parte de los gastos cristianos, encargó un fresco en su honor. Juan Andrea Doria encargó seis tapices enormes para el Palazzo del Principe de la familia Doria, en Génova. En síntesis, Lepanto fue el gran momento de Italia.

En España despertó menos entusiasmo. Curiosamente, allí ningún artista pintó la gloria de Lepanto. Ni siquiera Felipe II encargó una pintura, aparte de una no militar que logró arrancarle a Tiziano. Por lo general, se titula *Alegoría de la batalla de Lepanto,* y el lienzo reúne una referencia indirecta a la batalla —solo se representa en forma de un turco vencido— y al nacimiento del príncipe Fernando, como testimonio de las mercedes recibidas del cielo. En aquellos meses, apenas un puñado de propagandistas y escritores españoles publicaron obras para ensalzarla. El poeta de versos heroicos Fernando de Herrera publicó en 1572 un poema sobre el tema, y otro, Francisco de

---

[2] Hay muchos estudios sobre su influencia en Italia, como Cecilia Gibellini, *L'immagine di Lepanto. La celebrazione della vittoria nella letteratura e nell'arte veneziana del Cinquecento,* Marsilio, Venecia, 2008.

Aldana, escribió un soneto que acogía la victoria como una confirmación del dominio universal del rey Felipe[3]. Durante más de una década después de la victoria naval, no hubo en España ninguna obra de arte relacionada con ella. Es posible que esto no sea ninguna sorpresa: ningún pintor español representó jamás ni una sola expedición naval española importante llevada a cabo en los doscientos años siguientes.

Tampoco sorprende la poca importancia que España atribuyó a don Juan. No se levantó ninguna estatua en su honor. Solo Mesina, a donde regresó el general victorioso con sus naves el 31 de octubre, lo reconoció y de inmediato ordenó que se erigiera una gran estatua del príncipe: fue esculpida del natural por Andrea Calamech, dorada e instalada en la plaza principal en 1572.

El impulso de defender el Mediterráneo continuó. Don Juan «reconquistó» Túnez en 1573, con una fuerza de ciento cincuenta y cinco galeras, aportadas por los estados italianos del Imperio y por España. Su fuerza, compuesta por veintisiete mil hombres —dos tercios entre italianos y alemanes y un tercio de españoles—, zarpó de Mesina exactamente el 7 de octubre, sin duda para sacar provecho del triunfo del año anterior. Lamentablemente, la inmensa fuerza advirtió que no tenía nada que hacer. La ciudad no ofreció ninguna resistencia: su guarnición la había abandonado y solo había dejado en las calles —así lo hizo constar don Juan al rey— «a ancianos y mujeres» y a un resto de población que observó con indiferencia la entrada de los soldados. A pesar de aquella entrada pacífica, las tropas saquearon e incendiaron buena parte de los edificios. En uno de ellos, don Juan encontró un cachorro de león, que adoptó y

---

[3] Véase Lara Vilà y Tomàs, «Épica e Imperio. Imitación virgiliana y propaganda política en la épica española del siglo XVI», tesis inédita de la Facultad de Filología, Universidad Autónoma de Barcelona, 2001. Disponible en: https://www.tesisenred.net/handle/10803/4862#page=1 [último acceso: diciembre de 2016], pág. 296.

se llevó consigo cuando regresó a Italia. La toma de Túnez fue un éxito efímero, porque doce meses después los turcos recuperaron la ciudad y el fuerte de La Goleta. En el Mediterráneo, escenario de la gloria de Lepanto, España no tardó en perder su preeminencia en el mar.

LA AMENAZA DE LOS PIRATAS

Esto no significaba en absoluto que España hubiera dejado de ser una fuerza militar. La atención de los españoles se alejó del Mediterráneo y se concentró en el norte de Europa, donde la rebelión en los Países Bajos representaba un grave peligro. Por aquel entonces, Felipe también comenzó a tomar en serio la amenaza de los barcos ingleses en el Caribe. Por los dos motivos, en la década de 1580 el rey invirtió en la construcción de galeones en la costa norte de España. Se siguieron construyendo en el Mediterráneo, pero ya no era una prioridad, y se trató de llegar a una tregua con los turcos. Mientras tanto, las naves españolas en aguas americanas tenían que hacer frente a un problema que ya conocían del Mediterráneo, la llamada «piratería». El Gobierno español ya había tratado, en la época de Lepanto, de reducir la amenaza procedente del norte de África, pero, una década después, los corsarios del norte de África parecían menos prioritarios que los otros piratas que operaban en el Caribe, cuyas actividades hacían peligrar el comercio y las riquezas que España recibía de América[4].

Las autoridades aplicaban el término «pirata» a todas las embarcaciones no autorizadas, pero, en realidad, había muchos tipos de piratas. Algunos eran corsarios (los que poseían una patente expedida por su Gobierno), otros eran contra-

---

[4] Manuel Lucena Salmoral, *Piratas, corsarios, bucaneros y filibusteros*, Síntesis, Madrid, 2010.

bandistas y, a partir del siglo XVII, comenzaron a operar los filibusteros y los bucaneros —estas palabras eran, respectivamente, de origen holandés y francés—, cuyas bases se encontraban en aguas americanas. A menudo existían enormes diferencias entre los piratas criminales, dedicados únicamente al robo, y los comerciantes ilegales, a quienes solo preocupaba la obtención de beneficios económicos; pero las autoridades españolas no hacían distingos entre ambos. La actividad de los extranjeros en las primeras décadas de las colonias coincidía, por lo general, con la situación bélica en Europa: los franceses se mostraron particularmente activos a mediados del siglo, entre 1550 y 1559; los ingleses, durante las últimas décadas del siglo, y los holandeses, a partir de la década de 1570 y hasta 1648[5].

A partir de estas fechas se produjo una creciente afluencia de barcos no autorizados en el Atlántico y el Caribe, aunque sus actividades se basaban menos en la piratería que en los beneficios del comercio. El ejemplo más obvio es el de John Hawkins, cuyos primeros viajes desde Inglaterra, en 1562 y 1564, fueron una prolongación de la actividad de su padre en el tráfico de esclavos. En la misma década, España comenzó a aumentar su increíble potencial como primera nación atlántica de la Historia. En la década de 1560, el Gobierno contribuyó a financiar la construcción de una docena de naves en Bilbao, para formar una nueva armada que patrullara las costas tanto del Atlántico como del Caribe y que acompañara a los convoyes de naves que comerciaban con el continente americano. Era una tarea prácticamente imposible, sobre todo porque el Gobierno inglés y el francés financiaban activamente a los corsarios. Solo los ingleses emprendieron alrededor de doscientos

---

[5] K. E. Lane, *Pillaging the Empire: Piracy in the Americas, 1500-1750*, Londres, 1998; Aimee Wodda, «Piracy in the Colonial Era», en Jay S. Albanese (dir.), *The Encyclopedia of Criminology and Criminal Justice*, John Wiley & Sons, Nueva York, 2014.

viajes comerciales al Caribe en los años de guerra comprendidos entre 1585 y 1603[6]. El enemigo más importante y atrevido fue Francis Drake, cuyas campañas contra España comenzaron en 1570.

Drake era mucho más que un pirata[7]. Era un comandante naval profesional; él decía que actuaba por encargo de la reina y se puso furioso cuando se enteró de que los españoles lo calificaban de pirata. Se hizo famoso por ser el primer capitán inglés en dar la vuelta al mundo (1577-1580), medio siglo después que Elcano. Además, causó grandes perjuicios a los intereses españoles en todo el mundo y se enriqueció con lo recaudado. Los ataques que llevó a cabo en 1585 en Santo Domingo y en el Caribe no fueron simples actos de piratería, sino campañas bélicas encarnizadas, respaldadas, en su caso, por los recursos de una flota financiada por la reina de Inglaterra. Después de una breve visita de dos semanas a Galicia en septiembre de 1585, Drake cruzó el Atlántico con su escuadra: era la fuerza naval más poderosa jamás vista en aguas americanas, compuesta por veintidós buques armados, con dos mil trescientos hombres y doce compañías de soldados. Saquearon Santo Domingo y la obligaron a pagar un rescate, y ocuparon Cartagena durante seis semanas. Al final, Drake decidió no probar en Panamá y entró en el estrecho de Florida sin molestarse en atacar La Habana; en cambio, arrasó el fuerte de San Agustín. Esta expedición notable proporcionó a los ingleses escasas o ninguna ventaja material, pero tuvo graves consecuencias para España, al poner de manifiesto la absoluta vulnerabilidad de las colonias españolas en el Nuevo Mundo.

---

[6] Kenneth R. Andrews, *Trade, plunder and settlement. Maritime enterprise and the genesis of the British Empire, 1480-1630,* Cambridge University Press, Cambridge, 1984, pág. 283.

[7] Harry Kelsey, *Sir Francis Drake. The Queen's Pirate,* Yale University Press, Yale, 1998.

El desastre de la Armada Invencible

Volvemos a encontrar a Drake en lo que siempre se ha aceptado como el peor desastre militar de España: la pérdida de su Armada Invencible en 1588. Las tropas españolas ya se habían enfrentado con fuerzas inglesas en los Países Bajos, pero Felipe II estaba convencido de que solo una invasión a Inglaterra resolvería el problema en sus raíces. La flota de ciento treinta naves que al final zarpó de La Coruña en julio de 1588 transportaba siete mil marinos y diecisiete mil soldados. El comandante general, el duque de Medina Sidonia, recibió instrucciones de dirigirse a los Países Bajos a recoger a la principal fuerza militar, compuesta por diecisiete mil hombres del ejército de Flandes.

La unión de las dos fuerzas jamás se produjo. Los buques de guerra ingleses, organizados en pequeñas escuadras al mando de lord Howard de Effingham, Francis Drake, John Hawkins y Martin Frobisher, comenzaron a acosar a los grandes barcos y los obligaron a entrar en el Canal de la Mancha. El 6 de agosto, Medina Sidonia consiguió conducir intactos a la mayoría de sus barcos frente a las costas de Calais, donde recibió la primera respuesta del duque de Parma, comandante de los Países Bajos. El ejército de Flandes —escribió el duque— no estaría disponible para embarcar hasta al cabo de, como mínimo, seis días. Había un problema aún más acuciante: que Parma no disponía de barcas adecuadas para transportar a sus hombres hasta los galeones, que no se podían acercar, porque las aguas eran poco profundas, y Parma no podía arriesgarse a alejarse más a causa del oleaje y de la flota de embarcaciones holandesas que patrullaban las costas.

La noche del 7 de agosto, los ingleses enviaron seis naves pequeñas, cargadas de explosivos y balas. Los galeones que estaban anclados cortaron las amarras y salieron a mar abierto. Al amanecer del día siguiente, los galeones que quedaban anclados se encontraron delante al grueso de la flota inglesa, reforzada y lista para la batalla. Comenzó un combate prolongado y violento que duró alrededor de nueve horas. Las naves españolas siempre estuvieron en desventaja. Se perdieron pocas embarcaciones, pero sufrieron muchas bajas. Al final del día, la flota se tuvo que retirar y se alejó de Flandes para internarse en las aguas poco acogedoras del mar del Norte. El objetivo de toda la expedición —embarcar a la flota invasora— había fracasado. La mayor parte de la Armada Invencible, alrededor de ciento veinte naves, seguía intacta, pero el viento las había llevado hasta un punto desde el cual no podían regresar a Flandes ni a la batalla. Medina Sidonia dio órdenes a sus capitanes de navegar hacia el sudoeste, pasar junto a la costa irlandesa y seguir hasta España. Solo la tercera semana de septiembre consiguió Medina Sidonia llegar a duras penas a Santander con ocho de sus galeones.

Se podría afirmar que el destino de la Armada no fue más que un revés limitado y temporal para España. De las ciento treinta naves españolas que se desplazaron contra Inglaterra, solo seis quedaron destruidas como consecuencia directa del combate naval. No obstante, como mínimo sesenta buques de la Armada se perdieron por accidentes o durante las tormentas atlánticas que dispersaron la flota cuando se dirigía a Inglaterra y cuando regresaba con dificultad al norte de España. Alrededor de quince mil marinos y soldados no regresaron jamás, pero la inmensa mayoría no fueron víctimas de los cañonazos ingleses, sino de la falta de alimentos y de agua, de enfermedades virulentas y de la desorganización. Fue —así lo comentó un monje de El Escorial que estaba presente cuando el rey recibió la noticia— «una de las más bravas y desdichadas desgracias que han sucedido en España y digna de llorar toda la vida. [...] En muchos meses todo fué lloros y suspiros en toda España». Pocos informes hubo tan conmovedores como el del maestre de campo y general de los tercios españoles embarcados en la flota, don Francisco de Bobadilla, quien en agosto escribió, furioso, al secretario del rey, Juan de Idiáquez:

No hay ninguno que no diga agora: yo dije, yo adiviné; el caso es que después de ido el conejo cada uno da consejo. Con todo esto no hará poco el que acertare a dar el que conviene, y volviendo a lo que importa digo: que hallamos al enemigo con muchos bajeles de ventaja, mejores que los nuestros para pelear, ansí en la traza de ellos, como de artillería, artilleros y marineros, de manera que los gobernaban y hacían lo que querían. La fuerza [propiamente combativa] de nuestra Armada eran hasta veinte bajeles y éstos han peleado muy bien y más de lo que era menester, y los más del resto huido siempre que vían cargar al enemigo, que no se pone en relación por lo que toca a la reputación de nuestra nación.

Lo que no se puede negar es que el acontecimiento sirvió de base eficaz para un mito espléndido que los ingleses construyeron en torno a él. La eficiencia de su propaganda convirtió la derrota de la Armada Invencible en una de las historias fundamentales de la grandeza nacional inglesa. Fernández Armesto señala «los mitos de una gran victoria inglesa, de la superioridad inglesa sobre España y del resultado de la Armada Invencible como símbolo de la era de la grandeza nacional inglesa». En un acontecimiento magistral —al parecer—, Inglaterra había triunfado tanto en política como en religión: había derrotado a la España imperial y, al mismo tiempo, había puesto en fuga a las fuerzas del catolicismo opresivo. Durante los siglos siguientes, los escolares ingleses supieron quién era Francis Drake. De todos modos, el mito que se difundió en Inglaterra omitió mencionar —así le convenía— un revés increíble que se produjo apenas un año después.

En cuanto finalizó la campaña de la Armada Invencible, el Gobierno inglés comenzó a hacer planes para convertir a Portugal en el centro de un plan triple: destruir los buques de la Armada que quedaban en su supuesta base de Lisboa, provocar una rebelión de los portugueses a favor del aliado de Inglaterra, don Antonio de Prato, y apoderarse en mar abierto de una flota cargada de tesoros procedente de América, en 1589, antes de que pudiera llegar a la Península. Al final, no cumplió ninguno de los tres objetivos: resultó que los buques de guerra de la Armada Invencible no habían regresado a Lisboa, sino a otros puertos situados en el norte de la Península, como Santander y San Sebastián, menos accesibles a los ingleses; los portugueses no se alzaron en apoyo de Antonio, y la flota del tesoro —lo que más les interesaba— pasó desapercibida y consiguió llegar a puerto sana y salva. Lo peor de todo fue, sin embargo, la expedición con la que los ingleses pretendían alcanzar su objetivo. Incluía seis naves financiadas por la reina, además de sesenta buques mercantes ingleses armados, sesenta veleros holandeses y alrededor de veinte pinazas, que transportaban más de veinte mil soldados, y zarpó de Plymouth en abril de 1589. *Sir* Francis Drake era el comandante en el mar y *sir* John Norris estaba a cargo de las fuerzas terrestres. La información que enviaron a Felipe II sus agentes diplomáticos decía lo siguiente[8]:

> Acompañan a la flota entre quinientos y seiscientos caballeros y alrededor de veinte mil soldados, entre ingleses y flamencos. Llevan cuatrocientos caballos para los jinetes y mil doscientas sillas de montar, con las armas necesarias para reclutar la misma cantidad de soldados de caballería cuando desembarquen; ya robarán los caballos que necesiten para ellos. Llevan también doscientos caballos de artillería y treinta mil conjuntos de armas, mosquetes, arcabuces y lanzas para los portugueses, y transportan provisiones para toda su fuerza durante seis meses. Entre los ingleses, los flamencos y los holandeses, los buques armados, los transportes, los barcos viejos, etcétera, se calcula que toda la flota no bajará de doscientas velas. Es un proyecto muy concienzudo.

---

[8] *Calendar of State Papers,* España (Simancas), vol. 4, 1587-1603, Londres, 1899.

La flota se dirigió a La Coruña, a donde llegó al cabo de cinco días. Drake esperaba que en el puerto estuvieran algunas de las embarcaciones de la Armada Invencible, pero estaba casi completamente vacío. Se dio orden de que desembarcaran nueve mil hombres, que lograron capturar parte de la ciudad, pero el total de dos semanas que pasaron en La Coruña en realidad resultó infructuoso[9]. Uno de los incidentes que se produjeron en la defensa de La Coruña fue la actuación de un grupo de mujeres, lideradas por una tal María Pita, cuyo heroísmo legendario contra los invasores destaca como ejemplo de cómo pueden crecer las leyendas. Aunque sabemos muy poco de ella y menos aún de lo que hizo, la historia de que ella y un grupo de mujeres atacaron a los invasores ingleses le ha otorgado una reputación histórica permanente. En su honor se levantó, cuatrocientos años después, en 1998, una estatua heroica de nueve metros de altura.

Drake destruyó en el puerto trece buques mercantes españoles, pero sus naves no pudieron seguir más, por el fuerte viento. Varios centenares de hombres murieron también en la lucha. Las tropas se retiraron para ocuparse de su segunda misión —capturar Lisboa y apoyar a Antonio de Prato—, pero en Lisboa no se produjo ningún alzamiento y la ciudad consiguió resistir bien los ataques. Otras acciones navales en alta mar que hicieron los españoles a las órdenes de Alonso de Bazán aumentaron las dificultades de los ingleses. Mientras tanto, Drake había zarpado con veinte naves hacia las Azores, para tratar de localizar la flota del tesoro, pero no lo consiguió y regresó a puerto. A principios de junio, volvieron a embarcar en las naves a las tropas inglesas supervivientes y al cabo de un mes toda la expedición «estaba de vuelta en Inglaterra, sin haber logrado casi nada, mientras que aproximadamente un 40 por ciento del

[9] Anthony Wingfield, *A True Coppie of a Discourse written by a Gentleman, employed in the late Voyage of Spaine and Portingale,* Thomas Woodcock, Londres, 1589.

total original de alrededor de veinte mil hombres murió de enfermedad»[10]. En total, los ingleses perdieron unas cuarenta embarcaciones, de las cuales catorce fueron víctimas de los ataques de las naves españolas y el resto se perdió por tormentas en el mar.

El revés que sufrieron los ingleses se debió, sobre todo, a sus propias decisiones erróneas y a factores naturales, como el clima y las enfermedades. La resistencia de la población gallega también influyó. La serie de acontecimientos demostró que la mala administración posiblemente costó a los ingleses más embarcaciones y más vidas en 1589 que las que habían perdido los españoles en la Armada Invencible en 1588. No era algo de lo que pudieran enorgullecerse y se corrió un tupido velo sobre el asunto. De todos modos, ni los españoles ni los ingleses se habían quedado sin recursos. Felipe II envió una flota contra el puerto de Brest en 1596 y otra en 1597, con la intención de tomar el puerto de Falmouth, aunque las tormentas destrozaron a las dos poco después de zarpar. Su fracaso contrastó con el éxito de los ingleses, que en 1596 tomaron el puerto de Cádiz.

El 30 de junio de 1596, una flota poderosa al mando de lord Howard de Effingham, héroe de la Armada Invencible, apareció frente a Cádiz. Un capitán local calculó que habría cuarenta buques de guerra y más de un centenar de embarcaciones más pequeñas[11]. La flota transportaba diez mil soldados ingleses a las órdenes de Essex y cinco mil holandeses a las órdenes del conde Luis de Nassau. Un testigo la describió como

---

[10] N. A. M. Rodger, «The Drake-Norris expedition: English naval strategy in the sixteenth century», *MILITARIA. Revista de Cultura Militar,* núm. 8, Madrid, 1996.

[11] Una lista inglesa menciona 128 embarcaciones, 24 de ellas holandesas; el duque de Medina Sidonia, que las contó desde la orilla opuesta, calculó 164. Véase Peter Pierson, *Commander of the Armada. The seventh duke of Medina Sidonia,* Yale, 1989, págs. 193-213.

«la mas hermosa armada que se ha visto»[12]. En ningún otro lugar de España había una fuerza de combate comparable. En el puerto de Cádiz había fondeadas alrededor de cuarenta embarcaciones grandes y dieciocho galeras. A las 13.00 horas del 1 de julio, el enemigo arremetió y tomó o destruyó todas las embarcaciones españolas. Un funcionario del Gobierno calculó allí mismo que se habían incendiado doscientas naves[13]. Dos horas después, los hombres desembarcaron y ocuparon la ciudad. Los ingleses y los holandeses mantuvieron el control de la población, sin ninguna restricción, durante dos semanas enteras. Se marcharon el 16 de julio, después de quemarla casi toda, para que, como dijo Essex, no pudieran zarpar de ella más armadas. Aunque Cádiz era un puerto pequeño, era el principal puerto comercial con América y el norte de Europa y el símbolo del poder marítimo español. Que estuviera ocupado sin restricciones durante más de dos semanas supuso un duro golpe para el prestigio español.

LOS PIRATAS ESPAÑOLES

Tras la etapa fallida de las batallas navales, España entró en una fase que hasta ahora solo hemos asociado con sus enemigos: los argelinos, los franceses y los holandeses. A partir de entonces, sin embargo, los españoles empezaron a jugar un papel importante. En 1615, Felipe III emitió patentes de corso que autorizaban a algunos marinos de la costa septentrional a perseguir y saquear a los corsarios argelinos. En realidad, así nacieron los piratas españoles, aunque sería más adecuado llamarlos «corsarios», porque contaban con una autorización

---

[12] Archivo General de Simancas, sección Estado, leg. 177, informe del 30 de junio.

[13] De Luis Fajardo a Martín de Idiáquez, 17 de julio de 1596, Archivo General de Simancas, sección Estado, leg. 177.

oficial[14]. Los corsarios españoles, en su mayoría vascos de Guipúzcoa, capturaron o hundieron más de setecientas embarcaciones hostiles en el golfo de Vizcaya durante el siglo XVII. Entonces se empezó a prestar menos atención a la guerra marítima contra Inglaterra en Europa y, por medio de los corsarios, España se dedicó a explotar una iniciativa nueva que podía usar contra los holandeses. Bélgica —este es el nombre correcto de lo que antes se había llamado «los Países Bajos meridionales»—, ya era un Estado autónomo, aliado de España y gobernado por la hermana de Felipe III, la infanta Isabel.

La aportación más notable de los belgas al esfuerzo bélico español fue la que hizo el puerto de Dunkerque, donde, a partir de 1621, al finalizar la tregua con los holandeses (1609-1621), las autoridades prestaron apoyo a una campaña de piratería naval contra el enemigo, incluidos los franceses y los ingleses. En torno a 1600, como ya hemos visto, Ambrosio Spinola había hecho lo mismo. En 1620, Carlos Coloma sugirió en Bruselas que las embarcaciones que se estuvieran construyendo en Ostende y en Dunkerque se usaran contra el enemigo, «como piratas». En 1621, los españoles y los belgas estaban listos para atacar a los holandeses en su propio ámbito: las aguas del mar del Norte.

Los primeros combates no salieron del todo bien, pero, a medida que fueron pasando los meses, la experiencia de los piratas mejoró. Además, unos cuantos mercaderes independientes también aprovecharon la oportunidad de intervenir en una actividad que contaba con la aprobación oficial para obtener algún beneficio de ella. Al mismo tiempo, el Gobierno de España amplió la piratería a todos los mares de Europa. El éxito de la gente de Dunkerque fue impresionante, sobre todo en el *annus mirabilis* de 1625. Aquel año, la archiduquesa Isabel fue a Dunkerque a reunirse con Spinola para ver cómo

---

[14] Enrique Otero Lana, *Los corsarios españoles durante la decadencia de los Austrias,* Instituto de Estudios Bercianos, Madrid, 1992.

iban los barcos. «La infanta y el marqués siguen en Dunkerque —informaba Rubens en octubre de 1625—, dedicados a la construcción y el armado de las naves. En el momento de mi partida, vi en el puerto de Mardijk una flota de veintiún naves bien armadas». Un mes después, añadió: «Nuestras naves de Dunkerque han arruinado la pesca del arenque [de los holandeses] de este año. Han enviado al fondo del mar una cantidad de buques pesqueros, pero con órdenes expresas de la infanta de salvar a todos los hombres y tratarlos bien»[15]. El objetivo principal de la gente de Dunkerque era la flota pesquera holandesa, el elemento fundamental de la economía de las Provincias Unidas.

Viendo los éxitos navales obtenidos por España en 1625 en los mares de todo el mundo, el rey se inspiró para afirmar, en su discurso de 1626 ante el Consejo de Castilla, que «la guerra en el mar ha acrecentado mucho la reputación de España». Era cierto, aunque buena parte del mérito correspondía a los belgas. Las actividades de la gente de Dunkerque en el Canal de la Mancha durante 1625 y 1626 costaron a los británicos la pérdida de unos trescientos buques mercantes, que representaban alrededor de una quinta parte de su flota[16]. Los holandeses sufrieron una presión constante: en 1627, las naves de Dunkerque capturaron cuarenta y cinco embarcaciones holandesas y hundieron sesenta y ocho; ese mismo año, los corsarios que colaboraban con ellos también capturaron cuarenta y nueve embarcaciones y hundieron diecisiete[17]. Al año siguiente capturaron incluso más.

---

[15] Peter Paul Rubens, *The letters of Peter Paul Rubens,* ob. cit., págs. 118-119.

[16] R. A., Stradling, *The Armada of Flanders. Spanish Maritime Policy and European War, 1568-1668,* Cambridge University Press, Cambridge, 1992 [*La armada de Flandes: política naval española y guerra europea, 1568-1668,* trad. de Pepa Linares, Cátedra, Madrid, 1992], pág. 59.

[17] Ibíd., pág. 255.

Sin embargo, a pesar de los éxitos en el mar, la maquinaria militar se estaba metiendo en graves problemas. Después de la década de 1620, España no volvió a obtener más triunfos navales ni militares y algunas de las acciones navales fueron un verdadero desastre. La paz firmada con los holandeses en 1648 supuso —ya lo hemos visto en el capítulo 10— un cambio dramático en la situación de España, que afectó el destino de su Imperio y toda su posición en los mares del mundo, incluida Asia y América. La paz fue el paso decisivo hacia el pesimismo que empezó a rondar a los españoles.

Los piratas del Caribe

Es inevitable que las novelas y las películas se vuelvan hacia el Caribe cuando tocan el tema de la piratería. La imagen habitual en los libros ingleses es la de unos marineros protestantes valientes y honrados que luchan para debilitar el poderío español en alta mar. La verdad es que los piratas eran el menor de los peligros que amenazaban los vínculos marítimos de España con el continente americano. Los documentos que se encuentran en el Archivo de Indias de Sevilla revelan una imagen totalmente diferente de lo que se suele suponer[18]. Las investigaciones llevadas a cabo hasta ahora han podido identificar los pecios de seiscientas ochenta y una naves españolas que cruzaron el Atlántico entre 1492 y 1898 y desaparecieron cerca de las costas del continente americano: de ellas, el 91,2 por ciento se hundieron por las tormentas marinas; solo el 1,4 por ciento por acciones navales hostiles, y una proporción ínfima, apenas el 0,8 por ciento, como consecuencia de la actividad de los piratas. No cabe duda de que estas cifras esconden una realidad compleja, pero bastan para restar importancia a los aspectos románticos y dramáticos de las actividades de los piratas del Caribe.

---

[18] Informe de prensa en *El País,* 24 de febrero de 2019.

La política de España de emplear a corsarios y piratas contra sus enemigos también se siguió en América, donde los ingleses y los holandeses controlaban los centros de comercio, en detrimento del sistema mercantil oficial de España. A partir de finales del siglo XVII, tanto los ingleses como los holandeses[19] se quejaban de la obstrucción de su comercio legítimo y del hostigamiento de los guardacostas, unos barcos que, con la autorización de los españoles, perseguían el contrabando. En la práctica, muchos de estos guardacostas eran corsarios españoles que atacaban y robaban todo lo que querían, y no se limitaban a los comerciantes extranjeros[20]. Según un agente de la Compañía de los Mares del Sur inglesa, eran «los ladrones más terribles de la humanidad». No siempre se tiene en cuenta que muchos de los guardacostas que trabajaban para los españoles eran en realidad ingleses y holandeses que hacían del mar su profesión. Uno de ellos era un irlandés al que los españoles llamaban «Felipe Geraldino», que trabajaba en la región de La Habana y dirigía sus ataques sobre todo contra los ingleses. Otro pirata guardacostas era Juan Corso, a quien el gobernador inglés de Jamaica acusó de cometer «salvajadas [...] una pandilla de ladrones y granujas que roban y matan todo lo que cae en su poder».

Entre 1713 y 1731, según el Gobierno británico, más de ciento ochenta buques mercantes ingleses habían sido confiscados ilegalmente o asaltados por los guardacostas. El caso más notable fue el del capitán Robert Jenkins, quien en 1738 declaró en la Cámara de los Comunes que siete años antes, en 1731, los españoles de América habían saqueado su barco, lo habían atado al mástil y le habían cortado la oreja, que presentó como

---

[19] Celestino A. Araúz, *El contrabando holandés en el Caribe durante la primera mitad del siglo XVIII,* 2 vols., Academia Nacional de la Historia, Caracas, 1984, vol. II, págs. 55-69.

[20] Celestino A. Araúz, *El contrabando holandés en el Caribe durante la primera mitad del siglo XVIII,* ob. cit., vol. I, pág. 286.

prueba, dentro de un frasco. Cuando le preguntaron qué había hecho entonces, respondió que «encomendó su alma a Dios y su causa, a su país». Su discurso despertó sentimientos patrióticos en Inglaterra y convenció a los Comunes de que la única solución era una guerra contra España. Se emprendieron negociaciones con el Gobierno español, pero su fracaso provocó el resentimiento de los políticos y los comerciantes ingleses, de modo que la guerra se volvió inevitable.

El primer ministro, *sir* Robert Walpole, trató de explicar ante una Cámara de los Comunes furiosa que no convenía a los intereses de Gran Bretaña entrar en guerra con España:

> Conservar intacta la monarquía española en América ha sido al parecer, desde tiempo inmemorial, la tendencia general de todas las potencias de Europa. En la actualidad, casi todas las naciones europeas poseen más bienes en sus galeones que la propia España. Es cierto que todo aquel tesoro se ha traído en nombre de España, pero la propia España no es más que el canal por el cual han llegado estos tesoros al resto de Europa[21].

Argumentaba que un ataque al Imperio español en realidad atacaba los intereses de la propia Gran Bretaña, que sacaba provecho de aquel imperio. Sin embargo, Walpole no pudo imponerse a la histeria bélica desenfrenada y se vio obligado a actuar. En julio de 1739 se envió al Caribe al almirante Edward Vernon para reforzar Jamaica y para atacar las posiciones españolas. En octubre se declaró en Londres la «guerra de la oreja de Jenkins», con el tañido de las campanas de las iglesias y gran regocijo en las calles.

Los barcos de Vernon concentraron el ataque en los principales puertos españoles. Su flota sitió Portobelo con seis bu-

---

[21] Citado en Peter Padfield, *Tide of Empires. Decisive Naval Campaigns in the Rise of the West,* 2 vols., Routledge Kegan & Paul, Londres, 1982, pág. 195.

ques de guerra y un máximo de cuatro mil hombres, que incluían dos mil quinientos blancos y quinientos auxiliares negros. La plaza, pequeña y con escasas defensas, se rindió en noviembre de 1739. Vernon regresó la primavera siguiente, en 1740, para destruir la fortaleza costera de San Lorenzo de Chagres y atacar Cartagena. El objetivo principal de los ataques británicos era el puerto de La Habana, el centro de la navegación española en el Caribe. Consciente del peligro, en el verano de 1740 Felipe V ordenó que zarpara de El Ferrol hacia Cuba una flota de catorce embarcaciones, con dos mil hombres y armamento. El destacamento fue maltratado por el mal tiempo y la enfermedad y se tuvo que refugiar en el puerto de Cartagena en octubre de ese año. Al mismo tiempo, Francia, aliada de Felipe, envió instrucciones a sus colonias para que bloquearan a los británicos.

Al final, en enero de 1741, Vernon reunió en Port Royal lo que se ha considerado «la fuerza más formidable reunida jamás en el Caribe»[22]. La flota comprendía unos treinta buques de guerra, además de ciento treinta naves de transporte que llevaban a alrededor de quince mil soldados. Sin embargo, perro ladrador, poco mordedor[23]. Incluso antes de que Vernon, el vencedor de Portobelo, llegara a emprender ninguna acción, la prensa británica ya lo aclamaba como otro Drake. Su flota sitió Cartagena en marzo de 1741, pero no pudo avanzar más debido al fuego constante de los cañones costeros y porque el organizador de las defensas de la ciudad, Blas de Lezo, había hundido galeones a la entrada del puerto para impedirle el paso. Parte de las tropas lograron desembarcar y

---

[22] J. C. M. Ogelsby, «Spain's Havana squadron and the preservation of the balance of power in the Caribbean, 1740-1748», *HAHR*, 69: 3, 1969, pág. 479.

[23] José Manuel Serrano Álvarez, «El éxito en la escasez. La defensa de Cartagena de Indias en 1741», *Vegueta, Anuario de la Facultad de Geografía e Historia*, núm. 16, 2016, págs. 359-383.

pudieron capturar puestos de defensa en la costa, aunque sufrieron algunas bajas, pero muchas de las naves no pudieron entrar, de modo que la superioridad militar de los miles de soldados que esperaban para desembarcar no sirvió de nada. Incapaz de avanzar y consciente de que las fiebres tropicales y la disentería empezaban a afectar a sus hombres, en abril, el comandante de las tropas, el general Wentworth, se dispuso a llevárselos a su base en Jamaica. Vernon retiró sus buques de guerra a mediados de mayo y, como compensación, después tomó la bahía de Guantánamo, en Cuba, pero fue incapaz de sacarle ningún provecho. Al final, la flota trató de capturar Panamá, pero también fracasó. Fue una campaña naval con objetivos confusos, porque en realidad jamás se tuvo la intención de ocupar el territorio español, sino solo de humillar al Imperio.

Las consecuencias para el ejército fueron terribles. Se calcula que al finalizar la campaña habían muerto unos catorce mil soldados: muy pocos como consecuencia del ataque a Cartagena, pero por lo menos nueve mil a causa de la fiebre amarilla. Un historiador militar inglés comentaba lo siguiente en el siglo XIX: «Así acabó, con vergüenza, desilusión y bajas, la expedición más importante, más costosa y mejor coordinada en la que haya intervenido jamás Gran Bretaña». Sin poder creer el desastre, los grupos ingleses partidarios de la guerra hicieron medallas para conmemorar la acción de Vernon como una gran victoria[24]. En cambio, se supone que Blas de Lezo, quien ya había perdido un ojo, una pierna y un brazo en diversas acciones militares, murió en 1741, después de defender Cartagena, aunque no se sabe a ciencia cierta si de fiebre amarilla o de tifus. Merecía que lo alabaran como héroe de la defensa, pero su principal colega, el virrey Eslava, lo acusó de corrup-

---

[24] Luz Elena Ramírez, «Imagining Victory in Cartagena, 1741: Admiral Vernon vs the One-armed, Onelegged, One-eyed Admiral Blas de Lezo», Pacific Coast Conference on British Studies, marzo de 2018.

ción[25]. Lo que fue de Blas de Lezo había sido desconocido hasta hace poco, cuando se descubrió que estaba enterrado en un convento, en Cartagena de Indias[26].

El fallido ataque inglés a Cartagena no fue nunca una acción naval importante —no participó ningún buque de guerra español y los barcos británicos no llegaron a presentar batalla— y, por consiguiente, no aparece nunca en los libros generales. De todos modos, fue un desastre de planificación y una lección trágica sobre las circunstancias de la guerra en el trópico. A pesar del fracaso de Vernon, desde el punto de vista práctico, tanto el Caribe como el Pacífico estaban a merced de embarcaciones no españolas. En mayo de 1743, el almirante inglés George Anson, que navegaba frente a las costas de Filipinas, capturó el galeón *Covadonga,* que acababa de zarpar de Manila, con alrededor de un millón y medio de pesos a bordo. Las actividades de Vernon en el Caribe y las de Anson en el Pacífico acabaron por convencer a las autoridades españolas de ambas orillas del Atlántico de que el viejo monopolio había desaparecido para siempre. De forma gradual se fue poniendo en práctica una estrategia de comercio sin trabas de un lado al otro del Atlántico, hasta que, al final, por un decreto real promulgado en 1778, se estableció un sistema de libre comercio que poco a poco fue afectando a toda Hispanoamérica. A partir de entonces se abolió el monopolio de Cádiz y una cantidad cada vez mayor de puertos peninsulares y americanos se fueron incorporando a una red de libre comercio.

---

[25] El lector encontrará un excelente resumen sobre los problemas de Lezo en un artículo de Juan Marchena, «Sin temor de rey ni de Dios», en J. Marchena y A. Kuethe (dirs.), *Soldados del rey. El ejército borbónico en América colonial en vísperas de la independencia,* Universitat Jaume I, Castellón, 2005.

[26] Mariela Beltrán y Carolina Aguado, *La última batalla de Blas de Lezo,* Edaf, Madrid, 2019.

PIRATAS PATRIOTAS

Aún hemos de hacer una consideración pequeña, pero pertinente. Unos años después de la muerte de Francis Drake, su sobrino publicó una biografía que no lo presentaba como un pirata, sino como un patriota que dedicó la vida a defender a su país y a su reina de las amenazas de España[27]. La piratería se convirtió en la fuerza motivadora del patriotismo y promovió, al menos al parecer, la invención de la nueva nación protestante. Quienes se apresuraron a sumarse a las naves corsarias, ya fuera en Devon o en Vizcaya, deseaban llevar una vida acomodada y pujante y defender los hogares y las casas de su país. Eso fue lo que ocurrió en América del Norte, durante las guerras coloniales del siglo XVIII para liberarse del dominio británico, cuando miles de marinos usaron sus embarcaciones no solo para robar, sino también para atacar a los británicos[28]. Lo mismo ocurrió al comienzo de los Países Bajos modernos, cuando los piratas llamados «los mendigos del mar» fueron una de las bases del alzamiento que acabó en la independencia de la República Holandesa y, en cierto modo, llegaron a ser héroes populares, cuyas acciones navales demostraban su patriotismo[29]. Los hombres que prestaban servicio a su país en el mar también formaban parte, al parecer, de la conciencia emergente de una nación. Cuando se estudie la historia interna de los logros marítimos españoles, veremos en qué medida los capitanes de mar españoles han contribuido a la invención de España.

---

[27] Harry Kelsey, *Sir Francis Drake. The Queen's Pirate,* Yale University Press, Yale, 1998 [*Sir Francis Drake: el pirata de la Reina,* traducción de Aurora Alcaraz, Ariel, Barcelona, 2002], pág. 398.

[28] Robert H. Patton, *Patriot Pirates: The Privateer War for Freedom and Fortune in the American Revolution,* Vintage, Nueva York, 2008.

[29] Virginia W. Lunsford, *Piracy and Privateering in the Golden Age Netherlands,* Palgrave Macmillan, Nueva York, 2005, pág. 90.

12
LEYENDAS NEGRAS

¡Oh, desdichada España! ¡No he hallado por qué causa seas
digna de tan porfiada persecución!

FRANCISCO DE QUEVEDO

Pocos libros de Historia española son tan conocidos como el
que publicó en Madrid en 1914 el escritor Julián Juderías sobre
la cuestión de la hostilidad de los extranjeros con respecto a
España. Su título, *La leyenda negra y la verdad histórica,* reflejaba la reacción de muchas personas que, después del desastre de
1898, comentaban acerca de lo que consideraban hostilidad
para con su país. Ya se había usado antes la expresión «leyenda
negra», pero el libro de Juderías la confirmó y sirvió para crear
la impresión de que los españoles eran, en cierto modo, un
blanco único del ataque de los extranjeros.

Los países que están en primera fila siempre atraen más
críticas y vilipendios. Rusia, Estados Unidos e Israel son ejemplos típicos en la actualidad, mientras que España ya no atrae
las críticas, porque no ha desempeñado ningún papel internacional relevante desde el siglo XVIII. La situación era diferente
en el siglo XVI, cuando España estaba casi siempre en guerra
con los principales Estados del mundo occidental, ya fueran
protestantes, católicos o musulmanes. No es de extrañar que la
hostilidad hacia España llegara hasta la propaganda impresa.

Los italianos del siglo XVI fueron de los primeros en contribuir a esta actitud desfavorable por su lucha contra las tropas de ocupación españolas desde los tiempos de Fernando el
Católico. Le dio un nuevo impulso la rebelión en Holanda,
cuando las protestas contra la «tiranía» del duque de Alba se
intensificaron tanto que llegaron a publicarse ataques contra
el rey de España, entre los cuales destaca la *Apología* de Guillermo de Orange (1581). Según un panfleto holandés, los españoles pretendían «tratar a nuestra patria como han tratado
a las Indias, pero aquí no se lo pondremos tan fácil». Al hablar
de «las Indias», se hacía referencia a un tratado de Bartolomé de las Casas, *Brevísima relación de la destrucción de las Indias,*
publicado por primera vez en Sevilla en 1552 —fue escrito
diez años antes— y que después se publicó en varias lenguas.
Otros países también tenían motivos para mostrarse hostiles
con España. En Alemania, uno de los primeros escritores que
vociferó contra los españoles fue Johann Fischart, el autor de
Antihispanus (1590). Posteriormente, en 1614, el poeta Tasso-
ni llamó a los italianos a unirse contra los bárbaros (es decir,
los españoles): «Ninguna nación del mundo podría ser tan
abyecta para permitir que siempre la gobernaran extranjeros».
A partir de la década de 1560, los protestantes europeos también emprendieron una campaña con panfletos de lo más
activa contra las supuestas fechorías de la Inquisición española. Como es lógico, los años de la Armada Invencible incenti-
varon en Inglaterra el incremento de la propaganda contra
España, patrocinada por el Gobierno[1]. Lo que remató la imagen hostil en Europa fueron las insinuaciones sobre la vida
privada del rey, en las cuales desempeñó un papel destacado, a
través de sus escritos, el antiguo secretario de Felipe II, Antonio Pérez.

---

[1] Se encontrará un análisis reciente sobre el tema en Mark G. Sánchez, *Anti-Spanish sentiment in English literary and political writing 1553-
1603,* tesis doctoral, Universidad de Leeds, 2004, *on-line.*

En España, el libro de Juderías recibió el siguiente comentario por parte de uno de sus contemporáneos, Ramiro de Maeztu, en *Defensa de la Hispanidad* (1934):

> Don Julián Juderías publicó la primera edición de *La leyenda negra* a principios de 1914, inspirado en un sentimiento puramente patriótico. Había llegado a la conclusión de que los prejuicios protestantes, primero, y revolucionarios, después, crearon y mantuvieron la leyenda de una «España inquisitorial, ignorante, fanática, incapaz de figurar entre los pueblos cultos, lo mismo ahora que antes, dispuesta siempre a las represiones violentas y enemiga del progreso y de las innovaciones» y, como este concepto ofendía su patriotismo, el señor Juderías escribió su obra.

El libro de Juderías, inspirado por su patriotismo, pero también por un profundo victimismo, declaraba que la crítica al pasado de España era constante, maliciosa y falsa. Según él, los admirables logros que España había conseguido en Europa y en América en el siglo XVI habían atraído un torrente de propaganda celosa, por parte de los enemigos de España, que distorsionaba la verdad y la convertía en una leyenda negra sobre España y los españoles. Según él, la leyenda se debía a:

> [...] el ambiente creado por los relatos fantásticos que acerca de nuestra patria han visto la luz pública en todos los países, las descripciones grotescas que se han hecho siempre del carácter de los españoles como individuos y colectividad, la negación o por lo menos la ignorancia sistemática de cuanto es favorable y hermoso en las diversas manifestaciones de la cultura y del arte, las acusaciones que en todo tiempo se han lanzado sobre España fundándose para ello en hechos exagerados, mal interpretados o falsos en su totalidad, y, finalmente, la afirmación contenida en libros al parecer respetables y verídicos y muchas veces reproducida, comentada y ampliada en la prensa extranjera, de que nuestra Patria constituye, desde el punto de vista de la tolerancia, de la cultura y del progreso político, una excepción lamentable dentro del grupo de las naciones europeas.

Desde entonces, su libro ha sido objeto de innumerables impresiones en español —la última data de 2014— y se han hecho numerosos estudios sobre el mismo tema. El libro de Juderías es serio y está bien documentado, pero, lamentablemente, la expresión «leyenda negra» se ha separado de su contexto real, que fueron, concretamente, los años del desastre, y se ha utilizado erróneamente para significar cualquier crítica, sobre todo si la hacía algún extranjero, al papel histórico de España[2].

JULIÁN JUDERÍAS Y LA CREACIÓN DE LA LEYENDA NEGRA

El problema primordial es que jamás existió un conjunto de prejuicios exclusivamente antiespañoles llamado «la leyenda negra» hasta que así lo designó Juderías en el siglo XX. La supuesta leyenda negra no era más que una leyenda. El libro de Juderías era un estudio interesante y en absoluto empapado de fervor nacionalista. Admitía con toda franqueza que España no era un país tan avanzado como otros.

Los problemas más interesantes de nuestra historia, de nuestra vida como nación, se han estudiado fuera de España —doloroso es confesarlo— con más fervor que dentro de ella, lo cual no impide que a los ojos de la mayoría de los extranjeros sigamos siendo inquisidores, orgullosos, enemigos de la cultura, ajenos á toda idea de libertad y de tolerancia[3].

---

[2] Friedrich Edelmayer, «The "Leyenda Negra" and the Circulation of Anti-Catholic and Anti-Spanish Prejudices» / «Die Leyenda Negra und die Zirkulation anti-katolisch-antispanischer Vorurteile», *on-line,* en *Europäische Geschichte Online,* ofrece un panorama general de las características fundamentales de esta cuestión.

[3] Julián Juderías, *La leyenda negra y la verdad histórica,* [s. n.], Madrid, 1914, pág. 31.

En otras palabras, que España podía tener defectos, pero que eso no era motivo para criticarla.

De entrada, debemos indicar dos puntos débiles importantes en los argumentos de Juderías. En primer lugar, había habido críticas a las potencias imperiales en siglos anteriores, como siempre las habrá, pero los críticos europeos no estaban obsesionados solo con España, en absoluto, sino que también tenían quejas de otros países, sobre todo de Francia, de Alemania y de Rusia. Tomemos un breve ejemplo. Entre los europeos que se convirtieron en colonos y conquistadores en el Caribe en el siglo XVI figuraba un grupo de alemanes relacionados con la familia Welser[4], a la cual el Gobierno de Carlos V concedió derechos laborales y de explotación minera en la actual Venezuela. La empresa Welser no tardó en toparse con dificultades y tuvo que volver a someterse al control de España en 1555. Mientras tanto, Bartolomé de las Casas disponía de información acerca de los abusos contra los nativos que se habían cometido en la zona controlada por los Welser y no tuvo ningún reparo en calificar a los alemanes de «animales» y de «demonios encarnados». De hecho, contribuyó al conjunto de escritos que no tardaría en identificar a los alemanes como particularmente proclives a la crueldad. Era una leyenda negra dirigida contra los alemanes, pero los escritores alemanes de una generación posterior enseguida defendieron la reputación de aquellos primeros colonizadores. Por ejemplo, en 1903, el destacado estudioso Konrad Haebler reconoció a la empresa Welser en América como un ejemplo de «espíritu emprendedor alemán, resistencia alemana y energía alemana». Al parecer, los españoles contribuyeron a despertar hostilidad respecto a Alemania, pero los alemanes se libraron de tener una leyenda negra, porque no tuvieron a ningún Juderías que documentara esas cosas.

---

[4] Susanne Zantop, *Colonial Fantasies: Conquest, Family, and Nation in Precolonial Germany,* Durham (Carolina del Norte), 1997, parte I.

En segundo lugar, en su mayor parte no eran extranjeros los que decidían difamar a España. Todos los críticos principales eran españoles que comentaban cuestiones relacionadas con su propio país, como Las Casas, Montano y Antonio Pérez. Juderías no dudó en reconocer que los críticos eran españoles: «Culpa principalísima de la formación de la Leyenda Negra la tenemos nosotros mismos». De hecho, quienes continúan el debate siguen siendo exclusivamente españoles, que, al parecer, son los únicos a quienes preocupa. Se trata de un sentimiento de victimización. Manuel Azaña afirmaba que «llegábamos a creer que todos los pueblos de la tierra se habían conjurado contra nosotros y éramos víctimas de una injusticia atroz». Resulta significativo que la principal preocupación de Juderías, al comienzo de su obra (página 37), sea «el desfavorable concepto de que gozamos en el mundo».

¿Significa esto que todo «el mundo» tenía un «desfavorable concepto» de España? Como explicaremos brevemente, esto jamás fue cierto y, además —es evidente—, era absurdo, porque siempre ha habido una gran cantidad de opiniones favorables. Juderías lo sabía y, de hecho, ofrece una larga lista de escritores extranjeros que hablaban bien de España. ¿Por qué, entonces, tanto él como los demás elegían solo los aspectos desfavorables? La razón, como ha sostenido recientemente Jesús Villanueva, era que los acontecimientos políticos de finales del siglo XIX y principios del siglo XX alentaban a una parte de los escritores españoles a adoptar una perspectiva determinada con respecto a la historia de su país. Le echaban la culpa a la opinión extranjera, pero, en realidad —ya lo veremos—, ellos mismos fueron los verdaderos creadores del concepto de la leyenda negra[5]. Sus actitudes y sus opiniones, que revivieron los aspectos de la llamada leyenda, han tenido mucho que ver en la forma de pensar de los españoles conservadores y nacionalistas

---

[5] Jesús Villanueva, *Leyenda negra. Una polémica nacionalista en la España del siglo XX*, Los Libros de la Catarata, Madrid, 2011.

hasta el día de hoy. Las actitudes se usaron, sobre todo, como una manera de inventar la identidad que querían tener algunos españoles: una postura defensiva firme contra cualquier crítica. Una síntesis que hace Villanueva explica lo siguiente:

> En los primeros años del siglo XX, algunos publicistas e intelectuales españoles elaboraron una idea que tendría enorme repercusión: que España había sido objeto, desde el siglo XVI, de una campaña de acusaciones y desprestigio por parte de los demás países de Europa, tomando como pretexto el despotismo de Felipe II, los procedimientos de la Inquisición o los crímenes de la conquista de América. La refutación de esta supuesta leyenda negra se convirtió en un poderoso motivo propagandístico de las corrientes del nacionalismo español y de los regímenes de Primo de Rivera y Franco en su propósito por defenderse de las críticas exteriores, pero suscitó también respuestas críticas por parte de destacados intelectuales, que vieron en la idea de la leyenda negra un caso de «manía persecutoria» y de encubrimiento político.

ANTIESPAÑOLISMO Y VICTIMIZACIÓN

Es evidente que circulaban sentimientos antiespañoles, pero sería un error tratarlos como un conjunto de opinión sistemático[6]. Había suficientes motivos para tener prejuicios contra España, pero podemos estar seguros de que los españoles no permanecieron impasibles ante los improperios y no dudaron en reaccionar contra las críticas[7]. Un análisis de sus escritos políticos y de las obras teatrales y en verso que se cono-

---

[6] Antonio Sánchez Jiménez, *Leyenda Negra. La batalla sobre la imagen de España en tiempos de Lope de Vega,* Cátedra, Madrid, 2016.

[7] Yolanda Rodríguez Pérez y Antonio Sánchez Jímenez, «Las claves de la Leyenda Negra», en *España ante sus críticos: las claves de la Leyenda Negra,* Iberoamericana, Madrid, 2015.

cieron en el siglo XVI y en el XVII revela que se defendieron y que también elevaron su autoestima, presentando una imagen de su propia superioridad moral y su invencibilidad. Según se describe en las crónicas de historiadores contemporáneos, como Alonso de Ulloa (*Comentarios de la guerra,* 1569), Pedro Cornejo (*Historia de la rebelión de Flandes,* 1581) y Bernardino de Mendoza (*Comentarios de las guerras,* 1592), todas las acciones militares de España en los Países Bajos se presentaron como actos de valor victoriosos. La *Antiapología* de Cornejo de 1581 fue una respuesta particularmente firme a Guillermo de Orange, en la que se rebatía que presentara a los españoles y los flamencos como enemigos naturales. Los dramaturgos de una generación posterior, como Lope de Vega, en obras como *Los españoles en Flandes* y *El asalto de Mastrique,* mostraron al público español lo que debía pensar acerca de los actos valientes de sus hombres en Flandes y, por el contrario, describían a los holandeses como herejes depravados, borrachos y disolutos. A medida que fue pasando el tiempo, se añadieron detalles a esta imagen desfavorable, que se extendió tanto a los ingleses como a los franceses, que también eran presentados por España en términos de lo más negativos.

La postura de autojustificación de los españoles alentó a algunos de ellos —por ejemplo, al poeta del siglo XVII Francisco de Quevedo en *España defendida,* en 1609— a sostener que su país había sido la víctima inocente de una campaña de difamación emprendida por los extranjeros. «¡Oh, desdichada España! —exclamaba Quevedo—. ¡Revuelto he mil veces en la memoria tus antigüedades y anales y no he hallado por qué causa seas digna de tan porfiada persecución!». La victimización se convirtió en la actitud oficial. Desde luego, las críticas de la supuesta leyenda eran algo más que una mera política unilateral de difamación, porque tanto los españoles como los no españoles se lanzaban vituperios entre sí, y en este proceso la que quedó peor parada fue la verdad. Buena parte de lo que podría considerarse leyenda fue, en todo caso, una verdad palpable, puesto que los aspectos menos edificantes de la acción militar no se podían borrar fácilmente como mera difamación. Todas las potencias imperiales tienen que vivir con el hecho de que sus fechorías serán exageradas y se utilizarán para fomentar la hostilidad.

FELIPE II: EL REY ENEMIGO DEL PROGRESO

La culpa de las fechorías imperiales del país se atribuyó al rey más grande de España: Felipe II. Curiosamente, los que más contribuyeron a crear una imagen negativa del rey no fueron extranjeros, sino los propios españoles, en el siglo XVI y después, sobre todo, en el siglo XIX.

Que hubiera críticas al rey durante su reinado era lógico y, en cierta medida, estaba justificado. Si añadimos a los cuarenta y dos años de su reinado los diez en los que actuó como regente, en toda la historia de España no hubo ningún monarca que ocupara el trono más tiempo que Felipe. Los años que estuvo en el poder coincidieron con algunos de los acontecimientos más decisivos de la historia de Europa, lo cual no podía por menos de afectar su reputación histórica. Durante el mismo período, los ingleses estaban escalando posiciones hasta alcanzar la prominencia mundial y, por consiguiente, en retrospectiva crearon una imagen sumamente favorable de la soberana que los condujo hasta allí: la reina Isabel. Los españoles consideraban que ya estaban en la cúspide del mundo, pero su imagen favorable ya había sido creada en torno a Fernando e Isabel y no se pusieron de acuerdo sobre los méritos de Felipe II.

Es habitual suponer que la reputación maligna de Felipe II se debía al antagonismo político y religioso de otras potencias europeas de la época. Tal era la imagen que presentaban muchos escritores, entre ellos Julián Juderías, a quien, como conservador convencido, le interesaba culpar a los extranjeros de cualquier deficiencia que se pudiera atribuir a su pueblo o a sus gobernantes. Desprestigiar la imagen de Felipe se consideraba una consecuencia lógica de la envidia que despertaba la posición dominante de España en el conflicto de poderes europeo. El rey de España era enemigo de Francia, de Inglaterra, de los rebeldes de los Países Bajos, de los protestantes de Alemania y de los nacionalistas italianos, entre ellos el Papa. Por tanto, todos parecían contribuir a dar una imagen desfavorable del rey y, sobre todo, los ingleses y los holandeses[8].

Volvamos, sin embargo, a la cuestión fundamental de que quienes más contribuyeron a desautorizar a su rey fueron los propios españoles. Se criticaban aspectos de la política real incluso durante su vida. Cuando estuve investigando en los archivos del Estado, en Viena, encontré una carta inédita que un diplomático español escribió desde Madrid para Praga en 1564, en la cual comentaba lo siguiente[9]:

> Aunque paresce que el Rey tiene grandes fuerzas, gran poder, grandes rentas y entradas, son sus fuerzas muy repartidas y generales, particularmente todos malissimo satisfechos de Su Magestad, las rentas y entradas todas empeñadas, y fuera de Italia no tiene tan absoluto poderío y mando sobre sus vasallos y estados que pudiesse dellos disponer a su voluntad.

Felipe consultaba mucho a sus consejeros, aunque por eso no dejaba de despertar oposición, en parte porque se comportaba como un dictador y en parte porque gobernó mucho tiempo: más de medio siglo. Siempre había murmuraciones y algunas de las murmuraciones de la corte eran considerables,

---

[8] Sobre la reputación de Felipe fuera de España, véase, por ejemplo, W. S. Maltby, *The Black Legend in England,* Durham (Carolina del Norte), 1971.

[9] «Avisos de la Corte de España», informe de octubre de 1564 al archiduque Maximiliano, en *Haus-, Hof-, und Staatsarchiv, Viena, sección España, Varia,* Karton 2, 1564, fols. 13-14.

sobre todo en la década de 1580, a la que pertenece una carta muy citada, dirigida por el jesuita Ribadeneira al cardenal de Toledo, consejero del rey, que reflejaba las quejas de los nobles, que temían que el rey trasladara la corte a Lisboa, con lo que arruinaría los círculos de influencia que habían construido en Madrid y en Toledo. La primera crítica importante que se hizo al rey durante su reinado surgió en la época de la Armada Invencible, en 1588, cuando la magnitud de las víctimas de la guerra dejó de afectar a los hogares como una hemorragia constante —como consecuencia de la guerra en Flandes— para convertirse en un desastre arrollador que arrasó a miles de hogares españoles. Los ecos de aquellas críticas se filtraron en la corte a través, por ejemplo, de las profecías de una joven visionaria: Lucrecia de León.

La siguiente serie de críticas posteriores a la década de 1580 se produjo en una situación de lo más conflictiva, que enfrentó a los españoles entre sí, durante lo ocurrido en Zaragoza en 1591, donde una sátira callejera acusaba a Felipe de tirano corrupto. La máxima crítica a la política de Estado no llegó hasta después de la muerte del rey, cuando se pensaba que se podía criticar sin riesgos. El folleto más conocido, que circuló en forma de manuscrito en 1598, fue obra de Íñigo Ibáñez de Santa Cruz, que era amigo del desacreditado secretario del rey, Antonio Pérez. Criticaba al antiguo rey, al que consideraba «peor que Nerón», y, gracias a él, su autor pasó un breve período en la cárcel.

La hostilidad hacia el rey no alcanzó un nivel significativo hasta un par de siglos después, pero parece haber sido una reacción persistente, después de tantas décadas de guerras infructuosas. Las referencias que se hacen a él en las obras de teatro de Lope de Vega y de Calderón son formales e inocuas. Sin embargo, el paso del tiempo ha hecho madurar las leyendas contrarias a Felipe, hasta que, en 1759, un siglo y medio después de la muerte del rey, encontramos el primer ataque violento en un texto que jamás se imprimió ni se hizo circular.

La persona que habla, que personifica a España, acusa a Felipe[10].

> Su poca religión, mala fe, crueldades que ejecutó con un hijo, mujeres, validos y vasallos, siendo su venganza comparable a un Nerón, y sólo su sospecha justo motivo para sacrificar la vida del súbdito más leal. [...] Después de una penosa enfermedad, murió Felipe y descansó el reino oprimido a sus crueldades.

En la misma época, José Cadalso opinaba que Felipe II se encontraba en el polo opuesto de la grandeza de los Reyes Católicos. Consideraba que el rey «murió dejando su pueblo extenuado por las guerras, afeminado con el oro y plata de América, disgustado con tantas desgracias, deseoso de descanso».

En este punto, podemos analizar lo que ocurrió con la reputación del rey. Las primeras críticas, surgidas durante el siglo XVI, cuando los italianos, los ingleses y los holandeses pusieron a trabajar sus dotes propagandísticas contra la potencia española, eran casi todas justificadas. Durante un siglo después de su muerte, los propagandistas antiespañoles se esforzaron en crear una imagen desfavorable de Felipe[11], que no es ninguna leyenda, como suelen sostener los autores tradicionalistas, sino cierta en gran medida. Era verdad que los españoles no se habían portado bien en Italia —en este país, el duque de Alba se ganó la fama de cruel—, que en los Países Bajos los ejércitos controlados por los españoles fueron despiadados y que el Gobierno había intentado, mediante sobornos y después por la fuerza —¡la Armada Invencible!—, derrocar al régimen inglés. Otros países —destaca sobre todo Inglaterra— eran culpables de lo mismo, pero, como tenían una mejor maquinaria de propaganda —los mejores impresores trabajaban en el norte de

---

[10] Teófanes Egido, *Sátiras políticas de la España Moderna*, Alianza Editorial, Madrid, 1973, pág. 21.

[11] Véase J. N. Hillgarth, *The Mirror of Spain, 1500-1700*, ob. cit., cap. XV.

Europa—, ganaron la guerra de las palabras. «Somos aborreci-
dos y odiados, y esto lo han causado las guerras», escribió un
comentarista español en la década de 1590.

Los orígenes de la mala reputación que tenía el rey entre los
españoles se han atribuido, por lo general, a tres causas: Antonio Pérez y sus memorias, González Montano y su trabajo sobre la Inquisición y la diatriba de Las Casas contra los españoles
en América. No cabe duda de que las tres fuentes eran españolas, aunque también es fundamental destacar que los españoles
casi no las conocían. Los escritos de Pérez estaban prohibidos en España y los españoles en el extranjero, por lo general, los
despreciaban. Eran poco conocidos en la Península y otros autores jamás los citaban como una obra fiable. Pérez siguió siendo una figura casi olvidada durante dos siglos después de su
muerte. El destino de Montano fue peor todavía y su obra era
—que yo sepa— totalmente desconocida en la Península, y fuera de ella solo se utilizó con fines propagandísticos (véase el
capítulo 6). Las Casas pertenecía a otra categoría. No participó
en ninguna campaña contra el rey de España y los únicos que
lo asocian con el sector de opinión contrario a Felipe —por lo
general, los polemistas del siglo XIX— son quienes no lo han
leído. En realidad, Las Casas fue amigo y colaborador estrecho
del rey y siempre contó con todo su apoyo, ya que Felipe compartía sus puntos de vista[12]. Los españoles no lo empezaron a
mirar con sospecha por su campaña a favor de los indios, sino
porque las naciones extranjeras usaron uno de sus folletos
como propaganda contra España. En todo caso, los enemigos
del fraile eran los colonos españoles en América y no los españoles ni el rey de España.

En los doscientos años siguientes, poco de sustancial se dijo
contra la reputación del rey. En España se escribieron dos estudios biográficos notables en el siglo XVII: el de Luis Cabrera

---

[12] Véase Henry Kamen, *Felipe de España,* Siglo XXI, Madrid, 1997
(1ª edición), págs. 33, 61.

de Córdoba, que no se publicó en su totalidad hasta 1876, en Madrid, y el de Lorenzo van der Hammen (Madrid, 1625). Lógicamente, los dos criticaban aspectos de la política real, pero no eran en modo alguno desfavorables a Felipe. Posteriormente, el jesuita italiano Famiano Strada escribió un estudio destacado (Roma, 1632) que atacaba la política del rey en los Países Bajos, aunque ni siquiera él personalizaba los aspectos negativos del monarca. La obra se tradujo al español en 1679, con el apoyo del historiador oficial del rey, Núñez de Castro. Por algún motivo, la traducción no se publicó y la obra impresa no se dio a conocer hasta 1748, en Amberes. Durante dos siglos después de la muerte de Felipe, a nadie se le ocurrió desacreditar su nombre, aunque había una crítica unánime a sus políticas militares en los Países Bajos.

FELIPE II: EL GRAN DÉSPOTA

¿Qué ocurrió entonces para crear el mito del rey malvado? La respuesta no está en los extranjeros, como creía Juderías, sino solo en Francia. Como ya veremos (en el capítulo 16), fue Francia la que fomentó la leyenda de la decadencia de España y fue Francia la que dio origen a las leyendas de un monarca cruel y una Inquisición tiránica. Los hábiles propagadores de las leyendas fueron los historiadores franceses y el movimiento liberal que creció en Francia y en España para oponerse al poder napoleónico. Debemos comenzar con un acontecimiento político: la creación del reino de Bélgica, que se separó de los Países Bajos unidos en 1830, como consecuencia directa de una lucha inspirada en la revolución liberal que tuvo lugar en París en julio de ese año. Como no podía ser de otra manera, los historiadores del nuevo Estado reflexionaron sobre el período en el cual los Países Bajos habían combatido para preservar su existencia, casi tres siglos antes, enfrentándose a España. Uno de los pioneros de la nueva imagen de Felipe fue el historiador francés François-Auguste Mignet, autor de muchos libros distinguidos, como su estudio *Antonio Perez et Philippe II* (1845). Mignet presenta a Felipe como un hombre no solo malvado de por sí, sino maléfico en sus intenciones políticas. El acontecimiento fundamental que pone de manifiesto su maldad fue el asesinato del secretario Juan de Escobedo. Recordemos que el asunto de Escobedo gira en torno al papel de don Juan de Austria como gobernador de España en los Países Bajos y la lucha de este país para independizarse de España. Se considera a Felipe un tirano, un «amo vengativo», que pretendía aplastar al pueblo de los Países Bajos. «Establecer allí la Inquisición y construir fortalezas para amedrentar a sus habitantes: ese era su plan», un plan que Mignet describe como «volver su mandato tan absoluto y la religión católica tan incuestionable en los Países Bajos como en España». Su libro se publicó en París el mismo año en el que en la Península se publicó en español el estudio de Prescott sobre Fernando e Isabel. Apenas diez años después del libro de Mignet, el historiador estadounidense John Motley, en su inmortal *Rise of the Dutch Republic,* también describía a Felipe como un monstruo.

La aportación más erudita a la imagen de Felipe se hizo en Bélgica. Louis-Prosper Gachard era un estudioso francés, contratado por los archivos reales belgas en 1826 como director general, un cargo que mantuvo durante cuarenta y cinco años. Escribió varios trabajos históricos, uno de los cuales fue *Don Carlos et Philippe II* (1867), el primer estudio sobre el tema, que sigue siendo el definitivo. También dedicó numerosas semanas a copiar y a catalogar la correspondencia de Felipe II relacionada con los Países Bajos. Gachard fue uno de los historiadores europeos más importantes de todos los tiempos, pero jamás logró librarse del profundo desagrado que le producía el Felipe II que, según él, encontraba en los documentos que estudiaba. La actitud de Mignet, la de Gachard y la de Motley, unos historiadores que hoy en día siguen siendo casi desconocidos en España, determinó la manera en la que los liberales españoles interpretaron la persona de Felipe II. Como los liberales de Francia y de Bélgica consideraban tirano al rey, ellos hicieron lo mismo. Para los liberales, Felipe se convirtió en la encarnación del absolutismo, el enemigo de la libertad de pensamiento y el tirano que se oponía a las libertades regionales. Con él, los nuevos historiadores liberales castigaban a toda su dinastía.

Muchos de los liberales eran políticos y hombres de letras que pasaron décadas en el exilio como consecuencia del conflicto civil en España y que dedicaron sus años de ocio a crear, mediante el teatro y el verso, una imagen de la vieja España según la cual el pueblo había luchado con valor contra el absolutismo. Un ingrediente fundamental de esta creación literaria era la denigración sistemática de la persona de Felipe II, a través del cual atacaban a la monarquía de su propia época. En su obra de teatro titulada *Lanuza* (1823), un refugiado español liberal, el duque de Rivas, había esbozado esta tesis en líneas generales. Juan de Lanuza aparecía como el héroe de las libertades del reino de Aragón, ejecutado cruel e ilegítimamente por el tirano Felipe II en 1591. Asimismo, en su prólogo al drama poético del duque titulado *El moro expósito,* Alcalá Galiano condenaba «la barbarie en que vino a caer la nación española bajo los príncipes austriacos»[13]. Felipe II llegó a ser considerado el enemigo histórico de los progresistas, no solo en España, sino también en Inglaterra, en Francia y en Bélgica. El rey español aparecía entonces en los textos liberales como el opresor histórico de todos los pueblos, incluido el suyo.

Entre los españoles destacados que construyeron el mito liberal figura Francisco Martínez de la Rosa, estadista y dramaturgo. Durante la lucha contra Napoleón, se puso del lado de los patriotas, ingresó en las Cortes como diputado por Granada y siguió escribiendo. En 1812, en su obra de teatro *La viuda*

---

[13] Citado en Vicente Llorens, *El Romanticismo español,* Castalia, Madrid, 1989, pág. 144.

de Padilla, presentó a la viuda de un dirigente comunero del siglo XVI, Juan de Padilla, que sacrificaba su vida para luchar contra la tiranía de un monarca extranjero: Carlos V. Martínez de la Rosa fue primer ministro de España en dos ocasiones (en 1822 y en 1834) y, en literatura, fue uno de los principales promotores del Romanticismo: tomaba temas de la historia de España y los ofrecía al público como dramas románticos. Entre las obras que escribió durante su exilio en París figura la obra de teatro *Aben Humeya o la rebelión de los moriscos* (1830), que presentaba a Felipe como el archienemigo de la libertad que había aniquilado los derechos de los aragoneses, los portugueses y los holandeses; había patrocinado a la tiránica Inquisición, y había asesinado a su propio hijo, don Carlos. Una tras otra, se fueron publicando obras de teatro, poemas, novelas y óperas que atacaban a Felipe II y la decadencia que había infligido a España. Este fue uno de los mayores logros de los liberales y dejó una huella permanente en la percepción europea del rey. La denigración de Felipe II encajaba a la perfección en el programa político de los liberales que luchaban contra el absolutismo de Napoleón, Fernando VII y Metternich, y también la aprovecharon los estudiosos estadounidenses y británicos adeptos al protestantismo, que seguían la escuela romántica.

La fórmula liberal clásica procedía de Lafuente, que era consciente de sus propios prejuicios y trataba de ser imparcial, aunque sin conseguirlo. «Hemos creído descubrir en Felipe II —escribió en su *Historia,* en 1850— las prendas de un gran político, pero también las cualidades de un gran déspota. No podía ser dominado por nadie y tenía que dominar a todos, tenía que ser un rey absoluto. Todos sus actos llevaban el sello del misterio y de la tenebrosidad»[14]. No es de extrañar que confesara que «le admirábamos, sí, pero no nos era posible

---

[14] Modesto Lafuente, *Historia General de España,* ob. cit., vol. I, pág. XXV.

amarle». Acusaba al rey de lo mismo que acusaba a Carlos V: de destruir la libertad y arruinar la economía. Lafuente no absolvió al rey de ser cómplice de la Inquisición. «Deleitabale el fulgor de las hogueras», declaró. Como ya hemos visto en el capítulo 6, en realidad el rey asistió a tres autos de fe en España en toda su vida —esto equivale a uno cada veinticuatro años, lo cual no demuestra demasiado fanatismo— y en ninguno de ellos presenció ninguna ejecución. La última vez que asistió a un auto fue en 1591 y antes no había asistido a ninguno en casi treinta años (el anterior había sido en 1564). Sobre todo, declaraba Lafuente, al rey le encantaba la represión intelectual que ejercía el Santo Oficio: «Veía con gusto el Santo Oficio encadenar y comprimir el pensamiento, sujetar y avasallar sus autores, prohibir los libros y encarcelar y condenar sus autores».

La represión y el sufrimiento provocados por el rey eran, según Lafuente, implacables. Aniquiló el gobierno constitucional.

> Las Cortes de Castilla, heridas de muerte a Villalar, llegan a desfallecer, acabando por sucumbir al peso del férreo brazo de un monarca poderoso, incansable en oprimir todo lo que pudiera servir de traba a su omnímodo poder. Y los fueros de Aragón caían despedazados por la venganza e implacable mano del despotismo[15].

El veredicto general de Lafuente no habría podido ser más condenatorio. Señalaba lo siguiente:

> La postración en que Felipe II hizo caer las Cortes, la opresión y la pobreza del pueblo, el abatimiento a que el comercio, la industria y la agricultura del reino habían venido por efecto de tantas guerras, de tantos errores políticos y económicos [...].

---

[15] Modesto Lafuente, *Historia General de España,* ob. cit., vol. III, pág. 219.

A la hostilidad contra el rey se sumaron, sin ningún esfuerzo, escritores de todas las tendencias políticas, que en la actualidad la mantienen igual de encarnizada. ¿Quiénes fueron y quiénes son estos autores? ¿Qué había hecho el rey para despertar tanta hostilidad? Las acusaciones se basaban en fantasías, como vemos, por ejemplo, en la obra de Américo Castro. En un apéndice a la primera edición de su *España en su historia* (1948), hacía un comentario sobre el tema «Por qué no quisieron los españoles a Felipe II». El apéndice fue producto del ambiente ideológico imperante en tiempos de don Américo y, más que una contribución seria, fue una pequeña obra polémica, pero revelaba que el autor, que en aquel momento vivía y trabajaba en Princeton, era un auténtico sucesor de la tradición liberal que, cien años antes, había puesto la mira en el gobernante más conocido de España.

El régimen de Franco trató de rehabilitar al monarca, pero no mediante una investigación documental —no se llevó a cabo ninguna—, sino simplemente por aclamación. El único estudio documentado sobre el rey publicado en esa generación fue la obra maestra de Braudel[16], escrita en Francia, pero la versión en castellano no se publicó en España, sino en México. Inevitablemente, como consecuencia del régimen de Franco, la reacción contra una visión protofascista de Felipe finalizó después de la década de 1970, cuando se volvió a la tradición anterior, hostil y liberal. Sea como fuere, la persona del Rey Prudente estaba condenada a ser presa de las ideologías y una característica fundamental de la leyenda negra.

El Nuevo Mundo pasa a ser la ruina de España

También existió —ya lo hemos visto en el capítulo 7— el problema de una leyenda negra relacionada con la actividad

---

[16] Fernand Braudel, *La Méditerranée et le monde méditerranéen à l'époque de Philippe II,* Armand Colin, París, 1949.

imperial de España en el Nuevo Mundo. Hubo, desde luego, hostilidad por parte de los extranjeros, que podían oponerse a la presencia de España en el Nuevo Mundo por infinidad de motivos diferentes, aunque fueron los propios españoles quienes desarrollaron la idea de que América fue la ruina de España.

Uno de los aspectos más irónicos del gran triunfo de España, la posesión de América, fue la forma en la cual se dio la vuelta a aquel triunfo. Como era preferible no echar a España la culpa de sus problemas, había que echársela a América. Fue un punto de vista expresado con energía por los comentaristas durante los trescientos años posteriores a los viajes de Colón. La lista de quejas era larga, pero se reducía a la incapacidad de España para sacar provecho de las riquezas que le ofrecía el Nuevo Mundo. Durante el siglo XVI, los inconvenientes no fueron tan notorios y, en realidad, a mediados del siglo tanto el Gobierno como el pueblo se regodeaban al calor de las promesas que ofrecían las riquezas americanas. Sin embargo, a finales de siglo era evidente que las colonias y su riqueza quedaban, en gran medida, fuera del alcance de España.

La entrada de plata a España empeoró la inflación y la deuda. Hemos citado la opinión de González de Cellorigo en 1600: «España, de su gran riqueza, ha desembocado en una gran pobreza». En 1619, Sancho de Moncada dedicó toda una parte de su *Restauración política de España* a la tesis inflexible —ya la hemos mencionado en el capítulo 7— de que «la pobreza de España tiene su origen en el descubrimiento de las Indias»[17]. En 1631, Olivares dijo en una reunión del Consejo de Estado que «si su gran conquista ha reducido a esta monarquía a una condición tan miserable, se podría decir razonablemente que

---

[17] Martín González de Cellorigo, *Memorial de la política necessaria y útil restauración a la república de España,* Valladolid, 1600, pág. 15v. Sancho de Moncada, *Restauración política de España,* Luis Sánchez, Madrid, 1619, pág. 22.

hubiera sido más poderosa sin el Nuevo Mundo». Un funcionario del Estado escribió en 1688, en una carta personal, lo siguiente: «En lugar de ser nuestra salvación, América se ha convertido en nuestra perdición, porque ninguna nación se beneficia menos de ella que nosotros»[18]. En 1743, el ministro José de Campillo culpó a América de la pobreza de España, porque «cuando tendríamos que habernos dedicado nosotros mismos a la agricultura y aprendido la utilidad de la mano de obra humana», los españoles prefirieron la riqueza fácil de las minas americanas. Un ministro posterior, Campomanes, en su famoso *Discurso sobre la educación popular* (1775), sostenía que la plata de América había ido a parar a los enemigos de España, había engañado a España para que librara costosas guerras y al final no se había invertido en la agricultura ni en la industria. En consecuencia, había precipitado su decadencia. Fue un veredicto impresionante y en él se insistió sin tregua durante más de doscientos años.

Los españoles echaban la culpa a América no solo de aportarles riqueza, sino también de robarles recursos humanos. La emigración al Nuevo Mundo había sido una queja constante de los escritores desde el siglo XVII en adelante y en el siglo XVIII ni uno solo estaba en desacuerdo con la tesis de que América y las guerras en el exterior habían arruinado a España. Cuando Lafuente escribió, en 1850, calculaba que unos treinta millones de españoles habían partido rumbo a América en el período comprendido entre 1500 y 1700[19]. La cifra era una burda exageración, pero revela la importancia que él atribuía a este fenómeno. Cánovas compartía sus opiniones sobre el papel de América como causa de la decadencia y afirmó que «fue fatal a nuestra población y al espíritu de laboriosidad y de produc-

---

[18] Del duque de Montalto a don Pedro Ronquillo, 15 de diciembre de 1688, en *CODOIN*, vol. 79, Madrid, 1882.

[19] Modesto Lafuente, *Historia General de España,* ob. cit., vol. III, pág. 217.

ción, el descubrimiento de América»[20]. Había, según él, dos motivos fundamentales: con la emigración al Nuevo Mundo, la Península perdió recursos humanos y vitalidad comercial y la promesa de riqueza fácil debilitó la productividad de los españoles en su propio país. Los emprendedores más promisorios de España habían preferido ir al Nuevo Mundo a hacer fortuna, con lo cual al país le resultó imposible desarrollarse como nación. En lugar de convertirse en un país enérgico y vigoroso, había caído en el deterioro.

> Se abandonó todo género de trabajo, viéndonos obligados antes de mucho a traer de países extraños hasta los objetos más necesarios para el consumo, comprándolos con los tesoros que venían de América. Ha podido decirse con mucha razón que no fue España sino un puente para que estos pasasen seguros a otras naciones más laboriosas.

Tras el desastre de 1898, por tanto, Cánovas consideraba que no hacía falta derramar lágrimas por la pérdida de las colonias americanas. España había perdido el rumbo desde el siglo XVII, «desviada del curso general de las ideas europeas». No obstante, no todos podían contemplar la tragedia con tanta ecuanimidad. Después de 1898, los españoles se dieron cuenta de que el sueño que alguna vez habían abrigado, creado tres siglos antes a través de la imagen de tres pequeñas carabelas que se habían atrevido a atravesar el océano y habían introducido en el ámbito de la civilización hispánica todo un mundo nuevo, había quedado reducido a polvo y cenizas. América había sido una influencia negativa, pero al menos les había proporcionado gloria y dignidad, aunque ya no quedaba nada de todo aquello.

Cuando las repúblicas hispanoamericanas declararon su independencia, como es natural hicieron referencia a lo inhuma-

---

[20] Antonio Cánovas del Castillo, *Historia de la decadencia de España,* Librería Gutenberg de José Ruiz, Madrid, 1910, pág. 44.

no del sistema imperial español, a la opresión, la brutalidad y la esclavitud, a la pérdida de población y a la explotación constante. Aquella imagen dejó de ser deseable cuando, después del desastre de 1898, los hispanoamericanos y los españoles trataron de unirse contra el enemigo común: Estados Unidos. A partir de entonces, ya no tenía sentido seguir condenando la actuación de España en América. En la década de 1920 se publicaron en la Península una serie de textos con la intención de demostrar los aspectos positivos de la hegemonía española, su protección de los derechos de los nativos, su buena obra de difusión de la fe católica y su trayectoria impecable en todos los aspectos. Era una leyenda nueva, blanca. Se organizó una campaña de propaganda para demostrar que el sistema colonial de los ingleses y los angloamericanos adoleció, por el contrario, de todos los males que, afortunadamente, estuvieron ausentes del sistema español. Al mismo tiempo, se hizo habitual sostener que, antes de la llegada de los españoles en 1492, en el Nuevo Mundo no había ninguna civilización y que España —así lo sostuvieron un escritor tras otro— había convertido a América y la había civilizado. Como estímulo para aplicar estos argumentos mediante la consulta de los documentos originales, el Gobierno español prestó apoyo a la ciudad de Sevilla como sede del reformado Archivo de Indias. La ciudad también se convirtió, a partir de 1914, en un centro para celebrar congresos sobre la historia de América. Hubo una respuesta adecuada y favorable por parte de sectores de opinión en las repúblicas americanas.

El libro que más seguía la tradición de Juderías, escrito por el argentino Rómulo Carbia[21], se publicó en Buenos Aires en 1943 y en España al año siguiente. La *Historia de la leyenda negra hispano-americana* no aportaba documentación ni origi-

[21] Rómulo Carbia, *Historia de la leyenda negra hispano-americana,* Centro de Estudios Hispánicos e Iberoamericanos, Madrid, 2004 (se publicó antes en Buenos Aires, en 1943).

nalidad, sino que se limitaba a acusar a Bartolomé de las Casas de difamar a la España católica y defendía en todos los sentidos la actuación de España en América, desde el punto de vista de un conservador convencido.

EL ATRASO CULTURAL Y CIENTÍFICO

Los liberales españoles de finales del siglo XIX también fueron responsables del último aspecto de la leyenda negra al que nos vamos a referir aquí. En la confusión de polémicas sobre la falta de aportación del país al mundo moderno, ningún tema era más relevante que el de la ciencia. Uno de los mitos persistentes y defendidos con uñas y dientes acerca de la Inquisición —está relacionado, como ya hemos visto, con el concepto del aislamiento de España del mundo exterior— es que su opresión explica las deficiencias de España en cultura, ciencia y filosofía. Cuando Menéndez Pelayo se centró en esta cuestión, publicó siete de sus artículos sobre el tema como *La ciencia española* (1876)[22]. Sus ensayos fueron atacados por autores liberales, uno de los cuales afirmó, en 1876, que, en el siglo XVI, entre la Inquisición y los Habsburgo habían destruido la libertad de pensamiento[23].

El debate que se suscitó posteriormente en la prensa se volvió a imprimir en la última edición (1887-1888), en tres volúmenes, de *La ciencia española*. Menéndez Pelayo estaba indignado por la forma en la que los liberales habían presentado su versión. Negaba que el tribunal hubiera reprimido el conocimiento y declaró que fue el Siglo de las Luces lo que perjudicó a la ciencia, sobre todo a través de la expulsión de los jesuitas

---

[22] Menéndez Pelayo, *La ciencia española,* 3 vols., I, pág. 84. Los tres volúmenes se publicaron como los volúmenes 58 al 60 de la Edición Nacional de las Obras Completas, CSIC, Santander, 1953.

[23] El escritor era Manuel de la Revilla.

(1767), un hecho que describió como «un golpe mortífero para la cultura española, que desde entonces no ha vuelto a levantarse». De hecho, a los críticos de Menéndez Pelayo solo les interesaba defender el punto de vista que tenían los liberales sobre el siglo XVI, sin tener en cuenta los hechos reales, mientras que Menéndez Pelayo cuestionaba sus opiniones y atacaba los argumentos dados *a priori* por sus adversarios.

El análisis de Menéndez Pelayo fue el primer examen serio de lo que le pudo ocurrir a la literatura creativa y a la científica en un régimen de censura, pero quienes se empeñaban en defender el punto de vista de que el saber español estaba atrasado solo por culpa de la Inquisición pasaron por alto sus argumentos. Cuando examinamos las declaraciones de sus adversarios, resulta evidente que para ellos las pruebas históricas no tenían ninguna importancia. Su argumento principal, fundamental para la versión liberal de la Historia, era que España había sido intolerante en el siglo XVI y que así había destruido el potencial cultural del país. No se les ocurría que otras naciones también habían sido intolerantes y no habían padecido lo mismo. Cuando la controversia sobre la ciencia volvió a aparecer en el siglo XX, quienes culpaban a la Inquisición también se dieron el lujo de echarle la culpa a las dictaduras de la época. Se volvió habitual, por ejemplo, culpar tanto a la Inquisición como a Franco por el fracaso de España en temas científicos.

La verdadera división de opiniones respecto a la ciencia tenía poco o nada que ver con un análisis de las explicaciones posibles y mucho que ver con las diferencias ideológicas. Nunca se hizo un análisis serio de por qué España no había producido ningún científico ni filósofo destacado[24]. Quienes participaron en el debate tampoco se plantearon por qué los españoles de principios del período moderno se habían dedicado tan

---

[24] Para algunos puntos de vista, véase William Eamon, «Spanish Science in the Age of the New», en Hilaire Kallendorf (dir.), *A Companion to the Spanish Renaissance,* Brill, Leiden, 2019, págs. 473-507.

poco a la ciencia, algo que en cualquier país de Europa occidental se mide por la cantidad de matrículas universitarias en carreras científicas[25]. Si hoy examinamos este debate, llama la atención que se metiera en él a la Inquisición, puesto que el tribunal no tuvo jamás, en ninguna etapa de su evolución, nada que ver con la prohibición del pensamiento científico[26].

UNA ESPAÑA ROMÁNTICA EN BUSCA DE SÍ MISMA

En síntesis, ha habido varias visiones contradictorias sobre el papel de España en el mundo. Los nacionalistas españoles siempre acusaron a los extranjeros de la visión negativa, la leyenda negra. Es cierto que, a nivel de política internacional, a partir del siglo XVI lógicamente los no españoles eran los críticos más ruidosos de las políticas españolas, pero también es verdad que los extranjeros fueron algunos de los mayores admiradores de España.

Aunque los no españoles estaban en profundo desacuerdo con determinados aspectos de España, como la Inquisición, también albergaban una fuerte tendencia hispanófila, que surgió en el Renacimiento, precisamente cuando las relaciones políticas entre Inglaterra y España se empezaban a deteriorar. A partir de la década de 1560, los ingleses publicaron traducciones de obras españolas, como el *Lazarillo,* poemas de Garcilaso de la Vega, las obras de navegación de Martín Cortés y

[25] Véase John Gascoigne, «A reappraisal of the role of the universities in the Scientific Revolution», en David Lindberg y Robert Westman (dirs.), *Reappraisals of the Scientific Revolution*, Cambridge University Press, Cambridge, 1990, pág. 250.

[26] Hay un análisis reciente sobre este debate en Víctor Navarro Brotóns y William Eamon, «Spain and the Scientific Revolution: Historiographical Questions and Conjectures», en *Más allá de la leyenda negra. España y la revolución científica,* Instituto de Historia de la Ciencia y Documentación, Valencia, 2007.

obras de Antonio de Guevara y de Furio Ceriol. En Inglaterra, hasta la primera edición (1563) de *Acts and Monuments,* de John Foxe, estaba desprovista de todo sentimiento antiespañol. Los acontecimientos políticos europeos, sobre todo el comienzo de la revuelta en Holanda, fueron, sin duda, el motivo principal de que después la opinión se pusiera contra España. Sin embargo, el aumento de esta tendencia no perpetuó ninguna leyenda negra. Ya hemos visto en el capítulo 6 que los puentes rotos con los holandeses no tardaron en repararse.

La admiración proespañola del siglo XIX se expresó a través de la admiración por el patrimonio romántico y artístico de la Península, así como por el pueblo y su cultura. La larga lista de visitantes europeos que llegaron a España incluye a lord Byron, Próspero Mérimée, Wilhelm von Humboldt, Alexandre de Laborde, Chateaubriand, Richard Ford y George Borrow. Ford afirmó que los viajeros extranjeros que llegaban a España buscaban «todo lo que se había perdido y olvidado en el resto del mundo». La presencia de estos visitantes inteligentes da fe de la curiosidad que despertaba lo español. Los viajeros románticos «consideraban el país una de las últimas reservas de independencia y autenticidad que quedaban en Europa»[27]. El primer canto de *Las peregrinaciones de Childe Harold,* producto de la visita que lord Byron hizo a España en 1809, divulgó con éxito la visión romántica de España. Para estos escritores no había ninguna leyenda negra. La corriente hispanófila podía encontrarse, por ejemplo, entre los escritores de viajes, los tradicionalistas, los admiradores del Siglo de Oro de la literatura y la poesía y también los admiradores del exótico pasado islámico[28]. Destaca, sobre todo, la cantidad y la calidad de los estudios artísticos y arquitectónicos dedicados a España y, en

---

[27] Pamela Phillips, «Street Scenes: Foreign Travelers in Madrid (1825-1850)», *Hispanic Review,* 72, núm. 3, verano de 2004, págs. 423-424.

[28] J. N. Hillgarth, *The Mirror of Spain, 1500-1700,* ob. cit., págs. 503-544.

especial, a su pasado musulmán llevados a cabo por destacadas figuras británicas durante el siglo XIX, como John Frederick Lewis.

Las pruebas de la admiración constante por España que llegaron de todas partes de Europa en períodos concretos ocuparían volúmenes enteros, pero en ninguna parte ha sido más intensa esta admiración que en los Países Bajos, precisamente donde se supone que habría nacido la leyenda negra. La admiración siempre fue fuerte en Inglaterra, la tierra de la Armada Invencible: en tiempos de los Tudor, las clases altas leían libros españoles, imitaban la vestimenta española y a menudo —un ejemplo es Isabel I— aprendían a hablar español. Los dramaturgos ingleses leían y a veces imitaban la literatura española[29] y, desde luego, había españoles, incluso en el Gobierno de Felipe II, que admiraban Inglaterra. Cuando murió Felipe, uno de sus diplomáticos, Juan de Silva, escribió a Cristóbal de Moura, consejero del rey, lo siguiente: «Los veinte y dos años que la reyna de Ingalaterra ha gastado en servicio del mundo, serán en género la cosa mas notable que se halla escrito»[30]. Moura respondió y manifestó estar totalmente de acuerdo. En tiempos de Jacobo I, durante los debates por la boda española, hubo la misma sintonía.

A principios del siglo XIX se estrechó el contacto, tanto público como privado, entre Inglaterra y España, estimulado por las actividades culturales y políticas de la Holland House[31]. La Guerra de la Independencia dio origen a unas relaciones inesperadas entre Inglaterra y España y sirvió, desde luego, a Blanco White como telón de fondo para explicar a los británicos los aspectos exóticos de la sociedad hispana. España se convirtió

---

[29] Barbara Fuchs, *The Poetics of Piracy: Emulating Spain in English Literature,* University of Pennsylvania Press, Filadelfia, 2013.
[30] Marzo de 1601, en *CODOIN,* XLIII, pág. 570.
[31] Diego Saglia, *Poetic Castles in Spain: British Romanticism and Figurations of Iberia,* Rodopi, Ámsterdam, 2000.

en el gran centro de referencia. En Londres, en el *Annual Register* correspondiente a 1808, se puede leer lo siguiente: «En la historia de 1808, lo que más llama la atención es España, el centro en torno al cual se disponen todos los demás países europeos». También despertaba admiración en algunos rincones insospechados de Europa central, como Bohemia. En una ilustración famosa, hecha en 1581 por el artista alemán Heinrich Bünting, España aparece como la cabeza imperial de un cuerpo, cuyo corazón se encuentra en Europa central y, concretamente, en Bohemia. ¿Qué sugiere la admiración por España? Muy sencillo: que se reconocía y se apreciaba al pueblo español, que estaba en proceso de inventarse como nación entre las naciones.

No obstante, entre los españoles nacionalistas surgió una versión del pasado según la cual la culpa de los defectos históricos se atribuía, sobre todo, a los extranjeros. En el año 1714 se publicó un panfleto titulado *Respuesta de un amigo a otro que le pregunta por el fin que vendrán a tener nuestros males en España*[32]. Tras lamentar las pérdidas de territorio que ha sufrido España (los Países Bajos, Italia, las islas Baleares, parte de Cataluña, Gibraltar y el comercio en las Antillas), el autor llega a la siguiente conclusión: «Es primera causa de nuestro llanto aquella innata adversion con que siempre han mirado a España todos los extranjeros». El sentido de victimización ha quedado profundamente arraigado y ha persistido a lo largo del tiempo.

Curiosamente, la versión de la explotación extranjera no se alentó en ningún sitio más que en la propia España, donde el libro de Juderías se editó muchas veces para satisfacer a unos lectores impacientes por enterarse de los desastres y los fracasos de su propio país. Fue un caso de victimismo como se ha visto en muy pocos países, acompañado por la determinación de luchar contra todos los que han atacado a España a lo largo

---

[32] Biblioteca Nacional, Madrid, manuscrito 10818/7.

de los siglos. ¿Sigue viva la leyenda negra? Unos cuantos especialistas en Historia y Literatura siguen estudiando el tema, pero, salvo ellos, nadie tiene ningún interés en las supuestas deficiencias de España ni en la idea de un complot extranjero para difamar a la nación española.

13
UN PUEBLO CATÓLICO

> No hay en la Historia universal obra comparable a la realiza-
> da por España, porque hemos incorporado a la civilización cris-
> tiana a todas las razas que estuvieron bajo nuestra influencia.
> Toda España es misionera en sus dos grandes siglos.
>
> RAMIRO DE MAEZTU, *Defensa de la hispanidad*

Cuenta la leyenda tradicional que España fue el primer país europeo en ser cristiano, porque allí se predicó el Evangelio antes que en ninguna otra parte y lo hizo nada menos que el apóstol Santiago. Se dice que, cuando Cristo resucitó, san Jaime fue al norte de España a difundir sus enseñanzas y después regresó a Palestina, donde murió a manos de los gobernantes judíos en el año 44. Sus restos fueron transportados desde Jerusalén por ángeles y depositados en una cueva de Galicia, donde quedaron olvidados casi ochocientos años. En 814, según un documento monástico que data de dos siglos después, la tumba fue descubierta por milagro: una estrella condujo a un ermitaño local a un lugar solitario en los bosques, cerca de la costa gallega, que se dio en llamar «el campo de la estrella» *(campus stellae),* donde descubrió un sarcófago de mármol que contenía huesos humanos. Aquel se convirtió, con el tiempo, en el lugar donde se situó el santuario de Santiago y sede también de la catedral que se erigió siglos después. Las leyendas y los milagros se empezaron a multiplicar y con el tiempo el santuario se convirtió en el centro de atracción de la ruta de peregrinación conocida como el camino de Santiago.

Los puntos culminantes de la historia cristiana preliminar de España siempre han sido el culto a Santiago, los escritos de san Isidoro de Sevilla y la conversión al catolicismo del rey godo Recaredo, un hecho milagroso que se produjo en Toledo en el año 587. Una y otra vez, los escritores de los siglos posteriores han tomado la fecha de la conversión de Recaredo como el comienzo de la España moderna. En el siglo XX, a Ramiro de Maeztu no le cabía ninguna duda de que «España comienza a ser al convertirse Recaredo a la religión católica». Para muchos, la religión fue la fuerza que unió a los pueblos, determinó la conducta y las normas cívicas, aprobó a un grupo selecto de líderes (el clero) y, en síntesis, proporcionó la estructura constitutiva de una nación; a saber, España.

El mito de Santiago, quien, por su reputación de «matamoros», fue considerado desde la época medieval el patrono de la España cristiana, debería haber confirmado a los españoles en la creencia en unas raíces exclusivamente cristianas. Sin embargo, en las primeras décadas del siglo XVI, precisamente cuando los misioneros españoles trataban de convertir a los indígenas mexicanos en lo que el historiador Robert Ricard ha llamado una «conquista espiritual», los líderes religiosos de España no estaban muy seguros de la fe del pueblo cuyo cuidado les había sido encomendado. Tanto la Cristiandad como Santiago parecían estar en decadencia. La peregrinación a Santiago de Compostela pasó de moda a partir de comienzos del siglo XVI. Desde el siglo XVII, el propio Santiago empezó a ser considerado un santo irrelevante y los españoles dirigieron su atención al atractivo místico de santa Teresa de Ávila, que fue declarada copatrona de España tanto en 1618 como en 1627. La rivalidad entre los dos patronos no se resolvió nunca del todo y los dos siguieron contando con el apoyo de sus simpatizantes respectivos.

La convicción de que España era un país con una fe cristiana auténtica fue la piedra angular de la cultura clásica española, y las pruebas eran convincentes. Fue casi el único país europeo que no tuvo ninguna herejía importante en la Edad Media y más que ningún otro estuvo en primera línea para defender la fe contra los musulmanes. Expulsó a su minoría no cristiana, los judíos, y poco más de un siglo después expulsó a su población de ascendencia islámica, los moriscos. Fue prácticamente el único país de Europa que no tuvo una cantidad significativa de herejes protestantes durante la Reforma. A diferencia de cualquier otro país, tuvo una Inquisición coercitiva que se dedicó a arrancar de raíz el error. La orden más combativa de la Iglesia de la Contrarreforma, los jesuitas, fue creada al principio por españoles. Miremos por donde miremos, resplandece el fervor católico de España.

Lo que vemos en las calles parece confirmarlo. El turista actual que es testigo de las procesiones emotivas que serpentean durante la Semana Santa por las calles de Sevilla, Valladolid y un buen número de ciudades españolas no puede por menos de quedar impresionado por el ambiente profundamente religioso. Las imágenes de la Virgen dolorosa, las velas encendidas, los encapuchados, los tambores fúnebres que retumban en medio del silencio y los himnos lastimeros nos hacen retroceder a un tiempo de fe que parecía haber desaparecido, pero que, de algún modo, sigue entre nosotros. El pensador religioso del siglo XIX Jaime Balmes hacía referencia a «esa unidad religiosa que se identifica con nuestros hábitos, nuestros usos, nuestras costumbres, nuestras leyes, que guarda la cuna de nuestra monarquía». En 1962, una figura pública destacada, Pedro Sainz Rodríguez, opinaba que «de nuestra casi unanimidad en materia de religión y del influjo de esta en la vida española del Siglo de Oro, son abundantes y fácilmente accesibles las pruebas»[1].

---

[1] Pedro Sainz Rodríguez, *Evolución de las ideas sobre la decadencia española y otros estudios de crítica literaria,* Rialp, Madrid, 1962 [la primera versión es de 1924], pág. 91.

Hemos de decir de inmediato que habría que reconsiderar la mayor parte de aquella imagen. No se debería juzgar la calidad de la religión en Europa solo por la piedad de su clero, la belleza de su arte y el esplendor de sus catedrales. Como la mayoría de los otros países europeos del siglo XVI, la España del Siglo de Oro tenía defectos profundos en sus creencias y en su práctica religiosa. La falta de certeza dogmática estaba acompañada por una ignorancia generalizada sobre religión, un fenómeno de lo más común en una sociedad y en una época en las cuales abundaba el analfabetismo.

En muchas partes de la Península, los predicadores pensaban que la superstición (es decir, las creencias contrarias a la razón) y la brujería ejercían mucha influencia en la población. En toda España, entre pueblos de todos los antecedentes raciales y religiosos, se podían encontrar manifestaciones de incredulidad en una vida después de la muerte, como la afirmación repetida hasta el cansancio por el clero y los seglares de que «no ay otra cosa syno naser e morir»[2]. En 1554, un religioso destacado, fray Felipe de Meneses, afirmaba que en todas partes de España había ignorancia de la religión, «no solamente la hay entre la gente montañesa, bárbara e inculta, sino también en la que presume de política, no solo en las aldeas y pueblos pequeños pero también en las ciudades. Si pedís cuenta y razón de qué es ser cristiano, no saben dar razón de ello más que unos salvajes». Tratando de encontrar un paralelismo a la situación, lo único que se le ocurrió a Meneses fue comparar a los españoles con los salvajes americanos: «La experiencia ha mostrado dentro de España haber Indias, y montañas en este caso de ignorancia». Describirlos como «Indias» se impuso rápidamente. En 1568, un dignatario de la ciudad de Oviedo, en el norte de España, pidió a la nueva orden de los

---

[2] Carlos Carrete Parrondo, *Fontes Iudaeorum regni Castellae,* vol. II: *El Tribunal de la Inquisición en el Obispado de Soria (1486-1502),* Salamanca, 1985, págs. 37, 79.

jesuitas que fueran a predicar a su gente y las describió así: «Son unas Indias que tenemos dentro de España. [...] No hay Indias que tengan más necesidad de entender la palabra de Dios»[3].

La observancia básica de los principios fundamentales de la religión podía ser esporádica. En la ciudad de Bilbao, comentaba un inquisidor en 1547, «según dicen los curas y vicarios que en ella residen, no se confiesan quinientas personas, habiendo en ella más de seis mil almas»[4]. En el norte de Aragón, informaba otro colega en 1549, había muchas aldeas «que nunca vieron ni conocieron ni Inquisición ni Iglesia». El problema era particularmente grave en las zonas rurales. En 1572, un inquisidor escribió en un informe que Galicia —la misma Galicia en la que, según decían, había predicado Santiago— debía tener una Inquisición propia:

> Si en alguna parte destos reinos se requiere que haya Inquisición es en Galicia, por no haber en ella la religion que hay en Castilla la Vieja, por no tener curas, personas de letras ni templos sumptuosos y gente aficionada a oir misa y sermons... Llena de supersticiones y ser los beneficios tan tenues y pobres que por esto no hay clérigos suficientes.

La profundidad del catolicismo español durante el período de la Contrarreforma y después sigue siendo objeto de dudas y debates. Ninguno de los misioneros que fue a predicar a las aldeas y a las montañas en el siglo XVI dudaba de que España fuera formalmente católica. De lo que dudaban —su correspondencia lo deja totalmente claro— era de si el pueblo (o el clero) comprendía u observaba alguno de los principios y las prácticas de la fe y de si la vida social cotidiana de las comuni-

---

[3] Citado por J. L. González Novalín en R. García-Villoslada (dir.), *Historia de la Iglesia en España,* Madrid, 1979, vol. III-1, pág. 369.

[4] M. Ángeles Cristóbal, «La Inquisición de Logroño», en *Inquisición española: nuevas aproximaciones,* Madrid, 1987, pág. 141.

dades se guiaba por los preceptos cristianos. Este no era un problema peculiar de España. Ya a principios del siglo XVI, mucho antes de que arraigaran las doctrinas de la Reforma, observadores competentes en otras partes de Europa cuestionaban no solo la situación religiosa del pueblo, sino también la de las élites. Cuando se atrevían a salir de las grandes ciudades, encontraban superstición e ignorancia por todas partes. España no era ninguna excepción en el proceso de cambio que afectaba a otros europeos.

Hace medio siglo, unos historiadores de Francia y de Italia empezaron a buscar fuentes que arrojaran algo de luz sobre el estado real de la religión cotidiana. A partir de la década de 1980, los historiadores empezaron a usar documentos diocesanos, testamentos y documentos de la Inquisición para tratar de comprender el catolicismo peninsular. Ahora no cabe duda de que en España hubo un período considerable de reforma, la Contrarreforma, pero solo medio siglo después de la muerte de Fernando e Isabel. Durante el reinado de estos monarcas, no se produjo ninguna reforma en la situación de la religión española. Dos generaciones después, en la década de 1570, Felipe II trató de hacer valer los decretos del Concilio de Trento, que él consideraba «el único remedio verdadero», y supervisó la celebración de concilios provinciales del clero. El rey tenía dos objetivos fundamentales: mejorar la calidad del clero y convertir a la población a la religión verdadera. Para colaborar con él, consiguió el apoyo de la Inquisición, que a partir de entonces empezó a prestar mucha atención a la práctica religiosa y moral cotidiana de los españoles, e invitó a nuevas órdenes religiosas procedentes de Italia —los carmelitas, los jesuitas y los capuchinos, entre otras— a ingresar en el país y a predicar.

Felipe II introdujo algunas innovaciones revolucionarias en la religión cotidiana. Cambió la forma de la misa, se construyeron miles de iglesias, por primera vez se instalaron púlpitos y confesionarios, se introdujeron nuevas devociones, como la del rosario, se cambiaron las normas del matrimonio y en cada parroquia se establecieron asociaciones laicas, llamadas «cofradías». Al mismo tiempo, los actos comunitarios tradicionales, como las procesiones y las fiestas, se sometieron al control del clero. Las reformas trataron de dar un papel único al clero masculino, en especial a la persona del párroco, y, en cambio, se asignó a las mujeres un papel secundario en todas las actividades eclesiásticas.

El intento de cristianizar al pueblo se debió, precisamente, a que no había motivo para el triunfalismo respecto a su práctica religiosa. Sigue siendo debatible si los cambios fueron eficaces y duraderos, ya que buena parte del impulso reformista inicial desapareció en poco más de una generación. Fuera de las ciudades principales, es probable que las antiguas formas religiosas no experimentaran ningún cambio. La Iglesia desempeñaba un papel bastante reducido en la vida de los campesinos, que ocupaban el tiempo en una amplia variedad de actividades arraigadas en sus tradiciones. Es probable que la Contrarreforma tuviera poca influencia en aquella «religión popular», cuyo contenido variaba de una localidad a otra, adoptaba sus propias preferencias locales en cuanto a los santos, e incluso insistía en tener versiones locales de la Virgen María[5]. Podemos llegar a la conclusión de que España, a principios de la Edad Moderna, era, al igual que Inglaterra y Alemania, indudablemente cristiana en su religión pública y su actividad social, pero que —así lo reconocían los comentaristas de aquella época— había defectos serios y profundos en todos los aspectos de la creencia y la práctica.

---

[5] William A. Christian Jr., *Local Religion in Sixteenth-century Spain,* Princeton University Press, Princeton, 1981; *Apparitions in late medieval and Renaissance Spain,* Princeton University Press, Princeton, 1981 [libro electrónico].

VALORES RELIGIOSOS NACIONALES
Y CORRUPCIÓN EXTRANJERA

El estado auténtico de la religión en el Siglo de Oro presenta un marcado contraste con la forma en la cual ha evolucionado el mito de la España católica trescientos años después. Por irónico que parezca, el mito apareció como consecuencia del avance aparentemente irresistible de las tendencias anticatólicas en el país. Hacia finales del siglo XVIII, en 1767, el Gobierno expulsó a toda la orden de los jesuitas de España y de sus colonias. No fue una medida abiertamente anticatólica, porque contó con el apoyo explícito de sectores importantes del clero. Sin embargo, la expulsión fue respaldada por un Gobierno compuesto por personajes destacados que simpatizaban con las ideas reformistas procedentes del exterior. La misma clase de políticos respaldó también la abolición de la Inquisición en 1813. Comenzaba así un período que parecía poner en peligro, en España y en Italia, tanto al clero como a las creencias de la religión oficial. En el verano de 1834 se produjeron en Madrid unos disturbios callejeros en los cuales murieron setenta y ocho religiosos. «Estos acontecimientos marcaron un antes y un después en la historia de la Iglesia española»[6]. Muchos pensaron que el clero había recibido su merecido. «El clero, caballeros, como clase, está luchando contra los principios de libertad de cada nación, ¡y los está combatiendo en España!». Pronunció estas palabras en las Cortes de Madrid el liberal Antonio Alcalá Galiano, quien acababa de pasar una década de su vida exiliado en Inglaterra. Al año siguiente se produjeron más motines anticlericales en el este de la Península y, sobre todo, en Cataluña. Había entrado en la política española un factor nuevo y poderoso: el anticlericalismo callejero. En el otoño de 1835, el nuevo primer ministro, Juan Álvarez Mendizábal, introdujo

---

[6] William J. Callahan, *Church, Politics and Society in Spain, 1750-1874*, Harvard University Press, Cambridge (Massachusetts), 1984, pág. 155.

una legislación sin precedentes que suprimía las órdenes religiosas y confiscaba sus bienes.

¿Cómo podía ocurrir algo así en un país profundamente católico? ¡Y lo que faltaba todavía! Los católicos convencidos señalaban con el dedo unas ideas que, según ellos, venían del extranjero, como las fuerzas del materialismo, el ateísmo y la irreligiosidad. Frente al abierto escepticismo religioso de los liberales —muchos eran totalmente anticlericales— y a las ideas secularistas de algunos grupos progresistas, como la Institución Libre de Enseñanza, los propagandistas católicos echaron mano de lo que consideraban los recursos espirituales del país. Este fue —ya lo hemos visto— el período en el cual cobró forma la llamada leyenda negra.

Los católicos denunciaron las tendencias vigentes como corrupción extranjera y destacaron, en cambio, los valores religiosos que, para ellos, habían creado la grandeza histórica de España y habían formado el carácter español en el pasado. Aquel era el ideal al que debían aspirar los españoles. El programa —se podría deducir— combinaba un poco de muchos otros mitos: el de la unidad de la nación cristiana, el de la monarquía cristiana y el de la decadencia en la que se estaba sumiendo el país. El período más intenso de la creación de los mitos de una España cristiana se produjo, por tanto, en los años intermedios del siglo XIX, cuando las fuerzas del materialismo y la falta de fe, en pleno avance, parecían poner en peligro la base moral de los españoles. Entonces, los escritores decidieron recordar al público que, a pesar de todo, España era y siempre había sido una nación verdaderamente cristiana y, posiblemente, la única nación verdaderamente cristiana de Europa.

El mayor espaldarazo a la versión católica del pasado fue el que le dio, en los albores del siglo XX, un estudioso conservador, Marcelino Menéndez Pelayo, quien reaccionó contra la corriente anticatólica en la política liberal. De su carrera ya hemos hablado en el capítulo 6. El motivo por el cual escribió su obra más memorable, *Historia de los heterodoxos españoles*

(1876), resulta evidente en el primer capítulo. Lo afligía lo que el liberalismo le había hecho a España: «El furor impío y suicida con que el liberalismo español se ha empeñado en hacer tabla rasa de la antigua España».

Como a otros españoles inquisitivos, le chocó que nadie, después de Mariana (véase el capítulo 1), hubiera escrito la historia auténtica de España. «Nadie ha hecho aún la verdadera historia de España en los siglos XVI y XVII», escribió en su *Historia de los heterodoxos españoles*. Eso fue, en parte, lo que se dispuso a hacer: descubrir la España verdaderamente católica que otros no habían llegado a reconocer. Fue un logro impresionante de erudición que lo hizo merecedor de fama internacional. Su única constante fue su convicción inquebrantable de que la fe católica era la verdadera esencia de España. Para él, el siglo XVI fue un «siglo clave de la historia», cuando la fe convirtió a España en el «pueblo elegido por Dios». Respaldaba esta opinión con una prosa grandilocuente, capaz de convencer y de compeler. ¿Por qué —se preguntaba— no se hizo España protestante, como el resto de Europa occidental?

> Nada más impopular en España que la herejía, y de todas las herejías, el protestantismo. El espíritu latino, vivificado por el Renacimiento, protestó con inusitada violencia contra la *Reforma,* que es hija legítima del individualismo teutónico; el unitario genio romano rechazó la anárquica variedad del libre examen; y España, que aún tenía el brazo teñido en sangre mora y acababa de expulsar a los judíos, mostró en la conservación de la unidad, a tanto precio conquistada, tesón increíble, dureza, intolerancia, si queréis; pero noble y salvadora intolerancia.

¿Por qué no hubo en España escritos heréticos? «Es que la lengua de Castilla no se forjó para decir herejías». Su orgullo por los logros de España se fue acrecentando, hasta convertirse, en el epílogo de su extraordinario libro, en un verdadero himno de alabanza a las glorias del pasado:

El sentimiento de patria es moderno; no hay patria en aquellos siglos [medievales], no la hay en rigor hasta el Renacimiento; pero hay una fe, un bautismo, una grey, un pastor, una Iglesia, una liturgia, una cruzada eterna y una legión de santos. Dios nos conservó la victoria, y premió el esfuerzo perseverante dándonos el destino más alto entre todos los destinos de la historia humana: el de completar el planeta, el de borrar los antiguos linderos del mundo [...].

¡Dichosa edad aquélla, de prestigios y maravillas, edad de juventud y de robusta vida! España era o se creía el pueblo de Dios, y cada español, cual otro Josué, sentía en sí fe y aliento bastante para derrocar los muros al son de las trompetas o para atajar al sol en su carrera. Nada aparecía ni resultaba imposible; la fe de aquellos hombres, que parecían guarnecidos de triple lámina de bronce, era la fe que mueve de su lugar las montañas.

El pasaje finaliza con una perorata que resulta familiar para más de una generación de españoles: «España, evangelizadora de la mitad del orbe; España martillo de herejes, luz de Trento, espada de Roma, cuna de San Ignacio [...]; esa es nuestra grandeza y nuestra unidad; no tenemos otra». Después de aquel apogeo (totalmente imaginario) alcanzado en el pasado, Menéndez Pelayo dirigió la mirada a la situación deprimente de la España de finales del siglo XIX, cuando la gloria se había desvanecido y la visión se había estropeado.

Aunque los españoles anticlericales tal vez cuestionaran en su momento el punto de vista de Menéndez Pelayo, ninguno hizo ningún intento adecuado para rebatirlo por medio de la investigación, el estudio o la reflexión. En consecuencia, su presentación del pasado mítico cristiano obtuvo un triunfo rotundo en los libros de texto y durante un siglo no se escribió ni una sola línea discrepante que estuviera bien fundamentada.

Esta visión tan nacionalista de la religión española no está respaldada, desde luego, por los hechos. Lo que le falta, sin duda, a la imagen nacionalista es la realidad de que la religión española era convincentemente católica, es decir, universal.

En ese sentido, las características destacadas del Siglo de Oro español en cuanto a religión eran más internacionales que nacionales. El impulso hacia el cambio y la reforma procedió, en gran medida, de fuera de España. En cuestiones culturales y religiosas, España solía ser recipiente, más que donante. El magnífico estudio hecho en 1937 por el estudioso francés Marcel Bataillon sobre la literatura espiritual en la Península lleva el título inequívoco de *Erasmo y España,* como testimonio de la influencia del humanismo en España, más que de España en el humanismo. El principal humanista de origen español, Juan Luis Vives, se formó fuera de España y no en ella. El principal misionero del siglo XVI, Francisco Javier, se educó fuera de España y trabajó fuera de España. Durante los tres siglos comprendidos entre el siglo XVI, cuando España fue receptora de la influencia benigna de la espiritualidad de los Países Bajos y de la erudición erasmiana, hasta el siglo XIX, cuando se entusiasmó con el krausismo germánico, el país se conformó con obtener de otros países parte de sus preferencias espirituales.

LA FE CRISTIANA: UN LEGADO DE ESPAÑA EN AMÉRICA

Tal vez el ejemplo más extraordinario de la participación de España en la pujanza internacional de la Iglesia sea su relación con la Compañía de Jesús. Por lo general se cree, erróneamente, que los jesuitas eran, en esencia, una orden española y que tomaron a España como base para convertir a Europa. En realidad, la orden siempre fue internacional desde el primer momento. Nació de una decisión tomada por el noble vasco Ignacio de Loyola, junto con otros seis jóvenes, de hacer votos de pobreza y castidad en una pequeña iglesia en las laderas de Montmartre, en París, en 1534. Tras considerar y dejar de lado su primera intención de trabajar por Cristo en Tierra Santa, el grupo decidió ofrecer sus servicios al Papa. A partir de entonces, los jesuitas siempre tuvieron su base en Italia, donde se sumaron a ellos otros jóvenes españoles, como Ribadeneira, Polanco y Nadal. El propio Ignacio pasó toda su vida activa en Italia. El primer jesuita que llegó a España fue Araoz, en 1540. A partir de entonces, los jesuitas usaron como base su colegio de Coímbra (Portugal) y desde allí entraban en el país. El primer colegio español se fundó en Valencia en 1544. La labor misionera de los jesuitas en España siempre estuvo dirigida desde Italia y desde el principio se toparon con la fuerte oposición del clero español. En la corte de Valladolid los acusaron de luteranos, aunque lograron extender su influencia gracias a sus contactos con miembros de la familia real. Tardaron alrededor de veinte años en establecerse y ni aun así cesó la hostilidad. Aunque muchos españoles llegaron a desempeñar en ella un papel destacado, la orden siempre fue cosmopolita y mantuvo su independencia del control español.

Los españoles de la época de la Contrarreforma desempeñaron un papel muy importante en la defensa del catolicismo, pero conviene evaluar su aportación desde una perspectiva universal y no estrictamente peninsular. La tentación de distorsionar el papel histórico de la Iglesia española se observa también en el caso de las colonias. El esfuerzo misionero en América fue inmenso y heroico a la vez. Entre 1493 y 1800, la Corona española financió el envío a América de por lo menos quince mil religiosos, un cuarto de los cuales fueron a México (Nueva España)[7]. Trabajaron, se esforzaron, convirtieron y también sufrieron. ¿Cumplieron su objetivo? La posibilidad de que lo hicieran ha sido defendida apasionadamente, pero también ha sido muy controvertida. El argumento del éxito ha formado parte, desde el siglo XIX, del mito de la hispanidad, del que ya hemos hablado en estas páginas. Expresó el punto de vista oficial el cardenal Gomá, arzobispo de Toledo, en un discurso pronunciado en 1934 que también se cita en otra parte de este libro:

---

[7] Las cifras están tomadas de Pedro Borges, *El envío de misioneros a América durante la época española,* Universidad Pontificia, Salamanca, 1977.

Al siglo de empezada la conquista, América era virtualmente cristiana. La Cruz señoreaba, con el pendón de Castilla, las vastísimas regiones que se extienden de Méjico a la Patagonia; cesaban los sacrificios humanos y las supersticiones horrendas; templos magníficos cobijaban bajo sus bóvedas a aquellos pueblos, antes bárbaros, y germinaban en nuevos y dilatados países las virtudes del Evangelio. Jesucristo había triplicado su reino en la tierra[8].

La fe cristiana era, según este punto de vista, el gran legado que España había dejado a Latinoamérica. Los esfuerzos espirituales del clero español fueron la coronación de la empresa imperial. El éxito justificaba a España ante la historia y ante Dios.

No cabe duda de que la labor misionera fue muy amplia y estuvo documentada minuciosamente por quienes participaron en ella. En todas partes de la frontera, en la vieja Granada, en Manila, en Nuevo México y en los Andes, la antigua forma de vivir se vio afectada de forma considerable. Casi todos los religiosos eran optimistas profesionales, siempre preocupados por inflar la cantidad de indios que llevaban al redil cristiano, e informaban de sus actividades siempre en los términos más elogiosos. A menudo no contamos con más pruebas que las suyas y por eso se tienen que tratar con cautela, porque también hay pruebas de un fracaso enorme.

El misionero franciscano Bernardino de Sahagún comentó desde México en el siglo XVI, que, «en lo que respecta a la fe católica, [América] es un terreno estéril y difícil de cultivar. Me parece que la fe católica perseverará muy poco por estas regiones»[9]. Siempre costará llegar a una valoración equilibrada

---

[8] Cardenal Isidro Gomá Tomás, «Apología de la Hispanidad», *Acción Española,* vol. 11, núms. 64 y 65, noviembre de 1934.

[9] Luis Nicolau d'Olwer, *Fray Bernardino de Sahagún (1499-1590),* University of Utah Press, Salt Lake City, 1987, pág. 121.

de si España triunfó en el aspecto religioso de su aventura imperial. Casi un siglo después de que los españoles se establecieran en América Central, el dominico inglés Thomas Gage dijo, refiriéndose a los indios de su parroquia, en Guatemala, que, «en cuanto a su religión, externamente son como los españoles, pero por dentro les cuesta creer lo que está por encima de los sentidos, la naturaleza y lo visible al ojo. Muchos de ellos están, aún hoy, predispuestos a adorar a ídolos de madera y de piedra y son propensos a la superstición»[10]. Las duras campañas contra la idolatría llevadas a cabo entre los indios andinos en el siglo XVII llegaron a su fin en la década de 1660 y es posible que tuvieran algún efecto, aunque en su mayor parte fue superficial. Aunque los religiosos solían usar un lenguaje exagerado en sus evaluaciones, hay pocos motivos para rechazar el veredicto de un sacerdote de Perú, en 1677, de que «la idolatría de los indios tiene raíces más sólidas ahora que en los comienzos de la conversión de estos reinos». En Perú, el programa para extirpar la idolatría se tuvo que reanudar en 1725 y continuó hasta finales del siglo XVIII.

Las creencias animistas y los ritos tradicionales eran el núcleo central de la identidad indígena y persistieron, de una forma u otra, durante toda la época colonial, aunque con variaciones. Los indios que aceptaron el cristianismo continuaron, al mismo tiempo, con sus antiguas prácticas culturales y los que se negaron a aceptar los cambios mantuvieron una hostilidad constante y peligrosa. En 1700, en el istmo de Darién, el pueblo guna trató de aliarse con colonos extranjeros contra los españoles. Uno de sus jefes fue capturado por los españoles y se negó a revelar el lugar donde se encontraba una mina de oro, aunque sus captores le cortaron las dos manos. Dijo: «Dios envió demonios sobre la tierra como si fueran un intenso aguacero. Gracias a esos demonios vosotros vinisteis a mi país, vues-

---

[10] Eric Thompson (dir.), *Thomas Gage's Travels in the New World*, Norman (Oklahoma), 1958, pág. 234.

tro pueblo ocupó mi tierra y me expulsaron de ella»[11]. Casi en la misma fecha, en 1730, un misionero capuchino informó acerca de las tribus guajiras de Nueva Granada: «Es imposible cosechar frutos entre estos indios; no han dejado lugar ni para la menor esperanza en todo el tiempo en que nos hemos dedicado a la tarea de su conversión»[12]. Este punto de vista se expresaba haciendo hincapié en la negativa de los indios a aceptar la religión católica, una perspectiva muy diferente de la expresada por los funcionarios Jorge Juan y Antonio de Ulloa, quienes, en la década de 1740, echaron la culpa a los religiosos. «Aunque los indios han sido cristianizados —escribieron—, su formación religiosa ha sido tan pobre que sería muy difícil ver una diferencia en ellos entre el momento en que fueron conquistados y el momento presente»[13].

EL ANTICLERICALISMO ESPAÑOL

El mito católico nació a mediados del siglo XIX, en parte por el fenómeno del anticlericalismo, que no debería haberse producido, porque en principio no podría haber sucedido. ¿Cómo podía ser que España, tan católica ella, de pronto empezara a asesinar a sus propios religiosos? ¿Fue el anticlericalismo el culpable? ¿De dónde venía? Los historiadores que estudiaron la Revolución francesa se han enfrentado al mismo problema: explicar cómo un país aparentemente católico podía volverse de pronto contra su Iglesia y contra su clero. Sugirie-

---

[11] Lance Grahn, «"Chicha in the chalice": spiritual conflict in Spanish American mission culture», en Nicholas Griffiths y Fernando Cervantes (dirs.), *Spiritual encounters. Interactions between Christianity and native religions in colonial America,* University of Nebraska Press, Lincoln, 1999, pág. 261.

[12] Ibíd., pág. 268.

[13] John J. TePaske (dir.), *Discourse and political reflections on the Kingdoms of Peru,* The University of Oklahoma Press, Norman, 1978, pág. 118.

ron que, en algún momento desconocido del siglo anterior, una Francia fervientemente católica se había descristianizado de alguna manera. La tesis prometía, pero a la larga no logró convencer, porque los historiadores se dieron cuenta de que había puntos débiles en la naturaleza de la supuesta cristiandad del pueblo[14]. Lo mismo ocurrió, evidentemente, en el caso de España.

Usar el concepto de «anticlericalismo» en cierto modo ha creado confusión. Centrar la atención en la cuestión de los ataques contra el clero nos ha animado a buscar razones, ya sea materiales, sociales o personales, por las cuales alguien querría hacer daño al personal de la Iglesia. El anticlericalismo popular ha existido desde la época medieval, porque el clero imponía a los creyentes exigencias fiscales y morales. «Los pobres —afirmó en la década de 1620 un hombre en Granada— dan un diezmo al clero para que ellos puedan engordar y enriquecerse». Otro decía que «no debería haber más de cuatro sacerdotes en el mundo, e incluso a esos debería colgárselos»[15]. Había, además, un tipo de anticlericalismo por motivos políticos, fomentado por los que tenían ideas políticas diferentes de las del clero. Los liberales a principios del 1800 y los krausistas medio siglo después se oponían rotundamente a los privilegios y las funciones de la Iglesia. En torno a 1900, como ya se ha señalado, «poco a poco el anticlericalismo pasó de ser una fórmula de oposición al universo social, moral, estético y político de la Iglesia a constituir un ámbito específico del liberalismo republicano»[16]. Los políticos liberales y los republicanos y los escritores que los apoyaban alentaban a atacar las propiedades

---

[14] Michel Vovelle, *Piété baroque et déchristianisation en Provence au XVIIIe siècle; les attitudes devant la mort d'après les clauses des testaments,* Plon, París, 1973.

[15] M. A. Fernández García, *Inquisición, comportamiento y mentalidad en el reino de Granada (1600-1700),* Maracena, Granada, 1989, pág. 247.

[16] Emilio la Parra López y Manuel Suárez Cortina (eds.), *El anticlericalismo español contemporáneo,* Biblioteca Nueva, Madrid, 1998, pág. 157.

y al personal de la Iglesia. El punto de vista progresista fue expresado de este modo por el periódico de izquierdas *El Socialista* en 1899, apenas un año después del Desastre de 1898 [17]:

> La Iglesia es la responsable de que España sea un país incapaz de vivir la vida moderna. La Iglesia es la culpable, en mayor grado que institución y persona alguna, del desastroso estado de cosas que desde siglos nos viene llevando de tumbo en tumbo a la ruina y al fracaso más espantoso. Por culpa de la Iglesia somos odiados en todo el mundo, por su culpa no tenemos condiciones intelectuales suficientes ni energía para rehacernos.

Afirmaciones como esta revelan la existencia de grupos ideológicos que se oponían de forma implacable a la Iglesia, sus creencias y sus privilegios. En consecuencia, es posible sostener que estos grupos fueron responsables de los excesos antirreligiosos y que, a pesar de ellos, España siguió siendo, como —se supone— lo había sido siempre, una nación por completo cristiana. El mito de un pueblo totalmente católico siguió —y sigue— estando, por tanto, muy arraigado en la mente de muchos españoles. Hubo reacciones de indignación cuando Azaña, el presidente del Consejo de Ministros, hizo su célebre declaración en 1931 —que España ya no era católica—, pero lo máximo que reconocieron los católicos fue lo que en aquella época admitió el cardenal Vidal y Barraquer al Papa: «Hemos de confesar que la España católica, tal como hasta ahora se ha considerado, no responde a la realidad verdadera del estado social».

La situación era ampliamente conocida por el alto clero, aunque continuaron aferrándose a la idea de que los españoles, en el fondo, seguían siendo católicos y que su descristianización era culpa de las influencias extranjeras, que los corrompían: «principios e ideas importados y anticristianos», como declaró un obispo en 1946. Aquellas supuestas ideas, ajenas al catolicis-

---

[17] Ibíd., pág. 176.

mo auténtico del pueblo español, se enumeraban como liberalismo, materialismo, escepticismo, democracia, socialismo, comunismo, masonería y una lista interminable de corrupciones introducidas en el siglo XIX y en el XX. La campaña contra los virus extranjeros se justificaba a la luz de la Historia, porque España había dedicado su energía a luchar contra corrupciones como «los erasmistas, los judíos y los enciclopedistas afrancesados que han tendido sus sombras sobre la historia de España» (1933)[18]. La propia fuerza del movimiento secularista y del anticlerical de la década de 1930 y durante la Guerra Civil tuvo la curiosa consecuencia de convencer a un sector de los católicos de que España era verdaderamente católica, tal vez incluso más católica que nunca. Esta conclusión sorprendente se ratificó a través de la perspectiva de una idea que ya estaba en circulación, pero que entonces comenzó a cobrar más fuerza y que en la actualidad está bien implantada en la polémica de la controversia pública: la idea de las dos Españas. Solo su lado representaba a la España auténtica: el otro lado no era España, sino, en realidad, la antiespaña. Aquella otra España, según proclamaba una de las luminarias intelectuales del régimen franquista, el escritor José María Pemán, «no era la España auténtica, era un ejército invasor que había acampado en nuestros órganos de vida oficial» y llamaba, por tanto, a una nueva campaña contra aquella intromisión extranjera, «nueva Guerra de Independencia, nueva Reconquista, nueva Expulsión de moriscos»[19].

UNA ESPAÑA NO TAN CATÓLICA

Después de la Guerra Civil, la Iglesia católica recuperó todos los bienes y los privilegios que había perdido, asumió un

---

[18] Santos Juliá, *Historia de las dos Españas,* Taurus, Madrid, 2004, pág. 281.
[19] Ibíd, pág. 294.

papel destacado en todas las actividades sociales y, para asombro del mundo exterior, presentó una nación que era cien por cien católica, apenas unos años después de que el presidente de la República hubiera declarado que España no era católica. Un portavoz del régimen, el escritor Rafael Calvo Serer, anunció en 1953 que «en España somos católicos todos»[20]. Las principales instituciones de la sociedad española y con ellas, desde luego, la propia Iglesia, se sumieron así por completo en un mundo de ensueño que habían creado como reacción contra la persecución que habían sufrido los creyentes bajo el Gobierno del Frente Popular de la Segunda República.

Durante unos cuarenta años después de la Guerra Civil, el Estado español adoptó como ideal político un régimen imaginario del siglo XV y dio estatus oficial a la religión que practicaba aquel régimen. España se volvió —al menos vista desde el exterior— más católica de lo que había sido nunca en toda su historia. En consecuencia, el mito de una España católica también sigue existiendo, sobre todo en la industria turística, base fundamental de la economía, que ha obrado maravillas para renovar catedrales y monasterios, para estimular los festejos de la Semana Santa y otras fiestas tradicionales y para conmemorar a las grandes figuras religiosas del pasado y su manera de convertir a España en una fuente de fe. Sin embargo, esa gloria imaginada del pasado se tiene que contraponer a la desilusión del presente. Cuando se les pregunta por su religión, la mayoría de los españoles se siguen identificando como católicos culturalmente. Ninguna ceremonia sustenta más esta conclusión que las procesiones anuales de Semana Santa en ciudades catedralicias tradicionales. Tomemos como ejemplo al pueblo católico de Sevilla. Cuando estuvo allí en 1672, el cartógrafo francés Albert Jouvin de Rochefort se maravilló de las manifestaciones públicas de devoción y unidad que vio en la ciudad en el momento del ángelus:

[20] Ibíd., pág. 356.

No pude por menos de admirar la hermosa costumbre y la loable devoción de los españoles, porque todos dejan de trabajar y de pasear por la ciudad al mismo tiempo, cuando las campanas de la catedral llaman a la oración. Hasta los jinetes y los carruajes que se desplazan con prisas se detienen y todo el mundo se arrodilla para rezar el avemaría, de modo que en aquel momento no se oye en la ciudad ni un solo sonido, como si fuera plena noche.

El paisaje sagrado de Sevilla, las campañas religiosas y las devociones públicas han contribuido a dar la impresión de la unidad de la fe. La imponente presencia religiosa de la catedral, su participación en la actividad de la Inquisición y su papel, aún hoy, en la presentación de las procesiones anuales de Semana Santa no deberían hacernos malinterpretar la religión de la sociedad a la que servían. Como otras regiones de España, la Sevilla tradicional era menos católica de lo que se suele suponer. Un censo sobre la práctica religiosa, realizado en la archidiócesis de Sevilla en 1932, reveló que la inmensa mayoría de la población no frecuentaba la iglesia; en una de sus parroquias, la de San Román, de un total de nueve mil setecientos parroquianos, solo doce personas acudían con regularidad a misa. Por lo general, apenas el 1,4 por ciento de la población de Sevilla asistía a misa a menudo en la década de 1930. «No hay forma de atraerlos al templo», se lamentaba un párroco. El panorama cambió después de forma radical, cuando el control de la ciudad por los nacionalistas restableció una asistencia a misa impresionante, aunque ni siquiera entonces las cifras fueron elevadas. La asistencia a la misa dominical en Sevilla aumentó del 0,5 por ciento en 1932 a apenas el 12 por ciento en 1938.

El lugar de la Iglesia en el catolicismo moderno no ha cambiado demasiado desde entonces. Hoy las iglesias por lo general están vacías y faltan muchos sacerdotes. En España, según las estadísticas del año 2015, el 62 por ciento de los españoles manifestaba que no iba a misa jamás. En Sevilla, en 2017, según un censo fidedigno, el 75 por ciento de los españoles no va nunca a misa. Hay que contraponer a esta estadística el dato curioso de que el 70 por ciento de los españoles que viven en Sevilla insiste en definirse como católicos, aunque no practiquen esa religión. En 2018, los sondeos indicaban que el 55 por ciento de los jóvenes adultos españoles manifestaba no poseer ningún credo ni profesar ninguna religión y el 60 por ciento no asiste jamás a ninguna ceremonia religiosa. En Barcelona, según una encuesta realizada en 2018, más del 70 por ciento no tiene ningún contacto activo con la religión católica.

Al mismo tiempo, la cantidad de sevillanos que disfrutan participando en las fiestas públicas y en las celebraciones de la Semana Santa ha aumentado muchísimo. A menudo se dice que estas celebraciones son muestras de «religiosidad popular», aunque en realidad el contenido religioso es inexistente y se trata de un gran negocio, gracias al cual Sevilla factura alrededor de trescientos millones de euros anuales, de los cuales casi nada va a parar a la catedral. Es posible que la nueva España no religiosa no sea tan diferente de la antigua España no religiosa que los misioneros del Siglo de Oro trataban de devolver a la fe católica. Tanto la vieja como la nueva son ingredientes vitales de la nación que se ha inventado con el correr de los siglos.

14
EL IMPERIO COMO CONQUISTA

Desde que Dios creó el mundo, no ha habido otro imperio
en él tan dilatado como el de España.

FRANCISCO UGARTE DE HERMOSA (1655)

En un estudio titulado *Patriotism and Empire* (Londres, 1899),
el estudioso escocés John Robertson explicaba con ironía que el
sentimiento de patriotismo había acompañado y estimulado
el desarrollo del poder imperial, que, sin embargo, siempre había acabado en tragedia. Si le hubiese interesado el caso de
España, habría hecho referencia, sin duda, a un acontecimiento
que se produjo precisamente el año en el que lo escribió: el
desastre del Imperio español en Cuba, que tuvo lugar en 1898.
Por el contrario, retrocedió mucho más en el tiempo para citar
el caso de Leónidas y los trescientos soldados espartanos que se
sacrificaron en el año 480 a. C. para defender el paso de las
Termópilas de la invasión de los persas. Murieron por su país,
«por Esparta y por sus leyes», nos recuerda. Miles de griegos
cayeron además en aquellos meses luchando contra los ejércitos
de Jerjes. Tanto entonces como ahora —afirmaba Robertson—,
el patriotismo, aunque «por convención se define como el amor
a la patria, al final resulta, obviamente, que representa el amor por
más patria» (pág. 138). Lo que avivaba el patriotismo era el expansionismo agresivo, que es lo que motivaba que alguien se

sintiera orgulloso de su nación: en este caso, la confederación griega. Según Robertson, una nación «se debe regir por las ideas morales o por el apetito» (pág. 141), pero, como es bien sabido, lo que suele regir es el apetito. Satisfacer el apetito por un imperio estimulaba el patriotismo y la sensación de orgullo nacional, pero también conducía al desmoronamiento, como le ocurrió al Imperio griego.

El problema, en el caso de España como nación, es que costaba identificar la existencia tanto del patriotismo como del imperio, dos conceptos que muchas veces damos por sentados. El fenómeno suele pasar desapercibido incluso para el estudioso del pasado más minucioso. El punto de partida de la invención de España fue el papel constante y ubicuo de la guerra. Anthony Smith destaca «el papel fundamental de la guerra para movilizar los sentimientos étnicos y la conciencia nacional, una fuerza centralizadora en la vida de la comunidad, que aporta mitos para las generaciones futuras. Puede que este último aspecto sea lo que interviene con mayor profundidad en la constitución de la identidad étnica»[1]. Sin embargo, la guerra constante en la España medieval no acabó creando una conciencia nacional y tampoco aclaró la identidad étnica del país. Además, la aparición de un imperio en el siglo XVI desempeñó un papel limitado en la invención de España y no implantó, necesariamente, una ética militar entre los españoles.

¿Qué era el Imperio? La versión española nunca ha dejado de despertar admiración. En su apogeo, a finales del siglo XVI, abarcaba, dentro de Europa, toda la península Ibérica (España y Portugal), fuertes en el norte de África, los territorios de Bélgica y los Países Bajos, Cerdeña, Sicilia y un tercio del territorio de Italia. Al otro lado del Atlántico, estaba activo a lo largo de las costas de buena parte del Nuevo Mundo, desde California

---

[1] Anthony D. Smith, *National Identity,* University of Nevada Press, Londres, 1991, pág. 27.

y Florida hasta el extremo sur de América del Sur y, en el Pacífico, comprendía parte de Filipinas y varias islas más. Cuando Carlos V gobernaba el Imperio, se alió con Austria y con el Sacro Imperio Romano Germánico y rigió los destinos de Europa. Cuando gobernaba Felipe II, durante un tiempo se alió con Inglaterra. Fue, sin duda, el mayor Imperio jamás conocido hasta entonces en la Historia de la humanidad.

Sin embargo, ¿fue realmente un Imperio? Se ha dicho que «jamás hubo un Imperio español», porque los territorios que gobernaba España en Europa eran una confederación de principados independientes a los que solo mantenía unidos la figura del rey. Con las colonias de ultramar, los lazos eran incluso más frágiles. Algunos autores usan la expresión «monarquía católica», que en la práctica aplican a los países del Mediterráneo, más que a la totalidad de los territorios españoles. Un estudio reciente opta por la expresión «monarquía de naciones»[2]. Las diferentes expresiones no son más que un primer intento de definir la naturaleza del poder de España. No obstante, por razones prácticas, el lazo que une a todos los estados ha facilitado el uso de la palabra «imperio», que ha permanecido en el vocabulario castellano, porque hacía referencia a una verdadera conciencia de poder.

Tenemos que aceptar que, desde el principio, ha habido una confusión con respecto a los términos. A algunos escritores del siglo XVII no les gustaba la palabra «monarquía», que, en cierto modo, les parecía menos impresionante que «imperio». Pedro Salazar de Mendoza sostenía que la palabra «monarquía» ya no servía, porque «el Imperio español es veinte veces más grande que el de los romanos». En 1619, Juan de Salazar, en su *Política española,* aceptó la palabra, pero a continuación dijo que en realidad quería decir «imperio»:

---

[2] B. J. García García y A. Álvarez Osorio (eds.), *La Monarquía de las Naciones: patria, nación y naturaleza en la monarquía de España,* Fundación Carlos de Amberes, Madrid, 2004.

Con razón se llama monarquía el dominio y superioridad que tiene al presente España sobre tantos reinos, provincias tan diversas y tan amplios y ricos estados y señoríos. No solo por ser el Rey Católico único y soberano príncipe, exento y sin dependencia de otro, sino también en el significado que ya el uso común le ha recibido, entendiendo por monarca el mayor de los reyes, y por monarquía el casi total imperio y señorío del mundo.

Cuarenta años después, cuando la supremacía española estaba decayendo visiblemente, otro escritor, Francisco Ugarte de Hermosa, insistía en seguir viendo a su país como una potencia imperial universal:

> Desde que Dios creó el mundo, no ha habido otro imperio en él tan dilatado como el de España, porque desde que sale el sol hasta que vuelve a salir, está alumbrando tierras de esta gran monarquía, sin que en toda su carrera falten a su luz un solo instante tierras de este gran monarca.

El atractivo permanente de la palabra «imperio» viene de la noción de conquista. Si bien España no tuvo un imperio en sentido estricto y pocos escritores españoles contribuyeron a la teoría imperialista, tanto la palabra como la realidad fueron cobrando forma poco a poco en la mente de los españoles, hasta convertirse en un mito recurrente que se fue alojando con mayor firmeza en la imaginación cada vez que España se enfrentaba a una crisis grave. Siempre ha habido escritores que, inspirados por un entusiasmo prematuro (como el clérigo que presentó la *Gramática* de Nebrija a la reina Isabel en 1492), veían conquistas a la vuelta de la esquina. Ese mismo año de 1492, un poeta dedicó a la reina un poema con su nombre, en el que —dijo— «la i significa "imperio"». En la mayoría de aquellos primeros contextos, la palabra significaba lo mismo que en latín, «autoridad» o «poder», más que lo que entendemos hoy: «conjunto de territorios conquistados». A partir de aquel punto, las referencias al imperio se volvieron frecuentes.

Como «imperio» incluía la presunción de conquista, colocó a España en un puesto entre las naciones del que no había disfrutado hasta entonces. Los portugueses tuvieron un poeta, Camões, que escribió sobre las glorias de la conquista y lo mismo pasó con España. El cronista López de Gómara declaró en 1552: «En cuanto terminó la conquista sobre los moros [...] empezó la conquista de las Indias, de tal manera que los españoles siguieron en lucha contra los infieles y los enemigos de la fe». A partir del siglo XVI, los poetas soldados rindieron homenaje a la importancia de las acciones en las que ellos mismos habían participado. Quien más destacaba entre ellos era Alonso de Ercilla, antiguo compañero de armas del mismísimo rey de España, que, después de prestar servicio en Flandes, fue a América y escribió una epopeya en la cual los éxitos de España en Europa se veían como preludios de su conquista de los pueblos indígenas de los Andes[3].

Para muchos otros españoles, sin embargo, la noción de un imperio de conquista era inaceptable. Prudencio de Sandoval fue cronista oficial con Felipe III de España y publicó en Valladolid en 1604 la *Vida y hechos del emperador Carlos V*. Sandoval explicaba que, al escribir sobre el reinado del emperador, su tarea era narrar los acontecimientos de «un siglo inquieto», un siglo —según él— lleno de:

> [...] las guerras, las muertes de quinientos mil hombres, los mejores del orbe; las armas continuas de cincuenta años; las prisiones de reyes; el saco de Roma; los desacatos hechos a lo humano, sin perdonar lo divino; los desafíos coléricos y palabras pesadas entre los príncipes; las ligas, contratos, juramentos, amistades leales de diversas maneras violadas; los intereses, ambiciones, las envidias mortales en los más altos y reales corazones; las voluntades fingidas; el confederarse unos con turcos, otros con herejes,

---

[3] Elizabeth Davis, *Myth and Identity in the Epic of Imperial Spain*, University of Missouri Press, Londres, 2000.

vencidos del odio y por vengar sus pasiones; los incendios de los pueblos y campos; derramamientos de sangre que con rabia infernal hubo entre la gente común.

Para Sandoval, todo aquello representaba la cara [desagradable] de la acción militar en Europa. Justo al final del reinado de Felipe II, un contemporáneo de Sandoval, el jurista Gregorio López Madera, fue uno de los pocos que también rechazaron la idea de un imperio de conquista. Se negaba a identificar a España con los horrores que aquel enumeraba. «Habiendo comenzado todas las monarquías pasadas por violencia y fuerza de armas —escribió López Madera—, solamente la de España ha tenido justísimos principios, por haberse juntado mucha parte por sucesiones»[4]. Era un argumento válido, si bien por aquel entonces algunos pensaban también que, como en el caso de la ocupación de Portugal en 1580, aunque tal vez hubiera habido un elemento de justicia, en realidad fue la fuerza la que tuvo la última palabra.

EL ANTIIMPERIALISMO

Uno de los aspectos asombrosos e incluso admirables del sistema imperial español era que muchos de los que escribían acerca de él pasaron la mayor parte del tiempo discutiendo en contra del Imperio y a favor de los derechos de los pueblos que vivían en él. En 1539, el catedrático de Salamanca Francisco de Vitoria expuso en una conferencia el argumento de que los pueblos conquistados —hacía referencia a América— no pierden, necesariamente, sus derechos naturales. Adoptaron sus teorías otros clérigos españoles en el siglo siguiente e incluso algunos extranjeros. También reivindicó esta tendencia a defi-

---

[4] Gregorio López Madera, *Excelencias de la Monarquía y Reyno de España,* Luis Sánchez, Madrid, 1625, pág. 79.

nir y a limitar la autoridad de los españoles en otras tierras —lo hizo, sin embargo, desde un punto de vista algo diferente— Bartolomé de las Casas, quien dificultó, efectivamente, el desarrollo de una teoría imperialista formal, basada en la idea de la conquista. Si España tenía autoridad en América —sostenía Las Casas—, no era por la conquista, sino porque el Papa había otorgado el Nuevo Mundo a Castilla.

Bastantes españoles, incluso catedráticos de la Universidad de Salamanca, en la que se originó buena parte de la teoría política española del siglo XVI, eran antiimperialistas. Cabe destacar que, en el siglo XVI, cuando uno de los consejeros de Felipe II, Fadrique Furió Ceriol, examinó el problema de la política del rey en los Países Bajos, también trató de definir y de limitar la autoridad de España. Los españoles y, muy especialmente, los militares, estaban orgullosos del papel que desempeñaron en el mundo y se expresaban de forma agresiva, aunque rara vez empleaban la palabra «imperio» para referirse a la entidad a la que servían. De hecho, algunos dedicaron mucho tiempo a manifestar que la noción de imperio era «un cuento para niños», una fantasía, pero también a demostrar que ni la monarquía española ni sus teóricos hacían, por lo general, apología del Imperio. En realidad, el único escritor de aquella época que salió a defender con firmeza un Imperio —en todo caso, se refería a un Imperio en un sentido moral, más que militar— fue un italiano del siglo XVII, súbdito del rey de España: el fraile Campanella[5].

Con el correr del tiempo, cada vez fueron más los que pensaban que correspondía a España un destino inalterable de mando. Como suele ocurrir, la noción de imperio transmitía el confort del poder, en un momento en el cual el poder se estaba escabullendo, y renovaba la confianza en el futuro de la nación. Sin embargo, así como a principios del siglo XVI no se habían

---

[5] John M. Headley, *Tommaso Campanella and the transformation of the world,* Princeton University Press, Princeton, 1997.

enunciado unas ideas imperiales claras, en el siglo XVII hubo una reticencia increíble. Un diplomático distinguido de mediados del siglo XVII, Diego Saavedra y Fajardo (1584-1648), incluso expresó dudas sobre si la empresa imperial había merecido la pena y recurrió a su experiencia directa en los asuntos europeos para comentar lo siguiente: «Ha costado muchísimo hacer la guerra en provincias inhospitalarias y remotas, con el costo de muchas vidas y dinero, y con tantos beneficios para el enemigo y tan pocos para nosotros que podría hacerse la pregunta de si no estaríamos mejor al ser conquistados que conquistando». Enfrentado después de 1635 con el comienzo de la guerra contra Francia, expresó en su *Empresas políticas* unas opiniones increíbles, como que «no puedo convencerme de imaginar que todo el mundo debería ser español» y que la propia guerra era «una violencia contraria a la razón, a la naturaleza y al propósito del hombre». Pensaba que a España le convenía mantener la paz con las demás naciones, retirarse de Flandes y de América, seguir siendo un Estado católico fuerte, arraigado en el Mediterráneo —su modelo de rey era Fernando el Católico—, y dedicar su genio a las artes.

EL IMPERIO ESPAÑOL COMO IDEOLOGÍA

No se desarrolló una idea imperial concreta hasta el siglo XIX, cuando los hechos del pasado distante se pudieron interpretar de una manera que apoyara las necesidades políticas del presente. Así surgieron, en consecuencia, los mitos imperiales en las grandes potencias, como Gran Bretaña, pero también, por ejemplo, en Turquía, Rusia y Japón, además de España. Podemos seguir la evolución del mito a través de los escritos del elemento conservador de la política española. A principios del siglo XIX, los liberales, que se oponían al absolutismo y a la Inquisición, también eran partidarios de replantearse la empresa colonial y se declararon contrarios al imperialismo. No obstante, se les adelantaron los conservadores, que denunciaron el estado trágico en el que se encontraba el país con los liberales y miraban hacia atrás con nostalgia a aquella época olvidada que para ellos se identificaba con Fernando e Isabel, con Carlos V y con Felipe II, en la cual España —ellos lo creían así— había conquistado medio mundo. El momento crucial para las opiniones de toda clase llegó en 1898, cuando el Imperio se perdió definitivamente. La clase política española buscó a su alrededor, desesperada, algún consuelo entre tanta penuria. ¿Había desaparecido realmente la gloria del Imperio? ¿El papel de España en el mundo no quedaba así reducido a polvo y cenizas?

La élite intelectual no tardó en responder. Elaboró una idea de imperio capaz de satisfacer las necesidades de una clase política desprovista de ideas. En Cataluña había pensadores que formularon una idea imperial que coincidía con las necesidades de un movimiento nacionalista incipiente[6]. En Castilla, donde también se desarrolló el nacionalismo, el objetivo fue buscar en el pasado una explicación del presente. Por ejemplo, a José Ortega y Gasset se le ocurrió la noción de que el imperio era la expresión necesaria de la identidad de Castilla. Sus palabras hablan por sí solas[7]:

> La «España una» nace así en la mente de Castilla, no como una intuición de algo real, sino como un ideal esquema de algo *realizable* [...]. Cuando la tradicional política de Castilla logró conquistar para sus fines el espíritu claro, penetrante, de Fernando el Católico, todo se hizo posible. [...] Entonces se logra la unidad española; mas ¿para qué? [...] ¿Para vivir juntos, para sentarse en torno al fuego central, a la vera unos de otros, como viejas sibilantes en invierno? Todo lo contrario. La unión se hace para lanzar la energía española a los cuatro vientos, para inundar el planeta, para

---

[6] Enric Ucelay-Da Cal, *El imperialismo catalán. Prat de la Riba, Cambó, D'Ors y la conquista moral de España,* Edhasa, Barcelona, 2003.

[7] José Ortega y Gasset, *España invertebrada,* ob. cit., págs. 59-60.

crear un Imperio aún más amplio. La unidad de España se hace para esto y por esto. [...] Por primera vez en la historia, se idea una *Weltpolitik:* la unidad española fue hecha para intentarla.

Sin embargo, unas ideas imprecisas y descabelladas como estas no bastaban para crear un mito eficaz, que solo podía ser obra de estudiosos profesionales que ofrecieran una imagen del pasado que respaldara a los políticos, los militares y los ensayistas. Uno de los textos más influyentes fue un ensayo escrito en 1937 por un medievalista, el destacado filólogo Ramón Menéndez Pidal, titulado *Idea imperial de Carlos V.* Hasta entonces, los estudiosos españoles habían prestado muy poca atención a la carrera de Carlos, que había quedado fuera de los libros de historia liberales, que lo consideraban el instigador de la ruina de España. Entonces, Menéndez Pidal, de pronto, le había encontrado a Carlos otro papel.

Los conocimientos de Menéndez Pidal en los campos de la filología, la literatura y la historia sentaron las bases de una versión conservadora y castellanista de la cultura española. Su aportación al mito del Imperio fue fundamental. La pérdida de la posición de España en el mundo en 1898 cambió la situación de forma drástica. A los intelectuales les daba la impresión de que, de algún modo, se había dejado de tener en cuenta a su país cuando se hablaba del Imperio. Quien dio el golpe más bajo fue un historiador alemán, Peter Rassow, que en 1932 publicó un estudio sobre la idea imperial de Carlos V[8]. Indudablemente, para los españoles, España también había desempeñado un papel en aquella idea. ¿O no? Al año siguiente, el historiador alemán Karl Brandi publicó un artículo que apoyaba la opinión de que Carlos se había basado en las teorías de su canciller, el saboyardo Mercurino Gattinara. Este punto de vista se manifestaba en su magistral biografía del emperador,

---

[8] Peter Rassow, *Die Kaiser-Idee Karls V dargestellt an der Politik der Jahre 1528-1540. Historische Studien,* núm. 217, Emil Ebering, Berlín, 1932.

publicada en 1937, que para muchos sigue siendo el mejor estudio sobre él[9].

Cuando se publicó el libro de Brandi, Menéndez Pidal estaba exiliado de España, refugiado tras el fracaso de la Segunda República. En 1937 se encontraba en Cuba, donde le pidieron que diera una conferencia sobre Historia hispánica. La conferencia, que se publicó aquel año en una revista de La Habana, versaba sobre «La idea imperial de Carlos V»[10]. Menéndez Pidal sostenía que Gattinara no influyó para nada en la forma de pensar de Carlos, que tenía muy claras sus propias ideas, que jamás expresaba en persona, pero que uno de sus portavoces, el obispo de Badajoz, Pedro Ruiz de la Mota, comunicó, por orden suya, en una sesión de las Cortes de Castilla en La Coruña en 1520. Las palabras de Mota eran muy claras: «Este reino es el fundamento, el amparo y la fuerza de todos los otros»[11]. Cuando decía «este reino», se refería a Castilla, y «los otros» eran el resto de España. Sin embargo, Menéndez Pidal prefirió entender «este reino» como España y «los otros» como los futuros reinos alemanes de Carlos. A partir de estas frases, a Menéndez Pidal le daba la impresión de que el emperador, que tenía veintiún años y, por cierto, ni siquiera hablaba español en aquella época, había absorbido las ideas españolas, se había vuelto español y estaba decidido a convertir sus territorios europeos en un Imperio español.

---

[9] Estas son algunas biografías recientes del emperador: Wim Blockmans, *Emperor Charles V, 1500-1558,* Londres, 2002, y Henry Kamen, *Carlos Emperador. Vida del rey césar,* Madrid, 2017.

[10] Menéndez Pidal, *Idea imperial de Carlos V,* publicado por primera vez en la *Revista Cubana* de 1937. La cita está tomada de la edición que se publicó en Madrid en 1955. Se publicó por primera vez en Madrid en 1940, lo que demuestra lo bien que acogió la idea el régimen de Franco.

[11] Joseph Pérez, *La Révolution des «Comunidades» de Castille (1520-1521),* Institut d'Etudes Ibériques et Ibero-Américaines de l'Université, Burdeos, 1970, pág. 155.

Él pensó de su Imperio por sí mismo, con sentimientos heredados de Isabel la Católica. Carlos V se ha hispanizado ya y quiere hispanizar a Europa. Digo hispanizar porque él quiere trasfundir en Europa el sentido de un pueblo cruzado que España mantenía abnegadamente desde hacía ocho siglos, y que acababa de coronar hacía pocos años por la guerra de Granada, mientras Europa había olvidado el ideal de cruzada hacía siglos, después de un fracaso total.

Al escribir estas palabras, pasaba por alto el hecho de que, en Austria, las tierras checas y Polonia, los príncipes no necesitaban las ideas españolas, porque ya estaban tratando de defender la fe católica del avance de los turcos musulmanes. De acuerdo con su impresión de una Europa que había perdido su vitalidad religiosa en comparación con España, a continuación Menéndez Pidal sostuvo que el saqueo de la ciudad papal de Roma por las tropas del emperador, en 1527, se había producido por «la indignación española ante la conducta del Papa, que no secundaba las aspiraciones de Carlos y de España en pro de la catolicidad europea». De este modo, gracias a una interpretación entusiasta y totalmente falsa de las pruebas, consiguió introducir perfectamente a España en la línea central del discurso imperial.

La exposición de Menéndez Pidal carecía de fundamentos demostrables, aunque seguramente esa era su intención: inventar una idea que devolviera a España el orgullo que merecía después de la derrota de 1898. Sin embargo, consiguió mucho más: colocó por primera vez a un soberano español —poco importaba que Carlos no fuera español, sino neerlandés— en el centro del panorama europeo y sostuvo que en la esencia de su programa había una ideología española concreta. La tarea emprendida por Menéndez Pidal de crear un nuevo Carlos que fuera, al mismo tiempo, imperialista y europeo fue continuada por otros escritores españoles posteriores. Destaquemos que Menéndez Pidal aún procuraba hacer hincapié en que la idea imperial de Carlos en realidad no era suya, sino que estaba tomada por completo de una española que lo había precedido en el trono: «No inició Carlos esta nueva floración y madurez, sino Isabel la Católica». El resultado final redundaba en la gloria de España: «Carlos V, al hispanizar su imperio, propaga hispanidad por toda Europa».

La hispanización de Carlos tuvo consecuencias interesantes, porque, para Menéndez Pidal, el Imperio europeo se consideraba entonces una mera proyección del poder de España, las políticas de Carlos se veían como esencialmente castellanas y las victorias de sus ejércitos se consideraban victorias castellanas. De pronto, la tesis de Menéndez Pidal cambió toda la visión del pasado y proporcionó a España una ideología imperial y un impulso de los que había carecido hasta entonces. Muchos años antes, Menéndez Pidal había aportado dignidad a la España medieval al resucitar a un héroe legendario cuyo valor pocos habían apreciado: el Cid (véase el capítulo 4), que brindó a generaciones de docentes y alumnos y, sobre todo, a los políticos de la dictadura de Franco, una figura que dio sentido a una nación, la España medieval, que hasta entonces no había sido más que una amalgama de príncipes guerreros. Asimismo, gracias al Carlos V de Menéndez Pidal, los escritores castellanos posteriores pudieron colocar en el centro del escenario a una nación que parecía haber sido dejada de lado.

Donde falló la exposición de Menéndez Pidal, no obstante, fue al reivindicar que España hubiera tenido una influencia única en las opiniones del emperador. Él sostenía que el fervor religioso de los españoles había inspirado las políticas de Carlos. Sin embargo, los historiadores que han estudiado a Carlos tienen un punto de vista diferente. Para ellos, «la idea que tenía Carlos de un imperio estaba arraigada en los aspectos sacros del cometido imperial y en su papel como defensor de la comunidad cristiana y como responsable de mantener la paz y la tranquilidad»[12], una actitud basada en la experiencia adquirida en todos los territorios que gobernaba y no solo en España. Su correspondencia, catalogada minuciosamente, revela el alcance europeo y no solo español de su visión política[13]. La afirmación de Menéndez Pidal de que la lucha contra los infieles era un programa exclusivamente español que Carlos había adoptado no tiene en cuenta que la mayor campaña contra los infieles de su reinado en realidad se llevó a cabo en Alemania, cuando, en torno al año 1532, Carlos supervisó la defensa de la ciudad de Viena de los turcos que la sitiaban.

Durante el régimen de Franco, el nuevo papel atribuido a la España de Carlos V fue recibido con beneplácito y no tardó en llegar a los libros de texto y a los escritos de los historiadores, como refleja, por ejemplo, *El imperio de España* (1941), obra del reputado filólogo Antonio Tovar, que apreciaba las teorías de Menéndez Pidal y recibió con agrado la oportunidad que tenía España de despertar del «profundo complejo de inferioridad» que le habían impuesto otros países europeos con el Tratado de Westfalia. A Tovar le agradaba que España pudiera volver a ser «un pueblo hecho para mandar»[14]. Resulta muy instructivo leer textos de Historia escritos en la década de 1960, cuando toda una generación había asimilado el mito inventado por Menéndez Pidal y lo había aceptado como palabra santa. El culto oficial a la hispanidad (véase el capítulo 8) contenía fuertes matices culturales, destinados a promover la lengua española y los lazos históricos con las antiguas colonias americanas, aunque no era más que una parte de la promoción general del Imperio histórico y del reinado de Fernando e Isa-

---

[12] C. Scott Dixon, «Charles V and the Historians: some recent German works on the emperor and his reign», *German History,* vol. 21, núm. 1, enero de 2003, pág. 116.

[13] Horst Rabe (ed.), *Karl V. Politische Korrespondenz. Brieflisten und Register,* Universität Konstanz, Constanza, 1999, 20 vols.

[14] Citado en Santos Juliá, *Historia de las dos Españas,* ob. cit., pág. 330.

bel. El discurso imperial también estaba muy presente en la película de 1951 *Alba de América,* sobre España en el Nuevo Mundo, que promovía la idea del papel excepcional que España desempeñó en el descubrimiento y la conquista. El resultado fue la invención de un mito imperial, destinado al consumo internacional, que permitiera la creación de la idea de España como la «nación elegida». El mito de la España imperial no desapareció al finalizar el régimen de Franco, sino que sigue aflorando en los libros populares dedicados a las glorias del Imperio[15].

Los argumentos de Menéndez Pidal a favor de una idea imperial orientada hacia España reforzaban la convicción de que España era el centro del poder. El ingrediente principal del mito español —lo más correcto sería decir «castellano»— era la creencia de que el Imperio del siglo XVI había sido un logro de la potencia de la nación y para eso había que hacer hincapié en la palabra «conquista». El punto de referencia fundamental fue la mítica Reconquista. Al parecer, «ocho siglos» de ejercicios militares contra los árabes convertían a los castellanos en los mejores soldados de todos los tiempos. Una y otra vez, los propios conquistadores hacían referencia a los moros y a Santiago para establecer una comparación. Los cronistas siempre se han referido a los pioneros del Nuevo Mundo como «cristianos» más que como «españoles». Fernández de Oviedo, por ejemplo, describía a los hombres de Cortés como un «ejército cristiano» y Francisco de Gómara, en la dedicatoria de su *Historia general de las Indias,* escribió lo siguiente: «Las conquistas entre los indios comenzaron cuando habían terminado las conquistas entre los moros, a fin de que hubiese siempre españoles en guerra contra los infieles».

Puede que el corolario fuera aún más convincente. Se presentaba a los españoles como los únicos capaces de conquistar

---

[15] Un ejemplo es el curioso libro de María Elvira Roca Barea, *Imperiofobia y leyenda negra,* Siruela, Madrid, 2016.

y los famosos conquistadores de América se convirtieron en ídolos históricos. El orgullo comprensible que despertaba el Imperio dio lugar a la convicción de que España lo había creado sola, gracias a su inmenso poder y a su riqueza. Los españoles no fueron los únicos que alimentaron el mito: también contó con el respaldo de destacados estudiosos ingleses y estadounidenses[16], que presentaban a España como «superior [en la banca] al norte de Europa, primera en Europa en tecnología de guerra y el primer estado moderno de Europa»[17]. El mito, cuyo carácter se podría comparar con la fe británica en el Imperio, actualmente desaparecida, sigue sin tener rival entre muchos escritores y políticos, y en la mente popular.

El mito no contaba con una materia prima demasiado prometedora. España era uno de los países más pobres de Europa. En la Península, no era una nación unida, sino una combinación de distintos estados, importaba la mayor parte de sus alimentos, carecía de ejército y tenía poca experiencia marítima, ni siquiera producía sus propias armas y sus principales empresas comerciales estaban financiadas en su mayor parte por extranjeros, por lo general, italianos. No obstante, en los albores del siglo XVI, se vio catapultada a dos experiencias memorables: la proyección a Europa, al acceder su rey, Carlos, al título de emperador, y la proyección al mundo de ultramar mediante los logros de Cortés y de Pizarro en México y en Perú. De pronto,

---

[16] Cito al azar de un libro que tengo en mi biblioteca, *This New World,* de W. L. Schurz, Londres y Nueva York, 1956, pág. 116, que escribe acerca de los conquistadores: «Lo fundamental es que eran españoles del siglo XVI y, por consiguiente, espléndidos para combatir. Como españoles, eran el producto final de siglos de preparación para algún esfuerzo colectivo de la voluntad humana. La coincidencia de circunstancias proporcionó el entorno para la gran aventura para la cual todo lo demás habían sido preparativos. En grado superlativo, los conquistadores eran la personificación del genio peculiar de España». Schurz era un estudioso cualificado y autor del mejor estudio que tenemos sobre el galeón de Manila.

[17] John Lynch, *Spain 1516-1598,* Blackwell, Oxford, 1991, pág. 212.

España llamaba la atención mundial. Sobre todo, los logros americanos parecían tan extraordinarios que enseguida se creó una leyenda en torno al poder de España. Empezaron a verse tropas españolas en los campos de batalla europeos, como en 1547 en Mühlberg, cuando Carlos derrotó a las tropas de los protestantes alemanes. Muy pronto, el oro y la plata de América —sobre todo, la plata, procedente de las minas de Potosí (Bolivia)— comenzaron a financiar las empresas de los españoles y mejoraron la reputación de España. La riqueza americana fue el gran sostén del Imperio, aunque nunca logró convertir a España en una gran potencia[18].

Guerra y nación

En el Imperio naciente de Fernando e Isabel se creó un vínculo común por la participación en una empresa dirigida y promovida por los castellanos, que constituían las cuatro quintas partes de la población de la Península que estaba sometida a la Corona. Al mismo tiempo, el crecimiento del Imperio otorgó a España una significación, un papel y una ética que sirvieron para que los pueblos de la Península se dieran cuenta de que compartían una empresa común que les proporcionaba una nueva identidad que no tenía precedentes. Puede que la aportación más poderosa a aquella identidad fuera la guerra agresiva.

A partir de las guerras de Granada, tanto los soldados como los oficiales del ejército absorbieron una ética bélica en la cual los valores militares trascendían el mero nivel del valor personal y se ponían al servicio del príncipe y del Estado. A todos los soldados a sueldo de España, fueran o no castellanos, se los alentaba a identificarse directamente con la nación. Les

---

[18] A. M. Bernal, *España, proyecto inacabado. Los costes y beneficios del Imperio,* Centro de Estudios Hispánicos e Iberoamericanos, Madrid, 2005.

pedían que gritaran a favor de España. El uso de un grito de batalla oficial contribuía a concentrar el entusiasmo de los soldados. Durante las guerras italianas, en torno al año 1500, todos los soldados que prestaban servicio en los tercios estaban obligados a usar el grito de guerra «¡Santiago, España!». Los cronistas castellanos contaban que en la batalla los soldados gritaban «¡España, España!» y «¡España, Santiago!», mientras se arrojaban contra sus enemigos. Cultivar el patriotismo a través de la guerra fue un paso adelante importante en la invención de España. Morir por España ayudó a crear España.

En el medio siglo siguiente, el grito de guerra «¡Santiago, España!» se empezó a oír en toda Europa. Lo usaban todos los soldados, ya fueran castellanos, italianos, alemanes o flamencos, que combatían en nombre de España. Conviene destacar este punto, ya que a menudo se ha caído en el error de pensar que las tropas gritaban a favor de España porque eran españolas. Si tenemos en cuenta la composición internacional de los ejércitos españoles, la verdad es que muy a menudo no lo eran. Los gritos de batalla «¡Santiago!» o «¡Cierra, España!» no demostraban que las tropas sintieran ninguna emoción por la nación española. Se sabe que usaban estas invocaciones incluso tropas que no estaban al servicio de España. En la batalla de Mühlberg (Alemania), en 1547, la caballería húngara de primera del ejército del emperador tuvo que elegir entre el grito de guerra oficial alemán y el español y, dada su antipatía por Alemania, no dudaron en preferir gritar «¡España!» cuando las tropas se lanzaban al ataque[19].

Teniendo en cuenta que había ocasiones en las que más de la mitad de los hombres que formaban un tercio podían ser españoles, pero no castellanos, el efecto aglutinante de aquel grito de guerra esencialmente castellano era indudable. Se alentaba a todos los soldados de la península a sentir que su

---

[19] Luis de Ávila y Zúñiga, *Comentario de la Guerra de Alemania hecha por Carlos V,* Juan Steelsio, Amberes, 1549, pág. 66v.

causa era la causa de España. Resultaba significativo que el grito de guerra no se pudiera usar, salvo en las guerras de Granada, dentro de la Península, porque no se podía gritar «¡España!» cuando se libraba una batalla contra otros españoles. La proclamación de una identidad, de una lealtad a España, siempre era exterior y se asociaba con la empresa imperial. Así como los vascos, los extremeños y los aragoneses podían sentir que tenían una causa común contra el enemigo musulmán de Granada, como había observado Pedro Mártir, su experiencia conjunta fuera de la Península les proporcionaba un lazo común.

Mucho antes de que el concepto adquiriera realidad política en la Península, España se convirtió, para los soldados que estaban fuera, en una realidad vívida que determinaba sus aspiraciones. Dicen que un comandante militar que, en el año 1500, trataba de aplacar a cuatro mil soldados castellanos que se estaban amotinando en Nápoles porque no les daban su paga les dirigió estas palabras: «Todo el reino de España, cuyos hijos somos, tiene la mirada fija en vosotros»[20]. Desde luego, el reino de España ni siquiera existía, porque ni el rey se llamaba a sí mismo «rey de España», pero la ficción cumplió su objetivo: aun a cientos de kilómetros de sus hogares, los pueblos y las aldeas aislados y dispersos de los cuales procedían los soldados adquirieron una nueva identidad, «el reino de España», al que podrían regresar si salían vencedores de la batalla.

El énfasis constante en la realidad de España contribuyó, sin duda, a que los pueblos de la Península tomaran conciencia de su papel en la creación del imperio, pero, si bien España se convirtió en una realidad más palpable tanto para los españoles como para los extranjeros, apenas cambió la percepción inmediata de la vida cotidiana en la Península, donde las lealtades a la casa y al hogar y a la cultura y a la lengua locales mantuvie-

---

[20] *Crónicas del Gran Capitán*, ed. Antonio Rodríguez Villa, Madrid, 1908 (Nueva Biblioteca de Autores Españoles, vol. 10), pág. 375.

ron su supremacía hasta bien entrado el siglo XIX. Como mínimo desde principios del siglo XVI, había autores que usaban la palabra «patria» para referirse a la comunidad —por lo general, el pueblo natal— por la que las personas sentían una lealtad instintiva[21]. En la Latinoamérica colonial, muchos escritores se referían a menudo a la patria en la que habían nacido, pero esta palabra siempre se refería a un pueblo o una región específicos y nunca a España como entidad nacional[22]. Para los habitantes de la Península o de las colonias, en realidad, España existía en términos políticos, pero seguía siendo una entidad abstracta que rara vez calaba hasta el nivel local, más íntimo.

GLORIA MILITAR, PERO SIN CONQUISTAS

En la creación del poder imperial hubo logros militares indudables, pero los castellanos no fueron los únicos héroes ni habrían podido serlo, porque, por su falta de recursos, siempre necesitaban ayuda externa. La caída de Granada —así lo explica un historiador español— es un buen ejemplo[23]. Acudieron miles de soldados y de voluntarios de otras partes de la Península y entre los numerosos extranjeros figuraban franceses, suizos e ingleses. Las fuerzas navales que patrullaban el mar e impedían la llegada de ayuda desde África consistían en naves catalanas e italianas. De la artillería recién importada se encargaban alemanes e italianos. El dinero para cubrir los gastos

---

[21] José Antonio Maravall, *Estado Moderno y mentalidad social,* vol. I, págs. 464, 475.

[22] David Brading, «Patriotism and the Nation in colonial Spanish America», en Luis Roniger y Mario Sznajder, *Constructing collective identities and shaping public spheres,* Sussex Academic Press, Brighton, 1998.

[23] Eloy Benito Ruano, «La participación extranjera en la guerra de Granada», *Revista de Archivos, Bibliotecas y Museos,* 80, núm. 4, octubre-diciembre de 1977.

procedía no solo de Castilla, sino también de Aragón y del Papa, a través de los banqueros genoveses de Sevilla, que manejaban las transacciones. La caída de Granada en 1492 fue un momento culminante en la historia militar de Castilla, pero también fue posible gracias a la ayuda del resto de España y de Europa occidental. Como la batalla medieval de Las Navas de Tolosa en el año 1212 (capítulo 4), la guerra era un fenómeno internacional y no obra de un solo pueblo.

Es evidente que el éxito militar de España no se consiguió solo. El país no contaba con los recursos humanos, el dinero, el armamento ni los barcos necesarios para emprender una conquista en Europa. Sin embargo, los soldados españoles poseían espíritu militar y lo cultivaban, igual que los soldados de otras naciones. En 1506, un poeta castellano celebraba las hazañas de sus compatriotas en Italia con estas palabras:

> No solo nos son tractables
> Las tierras que conquistamos,
> Mas los mares navegamos
> Que fueron innavegables.
> Pugnamos quasi impugnables. [...]
> E aún si carecemos
> Del mundo todo mandar,
> La causa quiero callar,
> ¡Pues mostramos que podemos!

Entre las ficciones a las que se somete al público en la actualidad, hay un suministro constante de novelas sobre las conquistas imperiales de España. El Imperio sigue siendo motivo de orgullo para clérigos nostálgicos y novelistas populares, que encuentran en él motivo e inspiración para recrear en sus páginas un mundo de gloria militar que en realidad jamás existió[24].

---

[24] El novelista Arturo Pérez-Reverte, que parte de su visión particular de la historia de España para escribir sus novelas, dice lo siguiente: «Fuimos

La imagen ficticia del Imperio como expresión de la capacidad y el poderío de España sigue influyendo en la mente del público, que devora con entusiasmo las novelas sobre los logros españoles en Flandes, pero permanece indiferente al Imperio real del pasado.

A pesar de su espíritu y de la participación de los famosos tercios en innumerables campañas, la conquista de territorio por lo general no formaba parte de su trabajo. Por la superioridad de sus recursos humanos, la Corona de Castilla desempeñaba el papel principal indiscutible en las empresas militares de España. La impresionante serie de batallas contra los franceses en Italia en la década de 1490 inspiró a los castellanos a escribir libros sobre sus propias hazañas militares, dio dignidad a la profesión de la guerra y estableció una reputación duradera para las proezas militares castellanas. Si las guerras de Granada fueron el primer paso de España hacia el Imperio, las guerras italianas fueron el primer paso hacia la expansión internacional. Los españoles dominaron Italia durante los doscientos años siguientes, lo que tuvo profundas repercusiones en la historia de aquella península.

No obstante, la posición de España no era de conquista, sino que se encontraba en Italia solo para reclamar sus derechos dinásticos. En las campañas no había ninguna intención ni idea de conquista y, en todo caso, las tropas que acompañaban a Gonzalo de Córdoba eran en su mayoría napolitanas y alemanas, más que castellanas. España acudió a ayudar, más que a conquistar. Los españoles no llevaron a cabo una ocupación

---

la gran potencia mundial. España tenía a Europa agarrada por los cojones y Europa se hizo contra España. Los ingleses y los norteamericanos hacen novelas y películas de piratas y colonizadores; los españoles no. Hemos ido poniendo cemento encima de la historia. Nos han hecho avergonzarnos de ella, y eso no pasa en ningún otro país de Europa. Mirar hacia atrás con las gafas de lo políticamente correcto es de gilipollas. Tú no puedes mirar la conquista de América o la guerra de Flandes con esas gafas». Entrevista publicada en *El País* el 15 de noviembre del 2003.

militar y las guarniciones que mantenían siempre respondían a algún motivo específico. Muchos años después, en 1531, el Parlamento de Nápoles recordó a quien gobernaba entonces, el emperador Carlos V, «que sin su ayuda jamás habría expulsado y derrotado al ejército francés». Después de las guerras italianas, es posible que los soldados españoles fueran a prestar servicio al Nuevo Mundo o en la interminable campaña de los Países Bajos, pero no se usaron para ninguna anexión hasta que Felipe II ocupó Portugal en 1580. Los territorios sometidos a la Corona en el siglo XVI llegaron a ella por herencia y por tratado (como Nápoles), en lugar de por invasión. Por consiguiente, no se puede hablar de un Imperio por conquista en Europa, sino —ya lo hemos destacado— de una serie de herencias dinásticas a las que España se tenía que aferrar.

Había, sin duda, escritores españoles que reivindicaban un papel universal para el rey de España, pero reclamaban, sin excepción, una universalidad moral más que una expansión política. Uno de ellos fue el legista navarro Miguel de Ulcurrun, que estudió en Italia, se hizo funcionario en España y en 1525 publicó su *Catholicum opus imperiale regiminis mundi,* una obra en la que reivindicaba una universalidad moral católica para el emperador Carlos V[25]. Otro fue Bartolomé de las Casas, a quien ya hemos citado. Algunos extranjeros, sobre todo en Alemania, conocían estas reivindicaciones y llegaron a la conclusión de que los gobernantes españoles aspiraban a una posición universal[26].

Para demostrar que España era agresora, hay que examinar las pruebas de los hechos. En realidad, ni una sola expedición española durante el reinado de Felipe II se proponía una anexión o una conquista, salvo una pequeña excepción, llevada a

---

[25] Véase Peer Schmidt, *Spanische Universalmonarchie oder «teutsche Libertet». Das spanische imperium in der Propaganda des Dreissigjährigen Krieges,* Steiner, Stuttgart, 2001, pág. 102.

[26] Ibíd., pág. 117.

cabo en 1570 por el ejército de Milán, cuando, por motivos estratégicos, ocupó el puerto de Finale, situado en la costa, cerca de Génova. Durante su reinado, no hubo ninguna conquista formal en América —el rey lo prohibió en 1571— e incluso después de la ocupación de Portugal en 1580 lo que más llama la atención con respecto al ambiente de las dos cortes de Felipe, la de Madrid y la de Lisboa, es la falta casi total de aventurismo. Había, sin duda, un orgullo agresivo, pero no un afán expansionista.

Los españoles no conquistaban, sino que colaboraban. Aquel fue el gran secreto del Imperio español[27]. En cada etapa, recibía la ayuda de otros. Los mexicanos que ayudaron a Cortés se sublevaban contra la tiranía de los aztecas y siguieron ayudando a los españoles a introducirse en los demás reinos americanos. Cada etapa de la exploración española del Nuevo Mundo fue posible gracias a la colaboración de la población nativa, que así esperaba obtener más poder sobre sus enemigos y también esperaba conseguir riquezas. Lo mismo ocurrió en Europa, donde los territorios que componían el Imperio colaboraron voluntariamente con los españoles en lo que se convirtió en una auténtica aventura imperial. Había ganancias en juego, de modo que España consiguió muchos amigos. ¿Quiénes pagaron los barcos que cruzaron el Atlántico para llegar a América? En su mayor parte, financieros italianos. ¿Quiénes pagaron la colonización de las islas Canarias? Financieros italianos. España surgió como líder de una gran empresa multinacional que funcionó porque contaba con la colaboración de todos los demás.

Ya hemos visto que España, por lo general, no tenía un ejército a su disposición y que no hubo tropas regulares en América antes de finales del siglo XVIII. Cuando el país tuvo que emprender guerras en Europa, empleó la plata americana

---

[27] Y, de hecho, de la mayoría de los imperios, como tienden a destacar varios estudios recientes.

para reclutar tropas italianas y alemanas, además de sus tercios castellanos, que tenían su base en Italia. El Gran Capitán, el general que fue pionero de la hegemonía imperial de España en Italia, era castellano, pero no habría podido hacer nada sin las tropas y el dinero italianos. Incluso los suizos ayudaron a sostener el Imperio español y hubo soldados suizos combatiendo en muchos ejércitos españoles. No había ningún problema religioso y tanto las tropas protestantes como las católicas sirvieron a los españoles para luchar contra los holandeses en la sublevación de los Países Bajos. Había soldados castellanos por todas partes, pero rara vez constituían más del 20 por ciento de los hombres de un típico ejército español y, por lo general, la mayoría de los comandantes eran extranjeros. En las décadas intermedias del siglo XVI, los españoles tenían pocos generales con formación, de modo que contaron con la colaboración de las naciones del Imperio. Los dos principales comandantes militares que tuvo España después del duque de Alba fueron italianos: Alejandro Farnesio, en el siglo XVI, y Ambrosio Spinola, en el siglo XVII. Los castellanos eran —no podía ser de otra manera— un componente esencial de todas las empresas imperiales, pero la lista de no españoles que colaboraron en puntos clave para mantener el Imperio es prácticamente interminable: incluía a pilotos navales portugueses, financieros e ingenieros de armamento alemanes, constructores de puentes italianos y técnicos belgas. Los europeos ambiciosos que querían ganarse la vida trabajaban para España.

Desde luego, siempre quedaba espacio para la exageración patriótica. Los actos bélicos de los castellanos se llegaron a considerar sobrehumanos y extraordinarios. Marcos de Isaba, que había servido como soldado por todo el Mediterráneo, escribió con orgullo en la década de 1580: «He visto con mis propios ojos los logros obtenidos por el valor de la nación española, y el respeto, temor y renombre que los españoles se ganaron tanto en el Viejo Mundo como en el Nuevo Mundo durante los últimos noventa años. Los alemanes y los suizos han admitido que se ven superados tanto en fuerza como en disciplina». Se podía encontrar —según él— una prueba de tal afirmación en la famosa batalla de Pavía —como se libró antes de su nacimiento, no habla por su experiencia personal—, donde «no solo es verdad, sino un hecho aceptado que tan solo ochocientos soldados de infantería, mosqueteros y lanceros obtuvieron la victoria, y destrozaron así el furor de la caballería francesa y la mayor parte de su ejército»[28]. Semejantes exageraciones se pueden encontrar en la historia de todas las naciones imperiales. En la batalla de Nördlingen, en 1634, en la que las tropas españolas solo constituían una quinta parte del ejército imperial, la versión que ofrece un noble castellano que participó en ella estalla en la siguiente perorata: «La monarquía de España es todopoderosa, su Imperio es vasto y sus gloriosas armas palpitan con esplendor desde que sale el sol hasta que se oculta»[29].

UN IMPERIO INTERNACIONAL

La noción de un imperio conquistador sigue siendo —en muchas naciones imperiales— un motivo fundamental de orgullo. En los libros de texto y en los estudios universitarios de Historia, las batallas se usan como criterio para explicar el pa-

---

[28] Marcos de Isaba, *Cuerpo enfermo de la milicia española,* Madrid, 1594. Edición moderna de 1991, págs. 66-67. Se calcula que el ejército francés contaba con 17.000 soldados de infantería y 6.500 de caballería. La versión de Isaba pasa por alto el hecho de que el resto de las fuerzas que se oponían a los franceses, con las que servían las tropas españolas, contaban con más de 22.000 hombres. Véase un estudio reciente de la batalla en Angus Konstam, *Pavia 1525: The Climax of the Italian Wars,* Osprey Publishing, Oxford, 1996.

[29] D. Aedo y Gallart, *Viage, successos y guerras del Infante Cardenal Don Fernando de Austria,* Imprenta del Reyno, Madrid, 1637, págs. 130, 195.

sado y la capacidad de derramar sangre se eleva a un puesto de honor supremo. Para los británicos, el principal héroe militar es el duque de Marlborough, «responsable» de la muerte de decenas de miles de soldados en la batalla de Blenheim. Es poco probable que a quienes visitan el espléndido castillo de la familia Marlborough en Oxfordshire les pidan que presten atención al famoso poema sobre la batalla, escrito con espíritu crítico, más de un siglo después, por el poeta Robert Southey.

En este sentido, España no se diferencia de otras naciones que tratan de crear un mito en torno a sus hazañas militares. A su héroe militar más admirado, Hernán Cortés, se lo venera por haber dirigido la masacre de más de cien mil civiles aztecas, y a otro conquistador, Pizarro, se lo reverencia porque él en persona colaboró en la matanza de unos cuatro mil peruanos desarmados en 1533. Sobre todo, muchos ven el país como triunfador en batallas. Un estudio reciente reclama para España las victorias de «Pavía, Mühlberg, San Quintín, Lepanto, Breda y Nördlingen»[30], a principios de la Edad Moderna. Estos hechos militares constituyen el máximo orgullo histórico de las fuerzas armadas de la nación, porque las fuerzas españolas desempeñaron un papel importante en cada una de ellas. Los nombres reaparecen en un libro de texto tras otro. Lo que los libros no mencionan es que todas estas victorias fueron internacionales y no exclusivamente españolas. En todas ellas desempeñaron la mayor parte soldados extranjeros, generales extranjeros, armas extranjeras y dinero extranjero. El sitio de Breda (1625), famoso gracias al lienzo magistral de Velázquez, es un buen ejemplo (véase el capítulo 10). Podemos colocarnos delante, en el Museo del Prado de Madrid, y admirar la cortesía intemporal del general victorioso al aceptar la rendición del ejército vencido. Sin embargo, este lienzo magnífico tiene muy poco de español. Fue

---

[30] Esta es la lista de victorias españolas que aparece en J. P. Fusi, *España. La evolución de la identidad nacional,* Temas de Hoy, Madrid, 2000, pág. 109.

en gran medida un éxito belga e italiano, financiado por un banquero italiano, Spinola, que, además, era el general al mando y es la figura central de la pintura.

El liderazgo español siempre fue importante, pero constantemente se fue complementando con la participación de sus aliados. La victoria de Lepanto (1571) constituye un ejemplo claro (véase el capítulo 11). Aunque siempre se ha celebrado como la hazaña militar más memorable de España, más que ninguna otra victoria de la época del Imperio, Lepanto ha demostrado con toda claridad que, tanto en la guerra como en la paz, el poder de España dependía de sus aliados. Así como la aportación militar y financiera a Lepanto fue compartida por todos los aliados, también la victoria les pertenecía a todos.

Además de la imagen vigorosa de un Imperio enorme conquistado militarmente por una España siempre triunfal, los defensores del mito de la conquista también proponían, y al mismo tiempo, una visión optimista del Imperio como una institución más o menos benévola. Menéndez Pidal, por ejemplo, contribuyó a fomentar la imagen de España como una potencia imperial beneficiosa. Al referirse a América, pasó por alto, sin decir nada, la tragedia demográfica que sufrieron los habitantes del continente y reservó sus alabanzas exclusivamente para las «Leyes Nuevas» que fray Bartolomé de las Casas contribuyó a promover. Se refirió a ellas como «esas admirables leyes, bastantes a amnistiar ante la Historia todas las faltas que la acción de España haya tenido en América»[31]. Cuando literatos e historiadores, entre ellos el estadounidense Lewis Hanke, interpretaron la obra de Las Casas en un sentido que parecía crítico respecto a España, Menéndez Pidal cogió la pluma para atacar a Las Casas y acusarlo de loco y de judío[32].

---

[31] Ramón Menéndez Pidal, *Idea imperial de Carlos V,* ob. cit., pág. 35.

[32] «Observaciones críticas sobre las biografías de Fray Bartolomé de las Casas», Ramón Menéndez Pidal, en *Actas del Primer Congreso Internacional de Hispanistas: celebrado en Oxford del 6 al 11 de septiembre de 1962,* Cyril

La percepción irreal de un Imperio benevolente suele contar con el respaldo de la orgullosa afirmación de que duró cuatrocientos años, de 1492 a 1898. Esta imagen refuerza el orgullo patriótico, pero no es cierta para los territorios europeos ni para los transoceánicos. Es dudoso que la descripción de «imperio» tenga algún significado real para los territorios de ultramar y, por tanto, la noción de la supervivencia del control está totalmente desprovista de sentido si, para empezar, el control ya era más bien escaso. En Filipinas, por ejemplo, los españoles jamás controlaron más que una pequeña punta de una de sus siete mil islas. En la parte continental de América del Sur, el control de los españoles no era menos precario. Había una presencia española constante, pero pocas veces la respaldaba el poder. En términos económicos, ya en el siglo XVII, el grueso de la economía del Nuevo Mundo estaba sometido al control de los no españoles. A finales de ese siglo, la mayoría de los territorios del Caribe estaban ocupados por otros europeos. Cuando Estados Unidos se hizo cargo de Cuba en 1898, ya controlaba el 85 por ciento de su comercio exterior. Lo que había sobrevivido cuatro siglos era poco más que un Imperio ilusorio: el Imperio de verdad había desaparecido mucho antes.

La idea de los conquistadores como fuerza motriz de la construcción del Imperio también es —ya lo hemos visto— pura fantasía. La generación de conquistadores brutales en México y en las regiones situadas más al norte no tardó en ser reemplazada por una generación de agricultores y burócratas. La conquista fue una lucha lenta y persistente para mantener una zona de influencia. En Perú y en Chile, las milicias a menudo estaban formadas por negros y por mestizos. En Filipinas, en 1626, el gobernador describía a la milicia como «la escoria de toda la nación española», ya sea malhechores o delincuentes y,

---

A. Jones y Frank Pierce, (dirs.), 1972. También Ramón Menéndez Pidal, *El Padre Las Casas: Su doble personalidad,* Real Academia de la Historia, Madrid, 1963.

por lo general, no españoles, sino mestizos[33]. La mayoría de los soldados que había en las colonias de Filipinas en realidad pertenecían a las clases criminales de las colonias de Nueva España.

El Imperio, por tanto, no era una cuestión de conquista, sino de esfuerzo.

Los éxitos, cuando se producían, eran, evidentemente, fruto de la superioridad militar española. Su presupuesto militar era el más elevado de Europa; sus ejércitos también eran los más numerosos[34]. Es fácil comprender a qué se debe. Ya hemos hecho hincapié en que los imperios no funcionan con los recursos de una sola nación. Una empresa ha de ser internacional para poder adquirir la experiencia necesaria. La norma se aplica al Imperio estadounidense actual, así como se aplicaba, siglos atrás, al Imperio español. Un ejemplo es el importantísimo comercio de esclavos, que contribuyó a hacer funcionar el Imperio español —y, posteriormente, el británico y el francés— en el Caribe. Los españoles no tenían acceso a los esclavos africanos ni disponían de embarcaciones para trasladarlos a América, de modo que los portugueses se encargaron de gestionarlo por ellos. Lo mismo se aplica al sistema mercantil español. A menudo pensamos que los españoles controlaban las riquezas de su Imperio, pero en realidad ocurría al revés. Otras naciones ayudaron a hacer funcionar el sistema mercantil español para poder cosechar los beneficios. El resultado fue que, en el siglo XVII, algunos países extranjeros (Francia, Inglaterra, la Liga Hanseática, los belgas y los holandeses) controlaban el 90 por ciento de las riquezas de aquel comercio, incluida la plata.

---

[33] Stephanie Mawson, «Convicts or conquistadores? Spanish soldiers in the seventeenth-century Pacific», *Past and Present*, núm. 232, agosto de 2016.

[34] Enrique Martínez Ruiz, *Los soldados del rey. Los ejércitos de la Monarquía Hispánica (1480-1700)*, Actas, Madrid, 2008.

Ni siquiera el aspecto más famoso de la empresa imperial española, su dedicación a la difusión de la religión católica, fue una campaña exclusivamente suya. Los tres primeros misioneros franciscanos que llegaron a México no eran españoles, sino belgas, y los no españoles siguieron desempeñando un papel importante en la labor misionera. El primer jesuita que estableció misiones en la frontera de California fue un austríaco de Tirol del Sur, Eusebio Francisco Kino. El misionero más famoso de Asia no era castellano, sino navarro: Francisco Javier[35].

Los españoles nunca fueron suficientes para dirigir un imperio mundial y necesitaron la ayuda de otros. El Imperio fue una vasta empresa internacional en la que todos colaboraban para conseguir el éxito. En lugares como Filipinas, nunca hubo suficientes españoles para manejar la colonia, de modo que quienes dirigían la economía eran los alrededor de treinta mil residentes chinos en Manila. El Imperio español se convirtió en una empresa globalizada en la que cooperaban pueblos y economías diferentes. Por primera vez en la Historia, un imperio internacional integraba los mercados del mundo, mientras embarcaciones procedentes del San Lorenzo y el Río de la Plata y desde Nagasaki, Macao, Manila, Acapulco, Callao, Veracruz, La Habana, Amberes, Génova y Sevilla se entrecruzaban en una cadena comercial interminable que intercambiaba mercancías y ganancias, enriquecía a los comerciantes y globalizaba la civilización. Los esclavos africanos iban a México; la plata mexicana, a China, y las sedas chinas, a Madrid.

---

[35] La carrera de Francisco Javier —murió en 1552 y fue canonizado en 1662— es un caso historiográfico interesante. Su familia era una gran opositora de lo español y luchó contra la ocupación española de su país. Francisco Javier se exilió de Navarra y estudió en París, donde conoció a Ignacio de Loyola, a quien ayudó a fundar la Compañía de Jesús. Su notable carrera como misionero se desarrolló por completo en el ámbito del Imperio portugués y no del español. El autor del primer estudio exhaustivo sobre su carrera, escrito entre 1955 y 1971, fue un jesuita alemán, Georg Schurhammer. Hasta 1992 no se publicó en español esta obra inmensa.

El gran logro imperial de España, por consiguiente, no fue la conquista, sino el liderazgo. El mito de la conquista producía satisfacción, tanto en el siglo XVI como en el XIX, a quienes pensaban que la violencia era una parte necesaria y deseable de la construcción del Imperio. En la práctica, aquello fue totalmente irrelevante en el caso de España, que había llegado a ocupar un lugar prominente por herencia dinástica y no por disponer de grandes recursos propios. En aquel contexto, los españoles desempeñaron su papel con habilidad y eficiencia. Fueron su audacia, su valor y su determinación los que contribuyeron a la supervivencia del imperio global y a la invención de España. El Imperio de unos pocos se sostuvo gracias al capital, la colaboración y la paciencia de muchos, cuya contribución a menudo olvidan los historiadores de la nación imperial.

15
UNA NACIÓN INVENTADA

Las comunidades no se deben distinguir por su falsedad o su
autenticidad, sino por el estilo con el cual se las imagina.

BENEDICT ANDERSON,
Comunidades imaginadas (1991)

La palabra «nación» posee una magia inexplicable que trans-
forma todos los contextos en los cuales se utiliza. Pocos conceptos políticos han despertado tanta pasión; por lo menos
desde el siglo XV, los escritores y los dirigentes políticos europeos se han referido a menudo a ella para definir ese elemento
impreciso que une a los pueblos y les proporciona un motivo
de orgullo.

Las diversas naciones de la Península han tardado mucho
en reaccionar contra la supremacía que Castilla había construido en el siglo XVI. Las clases dominantes fuera de Castilla aceptaron, sin embargo, que ni sus privilegios políticos ni los financieros corrían ningún peligro. El último paso importante hacia
una Península unificada fue la integración de Portugal en 1580, a
favor de la cual los portugueses votaron en sus Cortes en Tomar,
pero que, además, resultaba inevitable debido a la ocupación
militar llevada a cabo por el ejército y la armada castellanos.
El propio rey Felipe II destacó que la unión entre Portugal y
Castilla no suponía ningún peligro para las libertades portu-
guesas. Ordenó a sus embajadores que informaran a los por-

tugueses que no subiría los impuestos. En Aragón, las libertades estaban totalmente protegidas por la Corona, dijo. En cuanto a los impuestos en Aragón, «no se les lleva nada, ni ha llevado». Además, Felipe aseguró a los portugueses que la unión de las dos Coronas en una sola persona no implicaba la unión de los reinos. «El juntarse los unos reinos y los otros, no se consigue por ser de un mismo dueño, pues, aunque lo son los de Aragón y estos, no por esto están juntos, sino tan apartados como lo eran cuando eran de dueños diferentes»[1].

A partir de 1580, el concepto territorial impreciso de «España» se convirtió en una realidad política. Que Felipe II aprobara un decreto en Lisboa para «estos reynos de Hespaña»[2] era algo que nunca había hecho ningún soberano español. Algunos, incluso en Portugal, tenían la esperanza de que la unidad produjera estabilidad y prosperidad. Cuando el rey entró en Lisboa en 1581, uno de los arcos triunfales que se erigieron en su honor portaba el siguiente verso: «*Agora se cumpriram as prophecias dos prudentes, que vos sereys hum Rey hum pastor na terra*». Un poeta español manifestó la esperanza de ver un mundo con «un pastor solo y una monarquía»[3].

Sin embargo, ¿convirtió la unidad a España en una nación? En realidad, la unidad no creó ni siquiera un Estado. En los más de dos siglos que siguieron a la unión de las Coronas de Isabel y de Fernando, no se tomó ninguna medida para lograr la unión política de la Península, que, unificada en apariencia, en la práctica siguió siendo una mezcolanza de provincias que eran conscientes de su propia personalidad, pero no tenían la menor conciencia de su españolidad. Después de 1580, España tuvo que pasar por muchas otras convulsiones, desde los dis-

---

[1] Felipe a Osuna y Moura, 30 de enero de 1579, *CODOIN, VI*, págs. 519-520.

[2] Orden del 18 de septiembre de 1581, British Library, Londres, Manuscritos adicionales, 28357, fol. 511.

[3] Juan Rufo en *La Austríada* (1584).

turbios en Aragón en 1591 hasta la revuelta de 1640 en Cataluña y en Portugal y la nueva revuelta catalana de 1705, antes de poder unificar el Estado bajo la dinastía de los Borbones. El caso de los catalanes provocó más debates sobre la realidad de la nación.

LA GUERRA DE SUCESIÓN Y LOS MITOS REGIONALISTAS

La monarquía borbónica que llegó al trono de España en el año 1700 también trajo consigo la unificación definitiva del país. La Guerra de Sucesión cambió la fisonomía política de España. Después de la batalla de Almansa, en junio de 1707, Felipe V abolió por decreto los fueros de Aragón y los de Valencia, alegando la «rebelión y la absoluta deslealtad» de las provincias. En septiembre de 1714, les tocó el turno a los catalanes, cuyas constituciones derogó Berwick a los pocos días de entrar en Barcelona. Posteriormente, en enero de 1716, una Constitución nueva (Decretos de Nueva Planta) remodeló los órganos públicos del principado e impuso las leyes públicas de Castilla y la ocupación militar de Cataluña. Se hizo obligatorio el uso del castellano en los tribunales de justicia y en la administración, aunque no se ejerció ninguna presión contra el catalán, que se siguió usando con toda libertad en la vida pública y en la Iglesia. Con las medidas que se tomaron en 1707 y en 1716, la Corona de Aragón había dejado de existir y, por primera vez en su Historia, España se convirtió en una nación unida políticamente. La excepción principal a aquella unidad era el País Vasco, que se había mantenido leal a la dinastía de los Borbones y seguía disfrutando de sus fueros.

Las Cortes de la Corona de Aragón habían dejado de existir, junto con sus fueros, en 1707, pero los reinos orientales podían enviar representantes a unas nuevas Cortes nacionales, de modo que, en 1712 y por primera vez, en la sesión de las Cortes en Madrid no solo estaba representada Castilla, sino toda la España borbónica, con dos diputados procedentes de Valencia y cinco de Aragón. A partir de entonces, España empezó a existir como unidad política, es decir, como un solo Estado, aunque, debido a las importantes diferencias de gobierno, cultura y lengua entre sus regiones, distaba de poseer un sentimiento común de ser una nación.

El gran interrogante que planteó la fusión de la Corona de Aragón es si creó también una fusión de pueblos. La respuesta es sencilla: no cabe duda de que supuso un paso adelante hacia la invención de España, pero la fusión de las provincias nunca consiguió eliminar las aspiraciones de una autonomía regional. En consecuencia, han persistido opiniones diferentes sobre lo que ocurrió realmente en 1707. La primera parte de la mitología, difundida por la Corona borbónica y sus partidarios, fue que se había producido una rebelión en Aragón y en Valencia que había justificado la intervención de la Corona para reprimirla. De hecho, salvo la resistencia a la nueva dinastía por parte de una cantidad reducida de poblaciones y de nobles que contaban con el respaldo militar inglés, no hubo ninguna rebelión importante en ninguno de los dos reinos. El 29 de junio de 1707, un famoso decreto de Felipe V abolía los fueros en Aragón y en Valencia. Ofrecía dos razones principales: primero, los reinos «y todos sus habitadores» habían faltado «al juramento de fidelidad que me hicieron» y, por tanto, eran culpables de «rebelión»; segundo, los ejércitos reales han ejercido «el justo derecho de la conquista». Por consiguiente, «doy por abolidos todos los fueros y costumbres hasta aquí observadas en los reynos de Aragón y Valencia».

Por todas partes surgieron protestas de inmediato. El arzobispo de Aragón y virrey de Aragón constató que la afirmación de que «todos los habitadores» habían sido rebeldes era falsa, «siendo cierto que casi todos los nobles, cavalleros y personas principales han sido fidelísimos», al igual que gran número de ciudades. Los hechos eran indiscutibles y el Gobierno cambió de táctica enseguida. Al mes siguiente, Felipe V publicó un nuevo decreto, fechado el 29 de julio, rectificando su juicio sobre la lealtad de sus súbditos de Valencia y Aragón. «La mayor parte de la nobleza —decía el decreto— y otros buenos vasallos y muchos pueblos enteros han conservado en ambos reynos pura e indemne su fidelidad, rindiéndose solo a la fuerza de los enemigos». Al mismo tiempo, el rey confirmó muchas de las leyes locales y con otro decreto garantizó a la Iglesia la posesión de sus propiedades, «porque la Iglesia no se considera incursa en el delito de rebelión». Pese a la retractación, la abolición de los fueros siguió vigente y no se presentó como un castigo, sino como una reforma necesaria del sistema de gobierno. La actitud del Gobierno catalán contribuyó —ya lo veremos— a confirmar la decisión de la monarquía. En aquel momento hubo numerosas críticas a la política de Madrid, porque en realidad el Gobierno estaba aboliendo la estructura de la antigua Corona de Aragón e incorporando el reino al de Castilla.

La mitología tenía una segunda parte. En el siglo XIX, los opositores a la monarquía borbónica, que también criticaban la integración de la Corona de Aragón, añadieron otro mito. Los partidarios regionalistas de la desaparecida Corona de Aragón presentaron el conflicto de la Guerra de Sucesión Española como una lucha heroica de un pueblo unido para defender la libertad y oponerse al absolutismo castellano. Según un escritor autonomista, lo que impulsó a los valencianos en 1705 fue «el espíritu de su país [...] querían conservar sus libertades y se oponían al régimen absolutista». En realidad, no hacían más que añadir otra versión a la inmensa cantidad de mitos que ya existían. Los historiadores liberales del siglo XIX calificaban de «absolutista» a todo tipo de gobiernos de inspiración francesa, desde el de Luis XIV hasta el de José Bonaparte, y no les costó nada aplicar la misma etiqueta a los acontecimientos de la Guerra de Sucesión.

El mito regionalista siguió vivo con la forma que posee actualmente, como protesta por la pérdida de los fueros después de la batalla de Almansa en 1707, con el argumento de que en Almansa el pueblo valenciano luchó para defender sus libertades, pero perdió. El aspecto desafortunado de este mito específico es que no parece haber intervenido en la batalla ningún valenciano y que ningún valenciano movió un dedo para defender sus libertades. La batalla fue exclusivamente entre franceses y castellanos (por el lado vencedor de los Borbones) e ingleses, alemanes y portugueses (los vencidos). El 25 de abril, ambos ejércitos combatientes se enfrentaron en las llanuras contiguas a la pequeña ciudad de Almansa. Las fuerzas francoespañolas, dirigidas por Berwick, Popoli y D'Asfeld, estaban integradas por más de veinticinco mil hombres, la mitad de los cuales eran franceses; había también un regimiento irlandés, y los restantes eran españoles. Galway y Minas tenían una fuerza mucho más pequeña, de unos quince mil hombres, de los cuales la mitad eran portugueses, un tercio inglés y el resto holandeses, hugonotes y alemanes; no había españoles. La batalla, iniciada por la tarde, duró dos horas y terminó con la más completa derrota de Galway. Los aliados tuvieron cuatro mil muertos (la mayoría ingleses, alemanes y hugonotes) y tres mil fueron hechos prisioneros. Las pérdidas habrían sido mayores, si no hubiese sido por la huida de la mayoría de los portugueses al principio de la batalla. Las pérdidas de Berwick no fueron muy inferiores: se calcula que ascendieron a cinco mil hombres. La batalla, que se conmemoró mucho después en una pintura imaginativa que actualmente cuelga en el vestíbulo del Senado español, confirmó el destino de la antigua Corona de Aragón, de la cual, después de Almansa, solo sobrevivió la región de Cataluña.

LA LEYENDA SOBRE EL LEVANTAMIENTO DE CATALUÑA (1705-1714)

El problema fundamental con respecto a lo que sabemos sobre los años comprendidos entre 1705 y 1714 en Cataluña es la forma en que se ha tergiversado la Historia. Se ha publicado, como mínimo, un estudio imparcial del contexto histórico[4], pero no ha sido suficiente para deshacer la mitología. «Cataluña toda —insistía el historiador catalán Víctor Balaguer en el siglo XIX— se declaró contra el duque de Anjou». («Anjou» era el título de Felipe antes de ocupar el trono). Balaguer era el historiador oficial de Cataluña, pero era, sobre todo, poeta, y su «historia» es, en gran parte, una creación de la imaginación romántica. Sin embargo, lo que él escribió sigue siendo la versión oficial que se suele aceptar en Cataluña. La cuestión es que «Cataluña toda» no hizo nada, porque no había una actitud unida entre los catalanes.

¿Qué motivos tenían los catalanes para sublevarse en 1705? Algunas versiones que se han difundido en Cataluña son imaginativas. Una página web hace referencia a «la letanía de quejas, abusos, hechos anticonstitucionales y otras injusticias similares que habían caracterizado el comportamiento de Felipe V y sus ministros durante el año previo a 1705». Esta afirmación no está demostrada y, sin embargo, se repite en la página web de la Generalitat: «*Catalunya es va mantenir lleial a Felip V fins al 1705, quan l'actuació hostil dels representants reials va causar el malestar del poble i les autoritats del Principat*» [«Cataluña siguió siendo leal a Felipe V hasta 1705, cuando la actuación hostil de los representantes del rey provocó malestar en el pueblo y en las autoridades del principado».] Después de esa fecha, según la televisión oficial de la Generalitat, «*els regnes de la Corona d'Aragó (Aragó, València, Catalunya i les Illes Balears) es van decantar per l'Arxiduc perquè representava el constitucionalisme, el model polític fonamentat en institucions representatives, enfront de l'absolutisme que encarnava Felip V, partidari de l'uniformisme i la centralització i contrari a qualsevol vestigi de representació política*» [«Los reinos de la Corona de Aragón

---

[4] Joaquim Albareda, *La Guerra de Sucesión de España (1700–1714)*, Crítica, Barcelona, 2010.

(Aragón, Valencia, Cataluña y las islas Baleares) se pusieron de parte del archiduque, porque representaba el constitucionalismo, el modelo político fundado en instituciones representativas, frente al absolutismo que encarnaba Felipe V, partidario del uniformismo y la centralización y enemigo de cualquier vestigio de representación política».] (TV3, 7 de septiembre de 2013, 22.00 horas). Todo lo que aquí se sostiene es ficticio.

La leyenda que difunden estas afirmaciones pretende apoyar la aseveración de que se produjo un levantamiento popular nacional, lo cual jamás ocurrió. En 1705 hubo un complot, concebido por un puñado de dirigentes catalanes, para invitar a los británicos a ocupar Cataluña y ayudarla a separarse de España[5]. El complot no contaba con el apoyo de la Generalitat ni del pueblo de Cataluña, pero la reina Ana de Inglaterra estuvo encantada de colaborar en un acuerdo que podría facilitar el desembarco de tropas británicas en la costa mediterránea. Los británicos enviaron a Barcelona una pequeña fuerza naval, pero se encontraron con la sorpresa de la falta de apoyo catalán. «Vinimos a Cataluña, porque nos aseguraron que contaríamos con el apoyo de todos —informó un comandante inglés—, pero al llegar descubrimos que no nos apoyaba nadie». Tras un sitio de dos meses, en octubre de 1705 los británicos finalmente lograron entrar en Barcelona y proclamaron rey al archiduque Carlos de Habsburgo.

¿Encontraron los británicos una población catalana ansiosa por liberarse de sus opresores Borbones? De ninguna manera. La población no quería tropas, del bando que fueran, en su territorio y durante los años siguientes la región se fue deteriorando hasta caer en algo parecido a una guerra civil. La fortaleza clave de Gerona se encontró, en julio de 1705, con que su artillería era insuficiente para su defensa y decidió capitular ante los aliados (británicos y alemanes), pues no tenía otra al-

---

[5] Henry Kamen, «El engaño del Pacto de Génova», *España y Cataluña. Historia de una pasión,* cap. 6, La Esfera de los Libros, Madrid, 2015.

ternativa. Lérida, en septiembre de 1705, se encontró virtualmente indefensa: la ciudadela apenas contaba con veinticinco soldados para su defensa y, dada la situación militar, no se podía esperar ayuda de ninguna parte. En aquella situación, los leridanos empezaron a inquietarse. En un motín popular muy serio, que tuvo lugar el día 15 del mes, los amotinados pidieron que la ciudad se sometiera a las fuerzas, evidentemente superiores, del archiduque.

Estos ejemplos, que pueden multiplicarse indefinidamente, demuestran que el factor decisivo en la Guerra de Sucesión no fue la preferencia política de las personas, sino la capacidad militar de los ejércitos contendientes. Un caso típico fue la ciudad de Reus, tan indefensa que se siguió rindiendo, antes de emprender una acción militar, a cualquier ejército que la amenazara, ya fuera borbónico o aliado. Como ocurría en los otros reinos de la Corona de Aragón, buena parte de las clases altas —en Barcelona, Tortosa, Reus y otras poblaciones— estaban a favor del régimen existente —el de Felipe V—, pero no tomaron ninguna decisión hasta que los acontecimientos militares los obligaron. «La totalidad del principado —observó un soldado-historiador de aquella época, el marqués de San Felipe— se levantó en armas contra sí mismo. San Felipe estaba allí y vio lo que pasaba con sus propios ojos: es la prueba más concluyente de que lo que estaba ocurriendo en Cataluña era una guerra civil, más que un rechazo a la monarquía borbónica. Muchos catalanes huyeron del territorio cuando asumió el mando el archiduque. La disputa por la nueva dinastía precipitó conflictos que habían estado latentes desde hacía tiempo entre catalanes, castellanos y otros españoles. En ningún momento hubo un apoyo unánime o ni siquiera mayoritario al archiduque en Cataluña.

Cataluña como nación no se rebeló, como resulta evidente cuando examinamos la forma en la que se desarrollaban los conflictos a nivel local. Siempre hubo divisiones entre grupos y regiones. Cuando finalmente Barcelona fue capturada por la armada inglesa en octubre de 1705, seis mil catalanes que apoyaban a Felipe V se marcharon de la ciudad. La historia nacionalista guarda un silencio discreto acerca de aquellos catalanes que prefirieron no apoyar al nuevo rey impuesto por los británicos. Aún más catalanes confirmaron su lealtad a Felipe V cuando, después de 1711, los ejércitos francoespañoles demostraron tener más éxito.

El factor fundamental que provocó la rebelión en Cataluña no fue la conducta del rey ni las aspiraciones ideológicas —en 1705 no tenían ninguna— de los catalanes, sino la conquista de Barcelona por la flota angloholandesa en 1705. Sin los ingleses, los rebeldes de Cataluña no habrían podido hacer nada. Sin embargo, las circunstancias de la rebelión hicieron que los participantes reconsideraran las ideas que tenían sobre su país. ¿Querían realmente separarse de España o, a pesar de todo, estaban luchando por una España que conocían y respetaban?

El movimiento catalán no era separatista ni anticastellano en sus orígenes ni en su naturaleza, pero, entre los años 1705 y 1713, se produjo un cambio fundamental en los movimientos de Cataluña. Seis años después de la revocación de los fueros de Aragón y de Valencia en 1707, era evidente que los de Cataluña también corrían peligro. El Gobierno inglés había acordado los términos de la paz con los franceses; casi la totalidad de Cataluña, aparte de Barcelona, estaba en poder de los franceses, y los rebeldes de Barcelona estaban totalmente aislados. En aquellas circunstancias difíciles, los dirigentes catalanes de la ciudad sitiada trataron de tomar una decisión (véase el capítulo 17). El 9 de julio de 1713 le declararon la guerra a Felipe V. La ciudad cayó en poder de las fuerzas de asedio trece meses después y los fueros se suprimieron.

LA INVENCIÓN DE UNA NACIÓN

Un siglo y medio después, una parte de la élite social puso en marcha el proceso de crear una nueva identidad para sustituir a la que pensaban que habían perdido y fue entonces cuando tuvieron que tratar de inventar una nación. El movimiento, conocido como la Renaixença, era, sobre todo, cultural y no político, y no tenía aspiraciones autonomistas ni separatistas. Medio siglo más tarde, bastante después de la Renaixença, por primera vez cobró vida propia un catalanismo abiertamente político. Esto afectó la definición de la palabra «nación». En la primera fase, los catalanistas repetían «Cataluña es la patria y España es la nación». En la fase posterior, la frase era: «Cataluña es la nación y España es el Estado».

Aunque tanto la Renaixença como el movimiento político eran ideas nuevas que se estaban desarrollando y que tenían sus raíces en las condiciones del momento, debían basarse mucho —era necesario— en el pasado para establecer el presente[6]. La pregunta fundamental en torno a la cual giraba el debate en el año 2006 —entonces se propuso para Cataluña el nuevo Estatuto de Autonomía, un acuerdo entre el Gobierno central y el autonómico sobre compartir responsabilidades e ingresos— era si Cataluña se podía describir formalmente como una nación, según insistían algunos catalanes. Como ya hemos visto a raíz de los comentarios de Seton-Watson, la palabra «nación» no tiene un significado preciso y a menudo es un concepto totalmente subjetivo y ficticio. Muchas naciones jóvenes comienzan con la desventaja de no tener pasado y, por tanto, se lo tienen que fabricar o, como mínimo, establecer unas raíces respetables. Este es un proceso normal de la creación de mitos y los catalanes lo hicieron muy bien, porque tenían una de las historias más extraordinarias de todos los pueblos pequeños de Europa. El curso de la historia europea estaba lleno de pueblos cuya autonomía había sido destruida y los catalanes no fueron

---

[6] Este capítulo no pretende analizar el movimiento catalán. Recomiendo al lector que consulte, por ejemplo, Joan-Lluís Marfany, *Nacionalisme espanyol i catalanitat (1789-1859). Cap a una revisió de la Renaixença*, Edicions 62, Barcelona, 2017.

los únicos que quisieron reconstruir su identidad después del 1700.

Hablando de la identidad catalana, es importante distinguir entre nacionalismo y secesión, algo que se intentó tres veces a partir de 1640. El nacionalismo se desarrolló de forma activa desde principios del siglo XIX, sobre todo con el liderazgo de las clases medias altas y de Cambó. La secesión, por su parte, contó con poco apoyo hasta el siglo XXI. Los catalanes ganaron confianza a partir de la renovación económica de finales del siglo XIX y comenzaron a construir una nueva actitud respecto a su pasado. Otros pueblos de Europa estaban haciendo lo mismo, y al mismo tiempo, pero, como ellos habían perdido su autonomía a principios de la Edad Moderna, buena parte de la creación de mitos de Cataluña se centró en los siglos XVI y XVII.

En el proceso de invención de la nación catalana empezaron a surgir dos niveles del mito nacional. El primero, fabricado a mediados del siglo XIX por los promotores de la Renaixença, que eran de clase alta, se remontaba a la época medieval para rescatar los elementos fundamentales de lo que significaba ser catalán en cuanto a religión, lengua y costumbres cotidianas. En el mismo período, los catalanistas comenzaron —lo mismo hicieron otros pueblos en otros lugares de Europa— a crear nuevos símbolos para sí mismos. Escogieron canciones tradicionales y las convirtieron en canciones nacionales y en 1899 crearon una especie de himno nacional bastante lúgubre, *Els segadors,* usando una melodía que había sido compuesta siete años antes. Se formalizó entonces otro tipo de música, un baile de finales del medievo, la sardana, desprovisto de toda sensualidad, que se adoptó como una danza muy católica y nacional. Después, a partir de 1901, los autonomistas eligieron arbitrariamente como día nacional el 11 de septiembre, la fecha en la que Barcelona se rindió al ejército borbónico[7]. El 11 de sep-

---

[7] Para todo esto, véase, por ejemplo, Angel Smith y Clare Mar-Molinero, «The myths and realities of nation-building in the Iberian Peninsula», en

tiembre de aquel año, un grupo reducido de hombres decidió depositar una corona en el monumento conmemorativo a uno de los supuestos héroes del sitio de Barcelona en 1714. La tarea más importante fue reinterpretar el pasado para ajustarlo a las nuevas aspiraciones. En caso de necesidad, el pasado se puede inventar, en el sentido de reunir fragmentos de acontecimientos para producir la imagen deseada. El aspecto más interesante de este programa consistió en el cambio de nombre sistemático de las calles, sobre todo en el recién construido barrio del Ensanche de Barcelona. Con el asesoramiento profesional del historiador Víctor Balaguer, a partir de 1864 el ayuntamiento empezó a poner nombres históricos adecuados a las calles nuevas del Ensanche, a fin de mantener siempre visibles los nombres que se consideraba que formaban parte de la conciencia de Cataluña.

El segundo nivel del mito fue la reescritura, una invención intencionada, de las circunstancias que terminaron en la pérdida de los fueros. Una de las historias más influyentes sobre este acontecimiento, la del escritor Salvador Sanpere i Miquel, titulada *Fin de la nación catalana* (1903), se concentraba en los detalles del sitio a Barcelona de 1714. Aunque el libro describía el final de una nación histórica, según el autor no había ningún final y la nación iba a sobrevivir. En oposición al punto de vista castellano, por consiguiente, los catalanes desarrollaron una versión alternativa del pasado, en el sentido de que seguían siendo una nación, con un carácter distinto del de la España de la que formaban parte. En aquellos años, el dirigente nacionalista más enérgico era el joven Enric Prat de la Riba. En su discusión de *La nacionalitat catalana* (1906), sostenía que «Cataluña tenía una lengua, una legislación, un arte propio, un espíritu nacional, un carácter nacional y un pensamiento nacional y, por consiguiente, Cataluña era una nación». Hablaba del

---

Clare Mar-Molinero y Angel Smith, *Nationalism and the Nation in the Iberian Peninsula,* ob. cit., pág. 16.

pasado como él lo imaginaba, en lugar de hablar del presente en el que vivía.

En síntesis, nuestra forma de considerar el pasado de comienzos de la Edad Moderna de Cataluña se ha visto profundamente afectada por los mitos que se inventaron en el siglo XX[8]. Las cuestiones en juego en aquella etapa temprana estaban, desde una perspectiva autonómica, bastante claras. En primer lugar, se podía identificar al enemigo. A pesar de escribir en el siglo XX, los regionalistas usaban el vocabulario que habían utilizado los liberales una generación antes y señalaban como gran enemigo de sus fueros al absolutismo castellano. En el siglo XIX, el concepto de absolutismo, nacido en plenas guerras de los constitucionalistas contra el régimen de Fernando VII, se hizo retroceder hasta los acontecimientos de 1714 y ha seguido siendo la explicación obligatoria que ofrecen los libros de texto de los motivos del rey de España.

En segundo lugar, se suponía que la solidaridad de todos los catalanes era indiscutible. Se presentaba el conflicto del siglo XVIII como la lucha de un pueblo unido contra la agresión externa. Era una réplica de la imagen liberal de la resistencia del «pueblo» contra los franceses. Por defecto, se veía a «los catalanes» como defensores unánimes de la libertad contra la fuerza militar. El hecho de que una parte sustancial de la población de Cataluña —puede que la mitad, o tal vez más— estuviera a favor de Felipe V se omitía aplicadamente de los libros de Historia. La convicción apasionada de los separatistas de que son la eterna mayoría y los únicos que representan al pueblo sigue echando a perder la política. Algunos van más allá e identifican a toda Cataluña con una sola persona; en 2019, el presidente de la Generalitat, Quim Torra, exclamó: «¡Yo soy el pueblo!»

En tercer lugar, había que identificar la cuestión emocional. Se denunciaba a los opresores como enemigos de la lengua ca-

---

[8] Se encontrará un ensayo equilibrado sobre el problema catalán en Josep R. Llobera; véase en la bibliografía de este libro.

talana, que, supuestamente, la habían prohibido y eliminado sistemáticamente[9]. Esta afirmación no tiene ningún fundamento. Los Decretos de Nueva Planta de 1716 requerían el uso generalizado del castellano en la administración para unificar las órdenes administrativas y porque muchos de los nuevos funcionarios del principado no sabían catalán, pero la lengua hablada en Cataluña siguió siendo casi exclusivamente el catalán hasta finales del siglo XIX, aunque entonces las clases altas solían preferir el uso del castellano. La Iglesia de Cataluña siguió manteniendo el uso del catalán: los libros, los sermones y la liturgia pública casi siempre se hacían en catalán. El catalán también sobrevivió sin problemas como lengua escrita, aunque con el tiempo lo debilitó el éxito creciente de la circulación de libros en castellano. En 1636, un sacerdote catalán ya había reconocido que «en Cataluña, usan devocionarios en castellano, porque no hay ninguno en catalán».

Aunque en principio contaban con el apoyo de los historiadores liberales, los nacionalistas dieron la vuelta a aspectos importantes de la interpretación liberal del pasado. En lugar de idealizar el reinado de los Reyes Católicos, Prat de la Riba vio en aquella época el comienzo de la decadencia de Cataluña. Todo lo que había sido prometedor en España en la década de 1480 no procedía —según él— de Castilla, sino de la Corona de Aragón: el emprendimiento comercial, el poderío marítimo, el imperio en el Mediterráneo y el dinero para financiar los viajes de Colón. Son muchos los catalanes que hoy creen que Cristóbal Colón era catalán.

La unión de las Coronas de Fernando e Isabel —sostienen Prat y otros— inclinó la balanza a favor de la Corona de Castilla y la consecuencia fue la decadencia de Cataluña. Se echa buena parte de la culpa a Fernando, quien había aliado sus reinos con

---

[9] Se puede leer sobre la historia de la lengua en Marfany, *La llengua maltractada. El castellà i el català a Catalunya del segle XVI al segle XIX*, Empúries, Barcelona, 2001.

Castilla y había usado tropas castellanas para imponer sus medidas más impopulares. Castilla tomó la iniciativa, gracias a la colaboración de Fernando, y destruyó lo mejor de España. Castilla monopolizó el control, estableció la Inquisición, instaló la uniformidad y el absolutismo —el concepto, que fue bien utilizado para denunciar a Felipe V, se hacía retroceder entonces, convenientemente, hasta el siglo XV— y arruinó a las colonias de ultramar[10]. Arrastró a Cataluña al desastre que representó 1898 y del cual habría quedado exenta. La única esperanza que le quedaba a Cataluña, por consiguiente, era crear su propio Estado. Durante los cien años siguientes, los políticos catalanes debatirían la forma que podía asumir tal Estado.

Muchas de sus ideas, evidentemente, eran engañosas desde el principio. Los nacionalistas catalanes no eran los únicos en ese sentido. Como dice un sociólogo, «las comunidades no se deben distinguir por su falsedad o su autenticidad, sino por el estilo con el que se las imagina»[11]. «Cuando descubrimos que las identidades nacionales contienen elementos míticos —ha señalado otro sociólogo—, deberíamos preguntarnos por el papel que desempeñan estos mitos en construir y sostener las naciones, porque tal vez no sea racional dejar de lado creencias, aunque sean, en sentido estricto, falsas, cuando queda demostrado que contribuyen de forma significativa a apoyar relaciones sociales valiosas»[12]. Esto parece una opinión liberal, aunque también se puede considerar peligroso construir toda una ideología política sobre una base falsa.

---

[10] Santos Juliá, *Historia de las dos Españas,* ob. cit., pág. 117.

[11] Benedict Anderson, *Imagined Communities,* edición revisada, Londres, 1991, pág. 6.

[12] David Miller, *On Nationality,* Oxford University Press, Oxford, 1995, pág. 35. También debemos respetar, desde luego, la opinión de que las ficciones históricas son malsanas. El lector encontrará un buen análisis al respecto en Arash Abizadeh, «Historical Truth, National Myths and Liberal Democracy: On the Coherence of Liberal Nationalism», *The Journal of Political Philosophy,* vol. 12, núm. 3, 2004, págs. 291-313.

La cuestión fundamental del nacionalismo catalán y de muchos otros nacionalismos del siglo XXI es si cuenta con un programa histórico y social serio, basado en la recuperación de una identidad perdida auténtica y en expresar una identidad presente válida. La cuestión es crucial, porque algunos supuestos nacionalismos no tienen un pasado válido y su presente a menudo es cuestionable. Han pasado trescientos años desde la desaparición de los fueros en 1714 y han cambiado muchísimos factores, como las fronteras, la población, el punto de vista y la cultura. Si definiéramos la nación como un pueblo que vive en la misma zona, que comparte un origen racial y que ha heredado la misma cultura, la misma lengua y un sentido de lealtad que los une, tal vez tendríamos que llegar a la conclusión de que hoy Cataluña ya no es la nación que era a principios de la Edad Moderna. Hace tiempo que la inmigración, la cultura y la lengua han ido debilitando la solidez de la sociedad catalana. La lengua más hablada hoy en Cataluña es el castellano, que, según las cifras más recientes, es la que usa habitualmente bastante más de la mitad de la población. Sin embargo, los actos públicos de las autoridades catalanas por lo general se llevan a cabo solo en catalán, al que a veces se suman el inglés y —a regañadientes— el castellano. Los grupos separatistas prefieren no aceptar las cifras comprobadas sobre el uso de la lengua. El Gobierno autonómico afirma en su página web, con una notable indiferencia por la verdad, que el catalán es hablado por diez millones de personas. En realidad, la población actual de Cataluña, según las cifras oficiales disponibles, es de siete millones, de los cuales menos de la mitad habla catalán habitualmente.

Al no reunir las características clásicas de una nación, hoy la idea de Cataluña como nación no tiene más remedio que basarse en una ficción. En el momento en el que escribo estas líneas (2019), el Gobierno autónomo de Cataluña ha rechazado todos los principios tradicionales del nacionalismo y ha optado por una política de separación de España. Esta tendencia ha destruido el movimiento nacionalista, que en este momento se encuentra en suspenso, en estado de choque, y ha provocado profundas tensiones dentro de la comunidad política de Cataluña. En la mayoría de las poblaciones catalanas, la bandera nacional, la señera, está prohibida y se usa una nueva bandera separatista, la *estelada*, que lleva una estrella, a imitación de la cubana. El *govern* de Barcelona ha emprendido una campaña decidida de falsificación de la historia del país. Los libros de texto de muchas escuelas catalanas excluyen toda mención a la existencia de España, lo que produce extrañas consecuencias en asignaturas como Educación para la ciudadanía e Historia. En algunos libros de texto no se menciona que en la actualidad hay un rey en España y un Gobierno nacional en Madrid.

De todo esto surge una conclusión. El año 1714 fue una época de sufrimiento para todos y no solo para los patriotas catalanes: para los exiliados castellanos y para los soldados alemanes de Barcelona que lucharon contra la dinastía de los Borbones; para los ciudadanos que no tenían ganas de luchar, pero se vieron obligados a combatir y a morir (véase el capítulo 17), debido a la decisión implacable de la *Diputació,* y para los miles de soldados franceses que perdieron la vida innecesariamente, cuando una rendición habría interrumpido la tragedia. No es cierto que en el año 1714 nacieran el fervor nacionalista ni la ideología separatista. No había un solo aspecto en el que los dirigentes rebeldes de Cataluña concibieran una separación entre sus intereses y los de España: seguían compartiendo las ideas, las aspiraciones y la sociedad y la vida económica de la vieja España que siempre habían conocido. Sin embargo, había desaparecido algo fundamental. Unidos políticamente a España en las nuevas circunstancias, después de 1714, los catalanes se vieron obligados a buscar respuestas en Madrid. Empezaron a contribuir de forma positiva a la invención de España, aunque conservaron la esperanza de redefinir los parámetros de su relación con ella. Esta relación se enfrentó a su prueba más difícil en 2017, cuando una serie de medidas del Gobierno de la Generalitat provocaron la crisis y el caos en el sistema político de Cataluña.

16
EL MITO DE LA DECADENCIA PERPETUA

> De 1580 hasta el día, cuanto en España acontece es decadencia y desintegración.
>
> JOSÉ ORTEGA Y GASSET, *España invertebrada*

El mito de la decadencia es, tal vez, el más persistente de todos los de la historia de España. Aceptado por poetas, estudiosos e historiadores, sobrevivirá mientras dure el mito de la grandeza de España en la época del Imperio, ya que es su revés exacto, la imagen reflejada que contrasta los desastres actuales con los éxitos pasados.

¿Por qué está tan integrada en la mente de los españoles la idea de la decadencia? Cada aspecto del mito de la decadencia refleja la convicción de que en algún momento España había alcanzado la grandeza y el éxito. Así lo señalaba hace tiempo Ernest Renan en su ensayo *Que-est ce qu'une nation?*:

> Un pasado heroico, excelentes hombres, gloria, ese es el capital social sobre el que uno asienta una idea de nación. Haber compartido glorias en el pasado y tener una voluntad común en el presente; haber llevado a cabo grandes hazañas juntos y desear emprender aún más de ellas son las condiciones esenciales para ser un pueblo. En lo que respecta a los recuerdos de una nación, las desgracias tienen más valor que los triunfos, dado que impo-

nen deberes y requieren un esfuerzo en común. Por lo tanto, una nación consiste en solidaridad a gran escala, la cual está constituida por el sentimiento que despiertan los sacrificios que uno ha hecho en el pasado y aquellos que uno está dispuesto a hacer en el futuro.

Creer en la inevitabilidad de la decadencia no era algo peculiar de España. También se podía ver en Europa en la época clásica, unido a la convicción de que, después de las épocas de vacas gordas, siempre venían las vacas flacas, que había épocas doradas y épocas difíciles. Los poetas del Renacimiento estaban familiarizados con esta idea. Autores como Gibbon en el siglo XIX y Spengler y Toynbee en el siglo XX acostumbraron a los lectores a los altibajos de las civilizaciones; sin embargo, parece que los castellanos fueron los más afectados por esta cuestión, que se reflejó en una inseguridad constante. Eran los únicos que insistían en que su sociedad estaba en decadencia antes de la época del Imperio, después de la época del Imperio y como consecuencia de la época del Imperio, en una saga incesante y obsesiva de fatalidad que se extendía desde el siglo XVI hasta el XIX. Así lo comentaba uno de los funcionarios de Felipe II, don Juan de Silva, en una carta personal fechada en julio de 1590: «La manera en que funcionan los españoles es que, sin importar cuán malo sea un suceso, lo que nos imaginamos es siempre peor»[1].

Sin embargo, era totalmente impensable aceptar las desgracias, si no iban precedidas por la profunda convicción de que había habido un triunfo. Por consiguiente, el pasado remoto se presentaba como una época de logros gloriosos. Los capítulos anteriores de este libro demuestran los mitos interminables creados en torno a la nación, el imperio y la fe. Se consideraba a España la conquistadora del mundo y el reinado de Fernando

---

[1] De Juan de Silva a Esteban de Ibarra, Madrid, 12 de julio de 1590, Biblioteca Casanatense, Roma, 2417, f. 74.

e Isabel se convirtió en la edad de oro legendaria. En su *Hete-rodoxos,* Menéndez Pelayo, en 1880, se permitió ensalzar el pasado imaginado: «¡Dichosa edad aquella, de prestigios y maravillas, edad de juventud y de robusta vida! España era, o se creía, el pueblo de Dios, y cada español, cual otro Josué, sentía en sí fe y aliento bastante para derrocar los muros al son de las trompetas, o para atajar el Sol en su carrera. Nada parecía ni resultaba imposible». Ochenta años después, en 1962, una figura respetada de la cultura, Pedro Sainz Rodríguez, publicó un estudio sobre la decadencia que comenzaba apostrofando la grandeza que había existido en otra época:

> La España del siglo XVI, henchida de un ideal religioso, nación viva, que fue una colectividad vibrante unida por un ideal común, ansiosa de realizar grandes hechos, consciente de la trascendencia de sus actos, creó con su ciencia y su arte el más alto tipo de cultura que ha producido la civilización cristiana en la Historia[2].

Si estamos plenamente convencidos de la gloria pasada, no puede costarnos hacer frente a las dificultades actuales. Como le ocurría a Ortega y Gasset cuando analizaba *España invertebrada,* cultivar las desgracias del presente desviaba la atención de la incómoda realidad del fracaso y hacía hincapié en que todavía era posible tener éxito en algún momento del futuro. El énfasis en la decadencia no era, por consiguiente, simplemente retrógrado, sino que era, en cierto modo, muy positivo, porque contemplaba la posibilidad de volver a conseguir lo que ya se había logrado en el pasado, que se convertía así en un indicador de la gloria futura. La decadencia no era más que una fase pasada, por prolongada que hubiese sido. Aquella fue la

---

[2] Pedro Sainz Rodríguez, *Evolución de las ideas sobre la decadencia española y otros estudios de crítica literaria,* Rialp, Madrid, 1962 [la primera versión es de 1924], pág. 98.

gran aportación de los numerosos escritores que, desde el siglo XVI hasta el XIX, parecen haber estado obsesionados con el fracaso nacional.

Sin embargo, ¿hubo realmente grandeza en el pasado? Muchos, muchísimos comentaristas opinaban que no.

Uno se sorprende cuando se enfrenta a la afirmación de que el siglo XVI también fue una época desastrosa. Los historiadores liberales del siglo XIX y sus sucesores sostenían que toda la historia de España a partir de 1516, es decir, después del reinado de los Reyes Católicos, fue un período interminable de decadencia: ¡cuatrocientos años de desmoronamiento interminable! En la actualidad, esta visión parece exagerada y demasiado catastrofista. ¿Eran realmente tan malas las circunstancias? ¿Había pruebas evidentes de decadencia? Todos los mitos que hemos mencionado hasta ahora han consolidado de alguna forma la idea de decadencia y han ofrecido algún tipo de prueba para demostrarla.

El mito de la nación, por ejemplo, recordaba a los españoles que su país había sido grande en otra época, pero que entonces lo estaban arruinando los extranjeros. La hostilidad para con todos los extranjeros fue una materia prima del incipiente nacionalismo castellano. A principios de la Edad Moderna, el enemigo fundamental era Francia, enemigo en todas las guerras, siglo tras siglo[3]. El poeta Francisco de Quevedo escribió un tratado breve, *España defendida* —no se publicó hasta 1916—, en el que presentaba a España como una víctima eterna de los villanos extranjeros. Todos ellos —solo los ingleses se libraban de sus invectivas— habían conspirado para destruir el paraíso que habría sido España, de no ser por ellos.

> ¿Supieran en España que abia para que el lascivo ofendia las leyes de la naturaleza, si Italia no se lo ubiera enseñado? ¿Ubiera

[3] Asensio Gutiérrez, *La France et les français dans la littérature espagnole. Un aspect de la xénophobie en Espagne (1598-1665)*, Publications de l'Université, Saint Étienne, 1977.

el brindis repetido aumentado el gasto a las mesas castellanas, si los tudescos no lo ubieran traido? ¿Oziosa ubiera la santa Inquisición si sus Melanchthones, Calvinos, Lutheros, Zwinglios no ubieran atrevidose a nuestra fe?[4].

El tratado de Quevedo fue un exabrupto de puro nacionalismo narcisista, en el que España estaba condenada, «por nuestros pecados», a sufrir la decadencia por culpa de los extranjeros. Aunque admiraban el mundo exterior y trataban de imitarlo, muchos españoles estaban convencidos de que los otros europeos no los comprendían y solo querían destruirlos. Los extranjeros que llegaban a la Península comentaban que a veces los recibían con simpatía y otras veces con hostilidad. En el siglo XVIII, el escritor Giacomo Casanova llegó a la conclusión, después de una visita, de que «todos los españoles odian a los extranjeros, simplemente porque no son españoles»[5]. Los españoles a menudo sentían que no los apreciaban lo suficiente. El autor de *Historia literaria de España* (1769) se lamentaba: «Nos dolemos de ser olvidada nuestra España por los extranjeros en las enumeraciones que hacen de las naciones cultas»[6]. Posteriormente, con los liberales, en el siglo XIX, la hostilidad para con los extranjeros se convirtió en una característica destacada de los libros de texto de historia que usaban los escolares[7].

---

[4] Bernhard Schmidt, *El problema español de Quevedo a Manuel Azaña*, traducción de Carlos y Bárbara Sánchez-Rodrigo, Cuadernos para el Diálogo, Madrid, 1976, pág. 43.

[5] Citado en Jean Sarrailh, *L'Espagne éclairée de la seconde moitié du XVIIIe siècle*, París, 1954, pág. 373.

[6] Antonio Mestre Sanchís, *Apología y crítica de España en el siglo XVIII*, Marcial Pons, Madrid, 2003, pág. 60.

[7] Carolyn Boyd, *Historia Patria. Politics, History and Nacional Identity in Spain, 1875-1975,* Princeton University Press, Princeton, 1997 [*Historia patria: política, historia e identidad nacional en España, 1875-1975,* trad. de José Manuel Pomares Olivares, Ediciones Pomares-Corredor, Barcelona, 2000], pág. 76.

¿Cuándo comenzó la decadencia?

Para muchos, comenzó con los monarcas extranjeros. Podemos encontrar una fecha exacta en los escritos de Francisco Martínez de Mata, cuyo *Discurso octavo* (1655) hace referencia a «el estado de felicidad de España, tanto en cuanto a riquezas como a población, en el año 1518», después del cual se produjo la decadencia; es decir, el declive comenzó con el emperador Carlos V. ¿Podemos tomarnos en serio a estos escritores? ¿Fue el siglo XVI la época del desastre de España? Se puede decir a su favor que los comentaristas vivieron en aquella época, así que hablaban con conocimiento de causa. Era evidente que había aspectos negativos. Quienes emigraron al Nuevo Mundo no tenían ninguna duda de lo que estaban dejando atrás, en España: «ese país miserable, porque es solo para personas que tienen mucho dinero», «esa pobreza y necesidades que las personas sufren en España»[8]. Estas declaraciones de pobreza corresponden al gran período glorioso del gobierno de Felipe II.

No obstante, si fuéramos a creer solo el testimonio de los contemporáneos, acabaríamos con un panorama de España en el cual todas las épocas fueron malas. Siempre había períodos de fracaso que alternaban con épocas de éxito y los testimonios se han de tratar con cuidado. En 1598, el año de la muerte de Felipe II, cuando España todavía era la nación más poderosa de Europa, el escritor Álamos de Barrientos llegó a denunciar «los reinos indefensos, infestados, invadidos, el mar Océano y Mediterráneo, casi enseñoreado de los enemigos; la nación española rendida y amilanada de descontento y desfavorecida; la justicia postrada; la reputación acabada». Evidentemente, era una exageración.

---

[8] James Lockhart y Enrique Otte (dirs.), *Letters and People of the Spanish Indies: The Sixteenth Century,* Cambridge University Press, Cambridge, 1976, págs. 119, 136.

A pesar de las quejas constantes sobre lo mal que estaban, el mito de la decadencia no tomó forma en el período al que se refiere, a partir del siglo XVI. Hubo quejas innumerables e interminables, con manifestaciones constantes de anhelo por Fernando e Isabel, pero no había una declaración sistemática de decadencia. De vez en cuando, alguna figura política dejaba caer la palabra «decadencia» en sus reflexiones, como hicieron el conde-duque de Olivares y también Felipe IV[9], pero sin entrar en demasiados detalles. Solo en 1650, Juan de Palafox, un aragonés que fue obispo primero de Puebla (México) y después de Osma, en Aragón, expuso un argumento firme, con fechas, en el sentido de que «nuestro Imperio apenas duró treinta años desde que se completó (en 1558) hasta su decadencia. Su ruina comenzó después de 1570 y a partir de 1630 comenzó su decadencia con más fuerza».

Hasta el final del siglo XVIII, la palabra crucial, «decadencia», no asumió una forma concreta respecto a la propia España. Uno de los escritores en cuya cabeza cobró forma la idea fue José Cadalso, en un ensayo inédito de alrededor de 1780, *Defensa de la nación española*. Por vivir en un siglo en el que dirigía el país la dinastía de los Borbones, no tenía ninguna duda de que la decadencia era una herencia del mandato de los Habsburgo:

> La decadencia total de las ciencias, artes y milicia, comercio y agricultura y población la habían aniquilado al mismo tiempo que sobre nuestras ruinas iban edificando sus grandezas las demás naciones europeas[10].

---

[9] Compárense las referencias reunidas en el índice con J. H. Elliott, *The Count Duke of Olivares,* Yale University Press, New Haven y Londres, 1986, pág. 715.

[10] Bernhard Schmidt, *El problema español de Quevedo a Manuel Azaña,* trad. de Carlos y Bárbara Sánchez-Rodrigo, Cuadernos para el Diálogo, Madrid, 1976, pág. 91.

La decadencia española surgió en París

Algunos comentaristas franceses opinaban lo mismo y esto nos conduce a nuestra conclusión fundamental: que la historia de la decadencia se inventó en París. En 1782, cuando se publicó en París la *Encyclopédie méthodique,* en el artículo sobre España, escrito por Masson de Morvilliers, figuraba el siguiente comentario: «¿Qué le debemos a España? En dos siglos, en cuatro, en diez, ¿qué ha hecho por Europa?»[11]. No era una pregunta injusta, aunque los españoles siempre la han criticado. La cuestión es que los franceses y otros europeos no habían descubierto aún muchos aspectos positivos de la cultura peninsular (la literatura, el arte, la música) y eran conscientes de que la contribución española a la ciencia y a la filosofía más reciente era prácticamente inexistente. En realidad, Masson se refería concretamente a los antecedentes de España en las ciencias y no a su proyección en la cultura en general. De hecho, tenía una actitud bastante abierta con respecto a España, hasta el punto de preguntar: *«Qui sait alors à quel point peut s'élever cette superbe nation?»* [«¿Quién sabe hasta qué alturas podrá elevarse esta nación extraordinaria?»].

Cuando los franceses invadieron España, a principios del siglo XIX, a ellos también les preocupaba presentar la misma imagen de una nación en decadencia. Napoleón ordenó que se buscaran documentos en los archivos «para que se publicaran algún día y dar a conocer el estado de decadencia en el que había caído España»[12]. Quería hacerse pasar por el salvador de España. En la práctica, París fue el lugar donde nació el mito de la decadencia. Allí decidió publicar en 1826 el exiliado español Juan Sempere y Guarinos una obra indispensable so-

---

[11] Nicolas Masson de Morvilliers, «Espagne», en *Encyclopédie méthodique ou par ordre de matières,* série «Géographie moderne», i, París, 1783.

[12] *Correspondance de Napoléon I,* 32 vols., París, 1858-1869, xvii, pág. 221.

bre la decadencia[13]. Y otros publicaban en París sobre el mismo tema en aquellos años[14]. Las presunciones históricas que hemos hallado en el caso de Masson y en el de Napoleón estaban arraigadas en las más altas esferas del propio Gobierno francés. Cuando estaba investigando para mi tesis doctoral, hace muchos años, encontré en los archivos del Ministerio de Asuntos Exteriores francés un volumen completo, manuscrito —hasta la fecha permanece inédito—, fechado en 1835 y dedicado a analizar la *décadence* de España en el siglo XVII[15]. Este volumen fascinante contiene todos los aspectos fundamentales sobre el mito de la decadencia. Precisamente en aquellos años, los estudiosos franceses empezaron a dedicarse a estudiar el tema. Puede que el producto más significativo fuera el del historiador Charles Weiss, cuya tesis doctoral sobre las causas de la *décadence* española se resumieron más adelante en los dos volúmenes, publicados en París en 1844, de su obra *L'Espagne depuis le règne de Philippe II jusqu'à l'avènement des Bourbons.* No es extraño que obras como esta tuvieran influencia sobre lo que llegaría a convertirse en un estudio clásico en España: el ensayo de Cánovas del Castillo, titulado *Historia de la decadencia de España desde el advenimiento de Felipe III al trono hasta la muerte de Carlos II,* que apareció primero en 1854 en forma de artículos y no se publicó como libro hasta 1910.

La decadencia se convirtió en una idea con futuro, porque, como todos los mitos, tenía una fuerte carga ideológica. Llegó a ser uno de los elementos clave para promover la invención de España, una España nueva que miraría hacia el futuro. Varios

---

[13] Juan Sempere y Guarinos, *Considérations sur les causes de la grandeur et de la décadence de la monarchie espagnole,* 2 vols., Jules Renouard, París, 1826.

[14] Pedro Sainz Rodríguez, *Evolución de las ideas sobre la decadencia española y otros estudios de crítica literaria,* ob. cit., pág. 74.

[15] «Tableau de la décadence de l'Espagne pendant le XVII siècle, par M. De la Porte, redacteur aux archives, 1835»: Archives du Ministère des Affaires Etrangères, París, Mémoires et Documents (Espagne), vol. 41.

grupos tenían motivos firmes para plantear la idea de que España estaba atrasada y necesitaba las reformas que ellos propiciaban. Aquellos hombres, reformistas y progresistas entregados, tuvieron que huir después, cuando el ejército del rey francés de España, José I, hermano de Napoleón, fue derrotado durante la Guerra de la Independencia. Los progresistas recibieron el nombre de «afrancesados» y con el tiempo se convirtieron en el núcleo del partido liberal de España. Entre ellos figuraba el historiador de la Inquisición, Llorente. Los liberales incluían también a otros políticos que se oponían a José, pero que rechazaban aún con mayor firmeza al favorito nacional como rey de España: Fernando VII. Este grupo —la mayoría de sus miembros se exilió en la década de 1820 y en la de 1830 y se instaló en París— incluía a nobles destacados que más adelante encabezaron el Gobierno de España. Todos ellos, aunque posteriormente discreparon sobre la estrategia política cuando llegaron al poder, estaban de acuerdo en que había que reescribir la historia de España con el fin de definir lo que había salido mal en el pasado.

CÁNOVAS Y LOS MALES DE ESPAÑA

A partir, aproximadamente, de la década de 1830, los exiliados dedicaron sus horas de ocio a crear una nueva Historia para su país. La conclusión, que se repetía en todos sus libros, se ajustaba por completo a los puntos de vista que ya hemos mencionado. El período grande y glorioso de éxito y libertad había sido el reinado de Isabel, tras el cual, según un diputado destacado de las Cortes de Cádiz en 1810, comenzó «una nueva era en que la nación comenzó a decaer rápidamente», a pesar de un breve período de «falso brillo de expediciones y conquistas»[16], en clara alusión a la gran era del poder imperial.

---

[16] Citado por Santos Juliá, *Historia de las dos Españas,* ob. cit., pág. 36.

Otro autor de aquella época, Adolfo de Castro, mencionó el tema en su *Examen filosófico de las principales causas de la decadencia de España* (1851). El título ya indica, como dejarían en claro varios autores posteriores, que se trata de un concepto moral más que de un fenómeno meramente histórico. En su aportación al último volumen de la *Historia* de Lafuente, publicado en 1882 para actualizar la obra, el escritor y político Juan Valera ya planteaba un punto de vista diferente. «Si políticamente considerada —escribió— era esta nación un cadáver cuando entró a regirla la casa de Borbón, no hay que desconocer que debió a los tres primeros de esta estirpe importantes mejoras administrativas»[17]. Después de estudiar el comienzo del período moderno, observó que España, «habiéndose hallado al despuntar el siglo XVI a la cabeza de las naciones civilizadas, surgió de aquella época el punto de partida de nuestra decadencia».

La palabra «decadencia» se convirtió en la piedra angular de una visión nueva y conservadora de la Historia, que comenzó con Cánovas del Castillo y ha seguido hasta nuestros días. Antonio Cánovas fue el estadista español más destacado del siglo XIX. Durante el período crítico comprendido entre 1868 y 1874, apoyó las medidas para restaurar la monarquía de los Borbones y varias veces fue presidente del Consejo de Ministros. Ayudó a aprobar la Constitución de 1876, que establecía una monarquía parlamentaria conservadora, y fue pionero de un acuerdo político que parecía asegurar la estabilidad al alternar el poder entre sus conservadores y el partido liberal. Cuando estaba de vacaciones en un balneario cercano a San Sebastián, fue asesinado por un anarquista.

A diferencia de Lafuente, Cánovas no era un erudito profesional y sus escritos históricos no cuentan con el respaldo de una investigación tan minuciosa como la que empleaba aquel para llegar a sus conclusiones. Los escritos históricos de Cáno-

---

[17] Modesto Lafuente, *Historia General de España,* ob. cit., vol. VI, ii.

vas eran disquisiciones sobre el pasado hechas por un caballero culto, cuyas opiniones se tenían en cuenta, porque era un caballero. Su nueva versión tuvo una secuela importante, siempre vinculada a los acontecimientos políticos. Medio siglo antes, los intelectuales de prácticamente todas las tendencias habían estado de acuerdo en aceptar los mitos de la nación, de la libertad medieval, de la grandeza de Isabel y de la destrucción provocada por la Casa de Austria. Sin embargo, cuando el control liberal del poder se convirtió, después de 1835, en violencia revolucionaria contra los católicos, los conservadores y los liberales disidentes, las víctimas de la violencia perdieron la ilusión en un mito que parecía estar al servicio de una sola causa. Entonces se les ocurrió una nueva versión de la Historia.

El concepto de decadencia se transformó en el vehículo utilizado para explicar cómo había llegado el país a sus males de entonces. Los responsables de una mala política dejaron de ser los primeros Habsburgo, que entonces se convirtieron, para los conservadores, en defensores de los valores auténticos de España. Mientras que los liberales acusaban a los dos primeros Habsburgo, Carlos V y Felipe II, de ser los máximos responsables del abatimiento de España, Cánovas consideraba que la causa más directa eran los Habsburgo posteriores. Su *Historia de la decadencia de España* se dedicaba expresamente al período posterior a los reinados de Carlos V y de Felipe II. Con respecto al segundo, comentaba Cánovas lo siguiente: «Ha habido quien achaque a Felipe II nuestra decadencia, cuando más bien reforzó los resortes y acrecentó las fuentes del poderío de España»[18].

Los culpables, según él, fueron los Habsburgo posteriores y, sobre todo, la dinastía extranjera de los Borbones, que había distorsionado el camino de la evolución de España. Este punto de vista conservador se transmitió en su totalidad a los historia-

---

[18] Antonio Cánovas del Castillo, *Historia de la decadencia de España,* ob. cit., pág. 8.

dores, que, durante el siglo siguiente, repitieron el punto de vista de Cánovas de éxito en el siglo XVI y fracaso en el XVII. Según Cánovas, el colapso político y económico del siglo XVII solo se puede equiparar al colapso moral que se produjo con los primeros Borbones, que fueron responsables de introducir ideas nuevas que corrompieron el carácter español. Aquella fue la verdadera decadencia de España[19].

> No presenta la historia ejemplo de una desmembración de territorios tan inmensa como España ha padecido durante los reinados de la casa de Borbón. Lo que nunca podrá deplorarse bastante será el íntimo decaimiento del carácter nacional. Cosa debida sin duda a la indirecta importación de leyes y costumbres y necesidades extranjeras, que quebrantaron las tradiciones y trastornaron los sentimientos y arrancaron la antigua fe y entibiaron la dignidad antigua de nuestra raza.

Cánovas estaba convencido de que España había surgido como «una nación permanente» en tiempos de Fernando e Isabel y que los primeros Habsburgo habían fortalecido aquella «común nacionalidad hispánica». En teoría, había que mantener los vínculos dentro de aquella «nación» o «patria» y consolidar el papel de la monarquía. Lamentablemente, se había hecho muy poco para mejorar la unidad. Cánovas opinaba que «llégase a dudar si el pensamiento de la unidad nacional tuvo cabida en el ánimo de los grandes reyes del siglo de oro»[20]. La nación —decía— comenzó a venirse abajo en los siglos siguientes. En el programa que elaboró para la monarquía restaurada de 1874, Cánovas destacaba la necesidad de una administración centralizada, en torno a una Corona soberana, con un Parlamento que la apoyara, y un Estado en el cual las autonomías se mantuvieran unidas por responsabilidades comunes. Todo lo que había leído

---

[19] Ibíd., pág. 758.
[20] Ibíd., pág. 34.

sobre la decadencia le confirmó sus convicciones acerca del futuro. Pensaba, por ejemplo, que Cataluña había aprendido la lección del fracaso del separatismo en 1640 y que su futuro era el de una región «indisolublemente unida a España»[21].

Tanto los liberales como los conservadores llegaron de este modo a la imagen de una España que había sido grande hasta los albores del siglo XVI (exactamente, hasta 1516) y que después había ido cuesta abajo en riqueza, en poder, en cultura y en esperanzas. Alguien había saboteado de alguna manera el sueño español y en lo único en lo que no estaban de acuerdo era en quiénes eran los culpables. Si bien las dos versiones de la decadencia se centraban en objetivos distintos, coincidían en su acuerdo sobre dos puntos principales: en primer lugar, que se había corrompido el auténtico carácter español y, en segundo lugar, que la corrupción había venido del exterior, ya sea de dinastías absolutistas extranjeras o de ideologías foráneas. Su interpretación incluía todos los aspectos de los temas que hemos analizado en los capítulos anteriores. Todos aquellos errores —insistían tanto los liberales como los conservadores— condenaban a España a una decadencia que solo podría revertir una política progresista. Aquella era la visión que se transmitió generación tras generación, en un libro tras otro, hasta los manuales de texto que se usaban en las escuelas y las universidades. La insistencia en el tema de la decadencia fue tan convincente que influyó en todos los profesores universitarios españoles y en todos los historiadores extranjeros. Hoy en día, en muchas universidades británicas y estadounidenses se enseña la historia de España con referencia a un solo tema: su supuesta decadencia. El tema de la decadencia tuvo otra consecuencia: proporcionó a los intelectuales una cuestión a cuyo debate podían dedicar miles de páginas, sin necesidad de estar familiarizados con los hechos históricos.

---

[21] Juan Pablo Fusi, *España. La evolución de la identidad nacional,* Temas de Hoy, Madrid, 2000, págs. 181-185.

¿Decadencia o atraso?

La confirmación definitiva de la decadencia se produjo con el Desastre de 1898. Después del Desastre, los escritores volvieron sobre el tema con una intensidad morbosa. Para ellos, el mito tenía la misma finalidad que a mediados del siglo XIX. La decadencia se convirtió en el concepto a través del cual podían ofrecerse a renovar España y a resolver sus problemas. Analizando la situación, podían revertirla y encontrar la manera de volver a una España mejor. Una reacción típica fue la de Menéndez Pelayo, quien en 1910, poco más de un año antes de morir, hacía un análisis sombrío sobre la ruina de su país[22]:

> Hoy presenciamos el lento suicidio de un pueblo que, engañado mil veces por gárrulos sofistas, empobrecido, mermado y desolado, emplea en destrozarse las pocas fuerzas que le restan, y, corriendo tras vanos trampantojos de una falsa y postiza cultura, en vez de cultivar su propio espíritu, que es el único que ennoblece y redime a las razas y a las gentes, hace espantosa liquidación de su pasado, escarnece a cada momento las sombras de sus progenitores, huye de todo contacto con su pensamiento, reniega de cuanto en la historia los hizo grandes, arroja a los cuatro vientos su riqueza artística, y contempla con ojos estúpidos la destrucción de la única España que el mundo conoce, de la única cuyo recuerdo tiene virtud bastante para retardar nuestra agonía.

Unamuno era otro de los que sostenían que hubo una época de éxito —se supone que se refiere al mítico siglo XVI— que se había echado a perder. En *En torno al casticismo,* sostenía lo siguiente[23]:

---

[22] Citado en Antonio Santoveña, «Menéndez Pelayo y la crisis intelectual de 1898», *Anuario filosófico,* 1998, 31.

[23] Miguel de Unamuno, *Obras completas,* Biblioteca Castro, Madrid, 2007, vol. VIII, pág. 194.

¿Está todo moribundo? No, el porvenir de la sociedad española espera dentro de nuestra sociedad histórica, en la intra-historia, en el pueblo desconocido, y no surgirá potente hasta que le despierten vientos o ventarrones del ambiente europeo. [...] España está por descubrir, y sólo la descubrirán españoles europeizados.

Posteriormente, Unamuno cambió de opinión con respecto a si Europa tenía algo que ofrecer. Interesa destacar que en el centenar de años transcurridos después de que los liberales expusieran su visión de la decadencia de España no se llevó a cabo en el país ninguna investigación histórica seria sobre las circunstancias que, supuestamente, habían provocado el desastre increíble que, al parecer, había sufrido el país. La historia de la decadencia fue algo que se dijo sin pensar, en lugar de ser una conclusión a la que se llegó a partir de unas pruebas.

Había, no obstante, algunos españoles que se oponían enérgicamente a una visión que parecía cuestionar no solo los logros del pasado, sino también el carácter y las capacidades de España. Las reiteradas afirmaciones de decadencia los sacaban de sus casillas, porque no parecían basarse en ningún análisis serio de lo ocurrido. Uno de ellos fue José Echegaray, un dramaturgo, matemático, economista y político vasco que en 1904 compartió el Premio Nobel de Literatura con un escritor francés. Cuarenta años antes de aquel suceso, había afirmado que «suponer en nuestra España incapacidad radical y congenital, sería grande injusticia y audaz calumnia». Otro crítico fue Santiago Ramón y Cajal, que en 1906 compartió con un italiano el Premio Nobel de Medicina. Algunas de sus reflexiones sobre el Desastre se publicaron en 1913 con el título de *Reglas y consejos sobre investigación científica*. Sostenía que Estados Unidos había ganado la guerra de 1898, porque era una sociedad moderna que aceptaba la ciencia, mientras que España seguía viviendo en el pasado. «Hemos caído ante los Estados Unidos —escribió— por ignorantes y por débiles. Es preciso, pues, regenerarse por el trabajo y el estudio». En respuesta a la consabida afirmación de que España había sido grande, pero que entonces se encontraba en decadencia, afirmaba rotundamente que la excusa de la decadencia era falsa. El verdadero problema —según él— era que España nunca había sido un país moderno —«España es un país intelectualmente atrasado, no decadente»— y que jamás había salido de su atraso medieval[24]. Para estos autores, por una cuestión de decencia y de orgullo, había que rechazar la mera idea de decadencia, por hiriente.

Sin embargo, la noción de decadencia sobrevivió y, encima, se aplicó a todo el arco de la historia de España posterior a la muerte de Fernando e Isabel. En su brillante *History of the Reign of Ferdinand and Isabella,* Prescott lo explicaba con toda claridad[25]:

El habitante moderno de España o Italia, quien vaga entre las ruinas de sus majestuosas ciudades, sus calles cubiertas de pasto, sus palacios y templos que se desmoronan hasta convertirse en polvo, sus imponentes puentes que se ahogan en los ríos que una vez atravesaron con orgullo, los propios ríos, que llevaron flotas en su seno, encogidos hasta ser canales tan poco profundos en los que ni las embarcaciones más determinadas pueden navegar; el español moderno que contempla estos vestigios de una raza gigantesca, las muestras de la actual degeneración de su nación, debe buscar alivio en el período anterior y más glorioso de su historia, momento único en que podían haberse logrado obras tan magníficas, y no es de extrañar que se sienta atraído, debido a su entusiasmo, a investirlo de tintes románticos y exagerados. Tal período en España no puede buscarse en el si-

---

[24] Véase J. M. Sánchez Ron, «Más allá del laboratorio: Cajal y el regeneracionismo a través de la ciencia», en *1898: Entre la crisi d'identitat i la modernització,* Publicacions de l'Abadia de Montserrat, Montserrat, 2000, págs. 350, 353.

[25] William H. Prescott, *History of the Reign of Ferdinand and Isabella,* 3 vols., Boston, 1838, pág. 731.

glo XVIII, y menos en el siglo XVII, dado que la fortuna de la nación había alcanzado en ese entonces el menor nivel; ni a finales del XVI, porque el desesperanzado lenguaje de las Cortes muestra que la tarea de despoblación y decadencia ya había comenzado entonces. Solo puede encontrarse en la primera mitad de ese siglo, en el reinado de Fernando e Isabel.

Aquella era la visión que seguía prevaleciendo. Ya hemos visto que los historiadores liberales y los conservadores de la década de 1820 compartían de forma unánime la opinión de que la monarquía de los Habsburgo había sido desastrosa para España. Por consiguiente, identificaban la decadencia con el despotismo extranjero impuesto a España y, a partir de entonces, todo el mandato de los Habsburgo, incluido el tan cacareado siglo XVI, quedó asociado con la decadencia. Uno tras otro, los estudios históricos siguieron manteniendo el argumento de que la época de supuesta grandeza en realidad había sido una época de decadencia.

Cabría suponer que esta tesis resultaría tan contradictoria que no tardaría en desmoronarse, pero no fue así. El ingenio humano es capaz de darle la vuelta a los mitos más difíciles. La palabra «decadencia» dejó de tener un significado específico y se convirtió en una mera etiqueta, aplicada según las preferencias políticas de cada uno. Encontramos un ejemplo en el caso de Cataluña. En 1894, el nacionalista Prat de la Riba proclamó que Cataluña había estado en decadencia permanente desde finales del siglo XV, cuando Castilla, con la colaboración de Fernando el Católico, se dedicó a dominar el principado y a arruinar su cultura, su lengua y su comercio[26]. Los datos históricos que Prat utilizaba para sostener su opinión eran totalmente espurios, pero no fueron un obstáculo para su convicción política: que los castellanos habían puesto a Cataluña de rodi-

---

[26] Véase Santos Juliá, *Historia de las dos Españas,* ob. cit., págs. 115-118.

llas y que esta condición de decadencia fue la base para el renacimiento de la nación catalana.

LA ILUSIÓN DE LA DECADENCIA

Siguió habiendo una escuela de pensamiento que rechazaba la idea de la decadencia, porque constituía una ofensa al orgullo de los castellanos y una negación de sus logros indudables. Para aquella escuela conservadora y nacionalista, la decadencia era un producto de la imaginación: jamás existió. Es posible que España tuviera algunos momentos oscuros, pero siempre estuvo en el camino del éxito, en el cual habría continuado de no ser por los complots de sus enemigos. La forma más extrema de esta imagen fue la adoptada por el régimen del general Franco (1939-1975), cuando sus propagandistas proclamaban que prácticamente toda la historia de España, desde los Reyes Católicos, fue una historia de éxito, interrumpida por unos pocos reveses que quedaban ampliamente compensados por grandes logros. Este enfoque optimista, adoptado por los historiadores y por el clero de los años del franquismo, pretendía presentar al régimen como la realización de todas las aspiraciones del pueblo español. Si algún fracaso había habido, los responsables eran los eternos enemigos de España. Es interesante la versión que brinda un historiador favorable al régimen, Luis Suárez Fernández[27]:

> La lucha de España fue una batalla de gigantes. [...] Luchamos los españoles por la razón de la razón, y perdimos. [...] Durante casi dos siglos pareció que España estaba dispuesta a encerrarse en sí misma, como si hubiera perdido la energía inicial y la capacidad de lucha. Era la gran vencida. Tanto que aceptó con reyes extranjeros fórmulas extranjeras para sus instituciones.

---

[27] Luis Suárez, «España, unidad de destino», *Arbil,* núm. 100, 2005.

En la misma tesitura, el catedrático de Derecho Político, Manuel Fraga, escribió un estudio magnífico sobre la manera en la que España enfrentó su gran año de prueba, 1648, cuando perdió buena parte de su Imperio europeo. Después, Fraga llegó a ser un ministro distinguido, un diplomático y el presidente de un Gobierno autonómico. Tras analizar los altibajos de la carrera imperial española, llegó a la conclusión de que España no decayó, sino que «fue derrotada por una conjuración europea, capitaneada por Francia e Inglaterra, y sañudamente pateada en el suelo de su vencimiento».

En los años posteriores a Franco, también compartieron esta visión optimista muchos antifranquistas que estaban de acuerdo en que la noción de decadencia era inaceptable. Para ellos —adoptemos las expresiones de Renan—, lo importante eran los triunfos, mientras que las desgracias eran sombras que pasaban. La decadencia era una ilusión subjetiva y no una realidad. Era «un mito, una historia de niebla que se mueve por un océano de papel»[28]. El autor de estas palabras, García de Cortázar, ha sido uno de los historiadores más leídos de España. Con el correr de los siglos —esta es su opinión—, siempre ha habido escritores engañados que, por un motivo u otro, por una causa justa o por su propia desilusión, han escogido factores que a ellos les parecían responsables de los problemas actuales. Según ellos, «economía, gobierno, monarquía, gentes, ciencia, arte, literatura, todo en España se había reducido a comienzos del siglo XX a un continuo derrumbarse en el abismo». Todos suspiraban por un edén que había desaparecido y por las oportunidades perdidas que habían colocado a España a la retaguardia de otras naciones. Sin embargo —dice él—, sus lamentos eran desacertados. La supuesta decadencia era exagerada y por varios motivos.

En primer lugar, sostiene, España jamás fracasó, sino que en realidad triunfó y sobre todo en América. «Jamás fue mayor

---

[28] Fernando García de Cortázar, *Los mitos de la historia de España*, Booket, Barcelona, 2005, pág. 81.

el Imperio español que en 1780», cuando se hizo cargo de buena parte de Luisiana y de Florida. En América, afirma, España construyó «ciudades enteras, universidades, iglesias, enormes catedrales, palacios, fortificaciones, puertos, técnicas de navegación, imprentas, comercios». Nuestro autor cita en su apoyo al ensayista Azorín (Una hora de España, 1924): «No ha existido tal decadencia. ¿Cuándo se la quiere suponer existente? Se la supone precisamente en el tiempo mismo en que España descubre un mundo y lo puebla. No ha existido decadencia»[29]. En segundo lugar, declara, en realidad la cultura española ha triunfado en todas partes: «Literatura, pintura, arquitectura, reflexión religiosa, música, tratados de política internacional, valen por sí solos para derrumbar parte de la oscuridad que difunden las quejas de los arbitristas y las referencias de los embajadores extranjeros. Los españoles del Siglo de Oro hicieron una obra cultural asombrosa»[30].

En cierto sentido, el optimismo se puede considerar una manifestación de orgullo nacionalista por los logros de Castilla. En su España inteligible, el escritor nacionalista Julián Marías insistía en que la decadencia había sido inventada por los enemigos de España, una nación que jamás había dejado de ser fiel a su misión religiosa y civilizadora, que otras naciones no comprendían e incluso envidiaban. Es fácil comprender por qué muchos, ante la visión interminablemente sombría de su pasado, rechazan el mito de la decadencia como totalmente inaceptable. Lo irónico, sin embargo, es que los propios españoles fueron los más diligentes para crear esa imagen y para construir a su alrededor una leyenda negra (véase el capítulo 12).

Como demuestra este resumen, el mito implacable de la decadencia como método para interpretar el Siglo de Oro español ha calado tanto, desde un punto de vista ideológico, que se niega a desaparecer. Casi ha llegado a formar parte de la in-

---

[29] Ibíd., pág. 99.
[30] Ibíd., pág. 100.

vención de España. Sin embargo, cuando se trata de rechazarlo en bloque, lo único que se consigue es crear un mito similar, pero esta vez no de fracaso, sino de éxito. Las dos propuestas son, desde el punto de vista de un historiador de España, difíciles de justificar. Las dos acaban de la misma forma, como mitos: son necesarias ideológicamente y las dos ofrecen perspectivas tranquilizadoras para la historia dolorosa de la difícil lucha de España por la supervivencia. Una vez atrapados entre la fantasía y los hechos, cuesta salir de debajo de la masa de afirmaciones contradictorias. El laberinto sigue allí, para deleite de los estudiosos profesionales, que se niegan a dejarlo ir, porque se entretienen con sus conceptos; para angustia de los estudiantes, que siguen luchando con su ingeniosidad tortuosa, y para solaz de los ideólogos, que creen que explica lo que le ocurrió a su país.

LA DECADENCIA COMO COARTADA

Miremos a donde miremos en la larga historia de la decadencia absoluta, es evidente que el mito histórico siempre ha respondido a un plan político o cultural. La decadencia se transformó en un ingrediente fundamental de la invención de España y parecía brindar una rectificación a las demás creencias que en el pasado habían inspirado a algunos escritores. En realidad, la decadencia constituía la prueba necesaria del pasado mítico: por ejemplo, si ahora España estaba derrotada, quería decir que antes había triunfado. También entraron en juego varias ficciones históricas más, que identificaban a España como la cuna medieval de la democracia, una nación coherente de pueblos libres, una tierra de ilimitadas riquezas naturales, un remanso de tolerancia cultural. La mayor parte de los proveedores del mito, tanto en la década de 1820 como en la de 1890, no eran los historiadores, sino los poetas, los dramaturgos y los políticos, que pensaban que las visiones del pasado podían reflejar sus propias teorías históricas. Este es un típico punto de vista progresista de la decadencia, tal como lo expresaba el activista marxista Joaquín Maurín en 1930:

> El período de esplendor intelectual de España que media entre la mitad del siglo XVI y fines del siguiente, existió como sombra del Imperio. Desaparecido este, las actividades espirituales de España se esfumaron. Era fatal. España era un yermo medieval. El terror más implacable de la Inquisición se impuso durante tres siglos. La vida era destruida[31].

Otros escritores de la misma generación, que trataron problemas relacionados con la ciencia y con la industria, dieron la misma perspectiva. Todos estos españoles fueron los que crearon la leyenda negra, los que consideraban que el suyo era un país atrasado y que había hecho pocas aportaciones importantes a la cultura o a la ciencia. Asimismo, las generaciones que en 1898 tuvieron que aceptar que España hubiese perdido su Imperio en el Nuevo Mundo se aferraron a la noción de decadencia como si fuese un remedio. Resulta indicativo que Ortega y Gasset empleara analogías médicas en su *España invertebrada* (1922). Llama la atención el vocabulario que elige:

> La anormalidad de la historia española ha sido demasiado permanente para que obedezca a causas accidentales. Hace cincuenta años se pensaba que la decadencia nacional venía sólo de unos lustros atrás. Costa y su generación comenzaron a entrever que la decadencia tenía dos siglos de fecha. Va para quince años que intenté mostrar que la decadencia se extendía a toda la Edad Moderna de nuestra historia. Siempre salta a los ojos el hecho evidente de que en nuestro pasado la anormalidad ha sido lo normal. Venimos, pues, a la conclusión de que la historia de España entera ha sido la historia de una decadencia.

---

[31] *La Nueva Era,* Año I, núm. 1, octubre de 1930.

A primera vista, da la impresión de que estas palabras no tienen ningún sentido, porque representan una opinión que no se basa en ninguna prueba ni en ningún razonamiento. Simplemente, son absurdas: la fantasía descabellada de un escritor maduro de treinta y nueve años. Sin embargo, reflejan fielmente un pesimismo que se podía encontrar en una generación tras otra de pensadores españoles.

Como continúa diciendo Ortega, el problema fundamental no era la enfermedad (la decadencia) del paciente (España), sino que el problema era el paciente. «Decadencia es un concepto relativo a un estado de salud, y si España no ha tenido nunca salud, no cabe decir que ha decaído.» Desde los albores de la historiografía contemporánea, en la década de 1850, y hasta entrado el siglo XX, muchos españoles se han ocupado de llevar a cabo, de forma sistemática, autopsias ideológicas al cadáver de su país, sin tratar de analizar los motivos de su fallecimiento ni de descubrir si en el cuerpo aún quedaba algo de vida. Hace unos años, un estudioso francés señaló que «bajo lo que se escribe actualmente sobre la historia de España subyace una visión neomaniquea del pasado nacional»[32]. Según esta opinión, lo habitual en España era el fracaso, más que el éxito material. Para quienes pensaban así, la decadencia se convirtió en una parte necesaria y constante del papel de España en el mundo y el mito se elevó a la categoría de fe cultural.

---

[32] Jacques Lafaye, «La imagen del pasado en la España moderna», en *Actas del Sexto Congreso Internacional de Hispanistas* [Toronto, 22-26 de agosto de 1977], Toronto, 1980, pág. 440.

17
UNA NACIÓN HEROICA

El amor a la Patria es una de las principales obligaciones
de todos los españoles.

CONSTITUCIÓN ESPAÑOLA DE 1812

A partir de finales del siglo XVIII, cuando la dinastía borbónica otorgó a España un nuevo papel mundial tanto en Europa como en América, cobró vida el espíritu de Numancia y
creó nuevas sensibilidades y una nueva conciencia de intereses. Los escritores empezaron a presentar a la antigua Hispania y, además, a la España moderna, como una nación de
héroes. *Historia literaria de España* (1769) mencionaba a los
numantinos como «terror y afrenta de los exercitos romanos» y a «la Nacion española en estos siglos remotos una
Nacion guerrera, valerosa y casi del todo entregada a las armas». José Cadalso publicó en 1793, en sus *Cartas marruecas,*
una «Historia heroica de España», que —no podía ser de
otra manera— reconocía a los numantinos como el terror del
Imperio romano. Su «heroica tenacidad» —señalaba— proporcionó a los españoles una reputación duradera de gloria
militar.

Evidentemente, la guerra era la impulsora del patriotismo.
La guerra, del tipo que fuere —podemos definirla como «campañas violentas organizadas políticamente entre dos o más

colectividades»[1]—, requiere identificarse con un interés común y hacer esfuerzos que culminan en el autosacrificio. El sacrificio que se hace aporta gloria. Toda nación que surge se ha visto obligada a buscar o a inventarse de alguna manera a las personas que han cubierto de gloria al pueblo a través de sus logros, y España no podía ser diferente. La piedra angular de la reputación de España como tierra de héroes fue la Reconquista, que comenzó con el valor legendario de Pelayo y del Cid y encontró más inspiración en las guerras contra Napoleón. Lo mismo ocurrió en Francia e incluso en el siglo XIX, donde, para estimular el patriotismo, la Iglesia y el régimen promocionaron la figura de la heroína militar medieval Juana de Arco. El mecanismo era siempre el mismo: para que exista el patriotismo, tiene que haber héroes que lo inspiren. Los héroes son la personificación del autosacrificio y, cuando ese sacrificio se hace por una causa nacional, el héroe personifica a la nación. El sacrificio es la prueba de que existe la nación. Era una época de guerras, en la cual «las guerras constantes produjeron una intensificación de las características y los estereotipos nacionales»[2]. El siglo XIX fue la mejor época de España para crear héroes legendarios.

Curiosamente, la península Ibérica había tenido muy poca experiencia de guerra directa durante más de dos siglos, después del sitio de Granada en 1492. Miles de españoles siguieron muriendo, desde luego, en guerras, pero morían en campos de batalla en el extranjero, en África y en el norte de Europa, y

---

[1] John Hutchinson, «Warfare, Remembrance and National Identity», en A. S. Leoussi y S. Grosby (dirs.), *Nationalism and Ethnosymbolism. History, Culture and Ethnicity in the Formation of Nations,* Edinburg University Press, Edimburgo, 2007, pág. 42. Véase también Anthony D. Smith, «War and ethnicity: the role of warfare in the formation, self images, and cohesion of ethnic communities», *Ethnic and Racial Studies,* 4 (4), 1981.

[2] Véase John Hutchinson, *Nationalism and War,* Oxford University Press, Oxford, 2017, pág. 26.

los muertos y los heridos que regresaban no habían estado defendiendo a su familia ni a su hogar. El conflicto breve de la ocupación de Portugal en 1580 tuvo un impacto limitado. La falta de conflictos produjo una consecuencia insólita: al no haber guerras —el principal estímulo del patriotismo, siempre y en todas partes—, no se fomentaba el patriotismo ni se estimulaba la lealtad al rey ni a la patria. España era el Imperio más extenso del mundo, pero, por la falta de guerras directas, no desarrolló actitudes imperialistas ni sentimientos agresivos de nacionalismo.

Los Borbones estimularon las ansias de gloria y su dinastía fue la que más contribuyó al nacimiento del patriotismo. Tres acontecimientos tuvieron un papel significativo en las guerras que se produjeron después de que, en 1700, un Borbón francés, Felipe V, ocupara el trono español; a saber, el sitio de Gibraltar en 1704, el sitio de Barcelona en 1713 y el sitio de Zaragoza en 1808: estos acontecimientos sirvieron para despertar el sentimiento de patriotismo en una población que no tenía mucha experiencia en sentirlo. El joven Felipe V era un entusiasta de la guerra. En 1702 dijo de él un diplomático francés: «Parece que la guerra es la actividad que más le gusta»[3]. Durante una campaña militar en Italia, «estuvo más de catorce horas montado a caballo, pero demostró tanta pasión que estimuló a todos con su energía y su entusiamo»[4]. Fue el último rey de España que participó en las batallas en persona. La nueva experiencia de la guerra en la Península en el siglo XVIII —la primera experiencia de ese tipo desde la Edad Media— ayudó a los españoles de todas las condiciones a descubrir el sentimiento de lealtad a la nación.

---

[3] Del conde de Marcin a Luis XIV, julio de 1702, en Alfred Baudrillart, *Philippe V et la Cour de France,* 5 vols., París, 1890-1900, vol. I, pág. 110.

[4] Antonio de Ubilla y Medina, marqués de Ribas, *Succession del rey D. Phelipe V, Diario de sus viages,* Madrid, 1704, pág. 577.

El papel de Gibraltar en la invención de España

Durante la Guerra de Sucesión Española, los ingleses, los holandeses y los austríacos se aliaron contra las potencias borbónicas de Francia y España. El primer golpe que recibió España fue la captura de Gibraltar, en agosto de 1704, por la armada inglesa. La intención no había sido capturar, sino simplemente ocupar para establecer una posible base para la actividad naval. En julio de 1704, mientras el alto mando aliado tenía su base en Lisboa, una flota que llegó a contar con dieciséis buques de guerra ingleses y seis holandeses zarpó de su base temporal en Tetuán (Marruecos) y ocupó posiciones en la bahía de Gibraltar. La pequeña población se negó a rendirse, pero, tras un breve bombardeo, resultó evidente que no podrían resistir y el 6 de agosto las autoridades se rindieron a la flota. El almirante Byng tomó posesión de la ciudad en nombre de Carlos III y la guarnición y la mayoría de la población se marcharon. En la captura, los aliados perdieron alrededor de sesenta hombres, debido, sobre todo, a la explosión accidental de una nave, pero lo que más desilusionó a Byng fue la salida de la población civil, que habría podido servir para administrar la ciudad. Durante los meses siguientes, hubo que transportar alimentos, suministros y armas para mantener la ciudad preparada para el inevitable intento de recuperarla. La nueva guarnición incluía a mil novecientos infantes de marina ingleses, a cuatrocientos infantes de marina holandeses y a setenta catalanes. Ya en septiembre, una gran fuerza española, a las órdenes del marqués de Villadarias, con un total de unos doce mil hombres, provistos de artillería pesada, había comenzado el asedio.

La disparidad de cifras era impresionante y convirtió el sitio en un acontecimiento histórico. El 9 de noviembre, los españoles empezaron un bombardeo fuerte y constante que costó la vida de personas importantes entre los defensores y redujo la guarnición a apenas mil efectivos a principios de diciembre. La situación empeoró en enero, cuando también llegaron tropas francesas, al mando del mariscal de Tessé. En enero de 1705, Gibraltar había quedado totalmente destruido por los bombardeos reiterados, pero, gracias a su dominio de los mares, los ingleses fueron capaces de reabastecer constantemente a los sitiados con provisiones y con hombres. Las lluvias torrenciales de marzo y la eficaz defensa en el mar contra la armada francesa debilitaron la posición borbónica y, en abril, Tessé comenzó a retirar sus fuerzas. A finales de ese mes, las últimas tropas borbónicas, que entonces ascendían a apenas seis mil hombres, se marcharon de la zona de Gibraltar. Las pérdidas de los Borbones —es posible que rondaran los cinco mil hombres— fueron muy superiores a las de los aliados, que ascendieron a unos mil quinientos. Por el éxito de su defensa del Peñón, los ingleses dejaron muy buena impresión en la opinión pública londinense.

Cuando acabó la guerra en 1713, el Tratado de Utrecht determinó en su artículo 10 que Gibraltar seguiría siendo territorio británico «para siempre, sin ninguna excepción ni impedimento». El rey Felipe V se tomó la derrota como algo personal y, durante las fases de depresión que lo afligieron durante su reinado, no dejó de planificar la manera de recuperar la plaza. Durante un período de tensión con los ingleses, en diciembre de 1726, la idea de la batalla lo incitó a actuar y ordenó a sus fuerzas que se dirigieran al Peñón. En febrero de 1727 comenzó el asedio. Tenía pocas esperanzas de salir airoso contra la superioridad naval de los ingleses, que siguieron abasteciendo a los sitiados desde el mar. De todos modos, las hostilidades entre España y Gran Bretaña de aquel año no alcanzaron el nivel de una guerra abierta. El sitio de Gibraltar se levantó en julio y el Peñón siguió estando —era inevitable— en la agenda diplomática. En octubre, durante una audiencia con el embajador francés, los reyes plantearon la cuestión de Gibraltar. Mientras el rey hablaba animadamente, la reina Isabel se dirigió a su escritorio y extrajo de un cajón el original de una carta famosa de Jorge I, en la cual el rey británico había prometido devolver Gibraltar en cuanto fuera posible. «Ayudadnos a recuperar lo que los ingleses nos han quitado —suplicó al embajador—. ¿Qué derecho tienen a venir hasta nuestras costas y a bloquear nuestros puertos?». En otro período de guerra con Inglaterra, en 1743, a Felipe casi le da un ataque cuando el embajador francés sugirió que hicieran las paces. Isabel intervino en la conversación para hacer hincapié en una condición fundamental: «El rey está decidido a no firmar la paz hasta obtener Gibraltar, como mínimo».

La reacción del Gobierno siguió siendo una característica constante de la política española durante los trescientos años siguientes. Gibraltar era un puerto que no servía a los británicos prácticamente para nada, pero ellos se aferraban a él por el enorme sacrificio que habían hecho para capturarlo. A lo largo de las décadas siguientes, repoblaron la ciudad y la transformaron en una base de abastecimiento naval. España hizo varios intentos infructuosos de capturar la ciudad por la fuerza. El último intento importante[5], el decimocuarto de una larga serie, tuvo lugar en el verano de 1779. En aquel momento, la ciudad tenía tres mil doscientos habitantes, de los cuales quinientos eran británicos, ochocientos eran judíos y había una gran cantidad de españoles y de portugueses. Para resistir el asedio, contaba con cinco embarcaciones de apoyo y cinco mil quinientos hombres, mientras que los españoles contaban con una gran flota y con trece mil setecientos soldados con artillería pesada. A partir de 1779, los sitiadores probaron la estrategia de obligar a la población a salir por hambre, pero en 1780 y en 1781 la Marina británica consiguió burlar el bloqueo y aliviarlos. Finalmente, en 1782 los españoles intentaron un ataque a cañonazos desde el mar, con ciento cuarenta y dos cañones flotantes, manejados por más de cinco mil artilleros, que resultó un fracaso estrepitoso. Se acordó un armisticio, seguido por un

---

[5] Isidro Sepúlveda, *Gibraltar: la razón y la fuerza,* Alianza Editorial, Madrid, 2004.

tratado de paz, en septiembre de 1783. Gibraltar estaba completamente en ruinas y el infortunado asedio costó la vida de alrededor de mil personas de la ciudad y la de seis mil sitiadores.

El régimen del general Franco aprovechó con energía la cuestión de Gibraltar en la década de 1960 para despertar el patriotismo público y desviar la atención de los problemas internos. De vez en cuando, los Gobiernos sucesivos siguieron la misma línea, con lo que han confirmado la aportación real de Gibraltar a la invención de España. Desde la recuperación de Granada, España se había vanagloriado de poseer la totalidad de su territorio nacional, de modo que la pérdida de Gibraltar supuso un insulto a este concepto y avivó los primeros sentimientos de patriotismo de los que se tenga constancia. Parecía otra pérdida para España y, curiosamente, aquella vez se producía en el mismo lugar que la primera, cuando ocupó el Peñón el comandante musulmán Tariq ibn Zaid. La mayoría de los españoles siguen experimentando un grado impresionante de sentimiento nacional cuando surge la cuestión de Gibraltar. Los únicos que no lo comparten son los catalanes, que, como hemos visto, en realidad ayudaron a los ingleses a capturar la plaza. Los catalanes siguieron participando en la misma guerra como aliados de los británicos, aunque lo que en realidad les preocupaba era otro sitio: el de su propia capital, Barcelona.

EL SITIO DE BARCELONA (1714)

El sitio de Barcelona durante la Guerra de Sucesión se produjo dentro del contexto de la guerra en la Península. Cataluña se encontraba inmersa en una guerra civil entre los partidarios de cada uno de los dos reyes: Felipe V de Borbón y el archiduque Carlos de Habsburgo. Hubo un solo hecho que creó las condiciones para un conflicto generalizado; a saber: la captura de la ciudad de Barcelona por la armada británica en 1705.

Cuando los británicos lo consiguieron, hicieron todo lo posible para crear un Gobierno títere, con la idea de proclamar rey de España al archiduque Carlos como Carlos III. Un grupo reducido de conspiradores catalanes se unió a los británicos y se comprometió a apoyar la invasión a cambio de hombres y de financiación. Este acuerdo secreto, que los conspiradores conocían como «el pacto de Génova» (véase el capítulo 15), no llegó a conocimiento del pueblo catalán, no fue aprobado por las autoridades constitucionales de Barcelona y no tuvo ninguna motivación ideológica ni nacionalista. Además, era bastante insólito, porque suponía una alianza militar directa con la reina Ana de Inglaterra y, al mismo tiempo, reconocía como soberano al archiduque austríaco Carlos de Habsburgo. Era un complot sin aspiraciones nacionalistas que tenía por objeto poner el país en manos de los británicos.

Sin embargo, después de la batalla de Almansa, la situación ya no favorecía la intervención angloholandesa. En 1711, la guerra había acabado, los ejércitos borbónicos sitiaban Barcelona y ya se había firmado una paz europea general en Utrecht. Aunque parezca increíble, los dirigentes de la ciudad eligieron aquel momento para declararle la guerra a Felipe V. En junio de 1713, las *Corts* de Cataluña se reunieron en un encuentro especial en el salón Sant Jordi del palacio de la Diputación. Dos de los tres *braços* —una mayoría— votaron primero por someterse y rendirse. Después de objeciones y más votaciones, dos de los *braços* finalmente votaron por la lucha. De este modo se declaraba la guerra a Felipe V, el 9 de julio de 1713. Evidentemente, para el *conseller en cap,* Rafael Casanova, aquello era un suicidio, porque la ciudad no podía contar con ayuda exterior.

Más tropas francesas, al mando del duque de Berwick, se situaron ante la ciudad en julio de 1714. Aunque el duque propuso unas condiciones de capitulación, los representantes de Barcelona se negaron a aceptarlas, porque, si bien Berwick ofrecía plenas garantías para la vida y los bienes, exigía también una rendición incondicional. El consiguiente sitio de Barcelona fue el último episodio heroico de la guerra. Un ejército francés y español inmensamente superior —treinta y cinco mil soldados de infantería, integrados en cincuenta batallones franceses y veinte españoles, y cinco mil soldados de caballería, formados en cincuenta y un escuadrones— se enfrentó a una ciudad defendida por dieciséis mil soldados y por sus ciudadanos. En el campo actuaba también una fuerza catalana considerable, pero la ciudad no tenía ninguna posibilidad de recibir ayuda por mar.

Las fuerzas de defensa, al mando del general Villarroel, habían logrado resistir más de un año. En agosto, Berwick escribió lo siguiente: «La obstinación de esta gente no tiene precedentes». Barcelona se encontraba en una situación desesperada y Berwick se ofreció a dialogar. Una delegación encabezada por Casanova y que deliberadamente excluía a los militares, que entonces eran partidarios de la paz, acudió a verlo el 4 de septiembre, pero se negó a admitir la posibilidad de la rendición. A Villarroel le pareció que la decisión no tenía sentido y al día siguiente renunció al mando. En un gesto estrambótico, los dirigentes de la ciudad enseguida nombraron comandante militar a la patrona de la ciudad, santa Eulalia, y llevaron su estandarte a las reuniones del ayuntamiento.

Después de nuevos bombardeos continuos —comentó el duque en su diario, el 11 de septiembre—, fue a verlo una delegación de la ciudad para llegar a un acuerdo. Él respondió que ya controlaba la población y que no aceptaría nada que no fuera la rendición incondicional. Poco después del mediodía del día 12, aceptó la rendición de Barcelona y aquella tarde las tropas empezaron a entrar en la ciudad. Berwick informó: «Les he prometido la vida y que la ciudad no sería saqueada».

El día del asalto final de las tropas borbónicas, Casanova estaba durmiendo y, tras ser avisado, se presentó en la muralla con el estandarte de santa Eulalia para dar ánimos a los defensores. Herido de poca gravedad por una bala en el muslo, Casanova fue trasladado al colegio de la Merced, donde se le practicó una primera cura. Tras caer la ciudad en manos de las fuerzas borbónicas, quemó los archivos, se hizo pasar por muerto y delegó la rendición en otro consejero. Huyó de la ciudad disfrazado de fraile y se escondió en una finca de su hijo en Sant Boi de Llobregat. En 1719 fue amnistiado y volvió a ejercer como abogado hasta retirarse en 1737. Murió en Sant Boi de Llobregat en 1743, treinta y dos años después de la rendición de Barcelona.

El sitio se había cobrado más vidas de lo que Berwick consideraba aceptable. Según el cálculo aproximado que presenta en sus memorias, murieron seis mil defensores, una cifra que coincide con la investigación llevada a cabo por historiadores recientes. También calculó que su ejército había sufrido diez mil bajas, entre muertos y heridos. Enfadado por tantas muertes innecesarias, cuando tuvo la ciudad en su poder dejó de sentirse obligado por las condiciones de la capitulación. El día 16 dio órdenes de que en su nombre se suprimieran el Consell de Cent y el Gobierno del principado (la *Diputació*). También ordenó otras medidas de pacificación, como la expulsión de Barcelona de todos los no catalanes que habían participado en su defensa. Casi enseguida, y a pesar de que Felipe V quería que continuara al mando de Cataluña, Berwick se marchó de la ciudad, por su estado de salud.

Al destacar los aspectos heroicos de la resistencia popular en Barcelona, la propaganda ideológica ha presentado el conflicto como una lucha nacional por la libertad. El mito es una invención del siglo XX. Los residentes no defendieron la ciudad por servir a la causa catalanista, sino porque estaba en juego su propia vida. En realidad, jamás se les consultó sobre la decisión de sacrificar su vida. Como ocurrió en otras zonas de Cataluña afectadas por la guerra, a quienes no estaban de acuerdo con los rebeldes se les infundía pavor y se los trataba con dureza. Esto ocurrió incluso dentro de la ciudad de Barcelona, donde Casanova y sus partidarios aterrorizaron a la población catalana.

Un sacerdote francés que estaba en la ciudad en aquel momento, Thomas Amaulry, nos ha dejado sus memorias como testimonio directo de lo que ocurrió en la comunidad sitiada. Constituyen la versión más fiable de lo sucedido, porque se basa en información tomada de ambos lados. Dice que, cuando las autoridades municipales decidieron declararle la guerra al rey,

> [...] más de doscientas familias de Barcelona fueron a refugiarse a Gerona, y para ocultar su huida tuvieron que hacer uso de las artimañas más artificiosas. Muchos otros se embarcaron en secreto por la noche, con el fin de irse a refugiar a Génova. Aquella huida de las principales familias de Barcelona fue la señal para que se desatara una ola de excesos y desórdenes. Lo único que se podía ver en la ciudad era libertinaje sin freno y un atroz estallido de violentísimos crímenes. Si se sospechaba que un hombre favorecía a Su Católica Majestad, su vida corría peligro a cada paso y con las excusas más especiosas, como «en nombre de Dios» o «por la patria», se cometían en aquellos disturbios todos los excesos y se permitían todas las violencias.

Fuera de Barcelona, muchísimos catalanes también se negaron a apoyar a los rebeldes. Cuando las tropas alemanas del archiduque se retiraron de Tarragona en 1711, los rebeldes valencianos, a las órdenes de Nebot, trataron de entrar en la ciudad, «pero no lo consiguieron —informó Amaulry—, porque los habitantes cerraron las puertas, se negaron a dejar que entrara Nebot y, en cambio, enviaron un mensaje a las tropas españolas para que entraran». Amaulry también dio fe de que el abad y los religiosos de Montserrat confirmaron su lealtad al rey en aquella coyuntura, lo que es una prueba elocuente de la profunda división de opiniones que había entre los catalanes. Precisamente en aquellos días, después de la retirada de las tropas alemanas, «los representantes de Bages, Ripoll, Camprodon, Olot y más de cuarenta poblaciones más de Cataluña acudieron a someterse a los gobernadores de Gerona, Tarragona y Tortosa». Solsona y Mataró también manifestaron su lealtad por aquella época, al igual que hizo Vic el 27 de agosto.

¿Qué ocurría en la propia Barcelona? «A principios de septiembre de 1714, había grandes divisiones en Barcelona —declara Amaulry—, porque se sospechaba que el comandante de Montjuic quería entregar la ciudad a las tropas del rey de España, de modo que los rebeldes ordenaron su decapitación». La población estaba desesperada, porque unas embarcaciones francesas se apoderaron de dos naves de suministro de alimentos antes de que pudieran llegar a Barcelona. Además, los rebeldes tenían pocos recursos económicos, de modo que publicaron la orden de que «todos los habitantes, so pena de muerte, se presenten y declaren ante la ciudad todo el dinero, el oro, la plata y las joyas que posean, para depositarlas ante el síndico, que les dará un recibo, y se devolverán cuando sea posible». La frustración del sitio dio lugar a tensiones entre los habitantes, que estaban «divididos entre ellos por la sospecha mutua». «Muchos habitantes, por temor a lo que pudiera ocurrir, tomaron medidas para partir en secreto hacia Génova, a donde ya habían enviado sus pertenencias más preciadas».

Amaulry nos proporciona información reveladora sobre el estado de ánimo de los dirigentes rebeldes. En junio de 1714, buena parte de la población estaba desesperada: «Una parte de los habitantes estaban hartos de la guerra y de los males asociados con ella y querían rendirse; otros empezaron a atemorizar a los partidarios de la paz, mientras que el populacho se dedicó a saquear las casas». En julio, los defensores trataron de reclutar un total de doce mil hombres, de doce años en adelante, para participar en un ataque a los sitiadores, pero en el momento del encuentro solo se presentaron alrededor de quinientos: el resto había huido o desertado.

Los testigos de aquella época alabaron de forma unánime el heroísmo de los defensores de Barcelona. Todos los sitios, incluso los que tienen un final desastroso, como los sitios legendarios de Masada y de Numancia, nos invitan a compadecer a los vencidos. Lamentablemente, a partir del siglo XIX, el surgimiento de un movimiento ideológico en Cataluña fomentó la creación de versiones totalmente ficticias de lo ocurrido en 1714. El movimiento separatista que está activo en el siglo XXI ha inventado una cantidad excepcional de historias de violaciones y de masacres cometidas por las tropas que entraron en Barcelona. Un artículo de un periodista catalán, publicado en un periódico el 11 de septiembre de 2013, decía lo siguiente: «Mientras las clases bajas decidieron resistir, la nobleza y el clero se pusieron del lado de los Borbones, lo que radicalizó aún más la resistencia y la volvió más republicana y secesionista». La frase «republicana y secesionista» es una ficción absoluta cuando se aplica a lo que sucedió en Barcelona en 1714, cuando los rebeldes eran totalmente monárquicos y no tenían nada de secesionistas y, además, no había divisiones de clases al escoger partido.

La mitología sobre el asedio se manipuló doscientos años después, para tratar de fomentar el patriotismo. A partir más o menos del año 2000 se empezaron a usar con entusiasmo relatos ficticios que hablaban de brutalidad, crueldad y represión, para que el público catalán aceptara como verdadero algo que, en realidad, no había sucedido. Lo cierto es que no hay ninguna fuente que sustente la imagen de un ataque brutal contra una ciudad indefensa. De hecho, todas las fuentes coinciden en que, durante el asedio, hubo como dos mil muertos más entre los sitiadores que entre los defensores. Sin duda, las muertes causadas por un asedio innecesario fueron un gran cargo de conciencia para las autoridades borbónicas cuando entraron en la ciudad casi en ruinas. Los dirigentes catalanes habían buscado gratuitamente una solución sangrienta, aunque era evidente que no ofrecía ninguna esperanza, y cosecharon las consecuencias. El supuesto costo en vidas humanas sirvió como materia prima para crear, en el siglo XXI, una ficción, con la esperanza de inspirar a un público al que se ocultaron cuidadosamente los hechos históricos del año 1714. Eso también formó parte del proceso de invención de España.

EL ALZAMIENTO ANTIFRANCÉS DEL 2 DE MAYO DE 1808

La unificación política de España que tuvo lugar con el primer rey borbónico no fue más que la primera etapa de una evolución en la que también participaron los reyes borbónicos posteriores. La segunda etapa, cuya maduración tardó varias generaciones, consistió en la invención de su identidad. Algunos expertos en la historia de España coinciden en que el mito del país como nación comenzó alrededor de 1808 o 1812. Esto no significa que naciera la nación, sino que se creó el mito. Un elemento fundamental al respecto fue la idea de heroísmo, un concepto que —es evidente— buscaba inspiración en Numancia. El ejército de la Francia revolucionaria había ocupado la Península, había llegado a destronar al rey y había puesto como nuevo soberano al hermano de Napoleón, José. El 2 de mayo de 1808 —algunos celebran este día como el comienzo de la independencia de España—, el pueblo de Madrid y de otras ciudades se alzó heroicamente contra las tropas extranjeras.

Fueron los alzamientos los que, con el tiempo y gracias al pintor Goya, más comunicaron la emoción del patriotismo. La realidad de lo que ocurrió fue un poco más compleja. El futuro expatriado Blanco White estaba en Madrid aquel 2 de mayo y da fe de que, aunque los franceses fueron «objetos destacados de la furia popular, la mayoría de las víctimas de los asesinatos que conocemos eran españoles, cuya suerte se debió, probablemente, a un deseo particular de venganza más que a sus opiniones políticas». La describe como «una noche de crueldad y de traición», con las calles «totalmente desiertas mucho antes del anochecer». Los desórdenes duraron poco y acabaron antes del mediodía. Murieron alrededor de un centenar de personas. Dos años después, en las Cortes de Cádiz, los liberales eligieron los acontecimientos de ese día como símbolo para inspirar emociones anticonservadoras.

Si un enemigo común sirve para que un pueblo se una y constituya una nación, España tuvo una buena oportunidad de surgir como tal cuando se enfrentó al ejército de ocupación francés que mantenía en el trono a José Bonaparte. Una emoción similar inspiró a quienes sitiaron la Granada musulmana en 1492. Los disturbios contra los franceses que tuvieron lugar en varias poblaciones en 1808, inmortalizados en las pinturas de Goya sobre el tema —se pintaron cinco años después y jamás se exhibieron en vida del pintor—, parecían prometer que todos los españoles se unirían por una causa común y crearían un futuro nuevo y venturoso, basado en liberarse de los extranjeros. Las revueltas del 2 de mayo se presentaron después como un levantamiento popular contra los franceses y como símbolo de una resistencia nacional. Como ya hemos destacado, las víctimas de los alborotadores fueron, en primer lugar, españoles: destacados partidarios del Gobierno que fueron atacados y asesinados y cuyos bienes fueron destruidos. Es el primero de los mitos relacionados con los levantamientos y de ningún modo el menos importante. En la mitología que después crearon en primer lugar los opositores liberales de los franceses y después los escritores castellanos, los alzamientos antifranceses de mayo de 1808 señalaron el surgimiento de una identidad nacional española.

La chispa de la revuelta inflamó la lucha contra los franceses. El historiador Raymond Carr observó que «el hecho de la resistencia a Napoleón creó el nacionalismo español moderno, muy similar al que existía en otros países europeos. De la resistencia española, única y orgullosa, surgió un mito de enorme potencia, al alcance tanto de los radicales como de los tradicionalistas». Este mito, sumado a una burda ideología nacionalista, contribuyó a dar una visión algo distorsionada de los acontecimientos[6]. Se decía que el auténtico héroe de la lucha contra los franceses fue «el pueblo» o, para ser más precisos, el pueblo en forma de resistencia guerrillera, una visión que hacía la vista gorda al hecho de que las guerrillas por lo general eran bandoleros, más que defensores de la libertad; que nunca habían obtenido ningún éxito decisivo contra los franceses, y que sus víctimas eran, también, los propios españoles[7].

Una delegación española fue a Londres a suplicar ayuda militar contra la ocupación francesa, como consecuencia de lo cual zarparon hacia Portugal y España tropas británicas a las órdenes de Wellesley, más conocido por su título posterior de duque de Wellington, para intervenir en algo que los no españoles llaman «Guerra peninsular» y los españoles «Guerra de la Independencia Española». En junio de 1813, las tropas británicas a las órdenes de Wellington derrotaron finalmente al ejército francés en la batalla de Vitoria —Beethoven conmemoró esta victoria en su estimulante *Opus 91*, que él mismo dirigió en Viena en diciembre de aquel año— y José y sus tropas se vieron obligados a retirarse a Francia.

Hacer hincapié en la «victoria» en las guerras europeas de este período resulta desafortunado, porque pasa por alto la horrorosa crueldad del conflicto. En el transcurso de la guerra murieron en la Península decenas de miles de soldados y de civiles de todas las nacionalidades, en condiciones de extrema crueldad[8]. Las acciones militares a menudo eran auténticas masacres: en un solo día, en Albuera (en mayo de 1811), en una acción que un testigo describió como «un matadero», los británicos y los españoles perdieron más de cinco mil hombres, en-

---

[6] José Álvarez Junco, *Mater Dolorosa. La idea de España en el siglo XIX*, Madrid, 2001, pág. 70 y sigs.

[7] El lector encontrará una valoración de las guerrillas en Charles Esdaile, *The Peninsular War: a new History*, Penguin, Nueva York, 2003.

[8] Ronald Fraser, *Napoleon's Cursed War: Popular Resistance in the Spanish Peninsular War, 1808-1814*, Verso, Londres, 2008.

tre muertos y heridos, y los franceses a las órdenes de Soult llegaron a perder ocho mil. En la batalla de Badajoz, en marzo de 1812, un testigo inglés describió los centenares de muertos, los cuerpos «destrozados, quemados vivos o empalados», el aire cargado de «el hedor de la pólvora, de la carne quemada, del orín y de los excrementos» y los soldados que violaban y asesinaban a «hombres, mujeres y niños».

Un elemento fundamental del mito nacionalista fue la victoria inesperada que cinco años antes habían obtenido las fuerzas españolas contra las tropas francesas en Bailén, el 26 de julio de 1808, cuando el ejército de Andalucía, al mando del general Castaños, consiguió la rendición de las tropas francesas, a las órdenes del general Dupont. Una combinación de buena suerte, superioridad numérica —eran veinte mil franceses contra treinta y tres mil españoles— y una artillería más pesada dio la ventaja a los españoles. En el campo de batalla, Dupont perdió dos mil hombres, entre muertos y heridos, y se calcula que depusieron las armas 17.635 franceses. Fue una derrota inesperada para Napoleón, quien siempre había despreciado la capacidad de los españoles. Al entregarle la espada a Castaños, dicen que Dupont le dijo: «Puede sentirse orgulloso de este día, que es extraordinario, porque he estado en veinte batallas y jamás había perdido ninguna», a lo que replicó el español: «Es aún más extraordinario, porque yo nunca había participado en ninguna batalla».

Resultó que Bailén fue una flor de un día excepcional. Las unidades militares españolas siguieron participando en la guerra, pero, pese a su superioridad numérica, no obtuvieron ninguna victoria más, lo cual justificaba las dudas de Napoleón acerca de la capacidad del ejército español. Al final, fue el ejército británico a las órdenes de Wellington el que desembarcó en Lisboa una semana después de Bailén y resultó decisivo para expulsar a los franceses tras la batalla de Vitoria (1813). Sin embargo, Bailén se presentaba, en la entusiasta prensa patriótica de la época, como una victoria de enormes dimensiones. En términos prácticos, la presión militar constante y efectiva contra los franceses no vino tanto de un renovado nacionalismo de los españoles o ni siquiera del ejército británico, sino de las guerrillas irregulares que, por lo general, estaban más interesadas en sus propias prioridades locales que en la causa patriótica. Durante su período más activo, entre 1811 y 1812, llegó a haber trescientas treinta formaciones guerrilleras, que comprendían alrededor de cincuenta y cinco mil hombres: en realidad, eran casi tantos hombres como los que había en el ejército regular español.

El ejemplo supremo de resistencia fue Zaragoza. Los franceses concentraron su ataque en los centros de resistencia urbana, porque los ejércitos españoles ya no estaban en condiciones de resistir adecuadamente en el campo de batalla[9]. Las unidades francesas trataron de ocupar Zaragoza, que resistió el primer asedio, que duró del 15 de junio al 13 de agosto de 1808. Comandaba sus defensas José Palafox, capitán general de Aragón. La resistencia fue heroica y eficaz y cabe destacar el valor desesperado de los defensores y, sobre todo, la participación de una joven llamada Agustina, que estimuló a los defensores. Un inglés que estaba presente describe lo ocurrido:

> Durante el día, la matanza fue terrible y entonces se produjo un acto de heroísmo, protagonizado por una mujer, que casi no tiene parangón en la historia. Agustina Zaragoza, una joven guapa y humilde, de unos veintidós años, que colaboraba llevando víveres a las murallas, llegó a la batería en el preciso instante en el que el bombardeo francés acababa con la vida de todos los artilleros. Agustina se adelantó a toda prisa, tomó un botafuego de la mano de un artillero muerto y, pasando por entre muertos y heridos, descargó un cañón de a 24. Después se sentó sobre él e hizo el juramento de no dejar de disparar durante todo el sitio y, habiendo enardecido a sus conciudadanos con su intrépida

---

[9] Véase Charles Esdaile, *Peninsular Eyewitnesses: the experience of War in Spain and Portugal 1808-1813,* Pen & Sword Military, Barnsley, 2008.

osadía, ellos corrieron enseguida a la batería y volvieron a abrir un fuego tremendo contra el enemigo.

El segundo sitio comenzó el 20 de diciembre de 1808 y finalizó con la rendición de Zaragoza el 21 de febrero de 1809. La defensa sacó provecho de las nuevas fortificaciones, que hacían que la ciudad fuera más capaz de resistir, y también de una fuerza militar mucho más numerosa, calculada en unos cuarenta mil hombres, entre soldados y voluntarios. Sin embargo, los franceses también adaptaron su estrategia a la situación. En consecuencia, el sitio fue prolongado y sangriento para las dos partes. En tan solo una semana de enero cayeron sobre la ciudad seis mil bombas y granadas. Al final se negoció la rendición en febrero. Se calcula que los franceses perdieron unos diez mil hombres, entre muertos y heridos. Las cifras correspondientes a la ciudad aumentaron por el hecho de que la población de la campiña también había buscado refugio en Zaragoza. Según funcionarios municipales, se perdieron cincuenta y cuatro mil vidas y la población urbana real de la ciudad quedó reducida a una cuarta parte.

No cabe la menor duda de que los diversos sitios de la guerra fueron un desastre para la población. En Cataluña hubo cuatro sitios, incluido el de Gerona, que resistió siete meses en 1809 y fue el más largo, después del de Cádiz, que duró dos años y medio. Desde luego, no todas las atrocidades se deben a los franceses. Por ejemplo, el sitio de Badajoz, en abril de 1809, fue notable por los excesos de los soldados británicos que atacaron la ciudad. En el verano de 1813, los británicos también fueron responsables de los excesos cometidos durante el sitio de San Sebastián.

¿Guerra de la Independencia o guerra civil?

Ninguna otra conmemoración del pasado nacional de España ha producido una bibliografía histórica tan intensa como la de la Guerra de la Independencia, que tuvo lugar en la primera década del siglo XIX[10]. De los numerosos puntos de vista que debaten los especialistas, lo único que aquí nos interesa es la mitología basada en etiquetas históricas. Cuando el conde de Toreno, uno de los numerosos españoles que lucharon a favor de Fernando VII y que, sin embargo, se vieron obligados a exiliarse cuando el rey regresó, publicó en 1835 una versión de lo ocurrido entre 1808 y 1814, la tituló *Historia del levantamiento, guerra y revolución de España.* Medio siglo después, en 1891, Vicente Blasco Ibáñez publicó una versión titulada *Historia de la revolución española.* Estos y otros estudios destacaron como factores fundamentales el alzamiento contra el régimen monárquico y la ocupación francesa y también vieron los hechos en función de una división entre los españoles.

Sin embargo, con el tiempo, la descripción de los hechos que predominó en España fue la de una «Guerra de la Independencia», es decir, un alzamiento nacional a favor de la libertad. Este punto de vista, que hacía hincapié en el alzamiento heroico de «el pueblo» contra el invasor, tenía la ventaja de permitirnos dar relevancia a factores específicos relacionados con el pueblo, como el papel de las guerrillas o el de la Iglesia. No obstante, como España tenía un rey legítimo y su propio Gobierno legítimo y no había sido sometida en absoluto, no tenía sentido hablar de independencia. Además, tampoco tenía sentido destacar una supuesta lucha por la independencia, cuando en realidad España estaba atrapada en medio de una guerra internacional entre Inglaterra y Francia. Por último, como demostraron los acontecimientos de aquella época, los conflictos reales y constantes no surgieron por una cuestión de liberarse de los franceses, sino por otras cuestiones, tanto sociales como ideológicas, que convirtieron buena parte del conflic-

---

[10] Gonzalo Butrón Prida y José Saldaña Fernández, «La historiografía reciente de la Guerra de la Independencia», *Mélanges de la Casa de Véláz-quez,* vol. 38, núm. 1, 2008.

to en una auténtica guerra civil. De hecho, como señalaba un partidario español de José Bonaparte, en realidad los dos partidos opuestos tenían el mismo objetivo: «quieren preservar la integridad y la independencia de España».

Teniendo en cuenta lo complejo de las cuestiones, era lógico que la mayoría de los comentaristas contemporáneos se refirieran al conflicto como «la revolución de España». Mientras tanto, se empezó a usar la palabra «independencia» en los libros relacionados concretamente con la rebelión de las colonias americanas, que se produjo justo en la misma década que los acontecimientos de España. Solo a mediados de siglo, el historiador Lafuente dio forma definitiva al uso actual, en su volumen de 1860, titulado *La Guerra de la Independencia de España*. Este uso tuvo la inmensa virtud de identificar las guerras como algo esencial para preservar la identidad de España. La lucha se consideraba nacional y también se consideraba patriótica y sobre esta base se construyeron todos los demás mitos correspondientes, entre los cuales destaca el mito del pueblo como motor de la libertad nacional. Sobre todo, la formulación del mito de una lucha popular por la libertad nos permitió releer toda la historia de España y situar la lucha contra los franceses al mismo nivel que la Reconquista medieval para liberar a España de los musulmanes.

LA CONSTITUCIÓN DE 1812
Y LA FANTASÍA DE LA UNIDAD NACIONAL

Los alzamientos de 1808 no fueron más que el comienzo de un sueño que se echó a perder y así creó una mitología nueva y poderosa que llega hasta nuestros días[11]. Las fuerzas francesas se retiraron a las zonas de España que podían controlar con

---

[11] Ricardo García Cárcel, *El sueño de la nación indomable. Los mitos de la guerra de la independencia,* Ediciones Temas de Hoy, Madrid, 2007.

mayor facilidad, mientras que los patriotas españoles convocaron en Cádiz, en 1810, unas Cortes que pretendían unificar la campaña nacional. Entre sus actos memorables figura la aprobación de una nueva Carta Magna, la Constitución de 1812, y de un decreto de 1813 que abolía la Inquisición. Cuando el diputado Agustín Argüelles presentó el texto de la Constitución, exclamó: «Españoles, ¡ya tenéis patria!». En realidad, no había patria ni ningún sentimiento de solidaridad nacional y las medidas de 1812 y 1813 no eran medidas curativas, como pretendían ser, sino que —todo lo contrario— tuvieron consecuencias demoledoras para la vida pública española durante los cien años siguientes. Además, crearon una ilusión de unidad nacional que tenía escaso fundamento real.

La noción de una causa nacional en el alzamiento de los españoles de 1808 no era, vista en perspectiva, más que un mito inventado por los grupos políticos de aquel entonces, transmitido reiteradamente hasta nuestros días y difundido en las novelas históricas. Más que unir a las fuerzas nacionales, las Cortes de Cádiz dividieron a los españoles: los dividieron mediante sus debates, su legislación y su famosa Constitución de 1812, un trozo de papel que —así opina quien tal vez fuera el español más sensato de aquella época: José Blanco White— estaba basado en una fantasía y jamás tuvo oportunidad de hacerse realidad. La Constitución anunciaba, en primer lugar, que hablaba en nombre de «la Nación española», que «la soberanía reside esencialmente en la Nación» y que «el amor a la Patria es una de las principales obligaciones de todos los españoles». Declaraba también que «la Nación española es libre e independiente» y que «el objeto del Gobierno es la felicidad de la Nación». A continuación proclamaba que «la religión de la Nación española es y será perpetuamente la católica, apostólica, romana, única verdadera. La Nación la protege y prohíbe el ejercicio de cualquiera otra». Unos estudios serios han analizado recientemente el entusiasmo con el cual los diputados adoptaron la nueva mitología, su alegría después de la victoria de Bailén y su optimismo ante la nueva doctrina que —así lo creían— estaban aportando al mundo.

Para explicar cómo había surgido entonces el concepto inestable de una nación, los diputados que tenían afinidad con la Historia presentaron una versión idealizada del pasado en la que un pueblo libre había luchado durante siglos contra una tiranía despótica de la que se estaban liberando[12]. José Álvarez Junco ha comentado cómo nació aquella visión nueva del pasado[13], basada en el mito de un pueblo que había despertado y había roto sus cadenas:

> ¡Oh! ¡Es el pueblo! ¡Es el pueblo! Cual las olas
> Del hondo mar alborotado brama.
> Las esplendentes glorias españolas,
> Su antigua prez, su independencia aclama.

La construcción de una nueva visión del pasado se extendió también a la literatura y a la cultura en general[14]. La nueva mitología pretendía sustituir a los héroes tradicionales por otros nuevos y, al mismo tiempo, construir un nuevo conjunto de valores, más acordes con los tiempos. Se rechazaron las explicaciones tradicionales, como las que presentaba la Iglesia, por ejemplo, y se favorecieron principios seculares. Se presentó como democrática la organización política de la España medieval. Hasta se mostró como más favorable el papel de los musulmanes y se describió la España medieval como una sociedad tolerante.

No se desperdició la oportunidad de entrenar la mente de los jóvenes para reconocer los momentos más heroicos de la

---

[12] Véase Santos Juliá, *Historia de las dos Españas,* ob. cit., págs. 44-45.

[13] Jose Álvarez Junco, *Mater Dolorosa. La idea de España en el siglo* XIX, ob. cit.

[14] Jesús Torrecilla, *España al revés. Los mitos del pensamiento progresista (1790-1840),* Marcial Pons, Madrid, 2016.

historia de España. A partir de 1843, un Consejo de Instrucción Pública se encargó de recomendar a las escuelas unos libros que estimularan el patriotismo. Uno de ellos exhortaba a los niños, en 1902: «Habéis de derramar con generosidad vuestra sangre cuando se vea precisada a entablar una guerra. Tal es el objeto y fin del verdadero amor patrio». En 1895, otro les enumeraba los principales episodios patrióticos del pasado español: el 2 de mayo, la Guerra de Independencia, los asedios de Gibraltar, las campañas del Cid, las campañas de Isabel la Católica y la batalla de Lepanto[15].

EL ARTE ROMÁNTICO AL SERVICIO DE LA NACIÓN

En una sociedad en la que la palabra impresa no bastaba, porque la mayoría de sus habitantes eran analfabetos, las artes visuales hicieron una aportación eficaz a los nuevos mitos. A mediados del siglo XIX, una cantidad de artistas de prestigio crearon algunos de los lienzos románticos más conocidos de aquel período, en homenaje a los grandes momentos históricos imaginarios de la historia española. A grandes rasgos había —simplifiquemos— dos corrientes poderosas en lo que se denomina «arte romántico». La primera, identificable en la primera mitad del siglo XIX y muy conocida para el público actual, está representada por la obra del genio universal de Goya. Su presentación de las costumbres, las creencias y los entretenimientos del pueblo nos brinda una visión inolvidable de la vida de los españoles de aquella época. Dos de las manifestaciones políticas de Goya se aprecian en sus pinturas imaginativas, una del Dos de Mayo y la otra sobre la Inquisición, dos temas que definieron determinados aspectos de la nación que estaba surgiendo en el siglo XIX. Precisamente por la fama de estas dos

---

[15] Dionisio Monedero, *Conferencias patrióticas,* Sucesores de Ribadeneyra, Madrid, 1895.

obras, resulta importante hacer hincapié en que no transmiten imágenes fiables (véase el capítulo 6). La visión de Goya era más producto de su creatividad que un reflejo fiel de los hechos históricos.

En la generación posterior, una nueva escuela de artistas contribuyó a generar identidad histórica. Las pinturas, de contenido totalmente mítico, eran el acompañamiento visual para la historia romántica que contenían los libros. Nunca se había hecho un esfuerzo tan impresionante para proporcionar fundamento a la ideología de las élites gobernantes. Es posible que aquella fuera la fase más creativa de la invención de España. Así nació todo un ámbito de la Historia imaginada y patriótica, gracias a la demanda popular y, sobre todo, a la preferencia de la Academia de Bellas Artes de San Fernando por los temas patrióticos. Los héroes seleccionados por la opinión popular no eran solo hombres. El homenaje a la heroína del sitio de Zaragoza, Agustina de Aragón, otorgó por primera vez un lugar meritorio a las patriotas, presentadas como defensoras de su hogar, su esposo y su familia[16]. En una de sus peticiones a la Corona, realizada en 1845, la propia Agustina hace referencia a su «patriotismo innato» y a su deseo de servir a su «patria».

Uno de los pintores pioneros de aquella tendencia romántica fue José de Madrazo, quien, mientras estudiaba en Roma, decidió «no pintar más que cuadros de su patria» que hicieran referencia a la resistencia española contra la ocupación romana de Hispania. De los lienzos que propuso, solo acabó uno, *La muerte de Viriato, jefe de los lusitanos* (1807). La pintura tuvo un éxito enorme entre los liberales que luchaban contra los franceses, lo cual resulta irónico, puesto que el artista también se identificaba con el absolutismo de Fernando VII, de quien fue nombrado pintor de cámara en 1814. Dieciocho siglos después de lo ocurri-

---

[16] I. Castells, G. Espigado y M. C. Romeo, «Heroínas para la patria, madres para la nación: mujeres en pie de guerra», en *Heroínas y patriotas. Mujeres de 1808,* Cátedra, Madrid, 2009.

do en Numancia, un artista español revelaba al público los lazos de identidad que vinculaban a España con un destino heroico.

Asimismo, como había pocos estudios históricos sobre hechos famosos, aquella carencia se compensaba con imágenes. Con referencia solo a los acontecimientos de los que hemos hablado en este capítulo, ha habido pinturas que ilustraban los grandes momentos heroicos del primer siglo de los Borbones en España, todos ellos militares. El Museo del Prado es propietario de un hermoso lienzo de 140 por 230 centímetros sobre la batalla de Almansa, pintado en 1862 por un joven de dieciocho años, Ricardo Balaca, que había estudiado arte en la Academia de San Fernando a instancias de su padre, que también era artista. La obra solía estar colgada en el Congreso de los Diputados de Madrid, donde ofrecía una prueba impresionante del heroísmo de las tropas del duque de Berwick y ratificaba el triunfo de la monarquía borbónica. Por su naturaleza, el sitio de Barcelona de 1714 no llamó la atención de ningún artista de calidad, sino que se convirtió en tema de grabados y pinturas panfletarios. En cambio, la batalla de Bailén recibió atención en multitud de obras: tal vez la más notable sea el lienzo de 1864 de José Casado del Alisal, que actualmente se encuentra en el Prado, titulado *La rendición de Bailén,* de 338 por 500 centímetros, una obra que, tanto por su título como por su estilo, pretendía ser una imitación del famoso lienzo de Velázquez sobre Breda. La pintura, que no tiene ni un solo detalle auténtico, demostraba a las claras el deseo de identificarse con un supuesto período glorioso de España en Europa. Por último, sobre los sitios de Zaragoza se crearon gran cantidad de representaciones imaginativas, de las cuales la más conocida y la más reproducida es un grabado muy sencillo de Goya que data del año 1808. Es posible que la representación más heroica de aquellos acontecimientos sea *El asalto de Zaragoza* (1845) del pintor polaco January Suchodolski, un lienzo que actualmente se encuentra en Varsovia. Cada cuadro sobre estos acontecimientos despertaba orgullo por un recuerdo inventado y el propio recuerdo pretendía estimular el patriotismo. España triunfaba finalmente en su gloria y su decadencia dejaba de ser una sombra sobre su pasado.

ARTE CONMEMORATIVO Y ¿PATRIOTISMO?

El arte y la arquitectura participaron en la creación del pasado heroico. Así como en Gran Bretaña, en la época victoriana, el arte público (pinturas, estatuas y edificios) sirvió de escaparate de los triunfos del poderío imperial y la tecnología, en España, a partir de los últimos años del siglo XIX, algunas instituciones públicas se dieron cuenta de la existencia de una tradición lejana de la cual podían sentirse orgullosas. Esta conciencia del heroísmo contribuyó a la invención de una España eterna. En las plazas públicas empezaron a aparecer estatuas que conmemoraban el pasado remoto[17]. Podemos tomar como ejemplo al conquistador Pizarro.

La ciudad natal de Pizarro, Trujillo, no hizo nada en cuatrocientos años para honrar a su ciudadano más ilustre. Al parecer, hasta la década de 1890 no se tomó ninguna medida para erigir una estatua a su conquistador, pero, incluso entonces, todas las ideas quedaron en nada: no se hizo ninguna estatua hasta principios del siglo XX. Aproximadamente en 1910, el escultor estadounidense Charles Rumsey creó tres versiones de un soldado de infantería europeo que se parecía a un conquistador y, concretamente, a Pizarro, con yelmo, empuñando una espada y montado a caballo. Dos de las estatuas se colocaron en lugares públicos destacados delante de un museo: una en Nueva York y la otra en San Francisco. La tercera se envió de Nueva York a Lima, donde se instaló en 1935[18]. Una de las estatuas

---

[17] Carlos Reyero, *La escultura conmemorativa en España. La edad de oro del monumento público, 1820-1914*, Cátedra, Madrid, 1999.

[18] Para lo que sigue, véase Rafael Varón Gabai, «La estatua de Francisco Pizarro en Lima. Historia e Identidad Nacional», *Revista de Indias*,

estadounidenses al final se donó a la ciudad de Trujillo (España) y se colocó en su sitio en una ceremonia especial, en junio de 1929, a la que asistieron las máximas autoridades del país, entre ellas el jefe de Estado, Primo de Rivera. Se puso delante de la iglesia de San Martín, en la Plaza Mayor.

Para ayudar a recordar las glorias pasadas de la América colonial, se exhibieron en público estatuas y pinturas. Una de las pinturas destinadas a evocar el heroísmo de aquella primera época fue el lienzo pintado en 1862 por un artista de Burgos, Dióscoro Teófilo de la Puebla, para la exposición de la Academia de Bellas Artes de aquel año. Su *Primer desembarco de Cristóbal Colón en América,* que en la actualidad se expone en el ayuntamiento de La Coruña, fijó para el público español una imagen que se ha vuelto indeleble y ha sido copiada o repetida de forma constante por ilustradores y cineastas hasta el día de hoy, una imagen que combinaba los sentimientos de satisfacción por el logro obtenido, gloria, dominación y patriotismo, sin olvidar, desde luego, el aspecto religioso: había un sacerdote con una cruz en la mano, aunque en la expedición no participó ningún religioso. Ya se habían hecho pinturas de aquella escena, pero ninguna había tenido tanto éxito. Las imágenes románticas, grabadas en la memoria popular a pesar de sus inexactitudes notorias, dieron una manifestación concreta al anhelo de grandeza nacional.

Toda una corriente de artistas contribuyó a la tarea de inventar imágenes del pasado. Entre ellos figuran nombres como Madrazo, Pradilla, Gisbert, Casado de Alisal, Rosales y muchos más.

---

núm. 236, enero-abril de 2006. En 1952, la estatua de Lima se trasladó de las inmediaciones de la catedral a la plaza Pizarro, donde tendría mayor visibilidad. En 2003, después de años de cabildeo de la mayoría indígena y la mestiza para que se retirase la estatua ecuestre de Pizarro, el alcalde de Lima aprobó el traslado de la estatua al depósito municipal, a la espera de un nuevo emplazamiento. Al final, en 2004, la estatua se colocó en un parque rehabilitado, en el distrito del Rímac.

A menudo, su obra no era memorable ni inmortal, pero lo que pintaron llegó a los libros de texto, los periódicos y la publicidad comercial de todo tipo y fijó para siempre en la memoria del público la imagen que siguen evocando cuando se hace referencia a estos acontecimientos. En tal sentido, su contribución a fijar una imagen colectiva de la memoria histórica fue trascendental[19].

Estas imágenes no se produjeron como consecuencia del patriotismo, sino que se financiaron para fomentar el patriotismo, porque los premios ofrecidos por la Academia de Bellas Artes fueron un incentivo suficiente para tentar a cualquier artista indigente. A su vez, el artista podía encontrar la información histórica que necesitaba investigando en las historias clásicas de la época, entre las que destacan la de Mariana y la de Lafuente y, en especial, la historia de Fernando e Isabel de William H. Prescott, «el historiador más citado», según Pérez Vejo, por los pintores de finales del siglo XIX. El Estado español, que pagaba los premios, acordaba con la Academia los temas de cada año. Fue el Estado liberal, la única institución que gozaba de suficientes recursos para financiar a los artistas, el que inició «la utilización de las imágenes artísticas como arma política». Pérez Vejo destaca lo siguiente: «A lo largo de poco menos de un siglo, el XIX, los pintores españoles, patrocinados y tutelados por el Estado, imaginaron, en el doble sentido de pensar y de dar imágenes, la historia de la nación como una gran epopeya colectiva, una especie de drama romántico en el que una heroína llamada España sufría y gozaba, con momentos de gloria y decadencia». La tendencia estaba allí a comienzos del siglo, cuando el pintor José Aparicio declaró, en 1823, que se sentía orgulloso de que el rey lo hubiera elegido «para pintar los gloriosos hechos de la nación española»[20]. De hecho, las docenas de pintores que recibieron encargos oficia-

---

[19] Tomás Pérez Vejo, *España imaginada. Historia de la invención de una nación,* Galaxia Gutenberg, Barcelona, 2015.

[20] Citado en Tomás Pérez Vejo, *España imaginada,* ob. cit., pág. 17.

les para crear lienzos heroicos estaban contribuyendo a la invención de una nación eterna con la cual el público pudiera identificarse visualmente y de inmediato.

Es fácil deducir cuáles eran los temas solicitados. Ya hemos visto (capítulo 1) que en 1802 uno de los temas era Numancia. En las décadas posteriores se pidieron temas similares. En 1805, la Academia propuso el tema «El recibimiento de Elcano por Carlos V» y en 1808 uno de los temas fue «El Gran Capitán». Los artistas enseguida se dieron cuenta de los temas que podían atraer la atención del comité que otorgaba los premios. Para demostrar la manera en la cual estas obras de arte se establecieron en la memoria colectiva, tomemos algunos ejemplos breves, que corresponden, desde luego, a temas exclusivamente militares, historias de heroísmo y sacrificio.

La segunda mitad del siglo XIX fue en Europa la gran época de la creación artística, y España no fue la excepción. Los artistas exploraron nuevas perspectivas de su entorno, sobre todo los aspectos heroicos de la experiencia imperial. Los vascos y los catalanes se enorgullecían, igual que los castellanos, del pasado de España. El artista catalán Mariano Fortuny produjo un lienzo de dimensiones gigantescas —quince metros de largo— de *La batalla de Tetuán,* hecho en 1863, que evocaba para todos los españoles el sueño de una gloria militar que nunca habían tenido en realidad y que ahora podían inventar, un sueño firmemente atrapado dentro de los límites ineludibles del lienzo de un artista. Dos décadas después, como ya hemos visto (capítulo 4), Francisco Pradilla produjo su clásico lienzo de *La rendición de Granada* (1882), que también insistía en el triunfo del poder español sobre los musulmanes. La carta de encargo del cuadro solicitaba una pintura «como representación de la unidad española; punto de partida para los grandes hechos realizados».

Otras obras de la época, en cambio, representan a una nación emergente que lucha por sus ideales, pero vista desde el prisma de quienes dieron la vida por esa lucha. La nación fue inventada, en otras palabras, a través del sacrificio de sus ciudadanos[21]. *Ejecución de los comuneros de Castilla* es un lienzo de 255 por 365 centímetros, pintado por Antonio Gisbert, de veintiséis años, para la Exposición Nacional de Bellas Artes de 1860. Representa la ejecución, en el campo de batalla de Villalar, en 1521, de los dirigentes de la rebelión de los comuneros, en Castilla. La pintura provocó de inmediato reacciones violentas, tanto a favor como en contra, pero al Gobierno de aquel entonces no le cupo ninguna duda y compró el lienzo para el Palacio de las Cortes, donde sigue colgado, en el primer piso. Ha cumplido con suma eficacia el deseo de dejar una constancia visible de los héroes míticos españoles. Ocho años después, el exitoso artista fue nombrado director del Museo del Prado.

El éxito de Gisbert con la pintura de los comuneros se repitió años después con su *Fusilamiento de Torrijos y sus compañeros en las playas de Málaga* (El Prado, óleo sobre lienzo, 390 por 601 centímetros), de 1888, realizado por un encargo del Gobierno «para pintar un gran cuadro histórico que fuera ejemplo de la defensa de las libertades para las generaciones futuras» y completado en el estudio del artista en París. Representa la ejecución de los generales liberales que regresaron a España del exilio para tratar de liderar un alzamiento contra Fernando VII, pero fueron traicionados y ejecutados sin juicio previo en las playas de Málaga, una semana después de su desembarco, en diciembre de 1831. Es posible que el cuadro se considere una obra maestra en su tipo, un documento totalmente contenido e intenso sobre una tragedia política. Alejada de todo triunfo, la escena transmite puro heroísmo.

El éxito duradero de estos lienzos hace que nos preguntemos por lo que trataban de transmitir los pintores. ¿Qué tipo de patriotismo representaban? Los lienzos como los de Gisbert eran manifestaciones políticas explícitas, promovidas por el Gobierno de aquella época, que hacían hincapié en valores como la libertad o la nación. No obstante, ese tipo de patriotis-

---

[21] John Hutchinson, *Nationalism and War,* ob. cit., pág. 161.

mo era algo diferente del patriotismo específicamente local, representado por las pinturas de los sitios de Zaragoza y otras pinturas locales, financiadas por los ayuntamientos, o del patriotismo que, en los retratos de Viriato, representaba el sacrificio de héroes específicos. Había un tema que era fundamental: el papel inevitable de la guerra para crear heroísmo. Como España no solía estar en guerra, la variedad de temas no era demasiado amplia. Sin embargo, incluso un pintor tan tranquilo como Sorolla consiguió, en 1884, producir un lienzo sobre la resistencia a la ocupación francesa, un acontecimiento que entonces tenía poca relevancia para la cuestión del heroísmo español.

Los aspectos mitológicos y heroicos de la invención de España estuvieron acompañados, en el siglo XIX, por una evolución impresionante tanto de la sociedad como de la economía. La creación de una cultura nacional reconocible en Castilla comenzó muy tarde, en las últimas décadas del siglo XIX. Lo debía todo a la evolución y la posterior dominación de las grandes ciudades, cuyos límites no se extendieron de forma significativa hasta la década de 1860, cuando en Madrid, por ejemplo, se crearon los nuevos suburbios de Salamanca y el Retiro. Incluso entonces, Madrid siguió siendo una ciudad pequeña —tenía menos de un cuarto de millón de residentes, en comparación con los dos millones y medio de Londres en la misma época—, sin avenidas señoriales, residencias elegantes y ni siquiera iluminación en las calles. A finales de siglo, Ortega y Gasset se lamentaba de que la capital no tuviera cultura creativa y siguiera siendo provinciana. A comienzos de siglo, la reconstrucción de Madrid y de Barcelona, a imitación de otras capitales europeas, creó por primera vez unos centros cosmopolitas en los cuales se podía cultivar la cultura. Con un centro respetable y modernizado desde el cual trabajar, las características permanentes de lo que conocemos como España encajaron en su sitio.

Un cambio significativo fue dar nombres históricos a las calles. Poner nombres de héroes y de acontecimientos heroicos por todas partes sirvió para proporcionar una identidad al entorno cotidiano, para estimular una nueva España inventada. Fue el período de la expansión urbana, acelerado en parte por la confiscación de las propiedades eclesiásticas, y hacían falta nombres para las calles y las plazas nuevas. El apogeo tuvo lugar en torno al año 1850, cuando el Gobierno descargó en el callejero de Madrid los nombres de políticos y generales liberales, como O'Donnell, Serrano y Narváez. Aparte de dotar los nuevos espacios urbanos de los nombres de figuras nacionales, se comenzaron a poner estatuas. Más o menos hasta 1830, no hubo estatuaria pública en Madrid. Después de mediados de siglo, la tendencia patriótica, visible en pinturas heroicas, comenzó a verse en forma de estatuas en lugares públicos escogidos. Los héroes nacionales se podían ver todos los días, pasara lo que pasase, visibles permanentemente en poses clásicas. Se siguió la misma política en Barcelona, donde las primeras estatuas públicas aparecieron en calles y plazas a partir de 1880.

EL IMPULSO DE LAS COMUNICACIONES

Una condición esencial para que en España se llevara una vida moderna y nacional fue la posibilidad de compartir experiencias en toda la Península, sin limitarse solo a modelos de conducta regionales. A finales del siglo XIX, lo que dio el impulso fundamental al cambio cultural fue el incremento de la comunicación de masas, en forma de carreteras, vías férreas, el telégrafo, la radio y, en su momento, el cine. La mayoría de estos nuevos adelantos se asociaban con la influencia externa. La modernización de la Península se habría retrasado mucho más de no haber sido por la colaboración extranjera, porque los financieros españoles no contaban con el capital ni con el valor para invertir en su propio país. Los ricos depósitos minerales de Asturias fueron financiados por un belga y las minas de cobre de Andalucía, por los británicos. En aquellas décadas se comenzó a desarrollar, con ayuda de los ingleses, la industria textil catalana, seguida, poco después, por las industrias del País Vasco. Para transportar los productos industriales, los inversores necesitaban comunicaciones fiables. Más de la mitad del capital que financió el desarrollo del sistema ferroviario después de 1855 procedía de Francia. El primer ferrocarril que se construyó en la Península fue un tramo breve entre Barcelona y Mataró en 1848 y la legislación oficial de la década de 1850 facilitó más inversiones extranjeras en ferrocarriles, con lo que la red principal se terminó en la década de 1870.

A la mejora tecnológica le siguieron los comienzos del entretenimiento de masas, que comenzó a cambiar el carácter de la vida cultural española. Como en el caso de la tecnología, los cambios vinieron del extranjero. Todas las diversiones que tenían éxito eran visuales, aunque ninguna afectó demasiado el analfabetismo: salvo Portugal, España tenía los niveles más altos de Europa occidental. En 1887, alrededor del 65 por ciento de la población española no sabía leer ni escribir; en comparación, el analfabetismo en Inglaterra por la misma época era del 15 por ciento y en Nueva Inglaterra, del 10 por ciento. Dentro de esta cifra general, había variaciones que iban de Madrid, con un 38 por ciento de analfabetismo, a Granada, con un 80 por ciento. A la larga, el cambio cultural más importante que se incorporó fue el deporte popular, que creó un foco de entretenimiento que trascendía las barreras regionales y sociales en toda la península. La principal innovación fue el fútbol, que los británicos introdujeron en la Península a finales del siglo XIX y se jugó por primera vez en el País Vasco en la década de 1870. El primer club de fútbol operativo se fundó en la ciudad meridional de Huelva en 1889, el año en el que, al parecer, se utilizó en España el primer balón de fútbol de cuero. A partir de entonces, el deporte se extendió rápidamente. En 1913 se creó una asociación de fútbol, que fue reconocida por el Comité Olímpico Internacional en 1924. Los primeros partidos de liga comenzaron en 1928. La radio, las carreteras, el automóvil, el tren y el fútbol unieron el campo con la ciudad, proporcionaron a los españoles un medio de comunicación y convirtieron la nación en una experiencia colectiva. ¿Era, no obstante, el tipo de nación que todos querían? ¿Podían participar todos en ella?

El éxito material no era más que una parte del panorama. Los intelectuales pensaban que carecían de un esbozo fiable del pasado al que poder recurrir en busca de apoyo y de inspiración. ¿En qué consistió el proceso histórico que había conducido al surgimiento de los españoles como nación? La única manera de averiguarlo era, evidentemente, a través de una historiografía nueva y de un retrato innovador de los acontecimientos del pasado. El problema era la incertidumbre sobre la identidad política de España, porque las diversas partes del país aún se sentían incómodas entre sí y el Estado español seguía cambiando según las preferencias políticas, ideológicas y dinásticas. Una manera de resolver los obstáculos políticos era concentrarse en el surgimiento de una cultura común. Por tanto, para salir adelante había que identificar tres aspectos de la vida española: las tradiciones pasadas, los logros presentes y las aspiraciones futuras, en términos de ideas y de valores. Los tres puntos, sin embargo, requerían una perspectiva bien fundada. ¿Cómo se conseguía eso? Ramón y Cajal —ya nos hemos referido en el capítulo 16 a sus comentarios publicados en *Reglas y consejos sobre investigación científica*— sostenía que los historiadores no tenían que tratar de representar a España como «una nación de héroes, intelectuales y artistas sin parangón»[22]. Según él, una versión del pasado basada en el heroísmo para crear un espíritu nacional era una traición a la verdadera capacidad de los españoles. Para perfeccionar sus cualidades innegables, España tenía que abandonar sus «éxtasis religiosos y sus ensueños imperialistas» y abrir una ventana al espíritu científico de Europa.

---

[22] Véase J. M. Sánchez Ron, «Más allá del laboratorio: Cajal y el regeneracionismo a través de la ciencia», en *1898: Entre la crisi d'identitat i la modernització*, Publicacions de l'Abadia de Montserrat, Montserrat, 2000, págs. 350, 353.

18
EXILIO Y CREACIÓN

El que voluntariamente se exilia por exceso de amor es porque ha convertido en ilusión intangible la idea del país lejano, porque le adora, no como es, sino como quisiera que fuese.

GREGORIO MARAÑÓN

Más que ninguna otra nación europea, la España moderna también fue inventada por muchos que no vivían allí y que, de hecho, recibían su inspiración creativa de más allá de las fronteras de su país de origen. Las raíces de España no solo eran profundas, sino que retrocedían en el tiempo y allende las fronteras. Un testigo de esto, a finales del siglo XIX, fue Ángel Pulido, médico, senador y liberal destacado. En un libro publicado en 1904, Pulido daba fe de lo siguiente:

El día último de agosto de 1883, cuando recorría en uno de los lindos vapores que navegan por el Danubio el trayecto de Viena á Budapest, conversando con mi familia sobre cubierta, se nos acercó un grupo de tres pasajeros, de los cuales uno, de edad avanzada, grueso, con barba cana recortada y sombrero en la mano, me saludó en correcto español y me dijo: «Dispénseme usted, ¿es usted español?». «Sí, señor —le respondí—, y usted, según parece, también lo es». «Sí, señor, pero yo no soy español de España, soy español de Oriente».

Me quedaba algo sorprendido, no acertando de pronto con la explicación de aquel enigma, cuando otro de los tres pasajeros, también entrado en años, que se había mantenido á respetuosa distancia, se decidió á intervenir en la conversación, y aumentó mi sorpresa diciendo: «También soy yo español, pero natural de Serbia».

¿Quiénes eran estos españoles internacionales? A partir de finales del siglo XV, había ciudadanos de la Península que tuvieron que aprender a vivir fuera de su país. Fue el precio que hubo que pagar para inventar la nación. Con respecto al período que abarca este libro, en 1492 salieron de España no más de cincuenta mil judíos, pero decenas de miles de musulmanes se marcharon entre esa fecha y el año 1502. Un mero goteo de emigrantes comenzó a expatriarse al Caribe en torno al año 1500, pero, una generación después, ya eran miles. El mayor éxodo se produjo a partir de 1609, cuando la España cristiana cortó de forma brusca sus vínculos con el mundo islámico y expulsó a la mayor parte de su población morisca: alrededor de trescientas mil personas. La emigración, aunque en cifras mucho menores, se convirtió en una característica de la evolución de España.

Los que se fueron se quedaron sin su familia, su aldea y su región. Todavía no había una sensación de identidad nacional y que lamentaran la ausencia de España en realidad no quería decir que anhelaran un país con tal nombre, sino las numerosas experiencias diferentes que aquella palabra representaba. Todos tuvieron que aprender a vivir sin las comodidades familiares de la vida doméstica, los sonidos cotidianos y la calidez de la lengua común. En aquellas primeras décadas, algunos de los que se marcharon no fueron expulsados formalmente, sino que se vieron obligados a partir (como ocurrió con los conversos de origen judío) por el ambiente hostil o para huir de unas condiciones sociales que no podían soportar. A medida que transcurrían los siglos, decenas de miles más se fueron de la Península, pero casi siempre en las mismas condiciones de coacción. El viaje y, sobre todo, el viaje involuntario fue un rasgo permanente de la cultura hispánica. La ausencia prolongada creaba un anhelo persistente de los sonidos, los olores y los sabores del hogar. Más tarde o más temprano, los emigrantes recordaban con tristeza en su correspondencia la forma de las montañas, la pendiente de los valles y la curva del mar, que habían formado una parte muy arraigada de su vida y los había privado de una dimensión de su ser.

LA COMIDA Y LA NOSTALGIA DE LA PATRIA

Solo por detrás del anhelo de la propia lengua estaba la nostalgia de la comida casera. La comida en el país de acogida nunca estaba a la altura de lo esperado y mucho menos en el Nuevo Mundo, donde los ingredientes esenciales de la dieta hispánica —el trigo, el vino, el aceite e incluso la sal— fueron desconocidos durante mucho tiempo. El contacto con algo afín a aquellos sabores y olores perdidos podía despertar un anhelo profundo del pasado. Un fraile español que viajaba por Belén en 1512 se encontró con algunos de los judíos que, supuestamente, se habían marchado de España en la década de 1480 y ellos le confesaron que «añoraban Sevilla y las carnes y los platos que solían preparar allí»[1]. Los españoles de la Península contaban con una de las dietas más ricas de Europa, producto de la herencia culinaria de los musulmanes, los judíos y los cristianos, basada en la producción de los trigales del norte de España, las zonas de pesca del Mediterráneo y el Atlántico, los olivares de Andalucía, los viñedos de Castilla y Cataluña y los arrozales y naranjales de Valencia. La comida mediterránea que conocían era lo primero que echaban de menos cuando estaban lejos de su tierra natal. Las diferencias de alimentación eran y siguen siendo fundamentales para definir la identidad. Los musulmanes de al-Ándalus tenían una dieta característica, origina-

---

[1] A. Rodríguez Moñino, «Viaje a Oriente de Fray Diego de Mérida», *Analecta Sacra Tarraconensa,* xviii, 1945, pág. 138.

ria de Persia y el Magreb, pero con una base sólida en los siglos transcurridos en Andalucía. Aquel era uno de los aspectos que más echaron de menos cuando se marcharon de la Península.

Pocos ejemplos hay más penosos de un exiliado privado de su comida originaria que el de Juan Luis Vives. En sus diálogos, un personaje que llevaba mucho tiempo lejos de Valencia regresa allí e invita a un amigo: «Vamos a dar un paseo. Siento un deseo irresistible de ver mi ciudad natal, que no he visto desde hace tanto tiempo». Los visitantes comentan la belleza de las calles («calles pedregosas», como recuerda Vives) y la calidad de la comida en el mercado. «¡Qué plaza tan capaz! ¡Qué distribución y orden de vendedoras y de cosas vendibles! ¡Qué olor de las frutas!». «El vino de España se mantiene firme y soporta el agua y la edad» y, con respecto a las aceitunas, «son de sabor más exquisito las de Mallorca»[2]. Una generación tras otra, miles de españoles dejaron las orillas de su país natal y marcharon al exilio en busca de una vida mejor, pero en todos los casos su pensamiento regresaba a la comida que ya no tenían a su alcance. Su situación nunca fue tan extrema como la de Francisco Pizarro, que recorrió todo Perú con los bolsillos llenos de granos de trigo, con la esperanza de sembrar las semillas y conseguir por fin un pan como el de su casa. En la década de 1760, un noble español tuvo el placer de cenar en Berlín comida y vino españoles, importados especialmente por un general inglés que había vivido en España varios años y a menudo conseguía que le enviaran provisiones de los víveres que tanto echaba de menos[3]. Precedida solo por la lengua cas-

---

[2] J. L. Vives, *Obras completas,* 2 vols., Aguilar, Madrid, 1948, vol. I, págs. 931, 959. Los diálogos mencionados están tomados del libro de texto popular de Vives *Exercitatis Linguae Latinae* de 1539.

[3] Jean Sarrailh, *L'Espagne éclairée de la seconde moitié du XVIIIè siècle,* [s. n.], París, 1954 [*La España ilustrada de la segunda mitad del siglo XVIII,* trad. de Antonio Alatorre, Fondo de Cultura Económica, México, D. F., 1979], pág. 358.

tellana, la comida era lo que más definía la identidad cultural de los españoles en el exilio. «En la experiencia de la migración —ha señalado un escritor reciente—, la comida no es solo una cuestión de consumo regular para alimentarse, sino que desempeña múltiples roles en la vida social, política, económica y cultural de los nuevos inmigrantes y de quienes llegan a ser colonos a largo plazo»[4].

LA EMIGRACIÓN A AMÉRICA

A lo largo de los siglos, como hemos visto, decenas de miles de personas se marcharon de la Península. A menudo dejaron de ser españoles (al cambiar de nación), aunque siguieron formando parte de la identidad española. El contacto que Colón estableció con el Nuevo Mundo en 1492 puso en marcha un proceso de desplazamiento poblacional que cambió el aspecto del globo. Los cambios se produjeron con enorme lentitud, porque los españoles no tenían ninguna prisa en marchar a las extensiones desconocidas de América. Transcurrió literalmente una vida —fueron más de treinta años— antes de que fundaran el primer municipio en el Caribe: el poblado de Santo Domingo, en la isla La Española. En el período más maduro de su experiencia imperial, mantuvieron la ambigüedad acerca de lo que el Nuevo Mundo representaba para ellos. En *El celoso extremeño* (1605), Cervantes tenía suficiente conocimiento sobre América para describirla como «refugio y amparo de los desesperados de España, engaño común de muchos y remedio particular de pocos». En el *Quijote,* publicado en la misma fecha, América aparece como una lejana tierra prometida, pero poco más. La palabra «América» solo se menciona una vez en la no-

---

[4] Anne J. Kershen (dir.), *Food in the migrant experience,* Ashgate, Aldershot, 2002.

vela; el Nuevo Mundo, solo una vez, y «las Indias», seis veces[5]. En la época de Cervantes, la emigración al otro lado del Atlántico se había ido reduciendo y, al parecer, la gente había perdido interés en lo que allí ocurría.

No siempre se veía a América como la tierra de las oportunidades. Los historiadores han sugerido que, en el período comprendido entre 1500 y 1650, tal vez fueran al Nuevo Mundo unos cuatrocientos treinta y siete mil españoles[6]. En el siglo XVII, algunos tenían la impresión, errónea, por cierto, de que eran millones los que se habían marchado. Como muchos regresaron, es probable que la cifra total fuera mucho menor de lo que se pensaba. Al final de la época colonial, un censo que se hizo en México en 1790 reveló que apenas el 0,2 por ciento de la población era de origen hispano y la mayoría de ellos no habían nacido en España, sino en América. En la Península no había suficiente población para enviar al Nuevo Mundo y una buena proporción de los que fueron regresaron a Europa, desilusionados. Como podemos ver en su correspondencia, no era fácil convencer a los españoles de las ventajas de emigrar.

Desde el principio, siempre fue impresionante el porcentaje de los que regresaban. Generaciones de españoles sintieron un tirón permanente entre su patria de adopción y la que habían dejado atrás. Sin embargo, esa nostalgia constante del hogar tenía que competir —rara vez la superaba— con la satisfacción práctica que encontraban los emigrantes en su rincón del imperio mundial. Crecieron dos culturas hispánicas sumamente diferentes, que compartían poco más que la lengua, que, a su vez, recibió influencias y se fue modificando según los distintos

---

[5] Diana de Armas Wilson, «The matter of America», en Marina S. Brownlee y Hans Ulrich Gumbrecht (dirs.), *Cultural authority in Golden Age Spain,* The Johns Hopkins University Press, Baltimore, 1995.

[6] Ida Altman y James Horn, *«To make America». European emigration in the early modern period,* University of California Press, Berkeley, 1992, pág. 3.

entornos. Quienes vivían fuera de la Península tenían la sensación de pertenecer a otro mundo. Poco a poco, los expatriados comenzaron a identificarse más con su nueva patria que con el lugar en el que habían nacido, su ciudad, su pueblo, sus parientes y el paisaje familiar. «Siempre solía sentir un profundo anhelo de regresar a mi patria —contaba en 1592 un comerciante de Ciudad de México a sus padres, que estaban en las islas Canarias—, pero, si lo hubiese hecho, habría cometido un grave error»[7]. En cambio, los miembros de su familia debían ir a vivir con él.

La emigración a largo plazo se convirtió en una característica permanente de la condición hispánica. Nunca se dejó de soñar con América como un lugar de refugio y esperanza. En los años intermedios del siglo XIX, hubo una nueva oleada de emigración, sobre todo a Cuba. El mayor movimiento de población se produjo a partir de 1880, cuando los cambios económicos y la inestabilidad financiera empujaron a millones de europeos a salir de su continente y, sobre todo a atravesar el Atlántico. El éxodo desde España fue fulminante. Más de tres millones y medio de españoles cruzaron el charco entre 1880 y 1936, buscando una vida mejor, aunque menos de la mitad se quedó de forma permanente. En el período de mayor auge, de 1880 a 1930, el 34 por ciento de los españoles fueron a Cuba y el 48 por ciento, a Argentina[8]. Se ha calculado, con respecto a España, que «entre 1882 y 1914, regresaron casi cuatro de cada cinco que se marcharon»[9]. Un político español reconoció en 1907 que «muchos se fueron, pero también muchos regresaron»[10]. En 1931, veintisiete mil personas se marcharon al Nuevo Mundo, pero se-

[7] Enrique Otte, *Cartas privadas de emigrantes a Indias 1540-1616,* Consejería de Cultura, Sevilla, 1988, pág. 124.

[8] Diana de Armas, *Historia General de la Emigración española a Iberoamérica,* 2 vols. Madrid, 1992, vol. I, págs. 180, 183.

[9] Walter Nugent, *Crossings. The great transatlantic migrations, 1870-1914,* Indiana University Press, Bloomington, 1992, pág. 104.

[10] Blanca Sánchez Alonso, *Las causas de la emigración española 1880-1930,* Alianza Editorial, Madrid, 1995, pág. 83.

senta y dos mil regresaron, una tendencia inversa que se mantuvo durante los primeros años de la década de 1930[11]. También hubo emigración a otros países europeos, pero siempre más como mano de obra temporal que como un desplazamiento a largo plazo.

EL REGRESO DE LOS JUDÍOS DEL EXILIO

El tema del regreso del exilio fue un componente fundamental de la invención de España, porque sugería la curación de heridas históricas y la reconciliación con la patria. En las décadas que siguieron a la expulsión de los judíos en 1492, varios trataron de regresar a España. Formaba parte de la reacción normal de los exiliados, para quienes Sefarad seguía siendo su hogar histórico. Un pintor judío holandés, Jozef Israels, publicó en 1899 un relato de sus viajes a España y recordaba que, de niño, solía cantar una canción tradicional en alemán[12]:

Fern im Süd das schöne Spanien
Spanien ist mein Heimatland
Wo die schattigen Kastanien
Rauschen an des Ebros Strand.

[Lejos, al sur, la bella España.
España es mi tierra natal,
donde los castaños que dan sombra
murmuran a orillas del Ebro].

Cuando Gibraltar pasó a manos británicas en 1713, cientos de judíos españoles del norte de África pudieron volver a

---

[11] Diana de Armas, *Historia General de la Emigración española a Iberoamérica,* ob. cit., vol. I, pág. 447.

[12] Citado en Lily Coenen, *The Image of Spain in Dutch Travel Writing (1860-1960),* BOXPress, Bolduque, 2013, pág. 71.

establecerse en su tierra natal. Según un censo que se llevó a cabo en 1826, el Peñón tenía una población de quince mil quinientas personas, de las cuales mil seiscientas sesenta eran judíos de Marruecos. Pulido, como varias figuras públicas de aquella época, tenía mucho interés en promover los lazos entre España y los exiliados judíos. Ya se habían tomado medidas legales. En 1868, el Gobierno del general Prim derogó el decreto de expulsión de 1492 y permitió el regreso de los judíos y también el de los protestantes. Al final, el artículo 21 de la Constitución de 1869, que establecía por primera vez la libertad de culto, suprimió la prohibición a la práctica pública de cualquier religión. En 1924, el régimen de Primo de Rivera tomó una medida que el Gobierno español sigue aplicando, «sobre la concesión de la nacionalidad española a protegidos de origen español», por lo que se entiende «españoles o descendientes y, en general, individuos pertenecientes a familias de origen español».

Sin embargo, a partir de mediados del siglo XIX, y a pesar de que ya no había más barreras culturales ni religiosas, regresaron muy pocos judíos. Fueron excepciones destacadas los que vivían en Tánger. Aunque los judíos mantuvieron un respeto distante por sus orígenes sefarditas, habían pasado generaciones y estaban demasiado integrados en sus sociedades, que, por lo general, eran más prósperas, para querer regresar a una tierra de recuerdos románticos con la que tenían muy poco en común. Hoy, en el 2019, es posible que residan en España menos de veinte mil judíos y los pocos judíos no hispánicos que han solicitado la nacionalidad española en los últimos años por lo general proceden de los Balcanes o del norte de África. En comparación, en Israel hay cuatro millones setecientos mil judíos; en Estados Unidos, cinco millones seiscientos mil, y en Francia, seiscientos mil. Es evidente que la Sefarad histórica ha perdido hace tiempo el atractivo que tenía para los judíos.

El exilio como herencia identitaria

España tenía una tradición de varios siglos de antigüedad de exiliados cuyo horizonte nunca dejó de ser España: en la época medieval, por ejemplo, está el caso de Maimónides. Esto se daba sobre todo en poetas y novelistas, cuya obra estaba arraigada —era inevitable— en el mundo hispánico que conocían y cuya inspiración creativa a menudo dejaba de tener sentido cuando se desarraigaba. En la Europa renacentista destacan, por ejemplo, el caso de Juan Luis Vives y el de Juan de Valdés, quienes, a pesar de su ausencia constante, siempre siguieron siendo conscientes de sus raíces. El fenómeno prosiguió siglo tras siglo. Por ejemplo, los liberales de principios del siglo XIX fueron políticos que en el exilio aguardaron con paciencia a que los hicieran regresar, pero cuya obra cultural como exiliados estaba orientada exclusivamente hacia España. Es posible que los poemas, las obras de teatro y los ensayos del movimiento romántico hayan usado modelos extranjeros, pero sus temas eran exclusivamente hispánicos y tenían poco interés para los lectores de fuera de la Península. En consecuencia, grandes franjas de la actividad cultural hispánica dejaron poca o ninguna huella en el mundo exterior.

Los triunfos de los exiliados a veces molestaban a la ideología oficial del país natal, aunque se seguían considerando una aportación al concepto más amplio y más vago de la cultura hispánica. Desde ese punto de vista, la cultura hispánica que ha ido evolucionando a lo largo de cinco siglos podría reivindicar uno de los patrimonios más ricos al alcance de cualquier nación europea, ya que, por un proceso de asociación, aún se podía considerar que todos los que se habían marchado de la Península seguían estando en España. El logro de Miguel Servet en el siglo XVI solo fue posible gracias al sistema educativo de otros países, pero, de todos modos, se podría reivindicar para España. Blanco White hizo esfuerzos descomunales para convertirse en inglés, adoraba a Inglaterra y escribió en inglés, pero se podría considerar parte del acervo cultural español. Por consiguiente, surgió una tendencia a reclamar como parte de la herencia de España a todos los que, por un motivo u otro, habían sido excluidos de ella. Fue un intento de hegemonía cultural que no hacía daño a nadie ni ofendía a nadie, pero que tenía la ventaja de mitigar la dolorosa historia del exilio constante que padecieron millones de españoles. Esta presentación planteaba un solo inconveniente, aunque fundamental. ¿Podía considerarse que quienes se habían integrado en otros mundos, como Vives se había integrado en la ciudad de Brujas y en la corriente principal del humanismo europeo, seguían vinculados a sus orígenes de alguna forma significativa? ¿Formaban parte también ellos de la invención de España?

Mirándolo de lejos, llaman la atención dos aspectos increíbles de los siglos de peregrinación hispánica. El primero es que muchos exiliados no consiguieran alejarse de sus raíces para situarse en un entorno universal. Un pequeño puñado de ellos, sobre todo científicos y artistas, se identificó enseguida con cuestiones nuevas que trascendían las antiguas perspectivas. Su nuevo ambiente avivó su energía creativa y los introdujo en una cultura y una lengua diferentes que aprendieron a compartir. De Vives a Picasso, ha habido españoles fuera de España que al final pertenecen a toda la humanidad, porque su percepción no era nacional, sino universal. Así lo señaló en una ocasión Pío Baroja con perspicacia: «Lo único que tenían de españoles Vives, Servet, Loyola y otros era el lugar de nacimiento»[13]. Ellos y muchísimos más pasaron toda su vida activa fuera de España y su aportación a la cultura europea no fue fundamentalmente hispánica. En el siglo XIX y en el XX, refugiados intelectuales procedentes de Polonia, Rusia y Alemania encajaron en el mismo patrón de adaptación cultural. Una corriente al parecer interminable de artistas, músicos, escritores, filósofos y cientí-

---

[13] Citado en Pedro Laín Entralgo, *La Generación del Noventa y Ocho,* Espasa-Calpe, Madrid, 1959, pág. 127.

ficos oriundos de Europa central y del Este transformaron la experiencia de la ausencia en un enriquecimiento de los valores universales. Edward Said escribió que «la mayoría de las personas son conscientes principalmente de una sola cultura, un solo entorno, un solo hogar, mientras que los exiliados son conscientes por lo menos de dos y esta visión plural da lugar a la conciencia de dimensiones simultáneas, una conciencia contrapuntística, por emplear un término musical. Para un exiliado, los hábitos de vida, expresión o actividad en el nuevo entorno ocurren, inevitablemente, sobre la memoria de estas cosas en otro ambiente, de modo que tanto el entorno nuevo como el antiguo son vívidos, reales y existen al mismo tiempo, como contrapunto».

Sin embargo, la experiencia no se aplicaba, en general, a los exiliados españoles después del siglo XIX, cuando los que se habían ido no solían estar dispuestos a absorber la cultura y la lengua de la nueva sociedad que los acogía y se limitaban a soñar con regresar. Esto provocó el segundo aspecto increíble de buena parte del exilio español: la dificultad para alcanzar una definición más clara de la identidad personal y, por añadidura, nacional. A lo largo de los siglos de conflicto y expulsión, los que se habían ido se aferraban constantemente al concepto y al recuerdo de España, una palabra que, en los primeros siglos, solo hacía referencia al bagaje de experiencias personales, ya que España no existía como entidad política. En teoría, el exilio y el deseo de regresar deberían haber contribuido con fuerza a consolidar la idea de nacionalidad y a reforzar lo que España significaba en términos culturales y políticos, pero esto no ocurrió, en general. España es la única nación europea que afirma haber pasado por una Guerra de la Independencia —son las guerras que tuvieron lugar entre 1808 y 1813— y, sin embargo, jamás ha celebrado un Día de la Independencia. Los largos años de lucha, los miles de muertos y de exiliados, las aspiraciones y los ideales no condujeron a ninguna parte. Los grupos políticos de principios del siglo XIX, incluidos los profranceses, los liberales y los carlistas, estaban demasiado ocupados luchando entre sí para dedicar el tiempo a consolidar la independencia que, según ellos, habían conquistado. La falta de solidaridad se notó aún más en el rechazo a tener un himno nacional y en la poca disposición a compartir una bandera. Los liberales se enorgullecían de tener un himno, el Himno de Riego (1820), que, después de más de un siglo de olvido, se entonó solemnemente en 1931, cuando se instauró la Segunda República, y después volvió a caer en el olvido hasta que se tocó, por equivocación, en unos Juegos Olímpicos en Australia, en el siglo XX. Al no ser capaces de decidir su propia identidad, los exiliados no pudieron decidir la identidad de sus orígenes. Los espíritus creativos de España, tanto los que fueron expulsados de su propia patria como los que no, siguieron siendo víctimas de su propia conciencia de alienación, de no pertenecer al entorno que los había producido.

Por lo general, la patria no llegó a convertirse en un elemento de cohesión para los exiliados y ellos, a su vez, poco hicieron para promover el sentimiento correspondiente. Para los españoles tanto de dentro como de fuera del país, el sentimiento de patriotismo no ha existido jamás. En México, por ejemplo, en el siglo XX las comunidades españolas celebraban fiestas interminables en honor de «mi tierra» y de «mi país», pero solo era un homenaje a su región y nunca a su nación[14]. Aquello tuvo consecuencias profundas en el fenómeno del exilio. Mientras que los exiliados rusos de principios de 1900 consiguieron recrear «pequeñas Rusias» por toda Europa y Norteamérica, ni una sola comunidad de expatriados de la Península consiguió crear una «pequeña España». Los emigrados rusos «se congregaban en torno a los símbolos de la cultura rusa como el centro de su identidad nacional»[15]. En cuanto se encontraban fuera

---

[14] Véase Michael Kenny, «"Which Spain?" The conservation of regionalism among Spanish emigrants and exiles», *Iberian Studies,* V, 2, 1976.

[15] Véase Orlando Figes, *Natasha's Dance. A Cultural History of Russia,* Londres, 2002, pág. 539.

de su país de origen, los exiliados españoles, por el contrario, prácticamente perdían el interés en una posible identidad nacional. Las películas que hizo Buñuel durante su exilio hablan de un México proletario y una Europa burguesa, pero, cuando hablan de España, se limitan a sembrar dudas sobre todo lo que constituía la España oficial de aquella época. En Buñuel descubrimos una España que se está pudriendo, devorada por los gusanos del clericalismo, la codicia y la hipocresía sexual, sin que se vislumbre siquiera la promesa de que de aquel montón de basura pueda llegar a surgir una nación más deseable y más optimista.

Para los espíritus creativos, la experiencia del exilio se convirtió casi en una necesidad que les proporcionaba libertad para buscar un contexto en el que pudieran sentirse completos. Las penalidades de no sentirse parte eran una manera de llegar a descubrir el lugar al que se pertenecía. No perdieron del todo la conexión con la patria, que les brindaba un punto de referencia, pero, al parecer, la usaban solo como una manera de definir o de justificar su propia ausencia. Deseaban huir de España, sabiendo perfectamente que era su única patria. Esta actitud presentaba numerosas formas y modos. En 1523, Juan Luis Vives expresó un sentimiento que se hizo común entre quienes realmente se sentían mucho más felices lejos de su patria. Acababa de recibir una invitación para regresar a España. «Mi espíritu sufre amargamente por no saber qué resolución tomar —escribió a su amigo Cranevelt—. Volver a mi patria no me gusta; permanecer aquí no puedo»[16]. A principios del siglo XVI, el rechazo a España ya era un problema para él. Había perdido las oportunidades de regresar y rechazaba las invitaciones, porque no confiaba en poder estudiar allí. Lo peor fue el daño que la Inquisición causó a sus padres. En el verano de 1527, escribió a su amigo, el humanista castellano Juan de Ver-

---

[16] Juan Luis Vives, *Epistolario,* J. Jiménez Delgado (dir.), Madrid, 1978, pág. 298.

gara: «Uno tiene que hablar bien de su propio país, aunque tenga una opinión muy diferente»[17].

Tres siglos y medio después, un intelectual culto como Juan Valera sentía tal desprecio por el atraso de España que anhelaba estar lejos y fuera de ella; sin embargo, cuando viajó a París, Frankfurt, Bruselas y Washington, sintió el mismo rechazo por lo que le ofrecían aquellos sitios. Ni siquiera le bastaba la buena comida que había en Francia. «No cabe duda de que aquí se cocina mejor y de que lo hacen todo mejor que en España, pero prefiero comer mal y vivir mal y estar en mi propia tierra»[18]. España le parecía poco civilizada y primitiva: «En España hay mucho por hacer. Todo está sin explorar, virgen, sin cultivar: la filosofía, la historia, las ciencias y hasta la literatura». El gran problema era «el atraso de España», porque el país era «un país de imbéciles». «En España, en lugar de avanzar, seguimos retrocediendo»[19]. Condenaba a todos los partidos políticos, despreciaba a los responsables de las aventuras militares en África y le parecía significativo que el Krause al cual algunos españoles habían escogido como una revelación filosófica fuera desconocido y no tuviera ninguna importancia en su Alemania natal[20]. Muchos miembros de la élite coincidían con él y la expatriación les parecía una opción deseable, porque no estaban demasiado seguros del tipo de España al que querían pertenecer.

El exilio intensificó un problema dual de identidad: el del propio exiliado, pero también el de la patria. El exiliado no se sentía totalmente desprovisto de su identidad anterior, si podía conservar en su interior al menos una parte del pasado perdi-

---

[17] Ibíd., pág. 480.

[18] Juan Valera, *Epistolario de Valera y Menéndez Pelayo 1877-1905,* Madrid, 1946, pág. 76.

[19] Juan Valera, *151 cartas inéditas a Gumersindo Laverde,* R. Díaz Casariedo, Madrid, 1984, págs. 153, 162.

[20] Ibíd., pág. 120.

do. En su cabeza, la perspectiva y la distancia le brindaban cierta posibilidad de definir con mayor claridad lo que era la patria y lo que significaba. Más allá de los sentimientos directos del exiliado estaba la cuestión importante: ¿seguía perteneciendo a la patria?

La respuesta se puede buscar a escala individual o global. A nivel individual, es evidente que el exiliado pertenece a sus raíces en la medida en la que desee identificarse con ellas y este axioma se puede confirmar si al final regresa a su hogar. Tal vez sienta que ha hecho una gran aportación a la invención de su nación. Por otra parte, al adoptar durante el exilio —así lo hizo Blanco White— una escala de valores culturales que tenía poco en común con la de sus orígenes, el emigrante involuntario en realidad cesa voluntariamente de participar en el hogar que conocía. En síntesis, es posible que el exiliado en cierto modo añore su país, pero, como tiene una percepción diferente de su identidad, acaba por rechazar lo que ya no reconoce.

Sin embargo, el contacto con el mundo fuera de España no podía por menos de ser beneficioso. Ramón y Cajal, a quien ya hemos citado en estas páginas[21], era profundamente consciente de la necesidad de integrar la experiencia de España con la del universo: «Nótese que casi todos nuestros grandes escritores y sabios surgieron en épocas de relativo intercambio cultural, y fueron, naturalmente, infatigables viajeros. No pocos, desde el final de la Edad Media, perfeccionaron sus estudios en el extranjero». «Hemos vivido durante siglos recluidos en nuestra concha». Por consiguiente, urgía salir de ella y construir una cultura basada en una experiencia abierta al mundo.

---

[21] Santiago Ramón y Cajal, *Reglas y consejos sobre la investigación biológica. Los tónicos de la voluntad,* [s. n.], Madrid, 1897.

19
SUEÑO DE REYES

Si en España fuésemos gobernados por una república, como
en Génova o en Venecia, no habría necesidad de todo esto.

CANÓNIGO DE LA CATEDRAL DE JAÉN (1597)[1]

Este libro comienza con los reyes míticos, el más notable de
los cuales fue Pelayo, y acaba con el mito de los reyes. Los dos
elementos son fundamentales para el proceso de inventar España. Los dos se observan en la singular ceremonia que tuvo lugar a las afueras de la ciudad de Ávila el 5 de junio de 1465.
Cuando las guerras civiles que asolaban Castilla estaban en su
apogeo, los nobles contrarios al rey Enrique IV colocaron un
muñeco del monarca en un escenario y procedieron a despojar-
lo de sus vestiduras de manera ritual, lo que equivalía a despo-
jarlo de su investidura real. Mientras el público rezongaba, indignado, arrojaron al muñeco de la plataforma al suelo. Así se
completaron la degradación y el destronamiento. De un modo
u otro, la mayoría de los monarcas de la España posmedieval
tuvieron que sufrir una suerte similar. A un pueblo que tenía
dificultades para tratar de resolver si era una nación no le iba a
costar menos tratar de decidir quién los iba a gobernar. Otros

---

[1] Citado en Henry Kamen, *Felipe de España*, Siglo XXI, Madrid, 1997,
cap. 11.

465

pueblos tuvieron el mismo problema, pero en España era endé-mico.

La oposición a la institución de la monarquía en España es, por extraño que parezca, más antigua que la propia monarquía. Hasta se podría decir que desde el siglo XV, cuando se hizo el intento de constituir la nación española, los españoles no han dejado de manifestar dudas sobre si España debía ser una monarquía. Esta convicción prácticamente visceral sobrevive hasta el día de hoy. La monarquía que con tanto esmero se restauró junto con la democracia tras la muerte de Franco en 1975 solo sobrevive gracias a los esfuerzos inmensos de todas las facetas del espectro político, porque es el único aspecto de la vida pública moderna que impone respeto.

No sorprende que a los gobernantes de España les haya costado tanto imponer su autoridad sobre un conjunto de comunidades y reinos a los que no les gustaba colaborar entre sí. Los reyes a veces pedían a sus propagandistas que formularan argumentos a favor de su régimen. Sin embargo, a la monarquía como institución le resultó difícil convencer a sus posibles partidarios. Como otros países de origen feudal, España estaba llena de ciudades y de regiones semiindependientes que nunca habían tenido la costumbre de reconocer una autoridad superior y con frecuencia cuestionaban los intentos de imponerles el control desde arriba. Un estudioso que se dispusiera a escribir una historia de la monarquía española a partir del siglo XV tendría que tener en cuenta la campaña contra Enrique IV de Castilla, el intento de asesinato de Fernando el Católico, el desprecio público a Juana la Loca, la rebelión contra Carlos V, la indiferencia a Felipe II, el desdén por Felipe III, el desprecio a Carlos II, la rebelión contra Felipe V y el naufragio de todos los monarcas españoles a partir de Fernando VII. Es posible que un solo monarca se salvara de este oprobio universal y, como ya lo hemos visto (en el capítulo 5), era Isabel la Católica, junto con su esposo, Fernando. El historial prolongado y lúgubre de actitudes antimonárquicas no era, desde luego, exclusivo de los españoles.

Los ingleses ejecutaron a más monarcas —la última víctima fue Carlos I, en el siglo XVII— que ningún otro país europeo. Con el tiempo, los ingleses alcanzaron estabilidad política. España siguió teniendo problemas para definirse y la falta de unidad también afectó a su monarquía, sobre todo en el siglo XIX.

Para obtener una perspectiva de esta indiferencia respecto a la institución de la monarquía, que está profundamente arraigada, tenemos que volver atrás y profundizar en las raíces medievales de España. A diferencia de otros países occidentales, en los cuales la persona del monarca se mitologizaba a propósito para dar estabilidad política al Estado, en España los reyes tenían un papel limitado. El país no compartía las tradiciones monárquicas que se suelen encontrar en Europa occidental y en muchos lugares de la Península no había ningún rey. En realidad, los vascos siempre fueron una combinación de repúblicas y siguieron siéndolo hasta el siglo XIX. Los aragoneses medievales tenían un rey al que trataban de igual a igual. Incluso en Castilla, que era el lugar con más práctica en el poder de la realeza, los reyes en realidad fueron una excepción entre las monarquías de Europa occidental y rechazaban conscientemente muchos de los símbolos de poder que usaban los monarcas fuera de la Península[2]. No consideraban sagrado su cargo, no afirmaban tener poder para curar a los enfermos (como hacían los reyes de Francia y de Inglaterra) y no disfrutaban de rituales especiales en el momento de su nacimiento, de su coronación[3] ni de su muerte[4]. La imaginería de la magia del po-

---

[2] Teófilo Ruiz, «Unsacred Monarchy. The Kings of Castile in the Late Middle Ages», reimpreso en su obra *The City and the Realm: Burgos and Castile 1080-1492,* Variorum, Aldershot, 1992, cap. XIII.

[3] Los reyes de España no eran coronados y no había una ceremonia de coronación.

[4] Lo que se hacía cuando morían podía ser muy complejo: véanse los rituales para Felipe II en España en Carlos M. Eire, *From Madrid to Purgatory. The art and craft of dying in sixteenth-century Spain,* Cambridge University Press, Cambridge, 1995.

der real, común en otras monarquías, como la inglesa y la francesa, no estaba presente en España, curiosamente. Los gobernantes de Castilla no tenían una ceremonia de coronación ni hacían culto a la personalidad. La mayoría incluso procuraba esquivar el tratamiento de «Majestad»: Isabel la Católica era, simplemente, «Alteza» para sus súbditos y, para los españoles, el nuevo tratamiento de «Majestad», introducido por Carlos V, siempre resultó extraño. Una y otra vez, las Cortes de Castilla pidieron tanto a Carlos como a Felipe II que no se usaran el término ni las ceremonias correspondientes.

A menudo se ha comprendido mal el papel de Felipe II e incluso se lo ha comparado con el gran monarca Luis XIV[5]. Lo cierto es que, a partir de 1586, democratizó la monarquía, suprimió la mayor parte del ceremonial de la corte, evitó el título de Majestad y ordenó que sus ministros y funcionarios se dirigieran a él llamándolo, simplemente, «Señor». Evitó las procesiones públicas triunfales, «salvo, quizá, la entrada en Sevilla y en Lisboa en 1581»[6]. Los arcos de triunfo que conocemos (en Zaragoza, Sevilla, Barcelona y Lisboa) se construyeron más como una manifestación municipal de orgullo por la presencia del rey que para exaltarlo expresamente. La expresión «Sacra Majestad» solo fue utilizada durante una época por Felipe II, aunque su padre, el emperador, la utilizaba siempre, por lo general abreviada como «SCRM», es decir, «Sacra Católica Real Majestad», en los documentos oficiales. El rey era

---

[5] Unos intelectuales republicanos franceses propusieron en el siglo XIX la idea de comparar a Felipe II con Luis XIV, al cual consideraban español —su madre y su esposa pertenecían a la familia real española y esto lo convertía en pariente consanguíneo directo de Felipe II—, además de opinar que su absolutismo era importado de España. Véase Jean-Frédéric Schaub, *La France espagnole. Les racines hispaniques de l'absolutism français,* Éditions du Seuil, París, 2003, pág. 31.

[6] Fernando Bouza, «La majestad de Felipe II. Construcción del mito real», en J. Martínez (dir.), *La Corte de Felipe II,* Alianza, Madrid, 1994, pág. 55.

sumamente estricto respecto a su estatus personal, pero tenía una visión mucho más modesta de su relación con sus súbditos y detestaba las multitudes. Jamás fomentó el uso de una terminología formal ni extravagante, le desagradaba el culto a la personalidad y, casi desde el comienzo de su reinado —para ser precisos, a partir de la década de 1560, en cuanto regresó a España después de pasar cinco años en el extranjero—, tomó medidas para suprimirlo[7].

Debido a la falta de un culto ceremonial a la monarquía, los escritores de España siguieron una tradición constante, que se remonta a la Edad Media, según la cual el pueblo tenía derecho a oponerse a la tiranía[8]. En la Corona de Aragón, la élite consideraba que la Corona tenía que gobernar con la aprobación de sus consejeros y que no se podían modificar las leyes sin el consentimiento de las Cortes. Asimismo, en la Corona de Castilla las élites opinaban —así lo demostraron con toda claridad en la revuelta de los comuneros de 1520—que el rey tenía que obtener su aprobación para introducir cambios. Por consiguiente, los monarcas eran muy conscientes de la existencia de restricciones. A finales del siglo XVI, las monarquías de Francia y de Inglaterra alentaban a los funcionarios a escribir libros que defendieran el poder ilimitado de la Corona. En España ocurría lo contrario. Ni Carlos V ni Felipe II pensaban en términos de poder absoluto. Felipe incluso toleraba escritos contrarios al absolutismo, puesto que iban dirigidos, sobre todo, a monarcas extranjeros, como Isabel de Inglaterra, y no contra él. Uno de sus jueces, Castillo de Bobadilla, especificaba que las leyes aprobadas por el rey no eran inapelables si eran contrarias a los dictados de la conciencia, a la fe, al derecho natural o a las leyes establecidas. Según él, la idea de la *raison d'état* solo existía en las tiranías, pero no en España. La complejidad de la autoridad

---

[7] Henry Kamen, *Felipe de España,* ob. cit., págs. 194-199.

[8] José Antonio Maravall, *Estado moderno y mentalidad social,* 2 vols., Revista de Occidente, Madrid, 1972, vol. I, págs. 382-385.

política en España era poco adecuada a la opresión real. A finales del siglo XVI, dos jesuitas destacados, Mariana y Suárez, se hicieron famosos por sostener que el poder del soberano procede del pueblo y que no es válido sin el consentimiento popular. Cabe destacar que sus obras fueron condenadas en Londres y en París, pero nunca en España.

¿Fue la Corona un elemento esencial y crucial de la nación emergente? Debido a la ausencia casi absoluta de un culto a la monarquía en tierras españolas, nos cuesta seguir la idea de que la nación española se desarrollara en torno a la monarquía. A finales del medievo, en Francia y en Inglaterra se hicieron propuestas ambiciosas para desarrollar un culto a la monarquía, pero se puede decir que en ninguno de los dos países la Corona llegó a ser la piedra fundamental sobre la cual se construyó la nación. España iba bastante rezagada con respecto a ellos. Puesto que, como ya hemos visto, carecía por completo de un culto a la realeza, la Corona nunca se identificó con la identidad nacional. Y, en todo caso, ¿con qué territorio se habría identificado?

Cataluña, por ejemplo, aceptaba al rey de Castilla como soberano, pero no se consideraba parte de la nación española. Aragón y Valencia, en menor medida, compartían la misma opinión. En Castilla, el único territorio que tenía una tradición monárquica firme, la idea de nación siguió siendo muy endeble. Las tierras españolas no tuvieron experiencia como monarquía nacional hasta el siglo XVIII, cuando Felipe V abolió la autonomía de la Corona de Aragón. Incluso después de esa fecha, las provincias vascas conservaron su autonomía, se consideraban repúblicas libres y aceptaban al rey, pero no la hegemonía de España. Hasta en Castilla, la monarquía siempre fue algo carente de forma, teoría y cohesión. No representaba a España y, por tanto, no se podía formar en torno a ella una nación española. Así llegamos a una conclusión inevitable: los españoles, en el sentido de ciudadanos de las diferentes regiones de la Península, no sentían un apego firme a la Corona. De este modo, nos resulta más fácil comprender las opiniones fuertemente antimonárquicas que predominaban entre sectores tanto de las élites como del pueblo, después de las primeras décadas del siglo XIX.

EL MITO DE LOS REYES CATÓLICOS

Había una gran excepción al sentimiento antimonárquico y ha sido tan fundamental para las actitudes posteriores que tenemos que regresar al tema al que ya nos hemos referido en el capítulo 5. Después de los conflictos y de las guerras civiles de finales del siglo XV, dio la impresión de que una soberana había logrado lo imposible: llevar paz y estabilidad al reino de Castilla. Esta fue, como ya hemos visto, la reina Isabel. Su matrimonio con el rey de Aragón, Fernando, otorgó realidad política al país que, desde la época romana, se llamaba «España» y también, en opinión de muchos comentaristas de la época, trajo la paz civil, un gobierno ordenado, buenas relaciones con el papado, la preservación de la fe a través de la Inquisición, la conquista de los reinos musulmanes de Granada, la expulsión de los judíos y el descubrimiento de América. Por todos estos logros, la reina recibió el reconocimiento duradero de sus contemporáneos. Fernando, claro está, compartió la gloria y también atrajo loas igual de efusivas. Posteriormente, a mediados del siglo XIX, su reputación sufrió un revés, cuando los historiadores catalanes, que estaban tratando de crear una nueva memoria histórica para su región, decidieron que el rey había brindado una colaboración demasiado estrecha a lo que ellos llamaban «el centralismo».

El mito de los Reyes Católicos no es difícil de explicar, porque, como todos los mitos, surgió en respuesta a las necesidades del momento. En etapas concretas del surgimiento del sentimiento nacional —por ejemplo, con Isabel de Inglaterra y Enrique IV de Francia en un siglo XVI plagado de crisis— se tendía a idealizar el papel del monarca. Lo mismo ocurrió en el caso de los Reyes Católicos, aunque su reinado tuvo menos logros importantes de los que se suelen reivindicar. Como ningún gobernante de la historia ha gozado jamás de la adoración sin límites de sus súbditos, tendríamos razón al sospechar que no era todo tan perfecto como parecía. Las alabanzas prodigadas por los cronistas oficiales (es decir, pagados por el Gobierno) de la época pretendían presentar solo una cara de la realidad; la otra, compuesta por las protestas de los opositores políticos y religiosos, no se hacía pública. Dejando aparte a los musulmanes y a los judíos, que padecieron la crueldad del régimen, muchos españoles tenían motivos para criticar al Gobierno. Se compusieron versos satíricos contra el régimen[9]. Poco después de la muerte de Isabel, se denunció a las autoridades al corregidor de Medina del Campo por haber declarado en público que «ella está en el infierno y él solo ha venido a este reino a robar»[10]. La segunda parte de esta afirmación fue un arranque de ira de un castellano contra el aragonés. El intento de asesinar al rey en Barcelona varios años antes (en diciembre de 1492) también reflejaba cierto descontento en Cataluña. No obstante, predominaban los elogios. Todos los escritores repetían lo mismo, centuria tras centuria. A finales del siglo XVIII, José Cadalso tuvo que remontarse a trescientos años antes para encontrar a los únicos monarcas de los cuales España se podía sentir orgullosa:

> La monarquía española nunca fue más feliz por dentro ni tan respetada por fuera, como en la época de la muerte de Fernando el Católico. Véase, pues, qué máximas, entre las que formaron juntas aquella excelente política, han decaído de su antiguo vi-

---

[9] Teófanes Egido, *Sátiras políticas de la España Moderna,* Alianza Editorial, Madrid, 1973.

[10] Véase Alfredo Alvar Ezquerra, *Isabel la Católica,* Temas de Hoy, Madrid, 2002, pág. 266.

gor. Vuélvaseles a dar éste, y tendremos la monarquía en el mismo pie en que la halló la casa de Austria.

Cadalso describía a Fernando e Isabel como «príncipes que serán inmortales entre cuantos sepan lo que es gobierno». En comparación, para los historiadores todos los demás reinados fueron un fracaso. Fue uno de los mitos más eficaces, pero también —porque cuestionaba la evolución de toda la monarquía después de esta reina— uno de los más destructivos de la historia de España. En la primera mitad del siglo XIX, los liberales perfeccionaron la imagen. En su afán de denunciar el despotismo de la monarquía que los gobernaba, clavaron la vista en el reinado idealizado de Fernando e Isabel. En 1813, Martínez Marina, en su *Teoría de las Cortes,* sostenía que los Reyes Católicos respetaban el imperio de la ley y el gobierno representativo, con lo cual «elevaron a la nación al punto de su mayor gloria». Martínez de la Rosa, en su *Bosquejo histórico* (1851), opinaba que el momento de mayor gloria para Castilla tuvo lugar a finales del siglo XV, «con el imperio más poderoso de Europa e inmensas posesiones en todas partes»[11].

Prescott, cuyo estudio se publicó en español y fue leído por los estudiosos castellanos de la época, tuvo —ya lo hemos dicho antes— una participación importante en la estimulación del mito. Para poner el broche de oro a su estupenda *Historia* del reinado, en 1838 llegó a la siguiente conclusión:

> El español moderno que contempla los indicios de la actual degeneración de su nación debe buscar alivio en el anterior y más glorioso período de su historia. En España, tal período sólo puede encontrarse en la primera mitad del siglo XVI, durante el reinado de Fernando e Isabel [...] aquel período de nuestra historia en el que, habiéndose disipado las nubes y la oscuridad, parecía comenzar una nueva mañana sobre la nación [...] un

---

[11] En Santos Juliá, *Historia de las dos Españas,* ob. cit., 2004, pág. 35.

período en el que la nación, al tiempo que emergía de la pereza y el libertinaje de una era de barbarie, parecía renovar sus antiguas energías y prepararse como un gigante para seguir su curso [...] el reinado de Fernando e Isabel, época más gloriosa en los anales de la historia del país.

Aunque a menudo no nos demos cuenta, Prescott fue el creador de la leyenda de una época dorada, una leyenda que dominó la forma en la que los españoles aprendieron a pensar en la reina Isabel. Sin embargo, fue Modesto Lafuente quien sintetizó las opiniones anteriores y dio forma al mito que liberales y conservadores compartieron durante los cien años siguientes. En este siglo, por lo general se cree que el mito era tradicionalista y reaccionario, pero la verdad no es tan sencilla. Los intelectuales progresistas necesitaron la leyenda de Fernando e Isabel para poner en evidencia las pretensiones absolutistas de sus reyes, al compararlos con un reinado que, en su opinión, alcanzó el éxito sin perjudicar la libertad.

Lafuente no escatimó alabanzas cuando escribió sobre «el reinado de los Reyes Católicos, todo español y el más glorioso que ha tenido España»[12]. Imaginaba lo siguiente[13]:

> El grandioso espectáculo de un pueblo que se recobra, que se reorganiza, que crece, que se moraliza y se ilustra, que conquista y se ensancha, que se dilata a inmensas regiones, que domina en las tres partes del mundo, todo bajo el influjo poderoso de una reina virtuosa y prudente y de un rey astuto y político.

Para respaldar su fantasía de la gloria pasada, Lafuente no rehuyó hacer frente a algunas cuestiones complejas. ¿Qué pasa con la Inquisición, que a los liberales no les gustaba nada? Según él, Isabel trató de ser más benévola de lo que resultó después de su muerte. ¿Y qué pasa con la expulsión de los judíos?

---

[12] Modesto Lafuente, *Historia General de España,* ob. cit., vol. I, xxii.
[13] Ibíd., vol. II, págs. 430, 435.

En su opinión, España no fue más que la última de una larga lista de países —por ejemplo, Francia e Inglaterra— que ya habían expulsado a sus judíos. ¿Qué hay de la expulsión y la persecución de los musulmanes después de 1492? Pensaba que aquello fue fruto del fanatismo que predominaba en aquella época tanto entre musulmanes como entre cristianos, y no fue algo exclusivo de España. ¿Y qué pasa con el exterminio de los indios en América? Según él, eso no ocurrió hasta después de la muerte de Isabel, de modo que no se le podía echar la culpa a ella.

La leyenda, compartida por opiniones de todo tipo —tanto por los tradicionalistas como por los progresistas—, dominó después la visión del pasado durante un siglo y medio. Cuando el ejército y la Falange emprendieron su «cruzada» contra la Segunda República en 1936, adoptaron una versión especial, hecha a la medida, de los Reyes Católicos como inspiración ideológica. La nación se remodelaría según su imagen. En 1952, el ministro de Educación de Franco, el historiador Joaquín Ruiz-Jiménez, afirmó en un discurso que «otra vez vuelve a ser posible el hombre español que surgiera con Isabel y Fernando»[14].

En los dos siglos y medio posteriores a la muerte de Isabel, en 1504, ningún monarca español despertó en su pueblo un entusiasmo unánime. En realidad, según la impresión presentada a las Cortes de 1810 en Cádiz por los diputados progresistas, el país había sido arruinado por los monarcas extranjeros que ocuparon el trono después de ella. Primero fueron los Habsburgo, que impusieron en España el absolutismo extranjero, abolieron las Cortes, destruyeron su democracia tradicional, restringieron las libertades de los nobles y dejaron al pueblo sin ninguna libertad. Condenaron a España a la decadencia. Los derechos que la Constitución de 1812 pretendía restablecer, según Agustín de Argüelles, eran «las leyes fundamentales de la

---

[14] Santos Juliá, *Historia de las dos Españas,* ob. cit., pág. 383.

monarquía de España antes de que depravasen su índole dinastías extranjeras»[15]. La clave del rechazo a los monarcas que sucedieron a Fernando e Isabel era el hecho de que fueran extranjeros, un punto de vista que coincidía con la lucha que libraban los partidarios de las Cortes contra los ocupantes franceses de España.

Durante buena parte del siglo XVIII, la élite española tuvo la impresión de estar desconectada de la dinastía gobernante. Esta falta de confianza solo se revirtió en parte durante el reinado de un rey que vino de fuera: Carlos III, rey de Nápoles e hijo de Felipe V y de Isabel Farnesio. Sin embargo, los acontecimientos trascendentales de la Revolución francesa sacudieron el poder político establecido en toda Europa y alentaron a los progresistas de todas partes a cuestionar las bases del gobierno monárquico.

LA MONARQUÍA ESPAÑOLA: UNA INSTITUCIÓN SIEMPRE EN ENTREDICHO

Las clases dominantes en la España del siglo XVI nunca fueron republicanas, desde luego, aunque en aquella época se podían reconocer ideas republicanas en varios países europeos. Los cronistas de la revuelta de los comuneros de 1520 afirmaban que algunos de sus líderes admiraban a los estados republicanos italianos y querían establecer en España unas repúblicas similares. Los comuneros perduraron en el recuerdo de los liberales como un movimiento a favor de la libertad y contrario a la tiranía. Por extensión, los españoles nunca prestaron un apoyo incondicional a la institución de la monarquía.

Siguieron aceptando la necesidad de ser gobernados por la Corona, pero en el siglo XIX su actitud había cambiado. El caso español reunía características que, en efecto, eran mucho más

---

[15] Citado en Santos Juliá, *Historia de las dos Españas,* ob. cit., pág. 28.

graves que en cualquier otro sitio de Europa. En primer lugar, y como ya hemos dicho, los españoles no creían en el derecho sagrado de la monarquía y, aunque aceptaban un nivel normal de reverencia, no trataban al rey como si tuviera un papel político especial, como hacían los ingleses y otras naciones. En segundo lugar, no respetaban los principios del derecho hereditario, lo que estaba bien, puesto que, de vez en cuando, había alguna discontinuidad en la sucesión al trono. Los conflictos relacionados con la sucesión dieron lugar a siglos de problemas dinásticos, como el espectáculo poco edificante de que hubiera dos reyes en España durante la Guerra de Sucesión (1702-1713) o los conflictos dinásticos y el caos del siglo XIX, precipitados sobre todo por los carlistas. Los intentos de volver respetable la monarquía fracasaron. En el resto de Europa hubo problemas similares, sobre todo durante el siglo XIX.

Desde el comienzo del siglo XIX, España no dejó de poner y deponer a sus reyes. En 1808, Fernando VII obligó a su padre a abdicar y él mismo se vio obligado a abdicar a favor de José Bonaparte unos meses después. Fernando volvió a subir al trono en 1813, pero dejó un legado terrible, porque no tuvo ningún heredero varón y los carlistas se disputaron la sucesión. Al final, su hija, Isabel II, se vio obligada a abdicar en 1868 y la monarquía no se restauró hasta 1874, en la persona de Alfonso XII. La Restauración —así se llamó— no había llegado a alcanzar estabilidad política cuando el rey murió después de un breve reinado de diez años, a los veintiocho años. Entonces el país se estaba acostumbrando a un régimen semirrepublicano, manejado por sus oligarquías privilegiadas. La prolongada regencia que siguió, que ejerció la viuda del rey difunto, María Cristina, finalizó cuando asumió el poder Alfonso XIII, en 1902, aunque lo tuvo que entregar en 1931, cuando las elecciones municipales se pronunciaron en contra de la monarquía. Se suele decir que Alfonso preparó su propia caída al asociarse demasiado con la dictadura del general Primo de Rivera, partiendo de la base de que, si él hubiera sido más democrático, habría sobrevivido. Sin embargo, no hemos de olvidar que, con o sin Primo de Rivera, la monarquía ya contaba con adversarios implacables y que durante generaciones había cosechado enemigos de todos los bandos y en todas partes del país. Entre los más conocidos cabe mencionar a los escritores Unamuno y Blasco Ibáñez —ninguno de los dos era de origen castellano—, cuyos esfuerzos por sepultar la monarquía para siempre simplemente confirmaron una tendencia centenaria en la historia de España.

Se produjo un paréntesis curioso en este proceso aparentemente desafortunado: el surgimiento de Fernando VII como «el rey deseado», precisamente en los años en los cuales buena parte de las élites españolas estaban perdiendo la fe en la monarquía. Cuando Fernando, considerado un rey que había sido destronado injustamente por las intrigas palaciegas en España y por el Gobierno francés, se vio obligado a vivir en el exilio, enseguida se convirtió en el héroe deseado de un país que luchaba contra un ejército francés de ocupación. En todo el país se recordaba en pinturas al rey ausente[16] y, cuando regresó, lo recibieron multitudes dando vítores. Un ejemplo típico fue la que pintó José Aparicio en 1818, años después del regreso del rey, titulada *El año del hambre de Madrid* (315 por 437 centímetros), actualmente en el Museo del Prado, en la cual aparece un grupo de españoles famélicos que rechaza el plato de comida que les ofrecen las tropas francesas. Un texto escrito en dorado sobre una columna explica el motivo: «Constancia española. Años del hambre. Nada sin Fernando». Con el tiempo, no obstante, Fernando también fue víctima de la difícil situación creada por las facciones políticas que querían y no querían a su legítimo rey.

El rechazo a la monarquía en el siglo XX implicó un rechazo directo y consciente a los mitos relacionados con ella. Como ya

---

[16] Víctor Mínguez, «La iconografía del Poder: Fernando VII y José I», en Alberto Ramos Santana y Alberto Romero Ferrer, *1808-1812, los emblemas de la libertad,* Universidad de Cádiz, Cádiz, 2009, pág. 176.

hemos visto, los nacionalistas catalanes desecharon el mito de Fernando e Isabel, porque representaba una idealización de la forma de Estado impuesta —así lo sentían ellos— a España y a ellos mismos. Compartían aquel rechazo los republicanos de Madrid, que pensaban, en los últimos días de la monarquía de Alfonso XIII, que era fundamental rechazar toda la visión del pasado heredada del siglo XIX. En un discurso pronunciado en la plaza de toros de Madrid en septiembre de 1930, Manuel Azaña, quien seis años después llegaría a ser presidente de la República, proclamó que era imposible conseguir nada «útil y valedero sin emanciparnos antes de la Historia»[17]. En aquellas semanas de noviembre de 1930, Ortega y Gasset publicó en el periódico su artículo que terminaba con las palabras *«¡Delenda est Monarchia!»* [«¡Hay que abolir la monarquía!»). Los literatos recibieron con entusiasmo el final de la monarquía. Uno de ellos fue Azorín, quien, cuando nació la República, en 1931, la acogió con fervor: «España recuperará su significado histórico, su verdadera tradición, interrumpidos por la sucesión al trono de los Austrias y los Borbones»[18].

Sin embargo, la nueva República se vino abajo, porque los diversos Gobiernos sucesivos no alcanzaron estabilidad política ni pudieron resolver de forma adecuada los profundos problemas que enfrentaba la sociedad española[19]. El resultado fue la demoledora Guerra Civil de 1936 a 1939. Después de muchas dudas, los vencedores de la contienda decidieron que su forma de gobierno, una dictadura militar, con el tiempo llegaría a transformarse en una monarquía, para garantizar la continuidad política y la estabilidad, además de renunciar de una vez por todas a la experiencia de la república. Sin embargo, insistieron en

---

[17] Citado en Santos Juliá, *Historia de las dos Españas,* ob. cit., pág. 223.

[18] José María Valverde, *Azorín,* Planeta, Barcelona, 1971, pág. 361.

[19] El análisis más reciente sobre la caída de la república es el de Stanley G. Payne, *The Collapse of the Spanish Republic, 1933-1936. Origins of the Civil War,* Yale University Press, New Haven y Londres, 2006.

que no tenían ninguna intención de regresar a la monarquía desacreditada del siglo XIX o ni siquiera a la del siglo XVIII. Solo quedaba una opción: la monarquía católica tradicional que España supuestamente había disfrutado en el siglo XV, «la España que creó nuestra unidad, la España de Isabel y Fernando, con el yugo y las flechas»[20]. Casi cinco siglos después, el país se volvió con entusiasmo hacia sus mitos. España se inventó en la forma de un régimen que aceptaba cada uno de los mitos de su pasado prolongado y turbulento.

Hubo que hacer una buena evaluación, que resultó bastante dolorosa, para que los demócratas aceptaran volver a la monarquía después de la muerte del general Franco, en 1975. Incluso hoy, quienes la consideran un elemento valioso de la vida política tienen que defenderla a menudo en la prensa. En un artículo escrito en el 2004, el historiador Javier Tusell hizo el siguiente comentario: «Ortega escribió en 1913 que era preciso hacer la experiencia monárquica. Tenía razón cuando lo afirmó y la frase sigue siendo válida más de noventa años después»[21]. Lo que Tusell no dijo fue que Ortega cambió de opinión más adelante y que, en su artículo *«Delenda»,* de 1930, se convirtió en un adversario notable de la monarquía.

LA NACIÓN FICTICIA

En estas páginas nos hemos referido a diversos aspectos de España solo desde el prisma de algunos de los mitos y los debates más comunes que han surgido en su historia. Los mitos —por ejemplo, la noción de que hubo una raza española antes de la aparición de España, la noción de un legado romano, el papel de una Reconquista o la decadencia constante de la na-

---

[20] Citado en Santos Juliá, *Historia de las dos Españas,* ob. cit., pág. 395.
[21] Javier Tusell, «La monarquía, en peligro», *El País,* 27 de diciembre de 2004.

ción— en realidad eran ficticios, pero también aspiraciones positivas que, en su conjunto, contribuían a definir las características de lo que llegó a ser España. El problema que aún no se ha resuelto es si las diferentes ideas y aspiraciones fueron capaces de fusionarse para alcanzar una nación unida.

A falta de una definición de lo que es nación, la mayoría de los comentaristas afirmaban que España era una unidad, tanto étnica como política: un Estado nación. La condición para esta supuesta nación era la unidad: unidad de estructura, de cultura, de lengua, de política, de tradición. Pues resultó que, como ya hemos visto, no había unidad. Además, hubo que dedicar siglos de esfuerzo para tratar de lograr lo que se consiguió. Con buen criterio, algunos teóricos políticos sugieren que habría que eliminar del discurso la palabra «nación», al no haber acuerdo sobre lo que supone[22]. Para unir España[23], ha habido que inventar la nación, procurando, al mismo tiempo, aceptar en ella mil años de diversidad y contradicción. Un estudioso opina que la nación es lo siguiente[24]:

> [...] la fe compartida en un relato que, a pesar de lo que quiere el pensamiento nacionalista, no es una emanación espontánea del espíritu de los pueblos, sino una construcción erudita difundida por grupos especializados en el imaginario de una comunidad, fruto de un proceso de coerción ideológica que impone memorias colectivas.

---

[22] Por ejemplo, el ruso Valery A. Tishkov afirma en el 2010 que «Nación es una metáfora potente que dos formas de agrupaciones políticas —el sistema de gobierno (el Estado) y la entidad étnica (el pueblo)— se esfuerzan por poseer en exclusiva. No tiene sentido definir a los Estados y a los grupos étnicos por la categoría de una nación. Esta es una palabra fantasma que, por un accidente histórico, ha ascendido al nivel de metacategoría».

[23] Véase el análisis de Félix Duque, «Spain, the Nation that doesn't Exist», *Res Publica. Revista de Historia de las Ideas Políticas,* vol. 17, núm. 1, 2014, págs. 219-251.

[24] Tomás Pérez Vejo, *España imaginada,* ob. cit., pág. 12.

Los mitos y las leyendas han colaborado en el proceso y se han inventado cuando hacía falta, porque contribuían a aportar una sensación de tradición y de identidad. Cuando los mitos se contradecían entre sí, se podrían aceptar, sin embargo, como facetas de una explicación más amplia del pasado, como «mitos fundacionales». Al fin y al cabo, cuesta avanzar hacia la realidad sin llevar encima, al mismo tiempo, nuestras aspiraciones y nuestras leyendas, antiguas y a menudo ficticias.

BIBLIOGRAFÍA

Ante la imposibilidad de confeccionar una lista de todos los estudios consultados, esta sección se limita a resumir las referencias a pie de página hechas en cada capítulo. Para una bibliografía reciente sobre varios temas, recomiendo consultar la página web http://www.uni-regensburg.de/sprache-literatur-kultur/romanistik/institut/spanienzentrum/spanischekulturwissenschaft/index.html, dirigida por el Centro de Estudios Hispánicos de la Universidad de Regensburg.

CAPÍTULO 1. NUMANCIA Y LA NACIÓN ROMANA

ARAYA, GUILLERMO, *El pensamiento de Américo Castro,* Alianza Editorial, Madrid, 1983.

ASENSIO, EUGENIO, *La España imaginada de Américo Castro,* El Albir, Barcelona, 1976.

CASTRO, AMÉRICO, *La realidad histórica de España,* Porrúa, México, 1971.

CORTADELLA MORRAL, JORDI, «L'Empúries imaginada: músics, erudits i lletraferits», en *Faventia,* volumen 31, números 1 y 2, 2009.

ECHÁVARRI, JOSE IGNACIO DE LA TORRE, «Numancia: usos y abusos de la tradición historiográfica», *Complutum,* 9, 1998.

GRÜNEWALD, THOMAS, *Bandits in the Roman Empire. Myth and Reality,* Routledge, Nueva York, 2004.

MARTÍNEZ, ALFREDO JIMENO y ECHÁVARRI, JOSÉ IGNACIO DE LA TO-
RRE, *Numancia, Símbolo e Historia,* Akal, Madrid, 2005.

REIMOND, GRÉGORY, «L'*Hispania aeterna* de Ramón Menéndez Pidal.
Histoire et Antiquité dans la pensée pidalienne», *Anabases,* 9, 2009.

TÁCITO, *Agricola,* capítulo XXX.

CAPÍTULO 2. LA PÉRDIDA DE ESPAÑA

FEIJOO, BENITO JERÓNIMO, *Teatro crítico,* discurso 13, parte 1, XVI,
Glorias de España.

MENÉNDEZ BUEYES, LUIS RAMÓN, *Reflexiones críticas sobre el origen
del Reino de Asturias,* Ediciones Universidad de Salamanca, Salamanca, 2001.

NICOLLE, DAVID, *Poitiers AD 732: Charles Martel turns the Islamic
tide,* Osprey Publishing, Oxford, 2008.

CAPÍTULO 3. AL-ÁNDALUS, EL PARAÍSO DE ESPAÑA

AL-DA'MI, MUHAMMED A., *Arabian mirrors and Western soothsayers.
Nineteenth-century literary approaches to Arab-Islamic history,*
Peter Lang Publishing Inc., Nueva York, 2002.

BARTON, SIMON, *Conquerors, Brides, and Concubines: Interfaith Relations and Social Power in Medieval Iberia,* University of Pennsylvania, Filadelfia, 2015.

CARDAILLAC, LOUIS, *Morisques et chrétiens. Un affrontement polémique (1492-1640),* Kliencksieck, París, 1977.

CASAMAR, MANUEL y KUGEL, CHRISTIANE, *La España árabe. Legado
de un paraíso,* Casariego, Madrid, 1990.

COLLINS, ROGER, *Caliphs and Kings. Spain, 796-1031,* Wiley-Blackwell,
Chichester, 2012 [*Califas y reyes: España 796-1031,* trad. de Tomás
Fernández Aúz y Beatriz Eguibar, Crítica, Barcelona, 2013].

FERNÁNDEZ-MORERA, DARÍO, *The Myth of the Andalusian Paradise.
Muslims, Christians, and Jews under Islamic Rule in Medieval
Spain,* ISI Books, Wilmington (Delaware), 2016.

GARCÍA BALLESTER, L., *Medicina, ciencia y minorías marginadas: los Moriscos,* Universidad de Granada, Granada, 1977.

GARCÍA-SÁNCHEZ, EXPIRACIÓN, «Agriculture in Muslim Spain», en JAYYUSI, S. K. (dir.), *The Legacy of Muslim Spain,* E. J. Brill, Leiden, 1992.

GLICK, THOMAS F., *Islamic and Christian Spain in the early Middle Ages,* Princeton University Press, Princeton, 1979.

HURTADO DE MENDOZA, DIEGO, *Guerra de Granada hecha por el rey D. Felipe II contra los moriscos,* Juan Oliveres, Barcelona, 1842.

LADERO, MIGUEL ÁNGEL, «Mudejares and repobladores in the kingdom of Granada», *Mediterranean Historical Review,* vol. 6, núm. 2, diciembre de 1991.

LEWIS, DAVID L., *God's Crucible: Islam and the Making of Europe, 570-1215,* W. W. Norton, Nueva York, 2008 [*El crisol de Dios: el Islam y la construcción de Europa,* trad. de Vanesa Casanova, Paidós, Barcelona, 2009].

LOWNEY, CHRIS, *A Vanished World. Medieval Spain's Golden Age of Enlightenment,* Free Press, Oxford, 2005 [*Un mundo desaparecido,* trad. de Julio A. Sierra, El Ateneo, Buenos Aires, 2007].

MACFIE, A. L., *Orientalism,* Longman, Londres, 2002.

MAÍLLO SALGADO, FELIPE, *De la desaparición de al-Ándalus,* Abada, Madrid, 2004.

MENOCAL, MARÍA ROSA, *La joya del mundo: musulmanes, judíos y cristianos, y la cultura de la tolerancia en al-Ándalus,* Plaza & Janés, Barcelona, 2003.

NADER, HELEN, *The Mendoza family in the Spanish Renaissance,* Rutgers University Press, New Brunswick (New Jersey), 1979. [*Los Mendoza y el Renacimiento español,* trad. de Jesús Valiente Malla, Institución Provincial de Cultura «Marqués de Santillana», Guadalajara, 1986].

RESTON JR., JAMES, *Dogs of God: Columbus, the Inquisition, and the Defeat of the Moors,* Anchor, Nueva York, 2006.

RODRÍGUEZ MEDIANO, FERNANDO, *Humanismo y progreso: Romances, monumentos y arabismo*: *Pidal, Gómez-Moreno, Asín,* Nívola, Tres Cantos (Madrid), 2002.

SÁNCHEZ-ALBORNOZ, CLAUDIO, *España: un enigma histórico,* 2 vols., Sudamericana, Buenos Aires, 1956.

WAINES, DAVID, «The culinary culture of al-Andalus», en JAYYUSI, S. K. (dir.), *The Legacy of Muslim Spain,* E. J. Brill, Leiden, 1992.

CAPÍTULO 4. EL MITO DE LA RECONQUISTA

BARBERO, ABILIO y VIGIL, MARCELO, *Sobre los orígenes sociales de la Reconquista,* Ariel, Esplugues de Llobregat (Barcelona), 1974.

DOLAN GÓMEZ, MIGUEL, *The battle of Las Navas de Tolosa: the culture and practice of crusading in medieval Iberia,* University of Tennessee, Knoxville, 2011.

FLETCHER, RICHARD, *El Cid,* trad. de Javier Sánchez García-Gutiérrez, Nerea, Hondarribia (Guipúzcoa), 1999.

GARCÍA FITZ, FRANCISCO, «La Reconquista: un estado de la cuestión», *Clio & Crimen,* núm. 6, 2009, págs. 142-215.

— *Las Navas de Tolosa,* Ariel, Barcelona 2005.

GARCÍA FITZ, FRANCISCO y NOVOA PORTELA, FELICIANO, *Cruzados en la Reconquista,* Marcial Pons, Madrid, 2015.

GRACIA ALONSO, FRANCISCO, *Arqueología i política. La gestió de Martin Almagro Basch al capdavant del Museu Arqueològic Provincial de Barcelona (1939-1962),* Universitat de Barcelona, Barcelona, 2015.

IRVING, WASHINGTON, *Cuentos de la Alhambra.* (Hay varias ediciones y también está *on-line).*

O'CALLAGHAN, JOSEPH F., *Reconquest and Crusade in Medieval Spain,* University of Pennsylvania Press, Filadelfia, 2003.

RÍOS SALOMA, MARTIN, *La Reconquista. Una construcción historiográfica (siglos XVI-XIX),* Marcial Pons, Madrid, 2011.

RUNCIMAN, STEVEN, *A History of the Crusades,* 3 vols., Cambridge University Press, Cambridge, 1954. [*Historia de las cruzadas,* trad. de Germán Bleiber, Alianza Editorial, Madrid, 2008].

SAGLIA, DIEGO, «The Moor's last sigh: Spanish-Moorish exoticism», *Journal of English Studies,* vol. 3, 2002.

CAPÍTULO 5. LA NUEVA NACIÓN DE LOS REYES CATÓLICOS

ALVAR EZQUERRA, ALFREDO, *Isabel la Católica,* Temas de Hoy, Madrid, 2002.

ÁLVAREZ JUNCO, JOSÉ, *Dioses útiles. Naciones y nacionalismos,* Galaxia Gutenberg, Barcelona, 2016.

— *Mater Dolorosa. La idea de España en el siglo XIX,* Taurus, Madrid, 2001.

ANDERSON, BENEDICT R., *Imagined Communities: reflections on the origin and spread of nationalism,* Verso, Londres, 1983.

BODIAN, MIRIAM, «'Men of the nation': the shaping of converso identity in early modern Europe», *Past and Present,* 143, 1994.

BRAUDEL, FERNAND, *L'Identité de la France,* Arthaud-Flammarion, París, 1986. [*La identidad de Francia,* 3 vols., trad. de Alberto Luis Brixio, Gedisa, Barcelona, 1993].

CUART MONER, BALTASAR, «La larga marcha hacia las historias de España en el siglo XVI», en GARCÍA CÁRCEL, R. (dir.), *La construcción de las Historias de España,* Marcial Pons, Madrid, 2004.

— *Epistolario de Pedro Mártir,* Madrid, 1953, *CODOIN,* vol. IX, pág. 123.

HOBSBAWM, E. J., *Nations and nationalism since 1780: programme, myth, reality,* Cambridge University Press, Cambridge, 1990. [*Naciones y nacionalismo desde 1780,* trad. de Jordi Beltrán, Crítica, Barcelona, 2012].

JOVER, J. M., «Sobre los conceptos de monarquía y nación», *Cuadernos de Historia de España,* 13, 1950.

MARAVALL, JOSÉ ANTONIO, *Estado moderno y mentalidad social,* 2 vols., Revista de Occidente, Madrid, 1972.

SANTOVEÑA SETIÉN, ANTONI, *Marcelino Menéndez Pelayo. Revisión crítico-biográfica de un pensador católico,* Universidad de Cantabria, Santander, 1994.

SEPÚLVEDA MUÑOZ, ISIDRO, «De intenciones y logros: fortalecimento estatal y limitaciones del nacionalismo español en el siglo XIX», @*mnis,* septiembre de 2002.

SETON-WATSON, HUGH, *Nations and States: an enquiry into the origins of nations and the politics of nationalism,* Westview Press, Londres, 1977.

SMITH, ANTHONY D., *Nationalism and Modernism. A critical survey of recent theories of nations and nationalism,* Routledge, Londres, 1998. [*Nacionalismo y modernidad,* traducción de Sandra Chaparro, Istmo, Tres Cantos (Madrid), 2000].

— *The Nation in History: Historiographical Debates about Ethnicity and Nationalism,* Polity, Cambridge, 2000.

THOMPSON, I. A. A., «Castile, Spain and the monarchy: the political community from *patria natural* to *patria nacional»,* en KAGAN, RICHARD L. y PARKER, GEOFRREY, *Spain, Europe and the Atlantic World,* Cambridge University Press, Cambridge, 1995. [*España, Europa y el mundo atlántico,* trad. de Lucía Blasco Mayor y María Condor, Marcial Pons, Madrid, 2001].

WOOLARD, KATHRYN A., «Is the Past a Foreign Country? Time, language, origins and the Nation in early modern Spain», *Journal of Linguistic Anthropology,* vol. 14, núm. 1.

YERUSHALMI, Y. H., *From Spanish Court to Italian Ghetto. Isaac Cardoso: A Study in Seventeenth-Century Marranism and Jewish Apologetics,* Columbia University Press, Nueva York, 1971. [*De la corte española al gueto italiano,* trad. de Marta y Agustín Cerezales, Turner, Madrid, 1989].

CAPÍTULO 6. LA SANTA INQUISICIÓN

ALBERI, EUGENIO, *Le relazioni degli ambasciatori veneti al Senato,* Florencia, 1839-1840, serie I, vol. 5.

AVERY HUNT, LYNN, JACOB, MARGARET C. y MIJNHARDT, W. W. (dirs.), *Bernard Picart and the First Global Vision of Religion,* Getty Research Institute, Los Ángeles, 2010.

BEARDSLEY JR., T. S., «Spanish printers and the classics 1482-1599», *Hispanic Review,* 47, 1979.

CASTRILLO, NICOLÁS, *El «Reginaldo Montano»: primer libro polémico contra la inquisición española,* Consejo Superior de Investigaciones Científicas (CSIC), Madrid, 1991.

DUKE, ALASTAIR, *Dissident Identities in the Early Modern Low Countries,* Ashgate Publishing, Surrey, 2009.

GACHARD, L. P., *Correspondance de Philippe II sur les affaires des Pays-Bas,* 6 vols., Librairie Ancienne et Moderne, Bruselas, 1848-1879.

HILLGARTH, J. N., *The mirror of Spain, 1500-1700,* The University of Michigan Press, Ann Arbor, 2000.

KAMEN, HENRY, *La Inquisición española*, 7.ª ed., Crítica, Barcelona, 2018.

LAFUENTE, MODESTO, *Historia General de España desde los tiempos primitivos hasta la muerte de Fernando VII*, 6 vols., Montaner y Simón, Barcelona, 1877-1882.

MOLL, JAIME, «Valoración de la industria editorial española del siglo XVI», en *Livre et lecture en Espagne et en France sous l'Ancien Régime*, Editions A.D.P.F., París, 1981.

NORTON, F. J., *Printing in Spain 1501-1520*, University Press, Cambridge, 1966. [*La imprenta en España, 1501-1520*, trad. de Daniel Martín Arguedas, Ollero y Ramos, Madrid, 1997].

RUBENS, PETER PAUL, *The letters of Peter Paul Rubens*, traducidas y editadas por Ruth Saunders Magurn, Harvard University Press, Cambridge (Massachusetts), 1955.

SEPÚLVEDA, JUAN GINÉS DE, *Obras completas*, 4 vols., Ayuntamiento de Pozoblanco, Pozoblanco, 1995-2000.

TOMLINSON, JANIS, *Goya in the Twilight of Enlightenment*, Yale University Press, New Haven, 1992. [*Goya en el crepúsculo del siglo de las luces*, traducción de Eugenia Martín, Cátedra, Madrid, 1993].

VASSBERG, DAVID E., *The village and the outside world in Golden Age Castile*, Cambridge University Press, Cambridge, 1996.

CAPÍTULO 7. UN NUEVO MUNDO

ALTMAN, IDA, *Transatlantic ties in the Spanish empire*, Stanford University Press, Stanford, 2000. [*Relaciones transatlánticas en el Imperio español*, trad. de Ignacio Ruiz Martínez, Intermedio Ediciones, Guadalajara (España), 2018].

BERNARD, CARMEN, *Negros esclavos y libres en las ciudades hispanoamericanas*, Fundación Histórica Tavera, Madrid, 2001.

BOWSER, FREDRICK P., *The African Slave in Colonial Peru, 1524-1650*, Stanford University Press, Stanford, 1974. [*El esclavo africano en el Perú colonial (1524-1650)*, trad. de Stella Mastrangelo, Siglo Veintiuno Editores, México, D. F., 1977].

BOYD, CAROLYN, *Historia Patria. Politics, History and Nacional Identity in Spain, 1875-1975*, Princeton University Press, Princeton,

1997. [*Historia patria: política, historia e identidad nacional en España, 1875-1975*, trad. de José Manuel Pomares Olivares, Ediciones Pomares-Corredor, Barcelona, 2000].

CLAYTON, LAWRENCE A., *Bartolomé de las Casas: A Biography,* Cambridge University Press, Nueva York, 2012.

CROWLEY, ROGER, *Conquerors. How Portugal forged the first global empire,* Random House, Nueva York, 2015.

ELLIOTT, J. H., *La España Imperial,* Vicens Vives, Madrid, 1965.

ESPINO LÓPEZ, ANTONIO, *La conquista de América. Una revisión crítica,* RBA, Barcelona, 2013.

— «Granada, Canarias, América. El uso de prácticas aterrorizantes en la praxis de tres conquistas, 1482-1557», *Historia,* núm. 45, vol. II, julio-diciembre de 2012.

FRIEDE, JUAN, *Los Welser en la conquista de Venezuela,* Edime, Caracas, 1961.

GIBSON, CARRIE, *El Norte. The Epic and Forgotten Story of Hispanic North America,* Atlantic Monthly Press, Nueva York, 2019.

GÓNGORA, MARIO, *Studies in the Colonial History of Spanish America,* University Press, Cambridge, 1975.

GONZÁLEZ DE CELLORIGO, MARTÍN, *Memorial de la política necesaria y útil restauración a la república de España,* Instituto de Cooperación Iberoamericana, Valladolid, 1991.

HERZOG, TAMAR, «Private organizations as global networks in early modern Spain and Spanish America», en RONIGER, L. y HERZOG, T. (dirs.), *The Collective and the Public in Latin America. Cultural Identities and Political Order,* Sussex Academic Press, Brighton, 2000.

IXTLILXOCHITL, FERNANDO DE ALVA, *Ally of Cortes,* trad. al inglés de Douglass K. Ballentine, Texas Western Press, El Paso, 1969.

KESSEL, JOHN L. (dir.), *Remote Beyond Compare. Letters of don Diego de Vargas to his Family from New Spain and New Mexico, 1675-1706,* University of New Mexico, Albuquerque, 1989.

KOCH, A., BRIERLEY, C., MASLIN, M. y LEWIS, S., «Earth system impacts of the European arrival and Great Dying in the Americas after 1492», *Quaternary Science Reviews,* 207, 2019, págs. 13-36.

MACÍAS, ISABELO y MORALES PADRÓN, FRANCISCO, *Cartas desde América 1700-1800,* Andalucía 92, Asesoría Quinto Centenario, Sevilla, 1991.

MANNING, PATRICK (dir.), *Slave Trades 1500-1800: Globalization of Forced Labour,* Variorum, Aldershot, 1996.

MARTÍNEZ DE MATA, FRANCISCO, *Memoriales y discursos,* ed. de Gonzalo Anes, Moneda y Crédito, Madrid, 1971.

MONCADA, SANCHO DE, *Restauración política de España,* Luis Sánchez, Madrid, 1619.

OTTE, ENRIQUE, *Cartas privadas de emigrantes a Indias 1540-1616,* Consejería de Cultura, Sevilla, 1988.

PALMER, COLIN A., *Slaves of the White God: Blacks in Mexico, 1570-1650,* Harvard University Press, Cambridge (Massachusetts), 1976.

RESTALL, MATTHEW, *Seven Myths of the Spanish Conquest,* Oxford University Press, Oxford, 2003. [*Los siete mitos de la conquista española,* traducción de Marta Pino Moreno, Paidós Ibérica, Barcelona, 2004].

RUNBLOM, HARALD (dir.), *Migrants and the Homeland. Images, Symbols, and Realities,* Centre for Multiethnic Research, Uppsala University, Upsala, 2000.

SPALDING, KAREN, «The crises and transformations of invaded societies: Andean area (1500-1580)», en SALOMON, FRANK y SCHWARZ, STUART B. (dirs.), *Cambridge History of the Native Peoples of the Americas: vol. III, South America,* partes 1 y 2, Cambridge University Press, Cambridge, 1999.

THORNTON, RUSSELL, *American Indian Holocaust and Survival. A Population History Since 1492,* University of Oklahoma Press, Norman (Oklahoma), 1987.

VARGAS MACHUCA, BERNARDO DE, *Milicia y descripción de las Indias,* Librería de Victoriano Suárez, Madrid, 1892.

CAPÍTULO 8. LA NACIÓN ÉTNICA

BALFOUR, SEBASTIAN, *El fin del imperio español (1898-1923),* trad. de Antonio Desmonts, Crítica, Barcelona, 1997.

BLANCO WHITE, JOSÉ MARÍA, *Letters from Spain,* Henry Colburn and Co., Londres, 1822. [*Cartas de España,* traducción de Antonio Garnica, Fundación José Manuel Lara, Sevilla, 2004].

CABRERA DE CÓRDOBA, LUIS, *Filipe Segundo, rey de España,* 4 vols., Edición publicada de Real Orden, Madrid, 1876-1877.

FRADERA, JOSEP M. y SCHMIDT-NOWARA, C. (dirs.), *Slavery and Antislavery in Spain's Atlantic Empire,* Berghahn, Nueva York, 2013.

HARRIS, OLIVIA, «Ethnic identity and market relations: Indians and mestizos in the Andes», en LARSON, BROOKE y HARRIS, OLIVIA, *Ethnicity, Markets and Immigration in the Andes,* Duke University Press, Durham (Carolina del Norte), 1995.

HERING TORRES, MAX S., «La limpieza de sangre. Problemas de Interpretación: acercamientos históricos y metodológicos», *Historia Crítica,* 45, 2011.

HERNÁNDEZ FRANCO, JUAN, *Sangre limpia, sangre española,* Cátedra, Madrid, 2011.

JOAN I TOUS, PERE y NOTTEBAUM, H. (dirs.), *El olivo y la espada. Estudios sobre el antisemitismo en España (siglos XVI-XX),* Max Niemeyer, Tubinga, 2003.

KAMEN, HENRY, «Una crisis de conciencia en la edad de oro en España: La Inquisición contra limpieza de sangre», *Bulletin Hispanique,* tomo 88, núms. 3-4, 1986, págs. 321-356.

LEAL, CLAUDIA y LANGEBAEK, CARL, *Historias de raza y nación en America Latina,* Universidad de los Andes, Bogotá, 2010.

MARTZ, LINDA, «Pure blood statutes in sixteenth-century Toledo: implementation as opposed to adoption», *Sefarad,* 64, i, 1994, págs. 91-94.

QUILLIGAN, M., MIGNOLO, W. y GREER, M. (dirs.), *Rereading the Black Legend: The Discourses of Religious and Racial Difference in the Renaissance Empires,* University of Chicago Press, Chicago, 2007.

RACHUM, ILAN, «Origins and Historical Significance of the Día de la Raza», *Revista Europea de Estudios Latinoamericanos y del Caribe,* 76, abril de 2004.

SEPÚLVEDA, ISIDRO, *El sueño de la madre patria: hispanoamericanismo y nacionalismo,* Centro de Estudios Hispánicos e Iberoamericanos, Marcial Pons, Madrid, 2005.

SMITH, ANTHONY D., *The Ethnic Origins of Nations,* B. Blackwell, Oxford, 1988.

SORIA MESA, ENRIQUE, *La realidad tras el espejo. Ascenso social y limpieza de sangre en la España de Felipe II,* Universidad de Valladolid, Valladolid, 2016.

CAPÍTULO 9. LA LENGUA DEL IMPERIO

BAUZON, LESLIE E., «Language planning and education in Philippine History», *International Journal of the Sociology of Language,* núm. 88, 1991.

BOXER, C. R., *The Portuguese Seaborne Empire 1415-1825*, Penguin, Harmondsworth, 1973.

BRAUDEL, FERNAND, *The Identity of France,* Collins, Londres, 1988. [*La identidad de Francia,* 3 vols., traducción de Alberto Luis Brixio, Gedisa, Barcelona, 1993].

BRUNNER, OTTO, *Neue Wege der Sozialgeschichte,* Vandenhoeck & Ruprecht, Gotinga, 1956.

CIORANESCU, ALEXANDRE, *Le Masque et le Visage. Du baroque espagnol au classicisme français,* Librairie Droz, Ginebra, 1983.

CUMMINS, J. S., *A question of rites. Friar Domingo Navarrete and the Jesuits in China,* The Scholar Press, Cambridge, 1993.

GILLY, CARLOS, *Spanien und der Basler Buchdruck bis 1600,* Helbing & Lichtenhahn, Basilea, 1985.

GRUZINSKI, SERGE, *The Conquest of Mexico. The Incorporation of Indian Societies into the Western World, 16th to 18th Centuries,* Polity, Cambridge, 1993.

— *L'Age d'Or de l'Influence espagnole. La France et l'Espagne a l'époque d'Anne d'Autriche 1615-1666,* París, 1991.

LECHNER, JAN, *Repertorio de obras de autores españoles en bibliotecas holandesas hasta comienzos del siglo XVIII,* Hes & de Graaf Publishers, Utrecht, 2001.

MARTÍNEZ ALCALDE, M. J., *Las ideas lingüísticas de Gregorio Mayans,* Ayuntamiento, Oliva (Valencia), 1992.

MENÉNDEZ PIDAL, RAMÓN, *Idea Imperial de Carlos V,* Espasa-Calpe, Madrid, 1955.

OCHOA BRUN, MIGUEL ÁNGEL, *Historia de la diplomacia española,* 6 vols., Ministerio de Asuntos Exteriores, Madrid, 1999.

PATTEN, ALAN, «The Humanist Roots of Linguistic Nationalism» [en línea] Disponible en: https://scholar.princeton.edu/apatten/publications/humanist-roots-linguistic-nationalism [último acceso: enero de 2006].

PIKE, FREDRICK B., *Hispanismo 1898-1936. Spanish Conservatives and Liberals and their relations with Spanish America,* University of Notre Dame Press, Notre Dame, 1971.

POLIŠENSKÝ, J. V., *War and Society in Europe 1618-1648,* Cambridge University Press, Cambridge, 1978.

RAFAEL, VICENTE L., *Contracting colonialism. Translation and Christian Conversion in Tagalog Society under Early Spanish Rule,* Cornell University Press, Ithaca, 1988.

THOMAS, HENRY, «The output of Spanish books in the sixteenth century», *The Library,* 1, 1920.

VALDÉS, JUAN DE, *Diálogo de la Lengua,* Porrúa, México, 1966.

VALLE, JOSÉ DEL (dir.), *A Political History of Spanish. The Making of a Language,* Cambridge University Press, Cambridge, 2013.

VALLE, JOSÉ DEL y GABRIEL-STHEEMAN, LUIS (dirs.), *The Battle over Spanish between 1800 and 2000. Language Ideologies and Hispanic Intellectuals,* Routledge, Londres, 2002. [*La batalla del idioma,* Iberoamericana Editorial Vervuert, Madrid, 2004].

CAPÍTULO 10. UNA PICA (O DOS) EN FLANDES

BARBOUR, VIOLET, *Capitalism in Amsterdam in the 17th Century,* University of Michigan Press, Ann Arbor, 1963.

BOEIJEN, J. C. M., «Een bijzondere Vijand. Spaanse kroniekschrijvers van de Tachtigjarige Oorlog», en *Tussen twee culturen. De Nederlanden en de Iberische wereld 1550-1800,* Nijmegen, 1991.

— *Calendar of State Papers Relating to English Affairs in the Archives of Venice: Volume 22, 1629-1632,* Londres, 1919.

COENEN, LILY, *The Image of Spain in Dutch travel writing (1860-1960),* BOXPress, Bolduque, 2013.

GARCÍA GARCÍA, BERNARDO JOSÉ (dir.), *La imagen de la guerra en el arte de los antiguos Países Bajos,* Editorial Complutense, Madrid, 2006.

GUTHRIE, WILLIAM P., *The Later Thirty Years War. From the Battle of Wittstock to the Treaty of Westphalia,* Praeger, Westport, 2003. [*Batallas de la Guerra de los Treinta Años. Segundo periodo, De Wittstock a la Paz de Westfalia, 1638-1648,* trad. de Hugo A. Cañete, Salamina, Málaga, 2017].

HERRERO SÁNCHEZ, MANUEL, *El acercamiento hispano-neerlandés (1648-1678),* Consejo Superior de Investigaciones Científicas (CSIC) Madrid, 2000.

ISRAEL, JONATHAN, *The Dutch Republic and the Hispanic World 1606-1661,* Clarendon Press, Oxford, 1982. [*La república holandesa y el mundo hispánico, 1606-1661,* trad. de Pedro Villena, Nerea, Madrid, 1997].

LONCHAY, HENRI, CUVELIER, JOSEPH y LEFEVRE, JOSEPH, *Correspondance de la Cour d'Espagne sur les affaires des Pays Bas au XVIIe siècle,* vol. 2, Librairie Kiessling et Cie, Bruselas, 1927.

MOTLEY, JOHN L., *The Rise of the Dutch Republic,* George Allen & Company, Londres, 1912.

PARKER, GEOFFREY, *The Army of Flanders and the Spanish Road, 1567-1659: The Logistics of Spanish Victory and Defeat in the Low Countries' Wars,* 2.ª ed., Cambridge University Press, Cambridge, 2004. [*El ejército de Flandes y el camino español, 1567-1659: la logística de la victoria y derrota de España en las guerras de los Países Bajos,* trad. de Felipe Ruiz Martín, RBA, Barcelona, 2006].

RODRÍGUEZ PÉREZ, YOLANDA, *The Dutch Revolt through Spanish Eyes,* Peter Lang, Berna, 2008.

RODRÍGUEZ VILLA, ANTONIO, *Ambrosio Spinola, primer marqués de los Balbases,* Fortanet, Madrid, 1904.

CAPÍTULO 11. PIRATAS EN ALTA MAR

ANDREWS, KENNETH R., *Trade, Plunder and Settlement. Maritime Enterprise and the Genesis of the British Empire, 1480-1630,* Cambridge University Press, Cambridge, 1984.

ARAÚZ, CELESTINO A., *El contrabando holandés en el Caribe durante la primera mitad del siglo XVIII,* 2 vols., Academia Nacional de la Historia, Caracas, 1984.

BELTRÁN, MARIELA y AGUADO, CAROLINA, *La última batalla de Blas de Lezo,* Edaf, Madrid, 2018.

GIBELLINI, CECILIA, *L' immagine di Lepanto. La celebrazione della vittoria nella letteratura e nell'arte veneziana del Cinquecento,* Marsilio, Venecia, 2008.

JAMIESON, ALAN G., *Lords of the Sea. A History of the Barbary Corsairs,* Reaktion Books, Londres, 2012.

KELSEY, HARRY, *Sir Francis Drake. The Queen's Pirate,* Yale University Press, Yale, 1998. [*Sir Francis Drake: el pirata de la Reina,* trad. de Aurora Alcaraz, Ariel, Barcelona, 2002].

LANE, K. E., *Pillaging the Empire: Piracy in the Americas, 1500-1750,* M. E. Sharpe, Londres, 1998.

LUCENA SALMORAL, MANUEL, *Piratas, corsarios, bucaneros y filibusteros,* Síntesis, Madrid, 2010.

LUNSFORD, VIRGINIA W., *Piracy and Privateering in the Golden Age Netherlands,* Palgrave Macmillan, Nueva York, 2005.

MARCHENA, JUAN, «Sin temor de rey ni de Dios», en MARCHENA, J. y KUETHE, A. (dirs.), *Soldados del rey. El ejercito borbónico en América Colonial en vísperas de la independencia,* Universitat Jaume I, Castellón, 2005.

OGELSBY, J. C. M., «Spain's Havana squadron and the preservation of the balance of power in the Caribbean, 1740-1748», *Hispanic American Historical Reviews,* 69: 3, 1969.

OTERO LANA, E., *Los corsarios españoles durante la decadencia de los Austrias,* Instituto de Estudios Bercianos, Madrid, 1992.

PADFIELD, PETER, *Tide of Empires. Decisive Naval Campaigns in the Rise of the West,* 2 vols., Routledge Kegan & Paul, Londres, 1982.

PATTON, ROBERT H., *Patriot Pirates: The Privateer War for Freedom and Fortune in the American Revolution,* Vintage, Nueva York, 2009.

RAMÍREZ, LUZ ELENA, «Imagining Victory in Cartagena, 1741: Admiral Vernon vs the One-armed, Onelegged, One-eyed Admiral Blas de Lezo», Pacific Coast Conference on British Studies, marzo de 2018.

RODGER, N. A. M., «The Drake-Norris expedition: English naval strategy in the sixteenth century», *MILITARIA. Revista de Cultura Militar,* núm. 8, Madrid, 1996.

SERRANO ÁLVAREZ, JOSÉ MANUEL, «El éxito en la escasez. La defensa de Cartagena de Indias en 1741», *Vegueta. Anuario de la Facultad de Geografía e Historia*, núm. 16, 2016, págs. 359-383.

STRADLING, R. A., *The Armada of Flanders. Spanish Maritime Policy and European War, 1568-1668,* Cambridge University Press, Cambridge, 1992. [*La armada de Flandes: política naval española y guerra europea, 1568-1668,* trad. de Pepa Linares, Cátedra, Madrid, 1992].

VILÀ Y TOMÀS, LARA, «Épica e Imperio. Imitación virgiliana y propaganda política en la épica española del siglo XVI» (tesis inédita de la Facultad de Filología, Universidad Autónoma de Barcelona, 2001 [en línea] Disponible en: https://www.tesisenred.net/handle/10803/4862#page=1 [último acceso: diciembre de 2016].

WINGFIELD, ANTHONY, *A True Coppie of a Discourse written by a Gentleman, Employed in the Late Voyage of Spaine and Portingale,* Thomas Woodcock, Londres, 1589.

WODDA, AIMEE, «Piracy in the Colonial Era», en ALBANESE, JAY S. (dir.), *The Encyclopedia of Criminology and Criminal Justice,* John Wiley & Sons, Nueva York, 2014.

CAPÍTULO 12. LEYENDAS NEGRAS

BRAUDEL, FERNAND, *La Méditerranée et le monde méditerranéen à l'époque de Philippe II,* Armand Colin, París, 1949. [*El Mediterráneo y el mundo mediterráneo en la época de Felipe II,* traducción de Mario Monteforte Toledo, Wenceslao Roces y Vicente Simón, Fondo de Cultura Económica, México, 1980].

CARBIA, RÓMULO, *Historia de la leyenda negra hispano-americana,* Centro de Estudios Hispánicos e Iberoamericanos, Madrid, 2004. [Publicado por primera vez en Buenos Aires en 1943].

EAMON, WILLIAM, «Spanish Science in the Age of the New», en KALLENDORF, HILAIRE (dir.), *A Companion to the Spanish Renaissance,* Brill, Leiden, 2019.

EDELMAYER, FRIEDRICH, «The "Leyenda Negra" and the Circulation of Anti-Catholic and Anti-Spanish Prejudices»/«Die Leyenda Negra und die Zirkulation anti-katolisch-antispanischer Vorurteile», *Europäische Geschichte Online*. Disponible en: http://ieg-ego.eu/en/threads/models-and-stereotypes/the-spanish-century/friedrich-edelmayer-the-leyenda-negra-and-the-circulation-of-anti-catholic-and-anti-spanish-prejudices [última consulta: septiembre de 2018].

EGIDO, TEÓFANES, *Sátiras políticas de la España Moderna*, Alianza Editorial, Madrid, 1973.

FUCHS, BARBARA, *The Poetics of Piracy: Emulating Spain in English Literature*, University of Pennsylvania Press, Filadelfia, 2013.

JUDERÍAS, JULIÁN, *La leyenda negra y la verdad histórica*, [s. n.], Madrid, 1914.

MENÉNDEZ PELAYO, RAMÓN, *La ciencia española*, 3 vols., I, 84 (vols. 58-60 de la Edición Nacional de las Obras Completas), Consejo Superior de Investigaciones Científicas (CSIC), Santander, 1953.

NAVARRO BROTÓNS, VÍCTOR y EAMON, WILLIAM, «Spain and the Scientific Revolution: Historiographical Questions and Conjectures», en *Más allá de la leyenda negra. España y la revolución científica*, Instituto de Historia de la Ciencia y Documentación, Valencia, 2007.

PHILLIPS, PAMELA, «Street Scenes: Foreign Travelers in Madrid, (1825-1850)», *Hispanic Review*, 72, núm. 3, verano de 2004.

RODRÍGUEZ PÉREZ, YOLANDA y SÁNCHEZ JÍMENEZ, ANTONIO, «Las claves de la leyenda negra», en *España ante sus críticos: las claves de la leyenda negra*, Iberoamericana, Madrid, 2015.

SAGLIA, DIEGO, *Poetic Castles in Spain: British Romanticism and Figurations of Iberia*, Rodopi, Ámsterdam, 2000.

SÁNCHEZ JIMÉNEZ, ANTONIO, *Leyenda Negra: La batalla sobre la imagen de España en tiempos de Lope de Vega*, Cátedra, Madrid, 2016.

SÁNCHEZ, MARK G., *Anti-Spanish Sentiment in English Literary and Political Writing 1553-1603*, tesis doctoral, Universidad de Leeds, 2004 [*on-line*] Disponible en: http://etheses.whiterose.ac.uk/392/1/uk_bl_ethos_414874.pdf [último acceso: abril de 2016].

SCHMIDT, BERNHARD, *El problema español de Quevedo a Manuel Azaña*, trad. de Carlos y Bárbara Sánchez-Rodrigo, Cuadernos para el Diálogo, Madrid, 1976.

VILLANUEVA, JESÚS, *Leyenda negra. Una polémica nacionalista en la España del siglo XX,* Los Libros de la Catarata, Madrid, 2011.

CAPÍTULO 13. UN PUEBLO CATÓLICO

BORGES, PEDRO, *El envío de misioneros a América durante la época española,* Universidad Pontificia, Salamanca, 1977.

CALLAHAN, WILLIAM J., *Church, Politics and Society in Spain, 1750-1874,* Harvard University Press, Cambridge (Massachusetts), 1984. [*Iglesia, poder y sociedad en España, 1750-1874,* trad. de Ángel Luis Alfaro y Jesús Izquierdo, Nerea, Madrid, 1989].

CHRISTIAN JR., WILLIAM A., *Local Religion in Sixteenth-century Spain,* Princeton University Press, Princeton, 1981. [*Religiosidad local en la España de Felipe II,* trad. de Javier Calzada y José Luis Gil Aristu, Nerea, Madrid, 1991].

FERNÁNDEZ GARCÍA, M. A., *Inquisición, comportamiento y mentalidad en el reino de Granada (1600-1700),* Maracena, Granada, 1989, pág. 247.

GRAHN, LANCE, «"Chicha in the chalice": spiritual conflict in Spanish American mission culture», en GRIFFITHS, NICHOLAS y CERVANTES, FERNANDO (dirs.), *Spiritual encounters. Interactions between Christianity and native religions in colonial America,* University of Nebraska Press, Lincoln, 1999.

JULIÁ, SANTOS, *Historia de las dos Españas,* Taurus, Madrid, 2004.

LA PARRA LÓPEZ, EMILIO y SUÁREZ CORTINA, MANUEL (dirs.), *El anticlericalismo español contemporáneo,* Biblioteca Nueva, Madrid, 1998.

SAINZ RODRÍGUEZ, PEDRO, *Evolución de las ideas sobre la decadencia española y otros estudios de crítica literaria,* Rialp, Madrid, 1962. [La primera versión es de 1924].

TEPASKE, JOHN J. (dir.), *Discourse and political reflections on the Kingdoms of Peru,* The University of Oklahoma Press, Norman, 1978.

VOVELLE, MICHEL, *Piété baroque et déchristianisation en Provence au XVIIIe siècle; les attitudes devant la mort d'après les clauses des testaments,* Plon, París, 1973.

Capítulo 14. El imperio como conquista

Aedo y Gallart, D., *Viage, successos y guerras del Infante Cardenal Don Fernando de Austria,* Imprenta del Reyno, Madrid, 1637.

Ávila y Zúñiga, Luis de, *Comentario de la Guerra de Alemania hecha por Carlos V,* Juan Steelsio, Amberes, 1550.

Benito Ruano, Eloy, «La participación extranjera en la guerra de Granada», *Revista de Archivos, Bibliotecas y Museos,* 80, núm. 4, octubre-diciembre de 1977.

Bernal, A. M., *España, proyecto inacabado. Los costes y beneficios del Imperio,* Centro de Estudios Hispánicos e Iberoamericanos, Madrid, 2005.

Bosbach, Franz, *Monarchia Universalis. Ein politischer Leibegriff der frühen Neuzeit,* Vandenhoeck & Ruprecht, Gotinga, 1988.

Brading, David, «Patriotism and the Nation in colonial Spanish America», en Roniger, Luis y Sznajder, Mario, *Constructing collective identities and shaping public spheres,* Sussex Academic Press, Brighton, 1998.

Davis, Elizabeth B., *Myth and Identity in the Epic of Imperial Spain,* University of Missouri Press, Londres, 2000.

Fusi, J. P., *España. La evolución de la identidad nacional,* Temas de Hoy, Madrid, 2000.

García García, B. J. y Álvarez Osorio, A. (dirs.), *La Monarquía de las Naciones: patria, nación y naturaleza en la monarquía de España,* Fundación Carlos de Amberes, Madrid, 2004.

Headley, John M., *Tommaso Campanella and the Transformation of the World,* Princeton University Press, Princeton, 1997.

Kamen, Henry, *Imperio: la forja de España como potencia mundial,* trad. de Amado Diéguez, Aguilar, Madrid, 2003.

Konstam, Angus, *Pavia 1525: The Climax of the Italian Wars,* Osprey Publishing, Oxford, 1996.

López Madera, Gregorio, *Excelencias de la Monarquía y Reyno de España,* Luis Sánchez, Madrid, 1625.

Lynch, John, *Spain 1516-1598: From Nation State to World Empire,* Blackwell, Oxford, 1991. [*Los Austrias, 1516-1598,* trad. de Juan Faci, Crítica, Barcelona, 1992].

MARTÍNEZ RUIZ, ENRIQUE, *Los soldados del rey. Los ejércitos de la Monarquía Hispánica (1480-1700)*, Actas, Madrid, 2008.

MAWSON, STEPHANIE, «Convicts or conquistadores? Spanish soldiers in the seventeenth-century Pacific», *Past and Present*, núm. 232, agosto de 2016.

MENÉNDEZ PIDAL, RAMÓN, «Observaciones críticas sobre las biografías de Fray Bartolomé de las Casas», en JONES, CYRIL A. y PIERCE, FRANK (dirs.), *Actas del Primer Congreso Internacional de Hispanistas: celebrado en Oxford del 6 al 11 de septiembre de 1962*, 1972.

PAGDEN, ANTHONY, *Spanish Imperialism and the Political Imagination*, Yale University Press, New Haven y Londres, 1990. [*El imperialismo español y la imaginación política*, trad. de Jaume Sidera i Plana, Planeta, Barcelona, 1991].

PÉREZ, JOSEPH, *La Révolution des «Comunidades» de Castille (1520-1521)*, Institut d'Etudes Ibériques et Ibero-Américaines de l'Université, Burdeos, 1970. [*La revolución de las comunidades de Castilla (1520-1521)*, trad. de Juan José Faci Lacasta, RBA, Barcelona, 2005].

RABE, HORST (dir.), *Karl V. Politische Korrespondenz. Brieflisten und Register*, 20 vols., Universität Konstanz, Constanza, 1999.

RASSOW, PETER, *Die Kaiser-Idee Karls V dargestellt an der Politik der Jahre 1528-1540. Historische Studien*, núm. 217, Emil Ebering, Berlín, 1932.

SCHMIDT, PEER, *Spanische Universalmonarchie oder «teutsche Libertet». Das spanische imperium in der Propaganda des Dreissigjährigen Krieges*, Steiner, Stuttgart, 2001.

SCOTT DIXON, C., «Charles V and the Historians: some recent German works on the emperor and his reign», *German History*, vol. 21, núm. 1, enero de 2003.

SMITH, ANTHONY D., *National Identity*, University of Nevada Press, Londres, 1991. [*Identidad nacional*, traducción de Adela Despujol Ruiz-Jiménez, Trama, Madrid, 1997].

UCELAY-DA CAL, ENRIC, *El imperialismo catalán. Prat de la Riba, Cambó, D'Ors y la conquista moral de España*, Edhasa, Barcelona, 2003.

Capítulo 15. Una nación inventada

ALBAREDA, JOAQUIM, *La guerra de Sucesión de España (1700-1714),* Crítica, Barcelona, 2010.

KAMEN, HENRY, *España y Cataluña. Historia de una pasión,* trad. de José C. Vales, La Esfera de los Libros, Madrid, 2015.

LLOBERA, JOSEP R., *Foundations of National Identity: from Catalonia to Europe,* Berghahn Books, Nueva York, 2004.

MARFANY, JOAN-LLUÍS, *La llengua maltractada. El castellà i el català a Catalunya del segle XVI al segle XIX,* Empúries, Barcelona, 2001.

— *Nacionalisme espanyol i catalanitat (1789-1859). Cap a una revisió de la Renaixença,* Edicions 62, Barcelona, 2017.

MAR-MOLINERO, CLARE y SMITH, ANGEL, *Nationalism and the Nation in the Iberian Peninsula. Competing and Conflicting Identities,* Berg, Oxford, 1996.

MILLER, DAVID, *On Nationality,* Oxford University Press, Oxford, 1995. [*Sobre la nacionalidad: autodeterminación y pluralismo,* trad. de Ángel Rivero, Paidós Ibérica, Barcelona, 1997].

PELLISTRANDI, BENOÎT, *Le labyrinthe catalán,* Desclée De Brouwer, París, 2019.

UCELAY-DA CAL, ENRIC, *Breve historia del separatismo catalán,* Ediciones B, Barcelona, 2018.

Capítulo 16. El mito de la decadencia perpetua

CÁNOVAS DEL CASTILLO, ANTONIO, *Historia de la decadencia de España desde el advenimiento de Felipe III al trono hasta la muerte de Carlos II,* Librería Gutenberg de José Ruiz, Madrid, 1910.

GARCÍA DE CORTÁZAR, FERNANDO, *Los mitos de la historia de España,* Booket, Barcelona, 2005.

GUTIÉRREZ, ASENSIO, *La France et les français dans la littérature espagnole. Un aspect de la xénophobie en Espagne (1598-1665),* Publications de l'Université, Saint Étienne, 1977.

LOCKHART, JAMES y OTTE, ENRIQUE (dirs.), *Letters and People of the Spanish Indies: The Sixteenth Century,* Cambridge University Press, Cambridge, 1976.

Mestre Sanchís, Antonio, *Apología y crítica de España en el siglo XVIII,* Marcial Pons, Madrid, 2003.

Sánchez Ron, J. M., «Más allá del laboratorio: Cajal y el regeneracionismo a través de la ciencia», en *1898: Entre la crisi d'identitat i la modernització,* Publicacions de l'Abadia de Montserrat, Montserrat, 2000.

Sarrailh, Jean, *L'Espagne éclairée de la seconde moitié du XVIIIè siècle,* [s. n.], París, 1954. [*La España ilustrada de la segunda mitad del siglo XVIII,* traducción de Antonio Alatorre, Fondo de Cultura Económica, México, D. F., 1979].

Sempere y Guarinos, Juan, *Considérations sur les causes de la grandeur et de la décadence de la monarchie espagnole,* 2 vols., Jules Renouard, París, 1826. [*Consideraciones sobre las causas de la grandeza y de la decadencia de la monarquía española,* trad. de Juan Rico Giménez, Instituto de Cultura «Juan Gil-Albert», Alicante, 1998].

Capítulo 17. Una nación heroica

Butrón Prida, Gonzalo y Saldaña Fernández, José, «La historiografía reciente de la Guerra de la Independencia», *Mélanges de la Casa de Vélazquez,* 38: 1, 2008.

Castells, I., Espigado, G. y Romeo, M. C., «Heroínas para la patria, madres para la nación: mujeres en pie de guerra», en *Heroínas y patriotas. Mujeres de 1808,* Cátedra, Madrid, 2009.

Esdaile, Charles, *Peninsular Eyewitnesses: the experience of War in Spain and Portugal 1808-1813,* Pen & Sword Military, Barnsley, 2008.

— *The Peninsular War: a new History,* Palgrave Macmillan, Nueva York, 2003. [*La Guerra de la Independencia: una nueva historia,* trad. de Alberto Clavería, Crítica, Barcelona, 2003].

Fraser, Ronald, *Napoleon's Cursed War: Popular Resistance in the Spanish Peninsular War, 1808-1814,* Verso, Londres, 2008.

García Cárcel, Ricardo, *El sueño de la nación indomable. Los mitos de la guerra de la independencia,* Temas de Hoy, Madrid, 2007.

HUTCHINSON, JOHN, «Warfare, Remembrance and National Identi-
ty», en LEOUSSI, A. S. y GROSBY, S. (dirs.), *Nationalism and Eth-
nosymbolism. History, Culture and Ethnicity in the Formation of
Nations,* Edinburgh University Press, Edimburgo, 2007.
— *Nationalism and War,* Oxford University Press, Oxford, 2017.
PÉREZ VEJO, TOMÁS, *España imaginada. Historia de la invención de
una nación,* Galaxia Gutenberg, Barcelona, 2015.
REYERO, CARLOS, *La escultura conmemorativa en España. La edad de
oro del monumento público, 1820-1914,* Cátedra, Madrid, 1999.
SEPÚLVEDA, ISIDRO, *Gibraltar: la razón y la fuerza,* Alianza Editorial,
Madrid, 2004.
SMITH, ANTHONY D., «War and ethnicity: the role of warfare in the
formation, self images, and cohesion of ethnic communities»,
Ethnic and Racial Studies, 4 (4), 1981.
TORRECILLA, JESÚS, *España al revés. Los mitos del pensamiento pro-
gresista (1790-1840),* Marcial Pons, Madrid, 2016.

CAPÍTULO 18. EXILIO Y CREACIÓN

ALTMAN, IDA y HORN, JAMES, *«To make America». European Emigra-
tion in the Early Modern Period,* University of California Press,
Berkeley, 1992.
ARMAS WILSON, DIANA DE, «The matter of America», en BROWNLEE,
MARINA S. y GUMBRECHT, HANS ULRICH (dirs.), *Cultural autho-
rity in Golden Age Spain,* The Johns Hopkins University Press,
Baltimore, 1995.
— *Historia General de la Emigración española a Iberoamérica,* 2 vols.
Madrid, 1992.
KENNY, MICHAEL, «"Which Spain?" The conservation of regionalism
among Spanish emigrants and exiles», *Iberian Studies,* V, 2, 1976.
KERSHEN, ANNE J. (dir.), *Food in the Migrant Experience,* Ashgate,
Aldershot, 2002.
NUGENT, WALTER, *Crossings. The Great Transatlantic Migrations,
1870-1914,* Indiana University Press, Bloomington, 1992.
RAMÓN Y CAJAL, SANTIAGO, *Reglas y consejos sobre la investigación
biológica. Los tónicos de la voluntad,* [s. n.], Madrid, 1897.

SÁNCHEZ ALONSO, BLANCA, *Las causas de la emigración española 1880-1930,* Alianza Editorial, Madrid, 1995.

VIVES, J. L., *Obras completas,* 2 vols., Aguilar, Madrid, 1948.

CAPÍTULO 19. SUEÑO DE REYES

BOUZA, FERNANDO, «La majestad de Felipe II. Construcción del mito real», en MARTÍNEZ, J. (dir.), *La Corte de Felipe II,* Alianza, Madrid, 1994.

DUQUE, FÉLIX, «Spain, the Nation that doesn't Exist», *Res Publica. Revista de Historia de las Ideas Políticas,* vol. 17, núm. 1, 2014.

EIRE, CARLOS M., *From Madrid to Purgatory. The Art and Craft of Dying in Sixteenth-Century Spain,* Cambridge University Press, Cambridge, 1995.

KAMEN, HENRY, *Reyes de España,* trad. de Isabel Murillo, La Esfera de los Libros, Madrid, 2017.

MÍNGUEZ, VÍCTOR, «La iconografía del Poder: Fernando VII y José I», en RAMOS SANTANA, ALBERTO y ROMERO FERRER, ALBERTO, *1808-1812, los emblemas de la libertad,* Universidad de Cádiz, Cádiz, 2009.

PAYNE, STANLEY G., *The Collapse of the Spanish Republic, 1933-1936. Origins of the Civil War,* Yale University Press, New Haven y Londres, 2006. [*El colapso de la República: los orígenes de la Guerra Civil (1933-1936),* trad. de María Pilar López Pérez, La Esfera de los Libros, Madrid, 2005].

RUIZ, TEÓFILO, «Unsacred Monarchy. The Kings of Castile in the Late Middle Ages», en *The City and the Realm: Burgos and Castile 1080-1492,* Variorum, Aldershot 1992.

ÍNDICE ONOMÁSTICO

Servet, Miguel: 458, 459.
Seton-Watson, Hugh: 122, 381.
Sevilla, Susana de: 135.
Silva, Juan de: 314, 390.
Smith, Anthony: 340.
Snayers, Peter: 249.
Soranzo, Francesco: 149.
Sorolla, Joaquín: 444.
Sotelo, Ignacio: 157.
Soto, Pedro de: 159.
Soult, Jean-de-Dieu: 429.
Southey, Robert: 365.
Spengler, Oswald: 390.
Spínola, Ambrosio: 244-250, 277, 363, 366.
Spínola, familia: 244.
Suárez, Francisco: 470.
Suárez de Figueroa, Cristóbal: 186.
Suárez Fernández, Luis: 407.
Suchodolski, January: 438.
Susán, Diego de: 135.

Tácito, Cornelio: 19.
Talavera, Hernando de: 211, 213.
Tendilla, conde de: 72.
Teresa de Jesús, santa: 318.
Tessé, René de Froulay de: 416.
Tintoretto (Jacopo Comin): 265.
Tiziano: 265.
Toledo, arzobispo de. *Véase* Jiménez de Rada, Rodrigo.
Tolstói, León: 13, 110.
Toreno, conde de: 432.
Torra, Quim: 205, 384.
Tour d'Auvergne-Bouillon, Enrique de la. *Véase* Turenne, Enrique de.

Tovar, Antonio: 352.
Toynbee, Arnold J.: 390.
Túbal: 86.
Tudor, dinastía de los: 314.
Turenne, Enrique de: 255.
Tusell, Javier: 480.

Ugarte de Hermosa, Francisco: 339, 342.
Ulcurrun, Miguel de: 361.
Ulloa, Alfonso: 239.
Ulloa, Alonso de: 294.
Ulloa, Antonio de: 332.
Unamuno, Miguel de: 192, 207, 211, 229, 230, 403, 404, 478.

Valdeón, Julio: 82.
Valdés, Fernando de: 143.
Valdés, Juan de: 219, 458.
Valdivia, Pedro de: 170.
Valera, Juan: 103, 399, 463.
Valla, Lorenzo: 213.
Valle-Inclán, Ramón María del: 192.
Vargas, Diego de: 188.
Vargas Machuca, Bernardo: 173.
Vega, Garcilaso de la: 312.
Velázquez, Diego: 244, 245, 248-251, 257, 365, 438.
Vera y Estaca, Alejo: 24, 31.
Vergara, Juan de: 463.
Vernon, Edward: 281-284.
Veronese, Paolo: 265.
Vicellio, Tiziano. *Véase* Tiziano.
Vicentino, Andrea: 265.
Vico, Giambattista: 110.
Vidal y Barraquer, Francisco: 334.
Villadarias, marqués de: 416.